▲ 1948年的全家福，前排中为六岁刘心武。《四牌楼》是刘氏及相关人士的"真事隐、假语存"

写作《四牌楼》时期的刘心武 ▼

▲ 北京东四牌楼历史照片

小說界文庫 ● 長篇系列　XIAOSHUOJIE WENKU

四牌樓

劉心武 著

SIPAILOU

上海文藝出版社

對清白靈魂的大拷問　　對芸芸眾生的大悲憫

對離合生死的大徹悟　　對極左路綫的大控訴

XSTWK

●上海文藝出版社

▲ 长篇小说《四牌楼》（1993年）初版封面

刘心武文存2

[1958-2010]

长篇小说 第二卷

四牌楼

刘心武◎著

江苏人民出版社

图书在版编目（CIP）数据

四牌楼／刘心武著. —南京：江苏人民出版社，
2012.11

（刘心武文存；2. 长篇小说. 第2卷）
ISBN 978-7-214-08101-8

Ⅰ.①四 … Ⅱ.①刘… Ⅲ.①长篇小说－中国－当代
Ⅳ.①I247.5

中国版本图书馆CIP数据核字（2012）第072999号

书　　　名	四牌楼
著　　　者	刘心武
责 任 编 辑	刘　焱
统 筹 编 辑	李　丹
特 约 编 辑	朱　鸿
文 字 校 对	陈晓丹　郭慧红
装 帧 设 计	门乃婷工作室
出 版 发 行	凤凰出版传媒股份有限公司
	江苏人民出版社
出版社地址	南京湖南路1号A楼　邮编：210009
出版社网址	http://www.book-wind.com
经　　　销	凤凰出版传媒股份有限公司
印　　　刷	三河市金元印装有限公司
开　　　本	700毫米×1000毫米　1/16
印　　　张	24.5
字　　　数	384千字
彩　　　插	4
版　　　次	2012年11月第1版　2012年11月第1次印刷
标 准 书 号	ISBN 978-7-214-08101-8
定　　　价	52.00元

（江苏人民出版社图书凡印装错误可向本社调换）

《刘心武文存》出版说明

　　《刘心武文存》收录刘心武自 1958 年 16 岁至 2010 年 68 岁公开发表的文字约 900 万字。《文存》共 40 卷，按文章门类收录，计有长篇小说 5 卷、中篇小说 4 卷、短篇小说 5 卷、小小说 1 卷、儿童文学 1 卷、建筑评论 2 卷、《红楼梦》研究 4 卷、散文随笔 11 卷、杂文 1 卷、海外游记 1 卷、多品种（图文交融文本、报告文学、诗歌、剧本、足球评论、译述）1 卷、创作谈 1 卷、理论批评 1 卷、早期（1958 年至 1976 年）作品 1 卷、自述 1 卷。因跨越时间达半个世纪以上，收录定有遗漏，但其此期间的主要作品，相信均已收入。

　　《刘心武文存》各卷均附有《刘心武文学活动大事记》及《刘心武著作书目》，可备检索。

　　编辑出版《刘心武文存》的目的，意在供各方面人士阅读欣赏、分析研究、批评批判、收藏保存。

忽念及当日
所有之女子……

——曹雪芹：《红楼梦》

　　能够把感情和理智调整得那么适当，命运不能把他玩
弄于指掌之间，那样的人是有福的……

——莎士比亚：《哈姆莱特》

刘心武文存

02

———

目录

第 一 章 · 001

第 二 章 · 008

第 三 章 · 019

第 四 章 · 035

第 五 章 · 050

第 六 章 · 061

第 七 章 · 078

第 八 章 · 098

第 九 章 · 124

第 十 章 · 146

刘心武文存

02

——

目录

第十一章 · 186

第十二章 · 199

第十三章 · 227

第十四章 · 265

第十五章 · 293

第十六章 · 311

附录一　刘心武文学活动大事记 · 354

附录二　刘心武著作书目 · 363

第一章

1

他不知道自己在等什么。

2

他很早就对一个人说过："我要写一本小说。"那人问："什么名儿？"他说："《阿姐》。"那人很觉无味："阿——姐——？"

那人是他的初中同学。当时他们已上到初三。在中学里他有过许多玩得很好的朋友。奇怪的是他并没有向玩得很好的朋友讲起这个念头。他不想轻易吐露出这个念头，却不知为何有一天突然向那同学暴露了。那同学大他两岁，他们并不怎么交往。不知怎么的，有一天，他到那同学家里去了，他就讲到他要写一本小说，一本名儿叫《阿姐》的小说。

那同学不仅岁数比他大，个头比他高，脸庞也比他宽，眼神更比他老成，望去不像是个初中生，倒像个早已参加工作的干部。记得那天那同学穿着一件显然是父辈留下的旧人字呢大衣，散发出一种樟脑丸和霉菌混合的怪味。那怪味仿佛一直飘散到今天，使他一回想起来就觉得诧异。

3

他后来成为了一个作家。他发表了好多作品，出版了好多书。却一直并没有写出一篇更没有一本叫《阿姐》的作品。他一直没有写。

但那关于《阿姐》的念头，一直没有消失，非但没有消失，还随着岁月隐隐地裂变着，犹如癌细胞，唯他自知。多少次他铺开纸、提起笔，想写《阿姐》，却总连题目也落不下，仿佛一位查实症结的患者，总不能接受外科手术，断然切下那已然膨胀到不堪状态的肿瘤。

4

也许是因为不忍心。

……记忆之中，总记得那个镜头：放学回家，在外屋扔下了书包，要到里屋去——去做什么？取什么东西？不复记忆，也无须记忆——总之，就在从外屋往里屋运动的刹那，看见阿姐同达野哥面对面，都倚着里屋的五斗橱——那旧式的五斗橱不太高，达野哥恰可将一只胳膊曲放在上面——他俩默默地对望着，仿佛一幅画，或电影里的一个镜头，令我吃惊，令我好奇，亦使我经受到一种莫名的震撼。

尽管我是一个活生生的存在，他们却全然置我于不顾，我于他们形同乌有，当我做完我的事，可能是取完一样什么东西，走出里屋，再扭头朝他们望去时，他们仍那样一种姿势，默默地对望着。

那时我还是一个小学生，具体地说，是小学六年级学生，即将小学毕业，马上就要投考中学。

阿姐和达野哥当时是高中三年级学生，即将中学毕业，他们应该去投考大学。

5

他有三个哥哥，却只有一个姐姐，三个哥哥他称做大哥、二哥、小哥，姐姐因无可比性，所以叫做阿姐。

阿姐比他大8岁。显然，他们的父母生下阿姐后即决定"STOP"，但那时没有什么先进的避孕手段，后来母亲又怀了孕，从江湖医生那里弄来了堕胎药，成功地打下了一胎。不料到怀上他以后，同样的药不灵，别样的药也不灵，总是一吃进去，过不了多久便大吐特吐，直到吐出酸水、清水以至干呕，据母亲后来承认，最无可奈何时，甚至想爬到五斗橱上，奋力地跳将下来，以造成恶性小产，但终于没有那样做，也便终于生下了他。

6

他上到初三的时候，便起意写《阿姐》，但那时倘若铺纸伸笔，究竟又有什么好写呢？

写一个美丽而朦胧的印象：在故乡的河道上，阿姐搭乘前面的一只乌篷船，斜跪在船板上，一只胳膊伸得直直的，手掌平撑着船板，短发齐耳，朝这边船上微笑着——他该是在母亲的臂弯里，那时他还没断奶，还不会说话，但阿姐的那一姿势那一笑容，却照相般留在了灵魂的底片上……

写在家里，阿姐同自己的游戏：阿姐在椅子上开了个卖水的铺子，大约有七八只玻璃杯，一只装的是白糖水，一只装的是食盐水，一只装的是酱油水，一只装的是醋水，一只装的是兑进蓝墨水的凉开水，一只装的是兑进红药水的凉开水，一只装的是单纯的白开水……她用废纸剪成些钞票，让他当顾客，一次次地去买她的那些水，没想到他最喜欢买去喝的，是那蓝颜色的水，她涨了好几次价，而他愿尽其所有钞票单买那一杯，阿姐怕他喝它喝出毛病，不卖了，他便硬要买，最后自然是杯跌水覆、不欢而散……晚上，他往尿罐里撒完尿后，阿姐悄悄走过去观察，见尿并非蓝色，这才扭他耳朵一下走开……也无非这些个。或许，再加上阿姐和达野哥的那个镜头。

7

达野哥是个美男子。

达野哥比阿姐高半头还多，他额头很宽，很光润，头发很浓，很黑，眼睛鼻子嘴什么样记不清了，总之望上去很协调，找不出什么缺点。

阿姐算不算美女呢？不知道。从没有人同我就这个问题展开过争鸣。但青春期的阿姐确是青春勃发的。阿姐皮肤黑，瘦，额头有点"崩儿"，两只眼睛却出奇的大，比我们几位兄弟都大，且是双眼皮，当时她还有着两根又粗又长又黑又亮的发辫，所以外号就叫"小辫"，这外号今天听来很不雅，因为今天人们心眼儿活，耳朵眼特会从谐音上听出一种或数种寻常或不寻常的含意，但那时候人们都很单纯，至少阿姐他们那一群高三毕业生就都很单纯，直到阿姐考上大学以后，她和她的那些大学同学们也都很单纯，举个例说，他们当时爱唱各种中国民歌，犹如今日年轻人爱唱港台流行曲，其中有一首云南民歌《小乖乖》，我就听他们唱过，唱得坦然、欢乐而嘹亮，听得连我也能唱，而且一直唱到我上的中学里去，唱进教室；好多年以后，有一天阿姐对我说："'小乖乖'就是情人的意思！当年我们一点儿也不知道，男女同学就那么一起唱！"

可怜的阿姐。她同达野哥眉来眼去时，竟还不懂得他们那就是互为"小乖乖"。

但阿姐和达野哥没有白白度过他们那如花的岁月。他们享受了初恋。

是一个热得天黑净也还不能散热的暑日，阿姐和达野哥要从我家往北海公园去划船。我非跟着去不可。他们说是跟班上的许多同学约好了，一块儿划船。我说那有什么，好多我都认识。他们又说不坐公共汽车去，是穿胡同走过去。我说没关系，就跟着你们走。不知道为什么他们终于还是容忍了我。我懵懵懂懂地跟着他们上了路，他们果然走着去，而且果然穿胡同走过去，有时胡同穿完了是条大街，明明顺大街走更方便，他们却还穿胡同，穿来穿去的，把我都穿糊涂了。他们俩只顾在前头走，边走边聊，把我甩在后面，我想有好长一阵子他们根本把我忘记了。不过终于到达北海公园门前时，人家已经开始净园，进不去了，他们转身看见了我，阿姐说："你坐车回家吧！"达野哥给了我车票钱。我腿都走酸了，赶紧去坐公共汽车。阿姐很晚很晚才回到家里。我被妈妈的责问声惊醒。阿姐对妈妈的责问应付得不错，记不得她怎么解释，总之妈妈很快释然。很久很久以后，我问过阿姐："你们那晚上究竟又到哪儿去了？"阿姐说："没到哪儿，就是他送我回家。""送你回家能到半夜？""傻瓜！当然是送到院门外，又往回走，走到北海公园，再送……你怎么连这个都不懂！"

达野哥不是名叫达野，而是姓达野，这是个很生僻的复姓，所以爸爸妈妈都曾断定达野哥不是汉族人，可达野哥说也许祖上不是，不过从他爷爷起，就不认为自己同汉族人有什么两样了。

8

他没有考上一所好的中学。事后阿姐跟他说，她早知道他没考上志愿表上所填的那些好的和较好的中学，因为她让达野哥替她去查过——达野哥在中学毕业前入了党，并且响应党的号召，不继续升入大学，而是留在中学工作，并且一参加工作便投入了招考事宜，所以能在放榜前就知道他考得如何。父母已为上面的三子一女学业操虑半生，到他这里已无很大精神调教，所以没考上好学校也并不怎样以为然，他自己更浑然不愁，因学校离家较远，须购电车月票搭乘电车上学，这倒使他觉得比到走 10 分钟便可抵达的好学校上学更有趣。

达野哥不仅参与了中学的招考事宜，还在大学招考的考场上当过监考，这使得他在阿姐眼中更有光彩。有一天达野哥对阿姐说："考场上发现了反动学生，书写反动标语！"说时还立即从衣兜里掏出一张揉皱又摊平的"反标"来，递给阿姐看，阿姐仿佛面对一条吐着信子的毒蛇，不敢伸手去接……当时他就在旁边，留下了很深刻的印象。很久以后他回忆起那一景，悟出达野哥一定是在应及时将"反标"上报有关部门之前，故意赶到阿姐身边以示自己的特殊地位和颠扑不破的价值，但细加爬剔，此事的"合理性"即技术性细节却颇难合理，不过那又确是百分之一百的真实——也许，这类的记忆反成为了他后来落笔写下《阿姐》的障碍之一种：他知其然，不知其所以然。

然而，非得写下所以然么？人们已经写下的所以然，都真的所以然了么？

9

记得是在院里的合欢树下，阿姐下的决心。

决心考农学院，学农业机械化专业。

下决心的驱动力很简单。当时有一部苏联——这国已经没有了，简直不可思议——电影，叫《幸福生活》，演的是库班河上的集体农庄的故事，那电影风靡了全中国，影响了整整一代人，作家王蒙的第一部长篇小说《青春万岁》里，就写到因为看了这部电影，所引出的一场风波，后来导演黄蜀芹把《青春万岁》拍成电影，还穿插了当年那个苏联电影《幸福生活》里的镜头，构成戏中戏……那电影把苏联集体农庄的生活拍得让当年观众看去实在是人间的天堂，而给阿姐印象最深的，是影片里的拖拉机、联合收割机等等农业机械的雄姿及其令人艳羡的拖拉机手……

一部电影决定了一个人的一生。这在世界上有了电影以后当然不是头一个也不是最后一个例子。电影史家们为什么不搜集这方面的材料，不对此进行专门的、深入的研究呢？

他记得很清楚，阿姐在合欢树下踱步，穿着一件格子布缝制的布拉吉，两眼闪闪放光。其时夕阳西下，余光斜穿过高高树冠上那些已开始收拢的羽叶，金红的丝状花朵散发出格外浓郁的香气。阿姐并不需要他跟在身边，他却不知趣地仍在阿姐身边转磨。现在回忆起来，阿姐在那个暑期已明显地排斥他乃至厌恶他的"跟屁虫"行为，有一天阿姐横仰在父母的大床上望着天花板上抖动的水射光发愣，他便也凑过去横仰在一旁，不为什么，只出于一种习惯，却惹得阿姐倏地跳起来，跺着脚嚷："你都多大了？！"他扫兴，却懵然不明——不管他多大阿姐多大，阿姐不是永远比他大八岁么？他做错了什么呢？……然而那天，在合欢树下，开头厌烦他的阿姐，却忽然转身正对着他，双手扶在他肩膀上，起誓般地说："我就学农业机械！"

10

《幸福生活》是一部鲜艳五彩的喜剧故事片。里面有多首插曲，如《库班河上风光好》、《从前是这样，现在还是这样》等等，然而其中最脍炙人口的是《红莓花开》，直到1981年作家谌容女士在《收获》杂志上发表她的长篇小说《人到老年》，那里面的角色还在唱着这首歌。

《幸福生活》由当年红极一时的大导演培利耶夫执导，他的妻子拉迪妮娜出演其中的女主角——一位美丽、精明而强悍的女农庄主席，他们夫妇是那个时代苏联喜剧电影的泰斗，夫导妇演，一部接着一部，部部打响，连连走红。他们自然都是斯大林奖金获得者。

1953年，斯大林去世了。

1956年，苏联共产党当时的首脑赫鲁晓夫作了一个秘密报告，对斯大林进行了猛烈攻击。在那个秘密报告里，赫鲁晓夫点了培利耶夫拍的这部电影的名，指控《幸福生活》粉饰生活，是给斯大林拍马屁，是一种最要不得的文艺作品的坏典型。

那以后，培利耶夫倒了霉，《幸福生活》在苏联停映。但一般的中国人怎能知道这些个事？那时候阿姐仍在《幸福生活》所唤起的憧憬中学习着她那农业机械的专业，而王蒙正写着《青春万岁》，完全正面地写到《幸福生活》这部电影，中国大地上仍响彻着"红莓花儿开在夜晚小河旁"的婉转歌声……

电影有电影的命运。

人有人的命运。

电影沉下去了。因为看了它而做出重大抉择的人，是沉是浮，它就不管了。

11

三十几年前他就说过："我要写一本小说，名儿叫《阿姐》。"

三十多年里他却总没有写。看看要提笔了，却又在心里说：等等，再等等。实在，他不知道自己究竟在等什么。

第二章

1

　　把专炖汽锅鸡的云南紫砂锅坐到煤气灶的火眼上，蒋盈波走出厨房，来到大房间里，略微环顾了一下已特意收拾了一番的组合柜、大床、沙发和茶几，便落座在人造革面的单人沙发上，一边织毛衣，一边静候鞠琴和崩龙珍的到来。

　　蒋盈波是一个最不爱与人交往的退休副教授。退休以前课业繁冗、家务烦琐，不在家里待客尚不足怪，退休后她宁愿一人在家中静处而绝不愿有人串门、自己也绝不到别人家走动，便显得有些个怪僻了。然而她一点儿也不觉得自己有什么古怪之处。她这样惯了。

　　这天算是万年不遇的例外——她要在家里接待两位早年中学的同学。

　　双手机械地编结着新旧毛线掺和的衣袖，蒋盈波心里并没有那种等待旧友的激情，非但没有激情，就是温情也仅是时隐时现，淡淡的，飘雾一般。

　　对于她来说，生活已经变得如同一件滞销商品，她习惯于一切方面的折扣，别人支付她时打折扣已令她近于麻木不仁，遇到她付出时，她便也几近于不假思索地打折扣。

　　听到敲门声，她去开门。鞠琴先到。

　　"哎呀，就你们家的门，还这么素净！"进到屋，鞠琴便乐呵呵地说。

　　鞠琴总是乐乐呵呵的。

　　鞠琴好久没来过蒋盈波这里。敲门前鞠琴寻觅过电铃揿钮，不存在，蒋盈波没安电铃，门上也没有安窥视镜，蒋盈波住的是中单元，左右两个单元的邻居都装了铁栅防盗门，漆成宝蓝色，唯独蒋盈波没装，这使鞠琴又一次感到，蒋盈波的日子是越过越凑合了。

蒋盈波住的这个单元很小。如今再盖居民楼不会这样盖了，这座楼是 20 年前的产物。说来辛酸，蒋盈波住进这个单元只是四年前的事，她原来的居住条件比这还差！

蒋盈波这些年来一直不顺。简直什么都不顺。

鞠琴也有种种不顺，但加减乘除一番以后，比蒋盈波还是强上几分。

蒋盈波去给鞠琴冲茶，并宣告有云南汽锅鸡招待。

鞠琴站在这两居室的大间里环顾着。组合柜是最一般化的板式柜，其显露部分也没什么特别的装饰物件，上面最贵重的物品也许就是那台 14 英寸的彩电；蒋盈波亡夫屈晋勇的一张仅 4 英寸大的照片，装在一个简陋的木镜框里，摆放在组合柜的什物架上，旁边有只小小的雕漆瓶，里头插着小小一枝干菊花，那就算是屋里最突出的摆设了。床仍是毫无装饰的木栏挡头床，沙发则是比较低档的人造革沙发，此外的家具无非一只木制床头柜、一只不锈钢支架的木面茶几。组合柜里放书的部位上并没有摆满书。床头柜上堆着一叠晚报。

蒋盈波把茶端来了。家里很少来客人，没准备成套的茶具，蒋盈波把屈晋勇生前用的一只保温杯洗干净了暂供鞠琴使用，另洗出了一只玻璃杯，待崩龙珍来后用。

蒋盈波和鞠琴坐下后对望着。

"哎呀，你可又胖了！"蒋盈波说。

"是吗？！"鞠琴认真起来，"怎么我练了一个月减肥功，还不见瘦？你倒真是比上回看见时候瘦了，你是怎么减下来的？"

"减肥功可不能乱作！还有那个什么'奎科减肥酥'，还有电视上总做广告的那个什么减肥霜，都不能乱吃乱抹！最切实可行的还是一些简易的锻炼方式 ……"蒋盈波说着站起来，去取床头柜上的一个小本，那上头粘贴着许多豆腐块大小的剪报，都是她从晚报上剪下来的，还有一些手记，是听广播时边听边记的，她把那小本子递给鞠琴，让她看某一页某一文，并且自己不再归座，便站在屋子当中，示范起某页某文所介绍的那种简易减肥操的做法来 ……

那便是退休在家的副教授蒋盈波的精神生活和生活乐趣中的主旋律。

2

蒋盈波同鞠琴的关系非同一般。她们不仅仅是老同学。

在离京城相当遥远的四川省，长江和嘉陵江汇合的地方，是山城重庆。当1949年10月1日，北京天安门宣布"中央人民政府成立了"的时候，重庆仍未解放，但那时国民党的高官大都已然飞往台湾，政权机构也已瘫痪乃至自溃，社会一度呈现权力真空状态。在那一年的9月2日，重庆出现了一场大火，后称"九·二大火灾"。据传是国民党特务放的火，去"救火"的"消防队"用水龙头喷出的不是灭火的水而是助火的油，但事实上也很可能是社会的无政府状态下的一场偶然触发而无人收拾的灾难。让修重庆志书的史家们去聚讼那场火灾的成因吧，个人的命运，往往与事件的成因无关，而只决定于事件的结果。结果是烧掉了小半个重庆城，而朝天门码头一带最惨，鞠琴的家便在朝天门码头附近，当第二天鞠琴冒着浓烟和余焰冲进火灾区去寻觅她家的屋子和亲人时，已经无从辨认废墟中的哪一方位是自己的家，她也同另外的寻觅者一样，在估量着是自己家的地方不怕烫手地翻找了一遍，终于没有找到父母的尸体。她不记得自己是如何哭着离开那炼狱般的火场的。

鞠琴的父亲开了一家小小麻绳店，两层的木结构楼，是所谓"吊脚楼"，即楼体的一部分悬在山崖上，用长长的木桩及竹竿撑住悬空的那部分楼板，下店上居；那吊脚楼是绝对经不起回禄光顾的，而麻绳及其原料也都是易燃品，鞠琴后来再加上这样的理性分析：母亲是一双小脚，跑也跑不动，而父亲是绝不甘心弃下惨淡经营多年的麻绳店管自逃生的，况且鞠琴曾偷看过父亲扳开墙壁藏金条的镜头——那用竹子斜编而成涂以泥巴的墙板是有夹层的——父亲倘手忙脚乱地去掏那金条，或收拾别的细软，也是一定会赶不及跑出火区，从而可能不是烧死在家中就是烧死在那一带的什么地方了……

鞠琴上的是在城市另一隅的蜀香中学，那是一家私立中学，学生可以住校，学费颇昂，父母是下了很大决心，才把她送往那所中学上学的，鞠琴清楚，纵然在朝天门一带，她绝非穷人，然而在蜀香中学里，她却是个地地道道的家境贫寒的苦读生。

蒋盈波和鞠琴同宿舍。宿舍里的舍友，以至班上的其他男女同学，还有老师，乃至校长，对鞠琴的遭遇都很同情，但那同情不可能是无限的而只可能是不同程度的有限度的，火灾中遭受变故的学生不止鞠琴一个，而人们心中更萦绕着对于未来的期盼、好奇或迷惘乃至恐惧——生活必将发生比一场火灾更为巨大和猛烈的变化，在大时代的嬗递中，个人的悲剧便化为微不足道的事情了。

鞠琴后来却表示她要感念蒋盈波一辈子，因为她觉得只有蒋盈波一人，似乎是给予了她不打折扣的无限的同情。

蒋盈波却始终并不认领这一功德。

蒋盈波记得，自己当时只不过是挽着鞠琴的胳膊，在操场上一圈又一圈地慢慢走动而已。她记得自己简直并没有说过什么特别的安慰的话，甚而至于她简直什么也没有说。鞠琴后来证实确实如此。留在她印象里的安慰话没有一句出自蒋盈波的口，后来发动了对她的小小的募捐活动，发动者既非蒋盈波，捐得最多的也非蒋盈波。不错，蒋盈波仅只是一连几天挽着她胳膊，同她并肩，默默地在操场上走完一圈再走一圈而已。

也许，人在不幸时，最渴求的一非话语，二非物质援助，而是有个人能挽一下胳膊，并肩默默地前行，哪怕这前行只不过是绕圈子罢了。

3

谁还记得蒋盈波和鞠琴当年的形象呢？

当年她们是少女，身材是苗条的，面容虽并非出类拔萃，却绝对像刚刚张开的花蕾。1950 年元旦后，中国人民解放军开进重庆不久，她们一起去参军，所谓参军，是报考解放军的文工团。她们都被录取了，但后来鞠琴去报了到，蒋盈波却没有去，表层的原因，是她父亲蒋一水被北京新的国家机构调去任职，父母要把她和小哥蒋盈平和弟弟蒋盈海带到北京去继续上学；深层的原因，是蒋盈波自身对唱歌跳舞一类的表演活动并无浓厚的兴趣，去报考文工团，无非是潮流所裹挟，乃至于只不过是陪陪鞠琴罢了。

鞠琴却从那时起成为了一名文工团员，并且后来也到了北京，登上了首都最堂皇的舞台，还几度随团出国演出，尽管她只不过是唱合唱，然而她通体俨然放射出一种"文艺工作者"的大家气派，蒋盈波的弟弟蒋盈海一度对她尊崇备至，而蒋盈波便不止一次地撇嘴说："其实当时人家更愿意录取我！鞠琴有什么嗓子？！"有时蒋盈波会感到自己这种鄙薄未免过分，便补充说："当然啦，鞠琴识谱能力挺强，无论简谱还是五线谱，她拿到手上便能哼哼，所以合唱队里总留着她，而且她能唱中音，中音难找啊，她就凭着女中音声部的特长，一唱唱了好几十年……"

在北京邂逅后，鞠琴常到蒋盈波家去，蒋盈波的父母，便正式把鞠琴认作了干女儿，蒋盈海便叫她琴姐。

岁月像一首正在演唱的歌曲，不管那曲调是欢快还是凄婉，一个个音符出现又消失，不知不觉之间，那人生之歌已唱过大半。现在鞠琴来到蒋盈波家里，两人坐在沙发上，谁也没有回想起当年手挽手在蜀香中学操场上兜大圈的往事，她俩都形象大变，蒋盈波说是减肥生效，但也分明是个没有腰身的半老太婆，皮肤本来就偏黑，如今更显暗淡，只是眼睛还是那么大，也还有神，面颊上也还有红晕；鞠琴保持着往日白细的皮肤，却已发福到略显臃肿的地步，她一直是单眼皮，嘴唇很厚，从未妩媚过，但凡见到她的人直到如今大多觉得她顺眼，这大半并非出于她的相貌而是取决于她的风度，而她的风度的核心便是一种似乎出自天然的乐乐呵呵。

"你这是给谁织呢？嘹嘹还是飒飒？"鞠琴问。

嘹嘹是蒋盈波的儿子，飒飒是女儿。

"他们？"蒋盈波摇头，"自然是给我自己。他们不要，织出来送到他们跟前他们也不要！"

"是呀，现在年轻人时兴买现成的潮衫。你织的什么线？"鞠琴便伸手去摸。

于是两人聊了一会儿毛线，澳毛的优缺点，马海毛的弊端，蝙蝠袖的起针和收针，配色与花样，等等。

"对了，人家给你捎来的毛衣……"蒋盈波一脸怪自己记性不好的表情，站起来去组合柜那里取这天将她们联络到一起的东西。

蒋盈波原来所在的教研室有位副教授去德国参加一个学术活动，活动中结识了一位华裔德籍的同行，那同行在自己家中招待了他一次，言谈之间，双方忽然都感到巧事真多，而世界真小，因为那同行的太太是鞠琴现在爱人的堂妹，曾随丈夫来过中国，在鞠琴家吃过饭，并且那一回鞠琴特请蒋盈波去帮着张罗家宴，那太太对堂嫂鞠琴和蒋盈波都留下了很美好的印象，因此当蒋盈波那位昔日同事回中国时，鞠琴丈夫的堂妹便托他给鞠琴和蒋盈波各捎来一件毛衣，毛衣自然先都放在了蒋盈波这里，蒋盈波便打电话通知鞠琴得便来取。鞠琴接电话时，恰好另一位昔日蜀香中学的同窗崩龙珍在她家中，崩龙珍是最好交际最愿做客的人，便也记下了鞠琴和蒋盈波约定的日子和时间，声言也要凑个热闹。

蒋盈波把两件毛衣都取了出来，毛衣用玻璃纸包着；胶带封着，里面各夹了一张卡片，写明哪件是送给谁的。

送给蒋盈波的那件是鹅黄的。鞠琴问："你怎么还没打开试过？你不喜欢这颜色？太嫩是吗？"

蒋盈波一脸并不领情并不稀罕的表情："她怕是记错了我的年龄，要不就是把你们常嫦记在脑子里当成是我了……"

常嫦是鞠琴的大女儿。

"而且我这件一望而知不是纯毛的……"

鞠琴早习惯了蒋盈波进入中年以后的刻薄与阴冷，她只是拆开取出自己那件抖动着观察着，那是一件黑蓝灰红四种不规则色块构成的新潮衫，从领口处的布签可以看出，只有30%的羊毛成分，其余是化纤和尼龙一类的成分，她呵呵地笑着说："我穿上倒挺风流的哩！"

"你试试吧，说不定不够肥大，你穿上会箍在身上！"

"不，不会。"鞠琴把那毛衣又叠起来，装回玻璃纸口袋里。

"给常嫦穿？"

"她呀，她也别穿，"鞠琴坦率地说，"这西洋潮衫来得正好，正愁不知送人家什么才好哩——你知道常嫦联系出国，全亏了原来教她的一位教授帮忙，这毛衣得送给教授夫人……"

"只是你别把来路说得那么清楚，"蒋盈波一边坐回沙发去打毛线，一边扫着鞠琴的兴致说，"要不那教授和他的太太会纳闷了，你有亲戚在国外，怎么你亲戚不帮你联系，反倒求他联系？"

这在鞠琴来说确是一桩有难言之隐的事。但鞠琴不接蒋盈波的话茬。她如果不是真的也是极其成功地表现得毫不在意和没心没肺，她也坐回到沙发上，转而问："你那件你不喜欢，就让飒飒穿去吧！"

蒋盈波停下编织数针数。现在轮到她被触及难言之隐。

厨房里传来汽锅的锅盖跳动声，一阵浓郁的鸡汤香味飘了过来。蒋盈波跳起来去厨房处理汽锅。鞠琴呷了一口茶，心里觉得那汽锅鸡的香气毕竟弥补着蒋盈波刚才流露出的尖刻与阴冷。

有人用力地敲门。不消说，是崩龙珍来了。

4

直到吐出一桌子的鸡骨头，三位年过半百还多的昔日女同窗的难得一聚，还未呈现出一点诗意。

她们谁也没有谈及当年在蜀香中学的往事，尽管那些往事中有许许多多简直就是活的青春诗篇。

她们谁也没有谈及 50 年代初期她们在北京相聚的种种情景，那时候鞠琴认蒋盈波父母为干爹干妈自然逢假必去蒋家，崩龙珍在西郊一所大学毕业后当助教时也常去，蒋盈波和鞠琴也去西郊那所大学找过崩龙珍，她们也一同游过颐和园，登过香山，那些年月里她们之间仅仅就吐露各自恋情的种种絮语，便已是一串串芬芳的诗句。

她们后来的遭际很不相同。大的关节互相都清楚。但她们那天直到吃完一锅鸡肉喝干鸡汤也都不去碰那些往事。

近事她们几乎也不谈。

蒋盈波丧偶才一年出头。崩龙珍夫妻康健和美；鞠琴十年前丧偶，两年前重结良缘，现在的老伴是一位以前未曾有过婚史的高级工程师；崩龙珍和鞠琴都尽量避免谈及自己的爱人，也尽量回避提及蒋盈波的亡夫屈晋勇——尽管她们对他都很熟悉；当然也绝不会愚蠢地提出蒋盈波今后是一个人过到底还是再找个老伴的问题来加以讨论，那无论如何还为时过早。

蒋盈波已经退休。校方没有返聘，她的那个专业一时也难以找到对口的生财之路。而崩龙珍虽然也是退休的副教授，却已谋到了一个乡镇企业顾问的美差，收入颇丰。鞠琴因为一辈子献给了文工团的合唱事业，没得着什么高级职称，但退休后她仍参加老战士合唱团的活动，外快虽然没有，事业却仿佛还在继续，心理上有一种充实感。既是这么个状况，崩龙珍和鞠琴在蒋盈波面前也便不聊各自的有关活动，并且也不问蒋盈波日常起居以外的事。

崩龙珍的儿子已经到美国自费留学，女儿留在北京，职业也不错。鞠琴的两个女儿大的正办着出国的手续，小的在文物商店当售货员收入也不菲薄。但蒋盈波的儿子和闺女都还跟出国的事不搭界，职业似乎也不理想。因此崩龙珍和鞠琴也尽量不提子女前途的话题。

崩龙珍的丈夫现在已升到局级职位，住在四室一厅的大单元里。鞠琴也住着三室一厅的单元。唯独蒋盈波还住在这么个陈旧的小二居里面，丈夫屈晋勇活着时，儿女都大了，兄妹不便合居一室，便只好"合并同类项"，父子合住一间，母女合睡一床，造成许多家庭纠纷，甚至于屈晋勇的中风早逝，空间狭窄也是诱因之一，蒋盈波和屈晋勇都是工作多年的国家干部，住房问题多年解决不好，此事说来话长，即使屈晋勇去世，蒋盈波和儿子嘹嘹女儿飒飒的居住状况仍远逊于一般的小康之家，因而尽管崩龙珍和鞠琴同蒋盈波挤坐在狭小的门厅里吃汽锅鸡大感局促，却也只是赞美着鸡肉鸡汤的味道而刻意回避着关于住房的话题，她们深知对此大表同情加上大抱不平也都不能解决蒋盈波的实际困难。

没有诗意。

并且如同踮着脚尖在布满油瓶的地上行走，得小心绕过那些敏感的瓶子而又显得轻松自如。

便谈物价。谈假货满天飞。谈售货员那永不见好转的服务态度，举实例，说明你是如何谦恭有礼而她们却仍旧在柜台里面扎堆聊天。

便谈最近的电视节目。一致认为春节晚会简直令人失望。对新播放的一部引起轰动的电视连续剧展开争鸣，蒋盈波觉得有趣，鞠琴说她简直受不了，而崩龙珍怪声叫好。

5

又都坐到大屋的沙发上闲聊时，崩龙珍双手拢拢头发，问鞠琴和蒋盈波："做得怎么样？"

那发型是时下相当流行的，头发加上面庞构成一个金字塔形，鞠琴在崩龙珍一进屋时便随口夸赞过，蒋盈波至今仍只进公营理发馆剪发而未曾进过个体发廊，并且对于别人的发型也懒得品评，她双手不停地编结着毛衣，抬眼望了崩龙珍一下，毫不通融地说："难看。不适合我们这把年纪。更不适合你的脸型。"

鞠琴乐乐呵呵地伸手去摩挲崩龙珍那张开的蓬松的焗油后波状弯曲而发亮的发丝，转圜地说："龙珍是越活越年轻了，时来运转么！"

崩龙珍有张方脸庞，眼睛不比蒋盈波小，但蒋是深眼窝而她是有点金鱼般的凸眼睛，她的皮肤本来比较粗糙，经过工序复杂的美容处理之后倒颇为白净，眉毛画得比较粗，唇膏涂得比较淡，整体而言还是比较雅气的。但她嘴角不知为何总有点微微下撇，脸上总隐隐笼罩着一种受惊后难以化解的表情，即使近十多年来她确是时来运转，那往昔岁月熔铸成的潜表情却再也褪不下去。

"是呀，这些年我倒真是比你们痛快！"崩龙珍舒展一下腰肢——那腰也不细了——议论说："也许，人的命运真是一个常数，你头些年亏得太多了，后些年就补给你一些；你前头要是太顺了，后来就折腾你一下；要么就总一祸一福地紧挨着给你来点小颠簸、小平衡……但到头来一个人的命数还是那么多，该多少是多少，你想多要也要不来，你怕多丢其实也丢不到规定的数目以外……一切都是天定，冥冥中自有主宰，现在我信这个！"

"真的吗？"鞠琴对"常数"这个概念不怎么能把握，但听着觉得有趣，模模糊糊地觉得自己也在这个规律之中。

蒋盈波和崩龙珍一样都是学理工的，自然对上述宏论的表述理解得更准确，她虽仍埋头编织，却情不自禁地说："那我这情况该怎么算？"

这样她们的谈话就终于"带倒油瓶"了。

是呀，蒋盈波自大学毕业以后，又有多顺？自"文化大革命"以后，更是不断的逆运，就是近10年来，也并不像许多同辈知识分子那样，大体上是个上坡路的状态，她已经不顺了20多年，难道，是命运将在60岁后给她大大的补偿？可那时候她已是个不折不扣的老太婆，就算福至喜归，终究又有多大意趣？

崩龙珍和鞠琴一时无言以对。

蒋盈波抬眼望了一下组合柜上亡夫屈晋勇的遗像，又埋头编织，可又情不自禁地说:"那他那个情况又该怎么算?"

屈晋勇是鞠琴介绍给蒋盈波的,一度也是部队文工团的演员,崩龙珍也熟悉,工农出身,憨厚朴实,一生没做过亏心事,但一年前他死得很惨——在突然出现多发性脑血栓后,便全身瘫痪、失却语言能力,却又并非植物人,在医院里经历了整整一个夏天的折磨,一个壮汉最后干缩为一具类似画报上刊登过的埃塞俄比亚饿殍那样的皮包骷髅,身上长出几处碗大的褥疮,在所有的生命力全被一丝一丝榨干耗尽后,才终于死去。是呀,倘若人的命运真是一个预定的常数,那么,一生并未做过亏心事也谈不上享过什么福的屈晋勇,为什么要给他安排一个如同慢性酷刑的死亡过程?

鞠琴叹了口气。她不知说句什么才好。她想该别再说这些个话了,什么常数不常数的。

崩龙珍也不想引出蒋盈波更多的联想。她匆忙地转换一个话题:"人生中其实更充满着许多的变数。有的变数发作了,一下子改变了人生的走向。有的变数擦肩而过,事后回头一想,真不知自己究竟是错过了什么,还是躲过了什么……"

蒋盈波只是埋头编织,双手的动作都有点过分用力。

"比如说,"崩龙珍笑了,"盈波,我不是差点儿成了你的二嫂子吗?"

当年,崩龙珍总往蒋家跑,蒋盈波的父母,确曾考虑过,要促成蒋盈波二哥蒋盈工与崩龙珍的婚事,蒋家自己不好出头撮合,便拜托蒋盈波的表姐蒋盈工的表妹田月明从中运作,田月明当年也在蜀香中学上学,跟崩龙珍、鞠琴也都是同学,50年代初大学毕业后也来北京在一家设计院工作,自然也常往舅舅舅母家里跑,那一段岁月的斑斓印象,恰可用当年一位年轻的电影剧作家张弦的处女作的名字概括:锦绣年华。

崩龙珍一提这段往事,蒋盈波的原有思绪果然被分散了,她抬眼望了崩龙珍一眼,生硬地说:"亏得你和二哥的事儿没成!"

鞠琴却没心没肺地说:"哪儿哟!那时候他们是想让我跟二哥好……"

崩龙珍和蒋盈波都望着她。

"我知道二哥对我挺不错,大家都对我不错……可那时候,你们知道我为什么不接这个球吗?二哥总没入党,你们一家人没一个是党员,我那时候是不可能嫁给非党员的，岂止是不能嫁给非党员，我都绝不考虑嫁给部队以外的人……呵呵呵，其实，你们知道，那时候我自己也没有入党哩！"

这倒也并非什么秘密，都好理解，只是从没听鞠琴如此坦率地讲出来罢了。

"……想起来真跟做梦一样，"鞠琴继续说，"我那时候无论如何想不到，就是延茂去世以后的头几年里我也从没预料到，我现在能跟郝宏声一块儿过……"常延茂是鞠琴故去的爱人，当年也是文工团的演员，老早入了党的，同蒋盈波故去的爱人屈晋勇是老战友，婚前长期合住一间宿舍。郝宏声是鞠琴现在的老伴，出身于大资本家家庭，本人历史也比较复杂，1949 年以后坎坷了差不多 30 年，当然是非党群众，至今也并无入党要求，胖胖的，出门必西装革履，在家爱弄点自制西餐来吃，在蒋盈波和崩龙珍印象之中，是一位绝不过问政治而精于生活艺术的好好先生。真的，真没想到鞠琴后半生的生活轨迹同他重叠到了一起，而且他们相处得还相当地和谐。

"你是心里头不情愿，"崩龙珍对鞠琴说，"我当时对二哥是有意的，二哥真不错，唯一让我犹豫的只是他的岁数，比我大 5 岁，太大了点……后来是我自己出了事儿。"说到这儿崩龙珍脸上那潜存的惊恐表情浮凸出来，她闭上嘴唇，嘴角下撇，令人不忍目睹。

蒋盈波埋头编结没有看她。鞠琴叹了口气。正当田月明为二表哥和崩龙珍牵搭鹊桥时，进入了反右运动，崩龙珍因为在大学里的鸣放中有右派言论，被打成了右派分子，从此她堕落生活底层，整整持续了 20 年之久……

"那时候，我才 23 岁。"崩龙珍脸上那浮凸出的表情抖动着，"才 23 岁呀……"

蒋盈波放下手里的活计，站起身，去厨房看开水开了没有，哨壶并没有响，但估计就要开了。

蒋盈波从厨房里回来时，鞠琴已经在同崩龙珍谈减肥的问题，崩龙珍脸上那种受惊的表情已经又淡下去隐下去而成为一种潜表情。

蒋盈波一听是关于减肥的事，便把自己那个剪贴着报纸上的"豆腐块"及记录下广播中有关知识的小本子递给崩龙珍，且不坐回沙发织毛衣，而是如同鞠琴才来时那样，又为崩龙珍示范上了她每日必做多次的那套简易减肥操。

第三章

1

他知道阿姐在大学时期还是很快活的。

上的是东北农学院的农业机械系。在哈尔滨。寄回家的照片上，背景有学院的"飞机大楼"，就是说大楼的形状从空中俯瞰像一架巨型的飞机，展开着宽大的两翼。在那个时代，那样的苏式建筑本身便是一种光明和希望的象征。学院里有苏联专家，高年级听专家直接用俄语讲课。实习中自然都学会了开拖拉机，阿姐自然有从拖拉机驾驶室里探出头来大笑的照片——后来全家都懂得了开拖拉机是一桩比较简单的事，国家办这样的大学设这样的专业请那样的专家并不是为了培养一些拖拉机手，而是要培养一批能设计和指导制造拖拉机以及能总体运用农业机械的高级人才。阿姐本科毕业后又当了两年研究生，由苏联专家亲自担任导师。

课余，阿姐和同学们唱《小乖乖》，唱《槐花几时开》，唱《半个月亮爬上来》，唱《卡秋莎》，唱《红莓花开》，唱《三套马车》，也唱《宝贝》，唱《哈！万隆》，唱《哎哟，妈妈》……而且学校里流行弹吉他，是夏威夷式弹法，吉他很大，要搁放在台子上，弹时要戴套指，用金属圆棍压弦……阿姐仍承袭着中学里的外号"小辫"，梳两根粗黑的尾端用鲜艳的布条结扎成蝴蝶结的长辫，夏天一到她便同许多女同学一起及时换上布拉吉或衬衫短裙；那时候学校里每逢周末必有舞会，跳规规矩矩的交谊舞……有一回舞会结束，旁系一位爱慕阿姐的戴眼镜的男同学情不自禁地追逐阿姐，是那种50年代的追逐，他保持着二三十步的距离，装作无意，但穷追不舍，企图找到一个脱离人群和多余眼光的地点，冲上前去向阿姐表白他的心迹……他已暗中向阿姐递交过几封情书，倾述每当从阿姐她们宿舍中传出阿姐用吉他弹奏《哎哟，妈妈》等曲子时，他在窗外树林中那如油火煎熬般的心情……那农学院的"飞机大楼"里有螺旋形楼梯，阿姐沿着螺旋形楼梯向上躲避，那痴心的人儿追踪着螺旋向上，但最终那人还是饮恨梯间，因为恰好一群人从顶层朝下运动，阿姐又混在那群人里面，眼睁睁地从那人身边返回了底层，并消失在更大的人群之中……

他知道，那时候阿姐是属于达野哥的。尽管因为阿姐到哈尔滨上学，每年只能在寒、暑假之中回到北京同达野哥相聚，但双方的鸿雁来往，是频繁而准时的。

一放假阿姐就回北京，经常是还带来三四个乃至四五个同班或仅仅是同系的女生，她们家在更远的南方，要在北京中转换车或为的是游览一下北京，住不起旅店也没有亲友可投靠，便由阿姐带至他们家中，他家外间屋里便用两个铺板拼成一张大床，晚上阿姐便陪她的同窗们一起挤着睡，常常是必须横着躺，把脚放在床边的椅子上，才睡得下，而他和在郊区上大学的小哥在那种情况下只好到里间父母的住房里另搭临时铺位安歇，不过他们全家对阿姐的同学们都毫无厌烦感，而大多数同学住下来时也很随便，唱歌、嬉笑，有一回，一位矮胖的福建籍同学，半夜里滚到阿姐怀里娇滴滴地发起哆来："唉哟，盈波，我肚子疼，肚子疼哟……"那一晚别的借宿同学都买到车票离去了，外屋只有阿姐和那发出"盈波，我肚子疼哟——"呻唤声的同学，阿姐只好爬起来给她找药吃……不知为什么，这隔着门帘传进的"盈波，我肚子疼哟——"的声音，给里屋的他和他那比阿姐还大一岁的小哥留下了很深刻的印象，许多年以后，他和小哥还在阿姐跟前模仿过那哆声哆气的呻唤："盈波，我肚子疼哟——"阿姐在他们初次模仿时咯咯乐，后来就仅止微笑，再后来表情冷然，再再后来他和小哥有一回又提起这件事时，阿姐竟说："什么同学？谁？什么肚子疼？你们真无聊！"

2

阿姐他们的毕业分配过程，说起来像一个童话。那时候真是争着到最艰苦的地方去，到祖国最需要的地方去，也许有人内心里有畏难情绪，有不得已的因素，但呈现于表面的确实是争先恐后挑选西藏、青海、宁夏、甘肃、新疆、贵州这类地方，还不仅如此，在长达 6 年的学习生活中，一些男女同学已经很自然地形成了确定的关系，那么，如果哪一个省份哪一个地方哪一个单位恰巧需要两名毕业生，大家就一定请他们先挑，成双成对的挑剩下了，单拨儿的再挑，没有发生纠纷，甚至没有出现过哪怕是初级形态的争吵与顶牛，非常顺利地就分配完了，大家各奔前程。

那一年北京没有名额，都知道阿姐在北京有达野哥等着，都不让她去离北京远的地方，而阿姐又自动放弃了天津，因为天津是双名额，恰好有一对从天津考来的同学，理应让他们回天津去，这样阿姐就去了河北的一所农业专科学校任教。

阿姐不再把生活看成一朵开放中的玫瑰，不再快活，不再能听到她唱《小乖乖》或者别的什么歌，不再弹吉他，并且同家里人团聚时不再有活泼的言谈，都始于去了那所专科学校之后。

很久以后，阿姐同他谈过一次，那时他也已经工作，记不得是什么原因，总之阿姐同他谈了，他憬悟出，阿姐是家族众人中最早彻底冷下来的人。

那所农业专科学校设备很简陋，生活条件相当艰苦，这对于阿姐来说都算不了什么，她读过苏联小说《远离莫斯科的地方》，她作过更加远离北京更加艰苦的思想准备，而她青春的火焰本也是一定可以战胜地域的穷僻和生活的艰苦的……使她冷下来的原因是她忽然遭遇扑面而来的生活利爪和人性的狰狞……

那是一所小小的专科学校，教职工合起来只有一百来个人，阿姐报到后头一回到食堂打饭，见到别的教师自然都甩着小辫欢快地打招呼，而刚涮完饭盒回到宿舍，同宿舍比她早分配来两年的王老师便神色紧张地告诉她："你可不能这样！你怎么能和右派分子打招呼，还凑到一块儿吃，还说笑……"阿姐吃了一惊，忙向她打听哪些人是右派分子，并牢牢记在心中：那个看起来慈眉善眼的老头儿是，那个衣衫上打着补丁总戴着顶旧制服帽子剪短发的胖女人是，那个白净脸的戴眼镜的是，那个看去像个农民身坯粗壮的原来教政治的竟然也是……

阿姐刚去那学校时，反右斗争刚卷过第一波，还没教完一个学期，便紧接着有第二波、第三波，最惊心动魄的是同宿舍的王老师有一天在批判别的右派分子的大会上也被校领导点了名，虽然没有立即宣布她是右派，但那无异于政治上的死刑判决，散会后回到宿舍阿姐不知道是跟她说话好还是不跟她说话好，而王老师一张脸不仅变为了抹布般的污灰色，也简直不敢让自己眼光同阿姐接触，两人同处一屋，只有坟墓般的寂静……阿姐心里怦怦乱跳，走出宿舍，怀着一颗求救般的心去找校领导，一个高瘦的右眼皮上有个疤痕的牙齿发黄的男人，问他自己该怎么同王老师相处，那男人厉声地指示她："监视她的一言一行，随时向组织上揭发汇报！"阿姐一步步仿佛脚踝上拖着铅块般地走回宿舍，心里想：王老师这人是很愿意革命的呀，她过去的言行我不知道，来学校以后她的言行我实在找不出右的问题，而从今天起她根本就没有了言和行，我又如何揭发她汇报她？……阿姐到了宿舍门前，拉开门——她发出了一声无法忍住的尖叫……

那王老师是教电工学的，她用完全符合电学原理的万无一失的方法电死了自己，她那张凝固着极度恐怖和痛苦表情的脸如一道凌厉的闪电，击碎了阿姐心中由《幸福生活》之类的东西构筑成的心灵支柱，大概就在那一瞬间，阿姐结束了她纯真的青春期，她的内心里后来究竟是些什么，变得深不可测，而显露出来的，则是遍体清凉后的沉静与冷漠。

阿姐直到1960年调离那所小小的专科学校，总算没有被划为"右派"或准"右派"（内控"右派"），据她自己后来讲，简直要算一个奇迹。因为到后来那位主持校政的高个子男人，简直根本不需要你有什么言论表现，他就像到菜园子里拔大葱一样，需要几根便拔出几根……他是按上级规定的指标拔右派"大葱"，并且由于他本人对拔"大葱"有着特别的嗜好，因而他还要尽量地超额，更可怕的是尽管全校教职工一百多个人，按说根据敌人只占百分之一、二、三或顶多到五的估计，被拔出的几率只有二十分之一，但他却把眼光单集中到有大学学历的那二十来个知识分子身上，因而阿姐置身在这个范畴内，被拔出的几率便高达四分之一……

阿姐那几年一直生活在一种极度的内心恐怖之中，而开会时上课时劳动时乃至走路时吃饭时上厕所时还都不能从脸上从嘴里从身姿上透露出丝毫的内心迹象。她记得有一天傍晚，她打完开水提着热水瓶往宿舍走，在甬路上望见那主持校政的高个子男人正在二十步开外同人事干部交谈，她忍不住朝那边一瞥，而手里弹着烟灰露出黄牙喷着烟雾的领导也恰好朝她一瞥，那目光的短暂交接之中，她的心不禁猛地一紧，因为她觉得对方分明是一种类似揣一揣肥瘦的屠夫的眼光，阿姐后来跟他讲到这细节时一再申明，她说屠夫不是一种隐喻，不带反抗或控诉的色彩，甚至不带贬义，那是指作为一种正当职业的屠夫，那样的屠夫本应具有那样的职业性眼光，她感到恐怖，是因为她深感自己作为大学毕业生（不仅是本科还是研究生）的罪孽深重，或者换个比喻，她自知是菜园子里已经无可奈何地长得粗大的葱，要拔它的人望它一眼并不意味着罪恶，倒是它自己应深知自己的命运本应如此……

如今再回头细想，他就理解阿姐假期回到北京家中时为什么寡言少欢，为什么无论做什么事都缺乏兴致，为什么晚上洗脚一双脚泡在水里许久，其实水都凉了，她却还坐在小板凳上，两只胳膊肘支在膝盖上，双手托腮，就那么样一坐坐许久……

在大的社会境域之中，每个人所处的小社会境域倒并不都是一样的情形，犹如一场大雨过后，有的地方积着很深的水，多日不干，有的地方变得泥泞不堪，而有的地方却只不过湿上一阵，很快干燥如初……他记得，表姐田月明她们那个设计院，似乎就没那么恐怖，至少从表姐的谈吐和情绪上，可以看出来她自身没有什么危机感，也对院里所发生的事情能够比较松弛地认同。有一个星期天她又摇摇摆摆地来到舅舅家，他和母亲——就是她舅母——都对她说："真不巧，崩龙珍才走……"她便毫不大惊小怪地对他们说："怎么，她自己说了吗？你们还都不知道吗？她怎么还往这儿跑？她们学校已经把她划成"右派"了呀！"说完又嘻嘻哈哈地说别的，问舅母要卤肉和泡菜吃。事后他回忆起这一幕，很是吃惊，吃惊的不仅是崩龙珍，更在田月明表姐，她对反右斗争，对多年来一块儿玩得那么好的同乡、同窗被划成"右派"，都并不感到惊奇与遗憾，当然她也并不积极投入斗争或从此真对崩龙珍另眼相看，她有她的具体处境，并且有她特有的应付处境的天性……

鞠琴在反右初期，遭到两张大字报的批判，针对她的一句言论，是什么言论他记不清了，总之鞠琴姐又有鞠琴姐的遭遇和应付办法，她坦然地对待那两张大字报，记得有一回她送票给他们全家去看她们文工团的演出，演出的剧场离她们文工团驻地很近，演出结束她便带着他们全家去文工团，径直把他们带到那两张大字报前，当着团里的人，自自然然地说："批判得对啊！警钟敲得好啊！你们都看看，都来帮助我，监督我啊！"结果反右的火就只燎到她那么一下，运动过去她安然无事，并且几年后还终于被吸收入党。当他的阿姐冷下去以后，鞠琴却依旧是乐乐呵呵的，对社会、人生怀着不见衰减的热情，或至少是温情，当然后来他终于知道，其实在鞠琴内心深处，也一直翻卷着困惑的波涛。

他和他的父母直到田月明跑来戳穿之前，真的不知道崩龙珍在反右一开始便陷了进去。崩龙珍确实有长篇大套的鸣放言论，还同大学里当时的一个什么民间油印刊物有关系，根据当时的政治坐标，把她划为右派那是一点儿也不冤枉的，所以那场斗争反映到她内心中的，恐怕就不是阿姐的那种无辜的恐怖感，而是别的一些情绪……田月明表姐揭穿她以前，她确实多少显得有些古怪，那一阵她不仅每逢星期天必从西郊一大早就来到他家，而且总是要吃完晚饭才返回学校，一玩就是一天，而且他记得清清楚楚，那一年的 10 月 1 日，他作为少先队员参加了游行回到家中，发现崩龙珍却已经坐在他家中了，少先队员队伍总是先接受检阅、先通过天安门的呀，大学的游行队伍且排在后头呢，她怎么已经游行完了并且早就到了他家呢？母亲摆开一桌子节日菜肴，大家归座享用时，他问起来，崩龙珍承认自己从游行队伍中提前退了出来，因为她感到身体有点不舒服……他至今记得那个国庆节崩龙珍的打扮，她穿着一件很漂亮的咖啡色呢子上装，领口上别着一束雅致的淡粉色绢花，短发梳理得整整齐齐，头顶上还勒着一条淡粉色的缎带，确是一种过节和参加盛典才有的装束，但其实那时学校里他们系已经开过她许多次批判会，她已被称为"资产阶级右派分子"，只不过没有最后宣布戴帽子罢了……应该说崩龙珍在那个时候还是相当能够自持的，她还能为自己找到他家这样一个避风港，还能在他家的人们面前镇定自若不露痕迹，还能打扮成那个样子，并且说不定她真打算随队游行，不是因为身体不适而是被革命群众从游行队伍里轰了出来，才到的他家……总之，不管怎么说，她那时内心的种种变化和煎熬，同阿姐又属于另一种情况……

阿姐在反右斗争中并没有受到正面冲击，事情过去以后她如田月明表姐一样地清白，然而她的精神状态和心理结构却在那以后有了一个巨大的变化……

在阿姐大学毕业分配到河北准备去报到之前，有一天表姐田月明、义姊鞠琴、同窗崩龙珍，她们四个青春女性站在他家屋外的合欢树下，由他家二哥给她们拍了一张照片，照片上的四个女性真如四朵正在尽量胀圆花盘的玫瑰，月明表姐美艳如电影明星，鞠琴姐爽朗大方风度翩翩，崩龙珍俨然女教授气派，唯有阿姐，一根长辫甩在胸前，一根长辫搭在身后，两只手不知该怎么放似的交勾在布拉吉腰下，还不脱学生的味道……

崩龙珍被打成右派以后，阿姐和鞠琴姐都主动烧掉了这张照片，月明表姐则采取了剪去边上崩龙珍身影的措施，唯有崩龙珍一直留着这张照片，许多年以后，他在崩龙珍家里看到了那发黄的照片，崩龙珍喃喃地指着照片上自己的影像说："23岁，才23岁呀……"

在崩龙珍家里看到那张旧照片后，他曾向阿姐提及，阿姐冷冷地说："什么23，崩龙珍中学时候就瞒了岁数，那一年她该是25。"

3

那一年暑期里要大炼钢铁，阿姐被指定设计小高炉，限期出铁，她不能回北京，她写信让达野哥去看她，达野哥回信说他们机关里也要大炼钢铁——那时他已经调到区教育局当一个处的副处长，他实在抽不出时间，建议待"1070的捷报传来后再说"。1070是当年全国老少妇孺皆知的一个数字，就是我们要全民上马，土法上马，日夜苦干，争取早日超过英国的钢铁产量，那"超英赶美"的钢铁指标便是1070万吨。当时不仅是达野哥，而是上下许许多多的人，都充满信心地认为达到这个指标并不需要很长的时间，甚至一年半载就能实现。

然而暑期将尽时达野哥突然去了河北，去了阿姐那所农业专科学校。他事先没有通知阿姐，到得很突然。

达野哥的从天而降，一定使阿姐欣喜若狂。乍相见时的情景，至少在阿姐这一方我是可以想见的。然而后来似乎不妙。怎么不妙，详情至今仍是个深深的秘密。

阿姐后来只给我讲了一个细节，就是达野哥去看望她时，带去了一些吃的，其中有两听水果罐头，就是那种至今仍在出售的胖玻璃罐装铁皮盖封口的水果罐头，这在那年月里是一种很难得的显得很昂贵很高级的食品，阿姐接过去很高兴很感激很珍视，但阿姐在那样一个穷地方一时拿不出东西来招待达野哥，便随口说了一句"要不你就吃一罐糖水菠萝吧",而达野哥竟倚在椅子上,说了一声:"好,你开一罐吧!"阿姐在一种意外的心情下遵从地为他开启了一罐糖水菠萝,达野哥马上接到手中,而且毫不犹豫地接过了阿姐递上的铁勺,坦然地用铁勺舀着菠萝块往嘴里送,不一会儿便在言谈话语之间将罐中的菠萝块吃了个精光,只差没端起罐子把里头的汁水喝尽,而在这个过程之中,达野哥竟没有请阿姐一起吃的丝毫表示……

我在很长的时间里都不理解,至少不能深刻地理解,阿姐为什么对达野哥吃掉自己带来的两听水果罐头中的一听那么样地耿耿于怀……

据说达野哥那一次的突然造访显得心神不定,而且烦躁郁闷,但他又要阿姐迅捷同意,当年国庆节回北京同他结婚,那该是阿姐期待已久的求婚,但阿姐却加以拒绝了,当然不是拒绝同达野哥结婚,而是拒绝了那突然加以限定如同最后通牒般的婚期……

达野哥在学校的男老师宿舍中借住了一夜,第二天下午便离去了。全校的员工这下都知道阿姐有了一个北京的未婚夫。但唯有阿姐自己心里清楚,恰恰在这以后,他们之间的通信出现了问题,要么是阿姐去信好久达野哥反常地久久不回,要么是回了信却全然丧失了往昔的热情和爱恋……

在经历了来自政治的恐怖冲击之后,阿姐又经历了来自感情的恐怖冲击……她惊恐地发现,即使是她同达野哥那样的原来似乎是牢不可破的初恋花朵,也完全可能突然凋零萎落,全然结不出果实……下一年春节前她回到北京,人生向她呈现出更其残酷的一面,而且清晰无误——达野哥向她承认,已经有3年之久了,那就是说早在她从东北农学院毕业之前,一个中学的语文教师就追求上了他,那女教师会写诗,会弹钢琴,开始他拒绝,他回避,但毕竟阿姐总在外地,而那写诗和弹琴的西施就在北京,随时可以出现在身边,他终于被她俘虏,他由感动而生好感而投桃报李地也爱上了她……

达野哥突然跑到河北阿姐任教的学校去,是一种内心挣扎的表现,他对阿姐有一种愧疚感乃至于犯罪感,他知道自己已经并不真的爱恋着阿姐了,但他应该还爱阿姐,并且应当履行一种似乎早已设定的义务同阿姐结婚,而当他向阿姐提出那一年的国庆节结婚时,万没想到却受到了阿姐满怀尊严的拒绝,于是回到北京,他更深地陷入到了那位语文教师用诗句和乐音编织的情网之中……

阿姐心中神圣而美好的东西破碎得实在太多了!

阿姐在那个寒假回河北以前有一个惊人的举动,她在事先没跟达野哥打招呼的情况下,突然在教育局下班之前抵达了达野哥办公室,并且带去了夹好猪头肉的火烧和水果,当着达野哥的上下级,就如同她和达野哥早约定好了似的,说是要在办公室同达野哥就着茶水共进晚餐并且晚上一块儿去看鞠琴她们文工团的歌舞晚会。

达野哥的同事们都走光了,达野哥和阿姐在那间办公室里待了许久许久,他们既没有吃掉那些吃食更没有去观看什么歌舞晚会。

达野哥说过这样的话:"别老在这儿待着,有值夜班的人,别造成不良影响……"

阿姐说过这样的话:"你跑到河北我们学校去,给我造成了什么影响?你甩了我,我回到学校去怎么做人?"

不再是谈情说爱。

蜕变成了一种古怪的谈判。

阿姐对达野哥动之以情、循之以理、绳之以义。

最可怜的是还要动之以情。阿姐抚摸达野哥放在桌上的手,还趁势依偎到达野哥的怀抱中……

达野哥却残酷地将阿姐轻轻地推拒开了。他告诉阿姐,已无挽回的余地,他准备同那位语文教师结婚,他承认自己对阿姐有罪,他说他内心里很痛苦,他恳求阿姐原谅……

阿姐那天晚上回到家里,变得更加冷峻。没有眼泪,没有话语,没有表情,她静静地洗漱,默默地躺下,却一夜没有合眼,仰面望着天花板,心里只充塞着一个冰冷而坚硬的念头:我一定要在北京另找一个对象,只有这样我才能逃离那所可怕的农业专科学校。

从此达野哥从我家消失。

对于我来说,他也不再是什么哥了,他是一个姓达野的人,一个同我没有丝毫关系的不相干的人。

4

达野消失了。

勇哥进入了阿姐的生活，并且成为我们家族中的一员。

勇哥是鞠琴介绍给阿姐的。更准确地说，是鞠琴和她的爱人常延茂共同介绍给阿姐的。

常延茂是文工团里歌剧队的。他年龄那时并不大，导演派角色时却总派他演老头，或许是因为他的声音基本上属于低音，还有他那沉稳的气质；他上戏时化起妆来总比较麻烦，因为老得粘胡须、画皱纹什么的，渐渐地他的面部皮肤变得相当粗糙，在台下不化妆时望去给人的印象也总大于他的实际年龄；常延茂结婚以前住两人一屋的单身宿舍，他的舍友始终没换过，便是屈晋勇。屈晋勇比常延茂大好几岁，参军早——他在1945年东北一解放就参军了，参军以前是店铺的伙计，再以前在农村帮着父兄给地主扛活；参军以后先干过一段后勤，后来因为文工团的导演在一个偶然的机会看上了他那工农型的健壮大方的相貌，又听他数来宝数得好，便把他吸收进了文工团，从演简单的小节目到演二人转到演小歌剧到调入北京的大文工团演大歌剧，他一步步成为歌剧团里不可或缺的演员——因为嗓子并不怎么好唱不了挂头牌的主角，但从雄武的政委这种正面角色到奸诈的叛徒那样的反面角色，他都拿得起来，因此几乎歌剧团排演的每一出新戏里，他总能列在广告中的"主要演员"名单里，一般在第四位到第七位之间。

他还记得勇哥第一回到家里来拜见他父母的情形，那天没穿军装，穿的是便装，进屋时身穿一件料子好高级的黑呢子大衣，戴着呢子的制服帽，好魁梧挺拔的身板，好一副洋溢着阳刚之气的相貌，只是望去实在是年龄已然不轻，尽管他把胡子刮得干干净净，呢子帽下露出的头发茬和鬓角也乌黑整齐，他见到他时还是总觉得是位叔叔而不是个哥哥。

阿姐很快同勇哥确定了关系，并开始着手根据这关系调来北京。"五一"的短期休假阿姐也回了北京，同勇哥"对了几天象"又匆匆赶回河北那所专科学校，他同勇哥两人到火车站送阿姐，买了站台票一直送到月台，送到火车开动并且从视野中消失。他又捕捉到了一次两个人的对视，默默地对视，一方还是阿姐，另一方却已不是达野哥而是勇哥，场景也不再是家中里屋的五斗橱前，而是火车站，阿姐已经上车坐到了靠窗的座位上，把吊窗推了上去，露出胸部以上，她两只眼睛出奇的大，比以往他任何时候看到她时都显得更大，那眼睛分明在说话，那话语并不复杂，很好解读，连刚刚16岁的他也能了然于心，那是很单纯但也很强烈并且具有命令性却又饱含诱惑力的一句话，就是"你可不能改变，并且要尽快把我调来北京"；勇哥站在月台上，衣衫笔挺，英姿勃勃，但却并不能报之以丰富的表情和裸露心迹的目光；勇哥站立的位置尽管正对着阿姐露脸的车窗，却并不贴近，保持着几步的距离，火车启动后他只是举臂招手，也并没有冲过去再与阿姐握别，依16岁的他当时心中的估测，是以为勇哥既然在台上可以那样放开地表演，那么在这月台上就是冲过去吻吻阿姐的脸蛋也并不出格，不过他预测得一点也不准，勇哥只是以立正姿势向阿姐挥别，脸上只有一个淡淡的含蓄的微笑，当然勇哥的目光一直同阿姐的目光对接着，做越来越延长的斜线运动，直到终于不得不扯断，但从旁看去，那整个情景实在不像是恋人之间的对视和生离，而仿佛是兄长或首长在欢送弟妹或下级奔赴某个"祖国最需要的地方"……

许多年后，阿姐同达野哥在五斗橱前的默默对视，阿姐同勇哥在火车站月台车窗内外的默默对视，这两个情景，两部"电影"，曾在他脑海中多次重现、放映，不知道为什么他有一种酸辛感，为阿姐，为人生，为莫测的命运，为一些珍贵东西的破碎，为一些满心满意争取到迎接来的东西其实具有潜在的危险品的性质，以及为一些简直说不出道不明却又尖利而残酷的思绪，是的，他早就想写一本叫做《阿姐》的书，开头为什么没写，不知道，后来为什么也总不写？现在懔悟出，也许是由于不忍，是的，不忍，不忍心下笔……

5

阿姐在那一年的国庆节和勇哥结了婚。离开我家的时候，我看见妈妈从她那古旧的铜片包边的小樟木箱中取出一对金镯子，郑重地递给了阿姐，而阿姐则把一厚摞高中和大学时代的日记本捆在一起，递给了妈妈，说："别保存，抽空烧了它！妈，您记住，烧了它！我不想自己烧，您替我烧，啊，妈？"妈妈有点吃惊地接了过去……

阿姐婚后的头5年间，看去是幸福而满足，安适而平顺的。

鞠琴姐真是阿姐命中的福星。难道仅仅因为当年的大火灾之后，阿姐挽着父母双亡的鞠琴姐的胳膊，在蜀香中学的操场上默默地兜过圈子，冥冥中的主宰就总让鞠琴姐在阿姐人生途程的转换站上，为阿姐出力帮忙并且总能玉成好事？

鞠琴姐给阿姐介绍了对象，促成了阿姐和屈晋勇的婚事，在阿姐联系调动的过程中，鞠琴姐偏又认识阿姐想去的那个单位的人事干部（当年一起参军，但因不适应舞台演出而早就转业的一位男同志），结果婚事办完不到两个月便调动成功，那是一个专业与阿姐所学对口的研究机构，那里可能也有爱拔"大葱"的人，但至少总不会如同河北那所专科学校的那位瘦高个黄牙齿的"拔葱将"那般粗鄙和颟顸，再说，阿姐所嫁的屈晋勇有大尉军衔，出身贫苦，在演员队中任党支部副书记，阿姐因此属于军属，这样，你也就难以再把她视做一棵"大葱"……我想，阿姐心中曾经笼罩着的恐怖感，那几年里至少是浓缩冷冻深储在了灵魂的角落之中。

然而阿姐更加不复是学生时代的阿姐。当年的那具吉他她没有扔掉，却再没有抚弹过，装在乌黑的大盒子里，搁到了双人床下面靠墙的深处。

"晋勇！别摘那老的！摘上头的！摘嫩的！"

阿姐从楼窗里探出胸部以上，刚用香皂洗过脸，短发梳得整整齐齐，红光满面，牙齿雪白，愉快地指挥着。

屈晋勇在窗外的空地上摘野生的苋菜叶。

这个镜头我永远记得，这镜头对阿姐那一阶段的生活具有某种象征意义。

阿姐婚后随屈晋勇住在文工团里面，那是近郊的一个大院，院里有许多座楼房，有的用作办公、排练，有的用作宿舍，但那时候那大院里还没有盖起单元楼，每座楼都是所谓的"筒子楼"，就是每层当中是一条大走廊，走廊两边是一间一间的大房子，两头是厕所和水房，当时那文工团就安排团员们住那样的"筒子楼"，结了婚的自然夫妻合住一间，还没结婚的就两个甚或四个同性别的合住一间，倘若婚后生下了孩子，那么就另有一座楼，也是"筒子楼"，专供保姆和孩子住，倘若接来了家中老人，也安排在那座楼住，那座楼里每层都有一至两间屋辟为公用厨房，当年还没有液化煤气罐，更不通管道煤气，公用厨房里是近墙一溜的煤炉子，烧的蜂窝煤就堆在走廊里，哪一垛是哪家的，各自都心中有数……阿姐和屈晋勇，鞠琴和常延茂，住在同一座楼里，阿姐他们在一楼，鞠琴他们在二楼，方位一样，当中只隔一层楼板；鞠琴他们先有了女儿，阿姐他们很快也有了儿子，孩子和保姆就都住在那另一座楼中，两家的"育儿室"也紧挨着；吃饭如果不去食堂，那就都到"育儿室"里去吃，偶尔例外，比如星期天，我那时正在师范学院上学，去找阿姐，她便同勇哥留我在他们住的房间里玩，并在那里用煤油炉子单烧一些东西来吃。那一天我又去了，阿姐除了别的菜以外，还打算炒一个苋菜，便支使勇哥跳窗到楼后的空地上去摘，那片空地上丛生着许多野生状态的花草树木，时有鸟儿蜂蝶鸣啭飞舞，我说挺美丽的，阿姐却皱眉说："美什么，除了冬天，三季都有蚊子飞进来，叮死人！"尽管阿姐说过这样的话，那一天她打开楼窗探出半个身子去指挥勇哥时，显然是颇为知足，心情大畅的。

那种"筒子楼"的房间开间很大，每间面积总有 20 平方米说不定还多，当时阿姐和勇哥置备了新的双人床新的带大穿衣镜的立柜，新的带玻璃拉门的小柜橱，以及一对新的木扶手沙发带茶几和一套新的折叠桌和折叠椅，还有新的脸盆架什么的，加上勇哥早置买下的如同今天的大彩电那么大体积的三个波段的当年最昂贵声音确实最好样式也实在新颖堂皇的收音机，还有墙上挂的在王府井中国照相馆照的放大成 20 英寸并且由高级技师由黑白染成彩色的大结婚照片，那时候很难得到的用全开道林纸精印的不在国内公开发行只作为对外宣传品的画面全是北京"十大建筑"的大挂历，以及搁衣小柜橱玻璃拉门里面显露出耀目图案的上海金鸡饼干的大饼干桶及圆筒状的"乐口福"及几种方形的茶叶罐……都使我觉得我的阿姐过上了相当富裕和相当高级的生活。更何况每回一走近他们住的楼房，因为有的演员夫妇自购了钢琴，正在房间里练声，便有"椅义伊义椅"、"喔卧窝卧喔"一类单纯而优美的歌声和不断升高八度又降低八度的叮咚琴声传来，使我有一种步入艺术殿堂的神圣感。

他记得，勇哥每回来看他父母即勇哥的岳父岳母，总要提一大兜乃至两大兜满满当当的水果、点心或别的什么礼品来，即使到了"三年困难时期"（1959—1961 年），已经很难买到定量以外的食品，勇哥来时也还是总提着大兜的东西，有时是赴部队演出归来带回的某些犒劳品，有时是文工团作为内部福利发下的鸡蛋或黄豆……勇哥的做派是量大，他似乎总怕自己奉献给别人的东西量少了，因而往往量大到不必要乃至令接受者难办的程度，比如到了1963年供应好转了，他能一次提来5斤高级点心或10斤桃子，那时又没有冰箱，结果总要造成吃不完的点心长毛或桃子溃烂的后果，阿姐就当着全家人说过他："怎么劝也没有用，他非要这么着心里头才过得去，就是这么个人，我劝多了他还以为我是小气……"他记得他去文工团阿姐勇哥那里玩也是一样，勇哥给他冲茶时总恨不能在茶杯里装进半杯茶叶再用滚水去冲，结果那高级茶叶沏出的茶水反而难以下咽，几次以后他便不得不在勇哥一取茶叶罐时便高声嚷："勇哥，我不要那么多茶叶！"吃饭时给他添饭总要添成个"帽儿头"，夹菜也总要随时堆满他的饭碗才甘心……

他记得，与勇哥在物的给予方面的过度慷慨相对应的，却是勇哥的过度寡言，这很出乎他的意料，因为台上的勇哥很少扮演寡言的角色，而且都颇称职，他万没想到台下的勇哥不仅不擅言谈，而且也并不练声，他去阿姐勇哥那里玩时，总希望勇哥唱一段或至少趁他在时像别的屋里的演员们那样练练声，哪怕就"椅义伊义椅"一番也好，但，古怪，竟一次没有过，他、二哥、小哥都曾当着阿姐的面求过勇哥："给我们唱一段吧！"他只是继续做些切菜剁馅拌馅和面擀皮儿给他们包饺子吃一类的事，微笑着，也并不解释，只是不唱，阿姐实在看不过，便代他向兄弟们解释说："你们想想他台上演的都是些什么角色？几乎一个完整的唱段都没有的角色嘛，说实在的是主角在唱歌剧，而他只是在演话剧！"可鞠琴、常延茂就不一样，他们家有钢琴，他和二哥、小哥都听过他们练声，他们也应邀在家里为亲友们唱过歌……

他记得，勇哥很会包饺子，很会炖红烧肉，他或二哥、小哥一去，勇哥便立即张罗起来，或赶紧骑车去附近菜市场采购或赶紧洗菜切肉淘米备锅，一般是阿姐陪着来客说话，到掌勺时才去炉边……当然饭后饮茶时勇哥也来坐着聊天，很愉快的样子，但基本上只是有问必答，难得有长过三分钟的叙述或议论……

他记得，阿姐透露过，勇哥有一回无端地嫉妒起来，起因是他的表哥阿姐的表弟田月明的弟弟田星明从上海出差北京，事前也没来封信没打个电话，突然闯到阿姐那里，阿姐一见田星明便欢叫起来，田星明也一脸滑稽相的怪腔怪调地高叫"小表姐"，两个人"惊呼热中肠"之后，便你一句我一句不间歇地聊了起来。勇哥如同小舅子等等常客去了一样地立即张罗起饭菜来，吃饭时也是大勺地舀饭大筷子地夹菜，吃完饭也是大把的茶叶沏出酽得馟人的茶水⋯⋯然而田星明走后勇哥的脸色阴沉得如冷透的生铁，阿姐形容那简直有点像莎士比亚笔下的奥赛罗的劲头，临到上床睡觉前终于发作了出来，闷声闷气地问阿姐："什么叫做'毛旋'？你跟他究竟是怎么回事儿？！"阿姐费了好大劲向他解释，告诉他自己家同姑妈家的表兄表弟表姐表妹间的关系非常之好，小时候有好几年两家根本就住在一起，每天晚上墙根下一溜搪瓷尿罐，未成年的表亲们一个挨一个地坐在罐上，一边撒尿拉屎一边逗贫嘴乃至推搡嬉闹，阿姐同田星明年龄最接近，总坐在相邻的罐罐上，因为田星明额头上的毛发中多出一个旋来，所以小名叫"毛旋"，家族里都这么叫他，并非是阿姐个人的发明⋯⋯"毛旋"当时在上海的运动队里当随队医生，他是学运动医学的⋯⋯他记得阿姐告诉他，勇哥那"奥赛罗"的状态持续了差不多一个星期才终于淡化下去，他很纳闷，勇哥是个歌剧演员，还到戏剧学院和音乐学院上过短训班，他怎么连表姐表弟之间的一般性亲情也不能理解不能容忍？不是都说文艺界的人士在男女关系问题上都比较开通或者说比较随便吗？勇哥他们文工团的风流韵事就很不少，也不断有人因为"生活问题"而"犯错误"受处分，那勇哥怎么还会那么样地狭隘、那么样地僵硬？

他记得，后来二哥分析过，勇哥他们文工团里，女演员们一般不是嫁给本团或兄弟文工团的男演员，就是去当首长的夫人，很少有嫁到部队之外特别是嫁给平头百姓的，男演员们则不然，倘若娶不到本团或兄弟文工团的女演员女美工女剧务或其他方面的女子，那就很难再在文艺界的圈子里缔结良缘，多半是由亲友介绍娶一位部队外的社会上的一般女子，学历和职业大多不太高，有小学教师、银行出纳、商场售货员、工厂女工乃至于农村来的不工作的家庭妇女，等等，娶到有大专文凭和在国家机关工作的干部妻子已属不易了，娶到有研究生文凭俨然在科研机构工作并且相貌又不错第一胎又马上生下一个胖大小子的如阿姐者，则勇哥他们那个文工团中勇哥是一个孤例，人们背后都说他虽然耽误到三十多岁才终于成家，那可真是"后来者居上"，是令全团上下艳羡。他细加回忆，勇哥对阿姐确实是奉为掌上明珠，而团里的许多演员，包括总是在歌剧中演一号角色的社会上名气不小的女高音某某某，据说因有首长宠爱观众崇拜是傲焰万丈百人不理的，却对阿姐刮目相看，极愿结交，他就曾在一次去阿姐处时遇上了那位剧装头像登在杂志封面上的大演员，大演员手里捧着一杯自己屋里沏好带来的茶，站在阿姐屋子当中，面对着倚在床上枕头垛埋头编织小孩毛裤的阿姐，左一声"盈波"，右一声"盈波"讨好似的跟阿姐聊着，而阿姐一副无所谓的样子；他对阿姐竟始终并不向那大演员让座极感惊异，而当阿姐似乎是有一搭没一搭地议论到大演员新上的一出歌剧中的一个唱段"听起来挺有味"时，那大演员竟心甘情愿地喝一口茶清清嗓子，唱了整整两句以取悦于阿姐，那如同正式登台演唱的共鸣音把屋子里每一样有空穴的东西都震得嗡嗡作响，其情景更令他惊异莫名；而阿姐却依旧只是倚在枕头垛上织她的毛活，虽说面有微笑，头并不抬起眼光更不投向演唱者……

他记得这些事，当许多年后勇哥生命垂危竟被死神玩弄猎物般地摧得皮包骨头不忍目睹时，他想起阿姐当年对勇哥雄伟身体的一句评论："哎呀，他胸脯上的肉好厚，任你怎么使劲地抓就是抓不到他肋巴骨……"

他记得，这些都已逝去的、琐屑的、只同一个平凡得不能再平凡的步入老太婆范畴的阿姐有关的，就整个世界和人类而言实在是可有可无轻若鸿毛如雾如烟的往事……

他偏记得。

偏他记得！

第四章

1

无论是同姐妹们比，还是同表姐妹们比，乃至同中学、大学的同年级同专业的女同学们比，田月明都绝对地是超常的美丽。

不说她的眉眼，不形容她的腰身，单把她眉眼腰身分解开检验那或许根本没什么特别突出之处乃至于还颇有瑕疵，关键在于其通体效应，尤其在浑身散发出来的高文化教养和雅而不傲的风度。

50 年代初，她大学毕业到北京某设计院工作时，常常是一头短发，上身一件几乎没有什么装饰物的无领白府绸短袖衬衫，下面一条用便宜花布缝制的短裙，脚上一双普通的平底凉鞋，然而一走动起来，与同事们一说话一微笑一略略仰首一轻轻拍手，便惹得所有人心里都不禁出现这样的念头：真是电影里头走下来的美人……

田月明确实跟电影这本世纪勃兴起来的文化现象有着或明或暗的关系。但同表妹蒋盈波不同的是，在她灵魂中打下最深印迹和决定了她人生中最重大抉择的，不是苏联电影，而是美国好莱坞电影。

田月明的父亲田得垅早年留学美国西点军校，后来成为国民党的高级将领，1945 年后曾先后出任国民党政府驻加拿大和美国大使馆的参赞级武官，到加、美赴任时把妻子和几个子女都带了去，那时田月明已有十几岁了，她在加、美的三年多里学会了说一口流利的英语，每天有一位匈牙利裔的移民教姐姐田霞明和她弹钢琴，是正儿八百循序渐进的学院式训练，因此即便后来她的人生道路中有很长很长的时间里同钢琴完全切断了联系，一旦终于又能坐到钢琴前弹奏时，她稍加复习还是能很流利地并加上理解性处理地弹奏出李斯特或肖邦的有相当专业难度的奏鸣曲。

美国文化，或扩而大之，泛西方文化，对田月明灵魂的浸润，造就了她的人格和风度，然而田月明并没有胶着更没有完全融解到那里面去，1949 年以后，她对于苏俄文化，或扩而大之，泛左翼文化，也有着一种欣悦的趋同。她的父亲田得垅在中国人民解放军进入四川以前便宣布了起义，并在维护和转交国民党军队军备及地方重要财产方面有功，因此 1950 年以后不是像比如说杜聿明那样被送入战犯改造所，而是到南京的中国人民解放军的一所军事学院担任了高级教官，这就使得田月明后来能与包围自己的大小社会境域建立起一种松弛和谐的关系。

田月明到北京工作时就住在设计院大院的单身宿舍里，当时那设计院在所谓"新北京"——就是东西长安街穿过复兴门向西的延长线上两边由许多新建楼房所构成的区域，那时没有地下铁，也没有很多路公共汽车通往那边，所以倘若节假日她进城到舅舅家玩，舅舅舅母担心天晚了她返回那么远又那么相对空旷的地方不安全，便总是提前开晚饭，到六点钟以前一定劝她返回，可有一回田月明返回途中在东单一带换车时，发现大华电影院正在上映苏联的彩色文艺片《奥赛罗》，她看看腕上的表，估计看完七点一刻开演的一场，散场后还来得及赶上开往"新北京"的末班车，便毫不犹豫地买票进入了大华电影院，在电影开映以前她上了一回厕所，蹲下再站起来时，一不小心把一双手套掉进了深及两尺的厕沟中，那双手套还是当年从美国带回中国的，用了那么多年，只是稍显陈旧，而样式和色彩绝对是同龄女性人见人爱的；两只手套在厕沟里对称地摆放着，令人心疼，而又无可奈何；出了厕所田月明自然懊丧不堪，但她很快调适了自己的心情，她想《奥赛罗》无论如何是值得一观的，对于她来说，一顿精神上的宴飨远比一双用过许多年的手套更有价值！她摸出钱包数了数里面的钱，扣除下回去的公共汽车车票钱，所剩下的刚好可以买一客果味冰激凌，买！她毫不犹豫地买了冰激凌吃，进入到放映厅。耐心地看完前面加映的一辑又一辑的《新闻简报》纪录片，终于，由当年最走红的苏联电影演员邦达尔丘克主演的彩色文艺片《奥赛罗》开演了，田月明不是一般地津津有味地观看了这部影片，而是以一种对从原著到改编到导演手法到美工摄影自然更包括演员表演、镜头运动、细节处理充满深深的理解和品评的高态势审美，看到影片最后一个镜头听完片尾的最后一个配乐音符，才离开座位……出电影院时她伸腕一看手表，呀，任她如何奔跑也赶不上那开往"新北京"的末班公共汽车了！在稍纵即逝的恐慌感过去之后，田月明坦然地沿着人迹稀少的大街，竖起短大衣领子，没有了手套的双手插在衣兜里，朝北京火车站走去——那时候的北京火车站还在前门——一路上田月明回味着影片，觉得被北风刮得清爽如紫琉璃般的天空上那不成浑圆的月亮格外美丽，街灯的光区里偶然穿过的骑自行车的人也格外有趣……她后来就到车站候车室里坐了一夜，并仰靠在椅背上做了一串缤纷五彩醒后难以复述的梦，天还没有净亮她便离开火车站，去搭乘了头一班驶往"新北京"的公共汽车，回到单位后她仔细到水房洗漱了一番，上班时间去到办公室居然依旧容光焕发，精力充沛……

这便是田月明。后来她向表妹蒋盈波讲起这件事，讲起电影《奥赛罗》，得出结论说："最最难得的是哈恰图良谱的音乐……今后一定要把他的交响乐唱片弄到手，仔细地听！"

蒋盈波不能共鸣，只是说："可惜那天西人没跟你一起看！"

2

一部苏联电影《幸福生活》，确定了蒋盈波的职业走向并引带出以后她个人生活的一系列变化。

田月明的个人命运，其实也深深地被电影所影响，但并非一部电影，而是好莱坞制作的那些银色梦境中的男明星系列，而在那一系列中，最令她心仪的是泰伦·鲍华，那倒并不一定是因为她所看过的泰伦·鲍华主演的影片多么出色，或对泰伦·鲍华的演技多么佩服，那是因为，泰伦·鲍华的银幕形象与她高中时的同班同学郑希华的形象能够合二为一，使她神迷心醉！

郑希华便是蒋盈波那句"可惜那天西人没跟你一起看"中说到的西人。

西人自然是郑希华的绰号。因为这绰号是用四川话取的，后来在亲友间这么叫也都用四川音，因此无人会误听为《红楼梦》里那个"袭人"，关键是四川话的"人"字要发成"忍儿"的音。在当年的蜀香中学里，西人不仅令田月明一位女生着迷。西人是个混血儿，他父亲是中国血统，一位到德国留学归来的医学博士，他母亲则是地道的日耳曼血统，是他父亲在德国留学时租住的那所居室的房东的女儿，原是学法律的，爱上他父亲后便改学医学检验专业，但未拿到学士学位便毅然嫁给了他父亲，一同来到了中国，生下西人后便一直在家里当家庭主妇；西人父亲在重庆一家最有名的教会背景的私立医院当医生，收入颇丰，所以也把西人送入蜀香中学这样的学校读书。究竟是田月明单方面主动追求西人还是西人也主动追求田月明，一度在蜀香中学的女生中众说纷纭，但不管怎么说，到高三快毕业的当口，他们俩俨然已经敢于大胆地手拉着手前往国泰电影院看最新一轮上映的好莱坞电影。

在后来保持联系的同代亲友中，田月明是唯一使初恋的花朵结出家庭果实的女性。小她一岁的表妹蒋盈波的初恋后来形成灵魂上的一道不可愈合的伤痕。大她一岁的亲姐姐田霞明经历了好几次辛酸、滑稽的青春恋，被别人抛弃过也抛弃过别人，直到妹妹和西人结婚并有了头一个女儿后才终于结婚构筑了自己的小巢。后来到文工团唱合唱的老校友鞠琴也经历至少两回朦胧的初恋与无形的失落，才终于同歌剧演员常延茂联姻。一度被打成右派分子的同窗崩龙珍在初到大学任教时也曾爱上过一位英俊有为的讲师，有一回田月明、蒋盈波和鞠琴相约去大学里找她玩，在她的宿舍中，她又想隐瞒那尚不成熟的恋情又欲炫耀那已初见端倪的幸福，从抽屉里取出那讲师的相片后又立即后悔要再装回抽屉，结果被三位同窗拉的拉拽的拽抢的抢，四个如花怒放的青春女郎尖叫嬉笑滚作一团，崩龙珍那情郎的相片到底还是让田月明她们三个抢了过去传递着观赏了一遍……但没有多久那相片就被崩龙珍流着泪咬着嘴唇烧成了灰烬，那时崩龙珍还并没有被反右斗争的浪涛所吞噬……她直到田月明她们都结了婚好几年之后，才总算也结了婚。

田月明却春心一释便有西人来接，两人一拍即合，虽然1950年以后他们分别上了两所各在一方的大学，相继毕业后又一个分配在北京一个分配在天津，但他们的爱情却在时间和世事变迁的考验中愈见浓酽与坚固。

唉，唉，那是些多么甜蜜多么浪漫的日子啊……

一个星期天，一大早田月明便到北京火车站去接从天津来同她相会的西人，西人从车上跳下来了，一头鬈曲浓密的黑发，一对在深陷的眼窝里炯炯有神的灰蓝色眼珠,宽肩细腰,双腿颀长,望见田月明便开心地一笑,颊上两个绝不能用妩媚二字形容而只增强着阳刚之气的酒窝,活脱脱一个东方版的泰伦·鲍华!

田月明毫不犹豫地扑上去投入他的怀抱。西人重重地吻她的额头。这在那个年月是相当惊世骇俗的。好在侧目而视的北京人至少有一半以上以为西人是"外宾",对于"外宾"自然就不好过深地腹诽了……

他们紧贴着走出车站,西人用健壮的胳膊紧紧搂定田月明丰满的肩膀。

田月明说:"舅舅舅母让我们去他们那儿,又做了好多好多好吃得要命的家乡菜!"

西人也深知田月明舅母的川菜手艺超过许多高级餐馆的大厨师,光她那泡豇豆和卤口条就足能令人垂涎三尺,但西人说:"不去。去了那儿,我就没法子吃你了!"

田月明开心地笑着,甩甩头发说:"鞠琴给了票,请我们下午去看他们的演出,他们有个男高音,独唱曲目里难得地有舒伯特的《小夜曲》,还有匈牙利的《瓶舞》估计也不错……"

西人不停步地搂着田月明往外走,说:"不看。我来是为了专门看你,只看你。"

他们走到车站外面,下起了小雨,田月明说:"怎么办?"

西人仰面哈哈一笑说:"什么怎么办,不办!"说着把身上的风衣一抖,把田月明连头带肩裹进风衣里,脚下不停地顶着雨走到了大街上,任雨丝落进他自己那浓密鬈曲的黑发中……

一对恋人就满不在乎地在雨中散步,他们不进商店,不去公园,就那么冒着雨一路走到了故宫外的筒子河边,雨小了,雨丝变成了眼睛看不清的雨毛,田月明就把头钻出西人的风衣,两人在筒子河边的大柳树下拥抱、亲吻,说许多临时想到的话,一忽儿互相抢着说,一忽儿都沉默下来,只以眼睛传递信息……

后来他们到东安市场里的吉士林西餐馆吃西餐。蔬菜色拉端上来以后,西人举起斟满白葡萄酒的玻璃杯说:"为了我们在天津共建一个天堂!"田月明用自己的酒杯同他那酒杯用力一碰,笑着呼应:"为了今后经常在起士林用餐!"

北京的吉士林西餐馆后来湮灭了。天津的起士林西餐馆一直存在到了今天。

3

　　天津市区有许多原来富人家的小洋楼，50 年代后成了公产，当做职工宿舍，在其中一座三层的小洋楼里，婚后的田月明和西人安了家。西人把父母从重庆接了来，父亲算是天津一家公立大医院把他作为专家聘来的，医院为他和他夫人准备了两家医院提供的宿舍，面积不算小，条件以那个时代而论算是不错的，但作为独生子西人怕父母另住他处不便照顾，就在自己单位安排自己住房的过程中，把父母分到的公房同本单位掌握的公房加以了倒换，结果是在那三层小洋楼里，分到了整整一个第三层的两大间外带可以兼作厨房的过道，还分到位于二层和三层之间的一个小小的亭子间，这样就把父母和自己、妻子都安顿了下来：父母住三楼套间的里面一间，自己和妻子的卧室设在下面的亭子间，三楼外面的一间作为公用的起居室，吃饭、会客、休息、聊天、听收音机、放唱片（那时候还没有电视）……田月明的洋婆婆——她跟着西人唤她作欧妈——把楼上的卧室和起居室都布置得洋味儿十足，比如起居室的窗帘是有宽大的带褶镶边的，除左右开合的两块外，上面还有一尺长的带褶的大档头，而左右两块窗帘又都是垂落至地板上的，可以完全拉开，也可从中段束拢形成两个相对的 R 形，窗帘布是用米色底子有大朵蓝色百合花图案的布料缝制的，而非那时一般家庭所用的单色面料；沙发是用了几十年但保护得很好的带木镶边木扶手造型古雅的比利时式样，包括一长两单外带一个无靠背方墩构成一个完整的组合，包面的绒料尽管有些地方磨出了经纬，但用若干套有中式织锦外罩的腰枕一遮挡，也就不容易看出来，且中西合璧显得相当讲究而雅致，更何况墙上还挂出从德国带回来一直没损坏的西洋古典式狩猎图的大壁毯，地上也铺着若干块色调图案和谐的旧毛毯，兼以一些手绣的桌布、靠垫，几件中国的不一定多么值钱的古玩和德国的艺术瓷器，还有窗台上和茶几上的盆花、文竹，营造出一种富裕的异域情调，在那个年代里，凡走进去的外人，无不为之赞叹或惊诧，就是田月明的表妹蒋盈波，很见过些世面的，有一回出差天津跑去看望他们，也不禁赞叹说："好一个世外桃源！"

　　蒋盈波从天津回来，还这样对北京的亲友描述说："西人的欧妈真有意思，别看一头银黄的鬈鬈发，蓝灰蓝灰的大眼珠，一脸的西洋相貌，可一张嘴，竟是满口地道的中国话，还不是中国的普通话，而是四川土话，我就听她说："哪个想得到天津也这么'阴倒起'热哟！'阴倒起'——就是我们离开四川久了，要想说'暗地里''没想到'这样的意思，也未必就能张口'阴倒起'啊……"听她讲述的人便都笑了起来，心里都想，好一个奇怪的洋婆子啊，她怎么会心甘情愿地嫁给一个中国留学生，而且义无反顾地跟他到中国来，一住就是二三十年哩！

田月明既然爱西人，当然爱屋及乌，爱那中西结合的双亲，况且她小时候在加拿大、美国生活过，欧妈对她来说并非什么难以理解的外人，她想在这世外桃源中有这样一位洋婆婆，实在是桩幸事、雅事、趣事。

田月明离开北京设计院时，领导、同事乃至传达室的老头、食堂的炊事员对她都流露出了真诚的恋恋不舍之情。与蒋盈波回忆起大学毕业后所到的第一个单位特别是第一位单位最高领导时只有恐怖与厌恶截然不同，田月明始终怀念着北京设计院的那些岁月，她的第一位单位最高领导——设计院的党委书记也是一个瘦高个儿，并且面颊上也有个伤疤，也其貌不扬，并且也是工农出身，浑身土得掉渣儿，有时在办公室里同人谈话谈着谈着不知不觉之间一双脚就全挪到椅子上简直是蹲在那上头了，可田月明回忆起他来还是充满好感，因为他尊重知识分子，尊重创造性劳动，尊重开拓的意愿，并且最让田月明感到难得的是他尊重别人的隐私，在他的领导下设计院里的工作兴旺稳健地朝前推进着，就连食堂的饭菜也不断地可口而便宜起来……田月明记得那位书记答应放她去天津时一边用撕下的废纸卷着烟丝一边对她说："有什么法子呢？你那对象他调不进北京，我们只好放你去，可你们这批大学毕业生，是新中国培养出来的第一代人才啊，咱们设计院要一代代发展下去，你们就是创业的元老啊，你这个元老走了，我心里不好受啊……"说得最不爱哭天抹泪的田月明也不禁掏出手绢去抹发潮的眼睛擤发酸的鼻子……

田月明为西人放弃了元老的事业，并且因为天津相应的设计院编制已满，她只好暂时调到一个专业不那么对口的单位先作"过渡"。但这对田月明来说是心甘情愿的。她梦想成真了。泰伦·鲍华整个儿属于了她。

4

生下了斐斐。

这第二代混血儿绝对是一个标准的安琪儿，她好重！一生下来就有 3400 克！尽管田月明为了让她生出来吃尽了苦头，可把那白生生的安琪儿抱在怀里时，她快乐得简直有点腾云驾雾。欧妈头一回来医院看孙女儿便叫她斐斐。田月明原以为用中国字表示应用飞飞或菲菲等写法，但爷爷后来郑重声明孙女儿的名字应写作郑斐斐。郑斐斐头发同她爸爸一样随爷爷，生下来数量不多但根根乌黑。郑斐斐眼睛不像她爸爸那样带有奶奶那种味道，而是黑油油的眸子。这大概也并非爷爷的遗传而是因为她有田家的血统。郑斐斐黑头发黑眼珠可任谁望上一眼便会感到她是十足的洋味儿，那眼窝，那小嘴，那脸蛋，那轮廓，说不清道不明究竟为什么就是跟纯粹的中国父母生下的孩子不一样……

从医院回到家中，在三楼起居室里坐月子。也只能在那里。田月明和西人自己的亭子间卧室只有 6 平方米，放下双人床以后，只能勉强再放下一只五斗橱、书籍和一些零碎物品，只好在床上放脚那头的墙壁上自己设计装置一个吊柜。梳妆台那个时代不讲究，田月明完全可以放弃，但一直想有张书桌，无奈那亭子间再放不下一张书桌，因此要写点什么东西时只好上楼，西人可以到父母的房间去写——那里有很堂皇的带台灯的书桌，田月明一般就利用吃饭的圆桌来写。亭子间卧室既然如此狭小，抱回斐斐坐月子，当然只好在三楼起居室里了。

月子坐完了，田月明该去上班，斐斐怎么办？这在别的家庭简直用不着讨论，奶奶才 50 出头，身体十分健康，又不用上班，不是正好带孙女儿吗？但欧妈不同于中国的家庭妇女，不错，她极爱斐斐，对儿媳也极有善意，但她对斐斐的照顾只限于动嘴，田月明坐月子初期斐斐的尿子都是西人来洗，但西人洗了几天便觉得麻烦而无趣，好在田月明身体恢复得极快，后来就由她自己来洗，西人只帮着准备温水和换水、倒水，再后来则完全由田月明包揽了，她做这类事时，西人便陪他爸爸下国际象棋或用德语同欧妈聊天，非他搭一把手的时候得叫唤他，他才能过去帮忙。

田月明希望能请个保姆，在她恢复上班以后在家里照看斐斐，这样不是还能减轻欧妈做饭和收拾屋子的负担吗？西人马上同意，但西人跑进里间屋和欧妈用德语商量了一阵便走出来对她说："不必请保姆了，保姆来了不好办。"

田月明问："有什么不好办呢？"

西人说："保姆来了住哪儿呢？"

田月明说："住哪儿？当然住这儿啦，住我坐月子这张床，斐斐睡小床，我跟你到下面住呀。"

西人摇头："欧妈说，她不能容忍隔壁屋里住个陌生人。"

田月明为难了。

西人说："你们单位不是有哺乳室吗？你就上班抱去，下班抱回来吧，欧妈讲，还是中国人养孩子的方法好——坚持吃母奶，营养安全，爸爸也说这一条中国人强过西洋人。"

田月明接受了这个方案。

抱来抱去，当中还要挤车，备尝艰辛。逢到刮风下雨寒流袭来，有时只好留在家里不去上班，由西人给她们单位打电话，不是说她病了就是说孩子病了，但那个时代人人都不甘落后至少是不甘被人视为落后，光这样也不是常法儿，田月明有时就尽管天气极糟也咬着牙把孩子抱去上班。好在斐斐的体质和抗病能力确实超乎一般的婴儿，竟基本上没生过什么病，茁壮地成长起来。

这样过了两三个月的样子，有一天饭后，趁爷爷抱过孙女儿逗弄，西人把田月明叫到下面亭子间去，一关上门就紧紧搂住她狠狠地亲她，剥她的衣衫跟她求欢。

田月明挣扎起来。西人放松她，很吃惊的表情。

田月明笑了："你怎么回事？饿狼似的！"

西人承认："你替我想想，守寡多久了！"

确实，田月明半年多一直住在楼上起居室，同斐斐一起过夜。因为母爱得以发泄，弥补了她性生活方面的缺憾。她也起过与泰伦·鲍华共度良宵的念头，但还不至于如此急迫，如此难耐。

他们交欢了一阵，因为天还没有黑，因为楼梯上有脚步响，特别是因为害怕楼上的欧妈或爸爸突然跑来叫他们，他们都不满足，都有一种大热天整吞了冰激凌球的感觉——所欲非所享。

重整衣衫的时候，西人说："明天起你下楼来住吧。"

田月明问："斐斐呢？欧妈夜里能照顾她吗？"

西人说："欧妈说了，她将就了我们半年，耐性到尽头了——她希望起居室恢复原样，她希望恢复安静、整洁，还有固有的生活秩序……"

田月明脑子里"嗡"的一声，她皱起眉头问："固有的生活秩序？！什么意思？斐斐怎么办？"

西人说："欧妈的意思，是让你把斐斐也一块儿带下来反正我们这张床很大，她可以睡紧里头，或者，就把小铁床搬下来，我量了一下，还勉强可以塞下……"

田月明感到心里头有什么东西在破裂，就像春天走在变薄了的冰面上一样，咔嚓咔嚓地响，令人惶恐。

她听到三楼上传来斐斐的哭声。

扣拢脖领上的衣扣，她冲出亭子间，匆匆赶往三楼。

她看见欧妈坐在沙发上，抱着斐斐，一脸慈蔼的笑容，正摇晃逗弄着斐斐。

走到跟前，她看清欧妈是找出了若干缎带花边绸巾纱巾一类的东西，把斐斐像童话书里插图上的公主那样装扮了一番，又是蝴蝶结又是百褶领又是披肩又是长裙……

田月明忍不住立即从欧妈臂弯里抱过了斐斐，三下五除二地去掉了附加在她身上的那些莫名其妙的装饰物，不等欧妈开口说话，她便提高声量红涨着脸说："天气已经转暖了，怎么能这么捂着她？难怪她要热得哭了！"

婆媳之间头一回出现不仅没有微笑，而且颇为紧张的气氛。欧妈耸耸肩膀，摊摊手，晃晃头，歪歪嘴，转身进到里屋去了，里屋门内有一架镶螺钿的黑漆屏风，挡住外屋人的视线，田月明听见屏风后传出欧妈用德语向公公抱怨的一串声音……

当天晚上，田月明就同斐斐移到了亭子间中同"寡居"半年的西人合住。

5

有人敲亭子间的门。

敲得轻，从节奏上能感觉到是试探性的，很谨慎，小心翼翼。

田月明正倚在床上歇息，心想这能是谁呢？她跳下床去开门，一开门愣住了，但几秒钟过去她便欢叫起来："龙珍！"

是崩龙珍。她被打成右派后先集中到农村劳动，后来安排到天津近郊一家集体所有制工厂，先在车间当工人，最近才终于宣布了给她摘帽。调往技术室当绘图员。她那原有的女学者气派已荡然无存，一身半旧的蓝制服，一双带襻儿的布鞋，一头朴素到极点的齐耳短发，面庞的皮肤粗糙了，眼角有了鱼尾纹，而最大的变化是脸上总有一种消退不尽的受惊的表情——即使笑起来的时候也是如此。

崩龙珍知道田月明一帆风顺，安居乐业，又添千金，早想拜访，却一直羞于上门，现在自己情况好转，星期日有心逛逛天津市中心，逛完了思忖一阵，鼓起勇气按打听到的地址来找田月明，在一楼有人指点她可以敲那亭子间的门。

田月明对崩龙珍的突然出现异常高兴。田月明对崩龙珍当年被划成右派没什么同情心，却也绝无义愤和厌恶，崩龙珍自此不再同蒋家、田家以及蜀香中学的同窗们来往，所以田月明等也无所谓同她划清界限，那以后田月明有自己的生活，自己的事，她有一阵子把崩龙珍整个儿淡忘了，不过前些日子见到出差来天津的蒋盈波和遇上来天津演出的鞠琴时，她们确曾提到过崩龙珍，都说不知道她后来究竟怎么样了，那个倒霉鬼！

崩龙珍对田月明见到自己这不速之客的热情反应甚感欣慰，无数青春期的往事涌上心头，是呀，她原就该想到田月明一定善待她的，她们曾经是多么亲密呀！在嘉陵江边，那时候她们还不到 18 岁，田月明曾经搂住她肩膀，附在她耳边，向她透露了倾慕西人的内心隐秘，那田月明第一封写给西人的情书，她不仅是幕后高参，也是幕前红娘——是她把夹有情书的小说《飘》，递到西人手中的！唉唉，那是怎样的烂漫花季……

田月明和崩龙珍坐到床上，田月明拉过崩龙珍的手，问她这些年究竟怎么样，现在究竟如何。

崩龙珍一边回答着田月明的问询，一边环顾着小小的亭子间。这屋子实在太小了！尽管布置得倒还雅气，墙上挂的装饰品和五斗橱上的瓶插银柳等细处，显示出主人不同凡俗的品位，但终究令她不解，不是传说田月明这些年过着世外桃源般的安逸生活吗？她的卧室何以如此狭窄？怎么大床旁边又架一只小床？崩龙珍颇感意外。

崩龙珍便问："西人呢？小宝贝呢？"

田月明说："啊，西人和斐斐都在楼上，这间屋子只是用来晚上睡觉的……"

田月明从崩龙珍的眼光里看出了对这间小屋子的诧异与疑惑。田月明有难言之隐，且同崩龙珍说些别后的情况。

楼上的房间确实挺大，当年分配住房时，西人单位是把西人夫妇和西人父母两家人合起来分的，楼上西人父母使用的那间有 20 平方米，外面做起居室的那间有 18 平方米，加上亭子间的 6 平方米，使用面积共 44 平方米，何况还有可做厨房使用的一个 4 平方米的过道，一个小小的厕所间，以人均享用平方米计算那是相当优待的了，田月明刚住进去时不仅心满意足，甚而还颇为自豪，但将近两年的生活，却使她渐渐意识到，这里一切都是以西人和他父母为中心的，更具体地说，是以公公婆婆为中心的，再进一步说，则是只以欧妈一个人为中心的。老两口的房间，田月明除非万不得已是不进去的，起居室按说应是充分地共享的公用空间，但除了吃饭时田月明算是平等地共享了以外，自从她和斐斐搬到楼下同西人合睡之后，那起居室对于她来说便无异于别人家——或许是最好的亲戚朋友家的客厅，她可以在那里做客，甚或是作最受欢迎的客人，然而，却分明并非她自己的家，并非以她这主妇为核心的一个活动空间！

这微妙的心理，只有她有。西人一定没有。因为西人在所有的 50 平方米的空间中可以自由驰骋，他一下班往往就越过亭子间径直跑到楼上，往起居室的长沙发上一躺，或干脆冲进父母的房间，要拿什么拿什么，要翻什么翻什么，有时就倚到父母床上，背靠鸭绒大方枕，或整个身子蜷在硕大的真皮单人沙发里，用德语同父母叽叽咕咕聊天说地……斐斐也享有类似的待遇，只是她还小，还不懂得自觉地享用，欧妈经常把她牵着抱着在整个三层楼玩耍，晚上才把她交给小两口带下楼来安放在小床上睡觉……

能任由田月明自由使用的空间，却唯有那6平方米的亭子间！

一切都确实非常微妙。比如说，这个星期日，为什么崩龙珍来访问的这个时候，单只田月明一个人待在亭子间里？那是因为恰是下午三点钟左右，欧妈又要进行她的常课——饮午茶、吃冷切了。

欧妈一直有这个习惯，下午三四点钟在起居室里煮一点咖啡或沏一点奶红茶，用从德国带来一直小心使用没有打碎的精致的茶具小口小口地呷用，同时要摆出两只银盘，一盘里摆些精致的饼干、曲奇饼、起酥之类的东西，另一盘里则是所谓冷切——切成片状的西式的熟食，如红腊肠、豌豆肠、方火腿等等，有时还有一点熏鱼、干酪、鱼子酱什么的。那时候这些东西市面上非常难以得到，但因为田月明公公有归侨的身份，又是高级知识分子，有些特殊照顾，而欧妈又是一副天然的"外宾"相，那时候天津有从民主德国来的专家，欧妈很快同他们搭上了钩，得以跟他们一起出入专门供应外国专家物品的内部商店，欧妈其实是联邦德国那个莱茵河上的法兰克福人，但民主德国易北河上也有个法兰克福城，欧妈就随机应变，一般同中国方面懂德语的人交谈，欧妈就默许人家把她当成来自东边那个法兰克福的人 …… 总之欧妈总有办法弄到些外面市面上难以买到甚而根本绝迹的这类食品，得以保持她的这种高雅的习惯，一般是公公跟她一起享用，但公公胃不好，经常自动放弃，她就一个人享用，西人如果遇上，往往不用欧妈招呼，他想吃便坐下吃，他从小如此，惯了，有了斐斐后，如果是田月明把她从单位里带回来，欧妈还没吃完或遇上星期天，欧妈便会高声地亲昵地叫着："斐——斐——！呜，斐——斐——！"让她坐到自己膝盖上吃点，但欧妈几乎从未招呼过作为媳妇的田月明，当然，她也从未宣布过表露过暗示过不欢迎田月明去参与午茶的活动；西人对此事似乎从未动过脑筋，有时候他自己坐在那里吃，田月明为取一样什么东西或洗了衣服穿过那里要去平台上晾晒，他也会顺便站起来拦住她把一样什么美味用亮闪闪的西餐叉送进她的嘴里，或者干脆把她拉过去坐在沙发上，让她更多地尝上一点 …… 田月明是经历过加拿大、北美的豪华生活的人，在重庆时家里的排场也远比这儿大，什么好东西没见过没吃过，她实在并不稀罕，而且她知道欧妈弄来这些东西也很不容易，公公虽说挣得不少，又有积蓄，偶尔还有欧妈的德国亲戚汇点马克来，但也并非富裕到可以让全家人敞开吃冷切的地步，她心里头是甘愿任由欧妈去单独享用的，可她的被忽略，她在场的形同多余却使她的自尊心深深地受挫，因而，后来她就渐渐自觉地实行回避，凡欧妈的午茶时间，她便只待在亭子间中，连楼上包括厨房里该做的事也暂且不去做……

已经跟崩龙珍聊了好一阵，按说该带她上楼去坐了，田月明却心中估算出那午茶尚未饮完，犹豫起来，脸上现出些不自然的神态。好在崩龙珍并没有觉察出来。

楼上传来斐斐牙牙的学舌声，还有欧妈西人的欢呼声和鼓掌声。实在不能不动了。田月明便拉着崩龙珍的手说："怎么我们光在这儿聊？走，上客厅去！"

一进那三楼起居室崩龙珍眼睛便一亮，她好多年没见过如此高雅的住房了，呈现于眼前的一切，使她对楼下小亭子间的疑惑顿然冰释。

田月明对西人说："你看谁来了？"

西人从沙发上跳起来，先"哗"的一声，接着便怪声怪气地叫："崩——龙——珍！"用的地道的四川重庆的语音，逗得崩龙珍弯着腰笑。

田月明向欧妈介绍，欧妈坐在沙发上没有起身，但慈蔼地微笑着。田月明让坐在欧妈身边的才一岁半的斐斐叫"阿姨"，斐斐居然字正腔圆地发出"阿姨"的声音，令崩龙珍艳羡不已，到底是美男美女的结晶啊，又有混血优势，真漂亮！真聪敏！

欧妈的午茶尚未饮完，但欧妈撤回里屋去了，带走了斐斐。田月明便招呼崩龙珍到沙发上坐下，西人"借花献佛"，请崩龙珍饮茶、吃饼干和冷切。

崩龙珍始信"世外桃源"之说一点不假。

崩龙珍刚问了西人一句："你忙不忙？"西人便斜倚在沙发靠背上，把一只腰枕抱在肚皮前，二郎腿一跷，志满意得地讲了起来，他们那单位领导如何信任他、重用他，表扬他"比百分之一百的中国人还要百分之一百地爱社会主义中国"，他如何给民主德国专家当翻译，如何跟对方争论，如何维护我方的利益，等等，等等。

田月明打断西人："算了算了，人家崩龙珍好容易来一回，轻松一下吧，先听听音乐，对了，我买的那套哈恰图良的交响乐唱片总没工夫听，今天一起听听！"

确实，田月明一直打算静下心来听那套唱片，可是这起居室总被别人充分地利用着，犹如已经客满的剧场，她进去只能是打站票，今天算是占到了第一排座位，可以从容地享受一下了！

田月明便去留声机那里放唱片。还不是电唱机，是用摇柄上发条的留声机。那时候田月明一个月的工资才四十七块五，西人的工资比她多点也只有五十四块，而她说服西人下决心买下的这台留声机就用了相当于他俩一整月的收入，因而田月明视那留声机为家中的第一爱物。田月明边紧发条边告诉崩龙珍："好不容易托鞠琴到北京国际书店买的苏联唱片，她好不容易托人给捎到天津来……"

崩龙珍叹口气说："交响乐啊！不知道有多久没听过这玩意儿了……"

唱片放出了音来。田月明坐回到沙发上，不知道为什么异常激动，就仿佛她的生活里在发生着一桩多么重大的事件，她蓦地回想起那一回在大华电影院看《奥赛罗》的情景，不知道为什么她眼前浮现出一双掉在厕沟里的手套，乖乖地对称地落在那下面，既令人心疼又无可奈何……

田月明给崩龙珍和自己的红茶杯里都搁进了方糖，她用不锈钢小勺轻轻地搅动着，一边欣赏那交响乐一边小口小口地呷着热腾腾的红茶……

第一乐章还没有奏完，忽然欧妈从里屋走出来对田月明说："亲爱的，关掉它，这太吵人了！"

田月明手一抖，不锈钢小勺落到了地板上。

第五章

1

他一直记得那个露天剧场。

也许是因为那时候他还是个远没有发育好的少年，因而眼睛望出去心里感应到的空间，都比事物的原来面貌要扩张许多——他记忆中的那个露天剧场很大，剧场的座位就是一级比一级高上去的水泥台面，整个剧场的观众席是圆弧形的，正面有水泥座基和天棚侧幕的舞台也很大，而他记忆中的演出场面，也是相当壮观的。

那露天剧场在北京西郊，位于一大片旧有的和新盖过的楼区内，属于一个重要的机关，是机关召开全体大会的地方，晚上则经常用来演电影，到周末，则有歌舞一类的演出。

当时他的小哥在那机关的合作社——就是以副食品为主以日用百货为辅的一家内部商店——当售货员，小哥是个观看演出的积极分子，不管那露天剧场里演的是什么，电影也好，歌舞也好，话剧也好，曲艺也好，戏曲也好，统统都看，而最爱看的是戏曲，戏曲里最着迷的又是京剧，所以不仅商店里的同事，就是许多的顾客（都在一个机关都熟悉）见了他也总打趣说："小蒋呀，怎么样，该改名儿叫盈京了吧？"

小哥叫蒋盈平，京剧在革命圣地延安曾叫平剧，解放了，北平改叫北京，平剧也就改叫京剧，蒋盈平既是个京剧迷，岂不应改名儿叫蒋盈京么？

小哥一直没有改名儿，但对京剧的爱好却伴随着他的一生，京剧是他的——借用 80 年代走红的一位女作家的一部书的名字——隐形伴侣。

2

他初一升初二之间的那个暑期，有一段是在小哥那里度过的。小哥当时就住在商店后的一间屋子里，那间屋子前门通向柜台，后门通向那露天剧场，后门和露天剧场的背部之间是一大片杂草丛生的荒地，雨后形成若干水洼，入夜蛙声一片，白天也时有蛙鸣；他曾在小哥售货时一个人跑到那片荒地上去捕捉过青蛙，看着那青蛙就在眼前，似乎一弯腰拿手一罩便能罩住，其实难矣哉，常常是累出一身臭汗，急得频频跺脚，而整整一个上午毫无掳获；那里的青蛙也委实可恶，因为太多，也因为不愿离开那片芜地，所以即使他跺脚，也不过只稍微跳开一些，暂停鼓噪而已，后来竟干脆跺了脚也仍在他视线里趴伏不动，肚子大鼓大瘪，鼓着两只圆眼睛瞪着他，仿佛在讥笑他的低能与无奈。

那大机关里有一个相当不小的花园，严格来说不是供游览休憩的花园，而是培植盆花树苗以备办公区摆放和栽种的花圃、花房、苗圃、幼树构成的一个区域，在那美丽而幽静的地方，可以望见不算太远的颐和园里的万寿山及上面的佛香阁、智慧海，还有只呈现出灰色剪影的玉泉山及山上的妙高塔；白天在那地方嬉游时，最令他惊讶的是可以听到从颐和园里传过来的一种由游人们发出的各种声音混合而成的古怪音响，那模糊一片类似马蜂归巢的声音既遥远又清晰，既微弱而又绝不间断，因而显得神秘空濛，与那似乎近在眼前俯拾即是却又屡捕不获的草地青蛙一样；多年以后，他悟出那都是人生的象征，至少是他个体生命处境的象征。

他至今感念小哥。使他在那里度过了非同寻常的一个暑假。

3

小哥怎么会当了个售货员呢？

小哥也是蜀香中学的学生，比阿姐、田月明、鞠琴、崩龙珍、西人他们高一班，与田月明的姐姐田霞明同班，那时候父亲偶尔带我们去重庆的厉家班看京剧，像如今被人们视为武生泰斗的厉慧良，那时还是个很年轻的演员，在厉家班里也还挂不到头牌，唱不了压轴或大轴戏，那时候给我们留下印象最深的是唱旦角的厉慧敏，她似乎从正工青衣到刀马旦全拿得下来，唱念做打样样俱佳，常常是由她唱压轴或大轴戏，红极一时；不知道为什么后来她未能打出四川成为全国知名的演员，至今小哥议及这一点，还代她抱不平。

小哥念到高三时恰逢社会巨变，后来又随父母进京，到北京时正规大学已不招生，是根本不招生还是已错过了招生时间，我记不清了。总之，父母和他自己都不愿意在家里闲着，加上时代潮流所推动，他便去报考了华北革命大学，开始父母曾很为他自豪，其程度仅逊于为我们大哥——大哥是解放军的一员，参加了解放广东的战斗，当时在广州；小哥开头也很自豪，但没多久就回来说：原来那并不是什么正规的大学，而是一种对愿意投入革命事业的知识分子开办的短期政治训练班，随着政治理论的传授思想改造的动员和学员们自我投入的进展，大学不断地向国家各个方面输送着人才。那固然是足以引为自豪的一所新型大学，但于小哥却实在是并不合适，比如他所分到的那个班上，30 几个人中只有 4 个人是高中毕业生，其余的或者是念过旧大学的大学生（有的没念完，有的念完了未找到职业），或者是早已从业甚至在其职业范畴内已有所成就的文化人，如话剧导演、电影演员、报馆记者、出版社编辑、画家、诗人、既能口译也能笔译的通外文的人、开过照相馆的摄影师…… 甚至还有一位能"大变活人"的魔术师，等等，小哥同他们混在一起固然大大地展拓了眼界，觉得新奇而有趣，但还没到一年为期的学习结束，就不断有这位去了剧团，不久便排出了话剧《雷雨》，那位去了电影制片厂，很快便在某部故事片中扮演了农妇…… 还有的去了报社、杂志社，到毕业的时候，凡有专业才能的几乎都被一抢而空，剩下的，便是小哥那样的无一技之长而徒有清白历史的小鬼（那些有专业才能的人历史上大都多少有些个污点），但经受过革大教育的小哥绝对地服从组织分配，于是便被"暂时"地分配到那大机关的合作社中卖货。小哥卖货期间确很安心，他的服务态度足可成为今日各大商场售货员的楷模，不仅百问不烦、百拿不厌，甚而可以隔着柜台同顾客娓娓谈心——只要没有另外的顾客走近。小哥的安心除了他的进步思想而外，我想那出了后门就是的露天剧场，特别是那露天剧场中不时上演京戏，也是极为重要的因素。

那分配确是"暂时"的，机关的领导对小哥的情况心中有数，革大分配时一定有过交代——这样纯洁的有革命热情的青年应当再好好培养，因而两年后当正规大学统一招生时，小哥便得到了以"高干"身份报考大学并优先考虑加以录取的资格，当时小哥选择了北京大学的俄罗斯语言文学专业，一放榜，他果然被录取了！

别看小哥当过售货员，论起来，至今他仍是我们家族中学历最硬的一个——尽管他没像阿姐那样念过研究生，但他毕竟上过中国的最高学府啊！

4

他记得那一天，是个星期日，那一天对小哥非常重要，甚而可以说是小哥生命中最辉煌的一天。

那一天一大早他就和爸爸妈妈出了家门，动作总比旁人慢几拍的妈妈那天也居然"笨鸟先飞"般地做好了出远门的种种准备，三个人一起乘有轨电车到了西直门，又从那里转乘郊区公共汽车去到北大。

正是仲春天气，北大的未名湖碧波粼粼，未名塔（实际上是一座古典形状的水塔）那秀丽的身影倒映湖中，迎春花尚未谢尽，榆叶梅正开得烂漫，白丁香紫丁香也竞相怒放，随风飘散出阵阵沁人心脾的芬芳，松柏更见青翠，竹丛愈显苍润，更有山坡上自由开放着的二月兰和曼陀罗，加以蜂鸣鸟啭，游丝飞絮，爸爸边走边叹："真比颐和园昆明湖更有味道！"妈妈平日只奏锅碗瓢盆交响曲，全然陷在柴米油盐酱醋茶的阵仗中，置身于这样的环境，更是满面笑容，眉舒眼开，喃喃地说："平儿真有福气，在这样的地方读书！"

在临湖轩附近遇上了鞠琴和常延茂，那时候他们已确定了关系但还没有结婚，他们也是为同一目的而来的，鞠琴乐乐呵呵地说："原来总是我们请小哥看我们的演出，今天倒是他请我们看他的演出了，真好玩！"

眨眼工夫又有一阵自行车铃声，大家扭头一看，是崩龙珍骑着自行车来了，她住得离北大很近，常骑车进来，只见她跳下来，满脸不知是纯粹的高兴还是含有暗中觉得好笑的夸张表情，大声地宣布说："还不快去看，好大的海报！这回盈平可是梅兰芳的地位！"

"月明怎么还不来？"鞠琴问她，都知道崩龙珍和田月明联系得最密，两人常通电话。

"她么？她怎么舍得牺牲跟西人的幽会！"

　　都知道西人那时候几乎每个星期天都要一早赶来北京,当晚再返回天津,跟田月明定期演出"鹊桥相会"。

　　"那就把西人也约来一起看她小表哥唱戏嘛!"

　　崩龙珍望着鞠琴只是笑,又望望常延茂,说:"他们两个可是只喜欢吃西餐的家伙,不像你们,中外古今,兼收并蓄!"

　　"锡梅怕不会不来啊?"妈妈不由得地说。

　　沈锡梅是妈妈娘家的亲戚,具体地说,是妈妈堂妹的女儿,原来也在蜀香中学念书,跟小哥同年级不同班,她后来上了林学院,学的园艺专业,毕业后分配在北京园林局当技术员,节假日有时也到他家即姨妈姨父家去,自然跟鞠琴、崩龙珍什么的都认识,小哥登台献艺,也请了她;小哥恨不得把所有的三亲四友都请到,阿姐在河北不在北京,但他也请了阿姐那时的对象达野,达野在电话里跟他说实在抱歉,他那天自己家里偏有脱不了身的事,祝小哥演出成功!请到沈锡梅时,沈锡梅是答应一定到的,不过那天除了妈妈似乎别的人都难得想起她来。妈妈那句问话只能算是自言自语,没有人接她的话茬。

　　崩龙珍便领着大家先去看那海报。

　　多少年过去了。他还记得那大幅的海报,不是贴在告示栏上,而是刷在一座楼侧面的墙壁上。那时候什么大鸣大放、反右斗争都还没有起来,还不兴贴大字报,因而那演出的告示便显得新颖奇特甚而有些触目惊心:

北京大学　　　　学生京剧社　　　　本星期日上午十点准时在

大礼堂 开锣 **演出** 精彩京剧折子戏 **占座从速**!

徐明益　鲁　羽　詹德娟　何　康　黄绿青　程　雄　范玉娥

钓金龟　　　　　　拾玉镯　　　　　　除三害

程派名剧:　　　　　　　　　　蒋盈平　主演

锁麟囊 春秋亭 双折　　　詹德娟、范玉娥、黄绿青
　　　　大团圆　　　　　　何　康、鲁　羽、徐明益

常延茂仰头看过后说："嗬，别看是业余的，生、旦、净、末、丑，角色还挺齐全的！"

鞠琴呵呵呵地只是乐。

崩龙珍便说："怎么样，蒋盈平是大台柱吧！"

鞠琴便说："是大台柱，可他不是北大的梅兰芳，他是北大的程砚秋！"

崩龙珍不懂京戏，她说："反正都一样，也可以说是北大的乌兰诺娃！"那时候苏联芭蕾舞演员乌兰诺娃在中国同梅兰芳、齐白石等艺术大师一样，知名度如日中天。

妈妈看海报看得最仔细，她看完笑吟吟地说："平儿真出风头，你看，他唱大轴不算，前面的演员除了一个程雄因为是花脸《锁麟囊》用不上以外，其余的全来傍他！真成了众星拱月了！"

爸爸只抿着嘴笑，故意说："只怕他一张嘴能把台下的人全吓跑，程腔是那么好唱的吗？"

他记得，那天他们一行走进大礼堂时，全都有点出乎意料，那燕京大学时代就盖好的大礼堂虽说并不是特别的大，但也不能说小，仅仅是一个学生文艺社团的业余演出，竟吸引了那么多的观众，不仅有不同专业不同年级的学生，更有许多的教职员工，爸爸说他看见了好几位社会上非常著名的大学者老教授，后来知道那天连校长副校长也都到场了，也有从附近大学和机关单位闻讯跑来的戏迷，小哥后来说还有他们专门从城里请来的行家，包括京剧界的演员（他们拜过师的）、评论家和著名票友，总之盛况空前，开锣前已上了八九成座，开锣后渐渐爆满，到小哥上《锁麟囊》时，甚而出现了许多"加座"——有人从附近办公室、教室搬来椅子，坐在墙边、过道上欣赏。

他记得，那天的演出专门在前面划出了一块地盘，作为"家属席"，他们一行人才得以安然落座，而且在最佳位置。

因为小哥那些戏友几乎全到他家做过客、留过饭，所以他差不多都认得。看在台下认识甚至熟悉的人在台上唱戏，那真是别有一番滋味。

唱《钓金龟》里那个老旦的他不熟，但唱张义的小丑鲁羽他可是太熟悉了！鲁羽在台下是个远比小哥漂亮潇洒的小伙子，只是身量小了些，小哥他们一伙给他个绰号"袖珍美男子"，他真想不到美男子竟然甘心把自己的鼻子涂白，贱声贱气地在大庭广众当中演个小贱人，况且鲁羽是学化学的，一个整天背化学方程式的大学生，怎么会对毫无化学气息的京剧这么样地感兴趣呢？

无独有偶，在《拾玉镯》里演刘媒婆的黄绿青也是个美男子，而且并非袖珍型，学的又是法语，那年头有几部法国电影在中国极受欢迎，如《勇士的奇遇》《红与黑》，都是由红极一时的法国明星钱拉·菲利普主演的，黄绿青的长相虽说没有堂皇到钱拉·菲利普那样的程度，但确也依稀仿佛，而他，竟然也作贱自己，装扮成一个彩旦，化妆时还重重地在上嘴皮点了个圆圆的媒婆痣，以种种夸张的动作和语调构成噱头，博取包括校长在内的观众们的哄堂大笑。

是的，他回忆起那天的情景时总不免想，人类的天性里，是确有当丑角为乐和看丑角为快的基因的……

《除三害》是一出比《钓金龟》和《拾玉镯》高档的戏，一般来说，《钓金龟》着重唱，《拾玉镯》着重做，而《除三害》却是唱做并重的，除了没有武打，念白的要求也相当高。演这出戏的两位，他知道是小哥最要好的朋友，程雄是学地质地理的，魁梧爽朗，活生生是一块演壮汉周处的料，他的花脸唱腔声震满堂，不断博得座中内行人的喝彩声；令他又感惊异的是唱须生的范玉娥乃女扮男装，范玉娥在台下眉清目秀，其相貌只略逊于他表姐田月明而明显超过阿姐、鞠琴和崩龙珍，范玉娥是学生物的，依他想来，这样的女子既然爱好京剧，该演青衣、花旦才是，可她偏要戴上髯口，煞有介事地扮作古代长者，为了在《除三害》中与程雄旗鼓相当，看得出她使足了力气，据爸爸一旁解说，她是依照马连良那一派的唱法，马派的唱法是尽量往潇洒上靠而尽可能地避免激昂，她似乎唱做都嫌过火，但当她所扮演的劝谕周处的时吉老人唱到流水"周贤侄问名姓，为老朽与你说真情……"一段时，不仅台下的内行频频鼓掌、大声叫"好——哇——"，唱毕几乎全体观众也都为她一齐热烈鼓掌。她家也在城内，经常到蒋家去玩，蒋盈平不在，她也能同他妈妈聊上一阵，他妈妈一度暗中希望小哥与她能对上象，但后来就知道，她与在《拾玉镯》里唱小生的已是一对恋人，那唱小生的何康是中文系的高材生，后来成为了一个有名的评论家。在小哥后来的生命途程中，何康、范玉娥是始终没同他断了联系的一对。

……《锁麟囊》终于开锣了！

他知道，那一天虽然已经过去了那么久，而且当年台下看戏的人，恐怕只有极少极少的一部分，甚而只有几个，乃至于到今天只有他一个，还能记得，还能追忆。但对于台上的小哥来说，却恐怕是永铭于心，正如戏里那只锁麟囊一样，在灵魂里永远深深地珍存，并且会常常在夜深人静、万籁俱寂时，仿佛从囊中取物一般，将那天演出的盛况一环环一寸寸地加以咀嚼、回味，而每一环每一寸，都仿佛是戏词里所唱的红珊瑚、碧翡翠、赤金链、紫瑛簪、白玉环、双凤鍪、八宝钗钏，光华灿烂，宝孕光含……

他知道，历经了三十多年的风风雨雨，业已退休的小哥仍珍藏着那一天演出的剧照，是他们京剧社的同仁拍的，那时候还没有彩色胶片，用的又是120型的方盒子照相机，也没条件用闪光灯，拍摄的技术又不过硬，拍出来的剧照有的焦距不准，有的取景不当，比如有好几张舞台面是歪斜的，有几张取景还不错，但适逢小哥引吭高歌，张开的嘴巴形成一个大黑洞，实为不雅，比较中看的大概只有一两张，不过时间过去太久，现在都已发黄，而底片又早已不知所终……

他知道，直到今天，一个人独处时，取出那天演出的剧照仔细观看、摩挲，仍是小哥最重要的人生乐趣……

他知道，小哥在后来的人生途程中，同事们、新交往的亲友们，都不知道甚至难以想象他曾经唱过程派青衣。

实在的，即使在年轻的时候，一般见到小哥的人，也都不会觉得他漂亮，他绝非美男子，也并非纤弱女气的男人，他胡子很重，即使天天耐心地用剃须刀刮得干干净净，颊边唇上和下巴也总还是一片青色，他的下巴似乎有点短，往脖子里头退缩，一双手也很大，唯有一双眼睛大而明亮，并且同妹妹一样，是双眼皮，与另外三位兄弟的单眼皮、小眼睛或长眼睛的长相很不相同，但他也绝非妹妹蒋盈波那样的深眼窝，也不是崩儿头，这样的一副长相，在台下没谁会觉得是能够男扮女装的，然而在后台一化妆，勒起眉毛，贴上糊住鬓角的片子，打上粉底，涂好胭脂，另画眉毛，再满头珠翠，一身带水袖的戏装，便全然没有男气了，那扮相虽不能说很好，但一出台，莲步轻移，粉脸微偏，水袖一抖，游丝般的程腔一吐，嗬，绝大多数观众立即认同了——分明一位古代女性！

《春秋亭》一折中，他头一段还不怎么叫好，可是当转为流水，唱出"世上何尝尽富豪，也有饥寒悲怀抱"之后，便越来越自如了，与丫头梅香和管家薛良间的问答也掌握得节奏得宜、不温不火，他的行腔是既高亢又婉转，似喷泉又似抽丝，一句衔着一句，余音绕着余音，台底下则彩声不断，到"麟儿哪有神送到，积德才生玉树苗，小小囊儿何足道，救她饥渴胜琼瑶"几句唱完时，台下的掌声便响成了一片……

《相认团圆》一折中，开头小哥的表演并不突出，倒是鲁羽以彩旦应工的脑后翘着一根独辫的碧玉丫头出尽了风头，剧中贵妇赵守贞由《拾玉镯》中饰孙玉姣的詹德娟扮演，《拾玉镯》中是花旦，这《锁麟囊》里是青衣，也算一专多能了；随着剧情一推进，赵守贞渐渐意识到沦为佣妇的薛湘灵（即小哥所扮的角）便是当年春秋亭中慷慨赠囊的恩人，于是便不断让碧玉为薛设座，先是一旁偏坐，后平起平坐，再后竟请到上坐，碧玉不服，有许多插科打诨，鲁羽表演时随机应变，临场发挥，当赵守贞第三次唤碧玉时，他跑到台口，不服气地对观众说："您瞧瞧，我明明是鲁羽，偏叫我碧玉，不信我有学生证您看……"接着便作掏兜状，嘴里还不停歇地吐葡萄皮儿般地自报家门说：化学系某某级某某班学号多少多少宿舍在某斋某层某室某床……逗得台底下的人哄堂大笑，他们系的同学甚至于有时打上了嗯哨，事后小哥摇着头说："袖珍美男子真是个死讨厌，甭管什么戏码，只要有他上台他就一定要占据舞台中心，不勾得台底下怪声叫好绝不甘休！"但一边埋怨也还一边忍不住要笑……

不过当小哥扮演的薛湘灵唱大段的"西皮原板"转"流水"时，鲁羽并没有捣乱，而且看样子在台上也是很乐于一旁欣赏，小哥把那"轿中人必定有一脸幽怨，她泪自弹，声续断，似杜鹃，啼别院，巴峡哀猿，动人心弦，好不惨然……"的回忆不仅唱得腔作九转，声情并茂，还配之以优雅的身段，舞动着雪白的水袖，实在精彩，台下又是掌声喝彩声交混为一片。

剧终时，扮演赵守贞的詹德娟不断地甩着水袖向扮演薛湘灵的小哥屈膝万福，而小哥扮演的薛湘灵，则不断地相应舞袖谦辞，两个人的动作极为优美，大概是业余演出毕竟机会难得吧，两人都大有恋恋不舍欲止又动之势，竟把那一组一高一低的谢让动作从台右持续到台左，又从台左返行到台右……台下的观众们都报以宽容的笑声和掌声。

5

散场了，人们陆续走光，只有我们一群家属站在前排一带，一时不知该到哪儿去——去后台为时过早，因为小哥他们还在台上摆出各种姿势让拍照的同学拍照；出礼堂，则又怕同小哥他们失却联系，搞不好会弄得卸妆后的小哥到处找我们而我们又胡乱地找他，两相错过……

这时我忽然看见剧场后部，在散尽观众只剩成片空座位的背景中，站立着一个人，我不禁扬声唤她："锡梅姐！"

的确是锡梅姐。她听我一叫，便朝我们走了过来。

锡梅姐身高只有一米五，又相当地胖，她一头短发本不丰茂，脸庞左右两边不甚对称，颧骨微突，又戴着副度数不浅的近视眼镜，十足的其貌不扬；我看出来，她在众表姐妹和当年的女同学群中，为此有着深深的自卑感，在我家聚会时就是如此，现在看完小哥的演出，要是我不叫她，她当然迟早会走过来的，但那恐怕就更要迟慢。

锡梅走过来先招呼我爸爸和妈妈，大家便都招呼她，妈妈拉过她手，问："什么时候来的？看全了盈平的《锁麟囊》么？唱得还好吧！"

"唱得好啊！"锡梅姐由衷地赞叹着。"真想不到盈平唱得这么好！"锡梅姐跟小哥同龄，论月份似乎还要大些，所以称小表哥不合适，称小表弟也不相宜，只好叫名字。又解释说："《除三害》没唱完我就到了。路上车挤，晚了。好在没错过《锁麟囊》——故事也好！"

鞠琴、崩龙珍都凑过去同她说话。三位女性站作一处，锡梅姐便实在不堪对比了。何况鞠琴姐和崩龙珍穿戴得都不仅雅洁俏丽，以那个时代的标准而论，还都很气派，用今天的话说就是相当新潮，鞠琴姐新做的头发，墨菊式，崩龙珍一身浅灰的西装衫裙，西装上衣敞领里露出淡粉色尖领绸衬衫，还别了一个淡紫色假宝石镶银边的领针。可是我仔细端详锡梅姐，就发现她那天也穿戴得格外仔细，墨蓝的薄呢子短大衣一尘不染，里面是崭新的紫红色的开司米高领毛线衣，深褐色的线呢裤子尽管肥大，却裤线笔挺，脚上一双黑色的圆头半高跟皮鞋，还挎着个黑颜色铜锁扣的人造革坤包……那可真比哪回去我们家都显得郑重，我还嗅出她身上飘过一阵雪花膏的气味。我正好奇呢，只听崩龙珍对锡梅姐说："你这身衣服搭配得可不好，调子太沉了！"鞠琴姐也没心没肺地跟上去说："是呀，这样太老气！"

我看到锡梅姐的脸一层深过一层地迅即红涨起来，两只手不知所措地搓着挎包背带……

第六章

1

淫雨绵绵。

站在小山坡上，回望稻田那边的学校，青瓦灰墙的两层小楼，门窗破败，墙皮剥落，残存的大字报红绿相间，墨迹斑斑；明廊外侧的木柱和栅栏都已经陈旧，呈黑褐色；裸露的操场上，破损的篮球架像恐龙的遗骨；一切都仿佛被浸泡在了污水之中。

恍然一梦。

蒋盈平举着橘红色的柿油雨伞，扭转身，沿着小山坡上的石砌小路，进入毛竹林。毛竹林里有淅淅沥沥的滴水声。本来那绒毛细雨敲不响竹叶，但竹叶上积水多了，上面的滴落到下面，便有了那撩人心绪的声音。蒋盈平放慢脚步，有时干脆就停步不前，在那竹林中贪婪地享受仿佛是偷盗而来的宁静。他尽量用一把自慰的隐形梳子，梳理着自己那因惊吓和孤独而纠结成一团的痛苦思绪。

……后悔是一剂苦药，而且并不治病。但这些日子他不知不觉中已喝了多少！

后悔当年报考北大时选了个俄罗斯语言文学系！其实以那时他的调干资格，以他的考试成绩，他实在是有着非常广阔的选择余地，而在一念之差中，他竟在第一志愿里填下了这个专业！什么使然？他回想起当年工作的单位里的那个露天剧场，无非是中国青年艺术剧院到那里演出了俄罗斯喜剧大师果戈理的《钦差大臣》，无非是妹妹蒋盈波的同班同学鞠琴她们那个文工团的话剧队也到那里演出了苏联话剧《曙光照耀着莫斯科》……还有那些苏联电影，那些中文版的《苏联画报》和《苏联妇女》，以及非常想读懂却一时只好光欣赏图片的俄文版《星火》

和《苏联银幕》……再有自然是一大堆俄罗斯和苏联的小说，于是乎，就觉得学习俄罗斯语言文学不仅最实用，也最浪漫，不仅是祖国最需要的，也是自己最可引为自豪的……谁想到临近分配时中苏两党之间已公开了他们之间的分歧，苏联专家已纷纷撤走，俄语人才顿然过剩，而国家又经济困难，中央单位、学术机构、文化部门都纷纷紧缩，乃至于开始下放他们那里多余的俄语翻译。于是，蒋盈平毕业后竟被分配到了湖南，而且所分配的单位所在地不仅并非省会长沙，也并非省内别的城市，而是湘北一个县城，到那县城报到后，不是把他留在了县政府，而是分到了县里一所中学。那中学又并非是一中，而是县三中，那县三中根本就不在县城里，而在离县城八里地以外的镇子上，而那县三中的校址竟又并不在镇子的街巷中，却是在镇集以外一里地的农田里。那校舍倒是一栋两层的瓦顶砖墙木门廊的楼房，也还有片操场，但周围竟根本不设围墙……

蒋盈平在北大俄罗斯语言文学系学了一大堆关于《伊戈尔远征记》的考据，关于19世纪俄罗斯古典文学中的"多余人形象"的探讨，关于安东·契诃夫戏剧比如说《海鸥》和《樱桃园》中的"停顿"的使用所体现出的深意，关于米·肖洛霍夫在《被开垦的处女地》第二部中的新开掘，以及他那短篇小说《一个人的遭遇》究竟应如何评价的争鸣等等，等等。然而，在这穷乡僻壤，他那满腹的俄罗斯经纶，究竟又有什么用呢？他的工作任务是教初中的俄语课，那其实是根本用不着到北大学习5年后再来执此教鞭的，并且头几堂课一上下来他就意识到，对于这些冬天手脚乃至脸上都生出许多冻疮的农村学生来谈，当务之急与其说是教会他们说俄语，不如说是教会他们说普通话……

蒋盈平也很后悔自己在北大时没有下苦工夫学习，其实，也不能说俄语专业的毕业后就一定不吃香。他们那一届毕业时，马恩列斯著作编译局还是要人的，也有一部分同学留下来改学西班牙语及阿尔巴尼亚、斯瓦希里等小语种，而自己考试时常常不仅不能成绩优秀，还有几回不及格只好补考，记得有一回口试，抽了个语法题的题签，进到考场支支吾吾，答不出老师的追问，最后那主考老师便笑着说："不行不行，你简直不行，先退出去，准备好了再来……"自己便涨红着脸抱惭而退……倘若自己成绩优秀一些，那不很可能就不至于沦落到这乡野危楼之中了吗？

……实在也是因为把大部分精力和心思都投入到了京剧社的活动中！这……这不后悔！蒋盈平停住脚，听竹梢上滴下的水珠敲击伞面，嗅着伞面上飘逸出的柿油气味，在心里对自己喃喃地说：这个不后悔，不后悔！

是的，北大5年，究竟是俄罗斯语言文学的5年，还是京剧的5年？二哥蒋盈工就打趣过他："与其这么业余地疯唱，真还不如下海！"

妹妹蒋盈波有一回也说："你退学下海，不仅能唱出名气，也就保险留在北京，不用去那个莫名其妙的什么县立三中了！"

连弟弟蒋盈海竟也奚落他："托尔斯泰加程砚秋除二，得'县三'！"

可是蒋盈平唯独对自己沉浸于京剧社活动的那些日日夜夜，有永生不悔的情怀！

其实，京剧社于他，实际上所沉浸的岁月并不到5年。1957年的反右斗争一起，京剧社也便暂时中止了活动，而且，一些社友便在那场斗争中忽然成了敌人，成了自己不敢再来社里活动而蒋盈平他们也不敢再与之接触的危险分子，比如黄绿青，那个法语系的高材生，他本是台下风度潇洒、台上噱头百出的一个活泼泼的宝贝。有一天蒋盈平正打算找他去对《锁麟囊》中薛湘灵和胡婆的一场戏，半道上遇见了京剧社的小生何康，何康一听他说出黄绿青的名字，便把手掌挡住他的双唇，紧紧张张地告诉他："你怎么还这么糊里糊涂的！黄绿青已经被他们系里揪出来了！是一个隐藏得很深的右派分子！"蒋盈平大吃一惊，忍不住说："怎么会呢？他在学校里什么言论也没有呀！"何康便告诉他："学校里没有，外头有啊！人家已经查明，他用笔名写了好几篇文章，都登在上海的《新民晚报》上，全是右派言论，大毒草！"蒋盈平给吓出了一身冷汗……"反右"过后，"大跃进"的时候，京剧社恢复过一点清唱，到大炼钢铁的土高炉边搞过慰问演出；再后范玉娥还编过一个表现师生们踊跃参加十三陵水库修建工程的活报京剧《齐上阵》，在校内和水库工地上各演过两场，但因为无论如何也无法安排男扮女装的程派唱腔，蒋盈平便临时充当了伴奏中的一员，打小锣，范玉娥也不好女扮男装唱马派须生，便编导之外又兼化妆和道具管理……那以后因为进入"三年困难时期"，学校无经费，师生无精力，讲究"保持热量"而不主张大兴演艺活动。京剧社又沉寂下来，后来蒋盈平便毕业了。他一直梦想能同京剧社的同仁们排演出全本《锁麟囊》——同仁们也都有浓厚兴趣——却始终未能如愿……

在那竹林中，蒋盈平百感交集。他竟不知不觉轻声哼唱起《锁麟囊》一剧中薛湘灵的一段"二黄三眼"转"快三眼"来：

一霎时把七情俱已昧尽，参透了酸辛处

泪湿衣襟，

我只道铁富贵一生注定，

又谁知人生数顷刻分明，

想当年我也曾撒娇使性，

到今朝哪怕我不信前尘，

这也是老天爷一番教训，

他叫我收余恨、免娇嗔、且自新、改性情、休恋逝水、

苦海回身、早悟兰因……

突然传来一阵高音喇叭广播"最高指示"的声音，那声音来自不止一个方向，在他身后，肯定是学校楼边电线杆子上的高音喇叭，在他前面、侧面，则估计是县城里和附近一家工厂里传出来的——几个"造反派"的"毛泽东思想宣传队"都开始新的一轮"战斗"了！

蒋盈平心里一紧，赶忙闭拢嘴唇，同时心底里涌出一种罪孽感，都什么岁月了，自己怎么竟还敢哼唱腐朽反动的"四旧"啊？！他下意识地朝四周望望，还好，毛竹蓊翳的山坡上，只有他一个人举伞踽踽独行……

他加快了脚步。他是要往童二娘家去，那里是他眼下唯一尚能得到温暖的地方……

2

蒋盈平落生的时候，正是父亲蒋一水在海关当职员混得最好的阶段，家里的生活不仅富裕，而且相当讲排场，那时候家里雇了两个保姆，一个专管带他；另

一个只管做饭洗衣打扫房间，兄弟姐妹们都长大以后，大家合看那时蒋盈平的照片，照片上的蒋盈平坐在一辆洋味十足的玩具汽车里，身穿漂亮的海军衫，白胖胖，娇憨憨，大家就都指戳着照片上的他批判说："好一个资产阶级小少爷！""温柔富贵乡的产物！""整个儿一个'多余人形象'！""怎么好意思拿去给工人贫下中农看！"

但是父亲蒋一水究竟算不算得上是个资产阶级分子，其实很难说。他是在家境中落乃至经济上走投无路的情况下，放弃协和医科大学的学业，而去报考海关当职员的，因为并无过硬的背景，所以考上的不是纯粹白领的坐写字楼的"内班"，而是更接近蓝领的在关口查验货物的"外班"，所以解放后定成分充其量不过定为一个旧职员而已。但在 20 世纪 20 年代末 30 年代初，因为中国海关由帝国主义控制，有相对独立的体制，薪酬较高且较稳定，所以即使一个小小的"外班"职员，家中也能一度雇用两个保姆，生活水平确实大大超过一般的城市居民。但蒋盈平的大哥蒋盈农和二哥蒋盈工落生时和那以后的几年中，蒋一水开始还并未进入海关，后来又是试用期而未正式被录用，所以头两个儿子都没赶上蒋盈平这么好的"待遇"，而等妹妹蒋盈波和弟弟蒋盈海落生时，就逐渐进入了抗日战争时期和抗战最艰苦的阶段，在重庆海关当职员的蒋一水尽管跟其他部门的职员比起来仍旧薪酬较高，家里的生活水准也远远降落在蒋盈平童年时代以下了。蒋盈平童年时代的那种"得天独厚"的娇养状态，对他一生的身心都埋下了许多特有的因素。

其中最突出的一个因素，就是对亲友的依赖性。

对亲友感情深挚，这本来是好事，但发展到成年后仍然不能将自我与亲友作必要的区分，不能将亲友之情控制在合适的程度之内，不能在必要时将这感情剥离或淡化，则就往往使亲友感到难堪，而蒋盈平自己则感到失落，失落感的积蓄往往又使他分外地感到孤独、寂寞、惆怅和凄凉，结果，又爆发为对亲友之情的新一轮渴求和追逐……

比如说，蒋盈平去看鞠琴他们文工团的演出，跑到后台去找鞠琴，鞠琴本是很高兴的，论起来他们不仅是蜀香中学的校友，因蒋盈波的关系鞠琴又认了蒋一水夫妇作干爹干妈，叫蒋盈平一声"小哥"不成问题，更欢迎他对演出说些赞扬的话提出些建设性的意见。但相貌上分明已经是一个大老爷们的蒋盈平一见了鞠琴，便主动抓住她的双手，双脚连蹦，以一种"青梅竹马、两小无猜"式的语气尖声欢呼："哎呀！太好啦！真正是'大珠小珠落玉盘'啊！……"惹得后台的人们都不禁侧目，鞠琴便只得从他粗大的手掌里退出自己的一双手，尴尬万分地说："哪儿呀……唱得还不够好，你多给我们提意见吧……"而蒋盈平对鞠琴的不快竟浑然不觉……

再比如，表妹田月明早已"罗敷自有夫"，嫁给混血儿西人一两年了，蒋盈平却还总时不时地给田月明写些信，抬头便称"咪妹儿"，那是田月明父母即蒋盈平姑妈姑爹一度对田月明的昵称，蒋盈平小时候同田月明一处玩耍时这样叫她本不足怪，但人家已俨然西人之妻了，你还"咪妹儿"长"咪妹儿"短，合适么？蒋盈平却不觉得有什么不合适，他在信尾还要署上"一起坐罐罐的小表哥"这样的字样，惹得西人有一回忍不住跟田月明吵了起来："一起坐罐罐是什么意思？！怎么这么不要脸？！"田月明气得胸堵喉胀，费了好半天劲才跟西人解释清楚：他们表兄表弟表姐表妹小时候曾住在一处，每晚在屋檐下坐成一排，往痰盂罐罐里撒尿拉屎，如此而已，蒋盈平这人不过是个长不大的儿童罢了。信里讲的无非都是些看了什么电影呀、什么演员演得极糟呀、什么插曲谱得极好呀之类的废话……西人毕竟也在蜀香中学里和田家、蒋家见过蒋盈平，细想他写信给田月明也确乎并无什么歹意，便不再追究，但心中毕竟厌恶，而蒋盈平久久不知……

蒋盈平上大学时，跟同班的同学倒不怎么交往，跟京剧社的同伴那真是情同手足，他常把社里的同伴请到城里家中，也不管给操持饭菜的母亲增加了多少负担，随便就留下三个五个在家里吃饭，他是一点儿也不到厨房里帮忙，只是在客厅中同他们嬉笑欢谈，一会儿同"袖珍美男子"鲁羽一唱一和地奚落某个过气青衣，怪腔怪调怪模怪样地学那"沙嘶劈哑"的唱腔和已不能卧鱼的僵硬身段，一会又同专攻荀派花旦戏的詹德娟争论《红楼二尤》里一个唱段的处理，要么就跟范玉娥抬杠，范玉娥认为当时独自挑班的名须生奚啸伯的唱腔很有味道，他便用力撇嘴，偏说："糟极了，凉白开！蚊子叫！"……有的男同学城里没有家，在吉祥、长安等剧场看完夜戏回不了北大，他就留他们在自己家过夜，一同跟他们在客厅地板上打地铺睡，睡下熄了灯还要唧唧咕咕、咯咯呵呵地笑，也不管里间屋的父母给吵得如何睡不安宁……更有一回把一同看完谭富英难得一露的《南天门》的何康和范玉娥都领回了家中，结果只得让母亲在里屋同范玉娥一起睡，烦请父亲到外屋睡小床，而他同何康打地铺，后来二哥蒋盈工知道了训了他一顿，他才嘟噜着个嘴，答应以后不再带女同学来家里留宿……

毕业了，京剧社的骨干差不多都同届，大家分手时固然都有点依依不舍，但别人都不像蒋盈平那样，似乎京剧社是他的第二生命乃至他那唯一生命实体中的重要部分，他跟谁握别时都要泪湿衣襟……唱铜锤花脸的程雄是学地质地理的，自愿到青海省的地质勘探队去工作，他们那个专业分配得早，程雄先走一步，那时蒋盈平他们系的分配方案还没公布下来，蒋盈平到火车站为程雄送行，车还没开，蒋盈平便拉着程雄的手哭开了，程雄不禁有些吃惊——论交情他们处得确实相当不错，但似乎也犯不上这么个仿佛是生离死别的情景！程雄魁梧粗壮，蒋盈平站在他对面也并非娇小玲珑，更非女性，而且几天来不及刮胡子，分明也是个大骨架的黑胡子汉，却当着月台上那么多人，一副"执手相看泪眼"的做派，程雄心想你的真挚友情我领了，可千万别再让旁人看着当做笑话，便抽出手拍拍蒋盈平肩膀说："伙计，这没有什么！没有不散的筵席，话说回来，也不是从此不摆筵席，咱们同台唱一出《二进宫》的机会早晚能有！"程雄和蒋盈平在京剧社里关系极好，但因为蒋盈平排的程派折子戏里几乎都没有花脸的角色，因此他俩竟从未在一出戏里搭档过，曾有过以程派唱法处理《二进宫》中李艳妃一角的计划，又因伴奏问题不能妥善解决而终成泡影……程雄说这话本意在让蒋盈平振作起来，乐观起来，谁知蒋盈平听了竟哽咽出声，爽性掏出一方手帕捂脸痛哭起来，程雄"咳"了一声，摇摇头转身走了，蒋盈平擦完泪水擤完鼻涕抬眼一看，程雄已然离去，不禁发愣……独自走出车站时，心里又仿佛空无所依，又仿佛坠上了一块铅砣……

到了湘北那所县三中以后，除了上课、开会、劳动，蒋盈平就蜷缩在学校为他提供的楼角那间单人宿舍里给亲友写信，要么就用半导体收音机听电台播出的京剧节目。那间宿舍面积不算小，除了一张四季支着蚊帐的大木床而外，便只有一桌、一柜、两把椅子和一个脸盆架而已，显得空空落落，加以地面返潮，他不得不经常向总务处要些石灰来撒在床下屋角，屋子里总弥漫着一股石灰和霉菌交混的气味,夜深人静之时,他便简直寂寞得恨不能化为一只小小的潮虫,因为潮虫爬进墙缝里肯定比他这样一个人独处要温暖而充实得多……

县三中的校长、同事乃至工友,还有同学和一些同学的家长对他都很尊重,因为他来自北京,来自北大,人又温和,教课又认真,他同当地人在一般性交往上也从未感到过不快,但他没有也不想有也没有能力使自己在那样一个人地生疏的环境里和身边的人建构起一种朋友的关系,当地人简直没有了解和喜欢京剧的人,他们也喜欢看戏乃至也偶尔唱几句戏,但那是与京剧差异颇大的花鼓戏。他谨慎地不让当地人知道他是个酷爱京剧青衣艺术又特别是程派青衣艺术的"怪人",只是当一个人独处时,他才轻轻地哼唱起程腔,比如《春闺梦》中的"二六板"转"快板":

> ……细想往事心犹恨,生把鸳鸯两下分,
> 终朝如醉还如病,苦依熏笼坐到明,
> 去时陌上花如锦,今日楼头柳又青,
> 可怜侬在深闺等,海棠开日到如今……

又比如《荒山泪》中的"西皮慢板":

> ……听三更真个到月明人静,
> 猛听得窗儿外似有人行……
> 忙移步隔花荫留神觑定,
> 原来是秋风起扫叶之声……

兴浓时更把屋门拴紧,把一条旧床单披在肩上顺到臂上手中且当水袖,随着哼唱来几个身段,舞几回水袖。凡此种种,竟都从未被淳朴的当地人窥破。

一放寒暑假,蒋盈平便赶快动身返回北京,一回北京他便如同涸辙之鱼又被放回了江湖之中,除了同父母弟妹等共享了团聚之乐,他便轮流去寻访那些毕业后留在北京工作的京剧社旧友,去得最多的是何康、范玉娥那两口子家里,他们

必定留他吃饭，有时吃过中饭又聊又唱，不觉天晚，便又一起下面条吃晚饭……唱花旦也兼能唱青衣的詹德娟分在一个国家机关工作，嫁了个丈夫是个并不喜欢京剧的处长，蒋盈平也跑到詹德娟家里去叙旧，詹德娟对他的接待很勉强，那位硬邦邦的丈夫更是表面礼貌而频频侧目，蒋盈平却直到第三次以后才看懂了人家的眼色，出得那家的门后却并不检讨自己的孟浪，而悲叹世上人情的淡薄……他也去找过黄绿青，黄绿青打成右派后下放到远郊一个磷肥厂当装料工，当他下工后忽然发现蒋盈平找上门来时不禁惊愕莫名，尽管他相信蒋盈平的善良和直率，也感念蒋盈平的那份同窗和同好的情谊，但坎坷的遭遇已全然磨尽了他原有的活泼与诙谐，他早已不再看戏不再唱戏并且不再想戏，蒋盈平则对黄绿青大失所望，他是听说黄绿青摘了右派帽子才去找他的。他原以为他们在一起至少可以回忆一下《锁麟囊》里那薛湘灵和胡婆的对手戏，当时黄绿青以彩旦应工的胡婆（尽管还都只是排演而未正式上台彩演），该有多么风趣，多么逗哏啊！但已然全不见当日潇洒风姿的黄绿青却只是眯着鱼尾细碎的眼睛，一支接一支地抽劣质香烟，非常不情愿地接着他那些聊戏的话茬，眼睛还总往别处晃，似乎很怕别人听见他们那其实绝无半点政治内容的谈话……蒋盈平从黄绿青那里返城时，望见市内的万家灯火，心里萦绕着丝丝缕缕的哀愁……

唯有"袖珍美男子"鲁羽似乎一点儿也没有变！他比蒋盈半晚一届，从化学系毕业以后分配到一家制药厂当技术员，他依然是个大戏迷！依然是个圈内的名票！他陪着回京度假的蒋盈平一夜接一夜地看当时演出的京剧，又带他到一个区工人俱乐部组织的业余京剧队里去过瘾，那时候经费不足票友们无法彩排便搞些清唱，蒋盈平便也去客串清唱，记得一出《贺后骂殿》唱得好过瘾！要么他就到鲁羽家听京剧唱片，鲁羽家有自己的独门独院，保存得有许多旧的百代公司录制的京剧唱片，四大名旦的，四大须生的，名武生杨小楼的，名丑萧长华的……全有，唉，真是听不够！而最最开心的是他同鲁羽两个一边喝着茶一边褒贬当时尚活着尚演出的那些个京剧名角，明明是当时极走红极被报刊推崇的某某演员，《戏剧报》用其剧装照登大封面的，鲁羽偏大声地用丑角腔调说："糟！糟极了！整个儿一个潮糟糕！"逗得蒋盈平乐不可支，而鲁羽又偏认为当时已经既无扮相也无嗓子的筱翠花"好极了！极好！"又学着当时已然完全不能下蹲的昆曲名伶韩世昌如何扮演《游园惊梦》里的春香，如何用低粗的嗓音唱曲，但那又绝非讽刺，而是向蒋盈平展示韩世昌的魅力不但未减反而逾老弥增……蒋盈平不由得不双脚跳着拍手高喊："好啊！"……

有一年寒假，一天蒋盈平正在家里精读梅兰芳的《舞台生活四十年》第二集，忽然鲁羽慌慌张张地跑来找他，一见他劈面便说："你怎么还在这儿没事人儿似的？大事不好了！"他忙问："怎么？"鲁羽说："程雄野外作业砸断了腿，在西宁那边住了一百天院，这几天才转回北京，还在医院里躺着哩！这下怕再上不了台了！"蒋盈平不禁惊愕："你待怎讲？！"鲁羽便更大声地说："程雄他瘸了！"

蒋盈平和鲁羽一块儿去到程雄所住的医院，蒋盈平想到程雄从此竟是个瘸子了，悲从中来，鼻子发酸，但他们刚进入住院部，便听见外科病室那边传来铜锤花脸瓮声瓮气的清唱声：

> 蛟龙正在沙滩困，
>
> 忽听春雷响一声，
>
> 向前抓住袍和带，
>
> 金殿之上打谗臣……

没错，是程雄在唱《大保国》！蒋盈平和鲁羽赶忙循声而去，在一间六个床位的病房里，程雄架着一支拐，正站在窗边为病友们清唱呢，还有旁边病室里一些能走动的病友也都围在那里聆听……

好友重逢，自然欣喜异常。程雄说他无比遗憾的并不是再难登台彩演铜锤花脸了，而是这个意外事故断送了他在地质勘探方面的事业前程，今后即便他康复得可以不必架拐而行，那也绝计无法重返山野了……鲁羽很快释然并同程雄说笑乃至耍起贫嘴，蒋盈平却不知何故心里头依旧酸酸的，总想流泪，以至程雄后来反从他们送去的一大兜水果中挑了一个最大的橘子递给他，拍拍他肩膀说："伙计，咱们不要酸的要甜的！……"

再过了一年，蒋盈平的父亲蒋一水调到张家口一所解放军的军事学院任教，母亲随父亲而去，北京不再留窝，蒋盈平再逢寒暑假，回北京就很不方便了。但他也还回来过，或者住在已经工作的弟弟蒋盈海那里，或者住到已经结婚成家的妹妹蒋盈波那里，或者住到鲁羽家里，甚或住到小旅馆之中，他这才尝到无父母家可归的人生滋味，这才懂得无论兄弟姐妹或朋友对自己有多好，他们那里永远不可能替代父母的家，可以任自己无所顾忌地尽情尽兴地享用……亲友们都劝他抓紧找个对象结婚自己成个家。他总是红着脸急得结结巴巴地说："难道就在那个鬼地方随便找个女人吗？可这边的女子，又有谁愿意嫁给我这个户口和工作在那么个县三中的男人呢？"但其实他心里更惶恐的是，尽管年龄一年一年增长上去已到了不可轻易如实告人的数目，他心中所企慕所渴求的却并不是一个妻子一个家，而是一群能够随时同他看戏、唱戏、聊戏或同他能永远是一种"坐罐罐"状态双脚蹦状态咯咯笑状态的忘记了年龄忘记了性别的亲朋好友，他这条鱼必得放到这样一种水中方能活泼起来，快乐起来！

于是有一年暑假，他就应上海的亲戚七舅舅的邀请，去了上海，在那里得到了七舅舅一家及几位娘娘（就是姨妈）及他们的子女（就是他的姨表兄妹）的热情款待，那年暑假在北京园林局工作的表妹沈锡梅（其实跟他同年出生还比他大着月份，但他只把她当做表妹）也正好到上海探亲，沈锡梅的母亲即蒋盈平的娘娘，沈锡梅的弟弟沈锡松即蒋盈平的表弟，都一直在上海居住、工作；蒋盈平跟母系家族的这些亲戚们聚了二十多天，临到人家送他上火车返回湖南的时候，他忽然哭了起来，而且竟至于忍不住有嚎啕之势，倒把包括沈锡梅在内的送行人都吓了一跳，大家忙问他究竟是怎么了。他哽噎着说："你们……你们对我……实在是太好了！"火车开走后，送行的人们不禁面面相觑，是呀，他是我们的亲戚，他来上海过暑假，我们当然应该对他好，我们对别的亲戚也一样地好啊，可他何至于就如此动感情，仿佛我们对他有什么不得了的恩德，仿佛大家这一别便是永诀，又仿佛他自己还是个没长大的儿童似的……倒是沈锡梅后来对他做了一个解释："盈平是唱青衣的，那样的戏唱多了，自然感情比我们这样的普通人细腻……我在北大看过他的戏……他是台上台下一个样地动真情啊……"

蒋盈平就这样以他特有的生存方式和感情世界进入了1966年，那一年暑假之前北京就乱了，然后就波及湖南，波及县里，波及县三中，他完全懵了……

好在蒋盈平一非"当权派"，二非地富反坏右，三无民愤，因而尽管"破四旧"和"革命造反"的狂潮一浪高过一浪，都没有冲击到他，更因当地的"红卫兵"和"造反派"头脑简单，以一种简单的推理——毛主席亲自肯定的"第一张马克思主义的大字报"是北大聂元梓他们写的，蒋盈平是北大来的，因而蒋盈平自然是好的——把蒋盈平视为战友，任蒋盈平逍遥自在，倘若不是蒋盈平自己不仅毫无政治野心，更一贯在政治上胆小怕事、退避三舍，那他如果趁势跳蹿一番，也还很可以另外演出一些威武雄壮的戏剧的……

蒋盈平在学校已然停课闹革命，并且学生们乃至一些"革命教师"都随"大串联"之风奔向各地特别是奔向北京时，反倒哪儿也没有去，因为他陆续接到了亲友们的一些来信，对于他来说，他觉得实在已经无处可去……父母那边来信，说军事学院里也"燃起了无产阶级'文化大革命'的熊熊烈火"，"我们也都积极投入，争取在革命的烈火中经受考验，炼成真金"，那当然不好去探望；北京的二哥蒋盈工（他刚结婚不久）来信说："我们设计院形势不是小好，而是大好……"十分空泛，末尾只是大大地写出了两个字："勿念。"弟弟蒋盈海来信里引满了毛主席语录，也一样全然不着他自己具体情况的边际，妹妹蒋盈波的来信倒还谈的都是她家的琐事：她生下了个小女儿，取名飒飒；请到了个保姆，四川人，还好，只是年纪大些……蒋盈平知道这种时候去北京无论住在他们哪位那里，都不方便……老朋友们自从夏天以后都再无信来，他一连给鲁羽写了三封信，只问当年京剧社诸位友人的消息，一贯回信最勤的鲁羽却仿佛消失在了云天之外，无片纸只言的反馈……

就这样在那小小的角落里混过了秋天，又进入了冬天……亏得还有个童二娘，有她那一家人，能使蒋盈平脆弱的心，得以在乱世中得到一些金贵的慰藉……

3

那是 1966 年春天，清明节的时候，当地人非常重视那个日子，田野里凡有树丛的地方必有些坟头，在那个日子里坟头边必有些烧完和没烧完的纸钱在风中舞动……心情忧郁的蒋盈平在田野中散步时，非常偶然地从一个坟头前的石碑上看到了一个已亡故的妇人的名字：蒋一浣。他不禁心中一动，父亲早就说过，蒋家最重视名字中的排行，父亲这一辈都排"一"字，而且最后一个字无论男女都必带水字，这位蒋一浣，难道是父亲一辈的人吗？她怎么会嫁到了这个地方，并死在了这个地方呢？难道她竟是自己一位已然仙逝的姑母？自己的亲姑母尽管只有一个，但堂姑母，从堂姑母，那就恐怕连父亲也记不全了……

带着这样的疑惑，蒋盈平开始向学校里的同事们打探，结果三问两查的，竟果然查明了，那蒋一浣确是从自己祖籍那边嫁到这湘北来的！她的丈夫还在，还有已成年的子女——那可是自己的表亲啊！他找到了那姑父家，姑父是县里水利局的一个干部，见到他同他叙起来，证实那蒋一浣真是他父亲的一位从堂妹，他高兴得双脚蹦了起来，握住那姑父的手便想流泪——他在这穷乡僻壤中竟找到至亲骨肉了！他是多么幸运啊！

那姓童的姑父对于他的出现也非常高兴，特别是知道了他来自北京，毕业自北大，而他的父母又都在部队的军事学院里头，哥哥弟弟妹妹又都在北京工作，这都很让人感到光彩，足可引为自豪。但当他热烈地要求到姑父家中去认表兄表妹时，那姑父脸上却现出了为难的表情……

原来蒋一浣姑母去世不久，姑父便又再婚，而且蒋一浣并没有生育，现在的一个儿子一个女儿，都是续弦妻子生的，所以细算起来，那么这些人在血缘上，都同蒋盈平没有丝毫的关系……

童姑父向蒋盈平说明了真相以后，蒋盈平心中恍若火盆上落下了冰块，但童姑父还是请他去家中做客，他也便去了。谁知一去，那给童姑父续弦的姑妈一见了蒋盈平，没说上几番话，便怜惜上了他，做了一桌子丰盛的菜肴，留他吃饭，边往他碗里挟肉边大声地说："细算么子血缘哟！你就不认他姑父我也要当你的姑妈，你也莫叫我姑妈，这边街坊邻里都叫我童二娘，你就也叫我童二姥罢咧！"又对她丈夫说："你不把他看做亲侄儿，我只当他是亲外甥！"又让都已参加工作但未成亲的儿子、闺女都喊他"表哥"，蒋盈平感动得嗓子眼发热。从此，他在那穷乡僻壤不再孤单，他有了一家亲戚，而且那一家亲戚是以童二娘为本位的！

蒋盈平把与童二娘相认的动人场景写成很长的信，寄给父母，寄给兄弟和妹妹，并且寄给田月明和沈锡梅两位表妹，他要他们也从各自的方位上认这位童二娘，请求他们都给她写信……反应出乎他意料地冷淡，父母来信只说蒋一浣姑母既然早已过世，在那么个地方有童二娘照应也好，只是也别太过多地麻烦人家；兄弟和妹妹给他的回信中只说别的，竟仿佛都忘记了他所报告的这一亲情消息；田月明没有回信，沈锡梅回了信，却明确告诉他："我实在不好同那位童二娘联络，因为我们之间实在找不出话来说，请你原谅。"

"文革"的风暴起来以后，同父母兄弟妹妹及原京剧社同仁等方面都疏离了联系，蒋盈平对童二娘一家的情感依托愈加紧密，反正学校里已经停课，乱作一团。他便三天两头跑到童二娘家去待着，即便童二娘等人对他并没有多少话好说，但他们容他斜靠在竹躺椅上，摇着蒲扇听广播——他自然仍是听戏。那时所播的自然全是"革命现代戏"（"样板戏"的提法后来才出现），他觉得有的唱段声腔设计得不错，比如《六号门》一剧中胡二妻这一角色便由林玉梅用程腔演唱。"反二黄慢板""自那日东货场飞来祸变……"十分幽咽婉转，引他随着暗吟——而且总是热情地留他吃饭，尽管街巷里的高音喇叭不时地狂吼"革命不是请客吃饭……"童二娘在那样一种环境中给他备下的饭菜仍然丰盛而可口；童姑父在单位里既非当权派亦非"反动权威"，也不积极参与"造反"，所以家里气氛较外面松弛许多，表弟和表妹也都老实巴交，偶尔在饭桌上传达一些耸听的消息或互相展开一些争论，也都绝不真正影响蒋盈平的食欲……

因此，当那个淫雨绵绵的午后，蒋盈平举着红油纸伞，翻过那座竹林翁翳的小山坡，去往镇子边缘上的童二娘家时，他不禁又一次在心里深深地庆慰：总算在这里有一位慈蔼的童二娘，有一个小小的避风港……他在心底里哼出一句自创的程腔：这也是吉人自有天相……

翻过坡顶，走完"之"字形的下坡梯，竹林已尽，是一片菜地，穿过那菜地间的小径，便到了镇尾，从几家住户的后墙转过去，便是镇上的小街，小街的大榕树下有一条短短的小巷，小巷里便是童二娘家。

蒋盈平发觉雨已然停了，便收拢了雨伞。他转到了小街上，陡然发觉街上聚集着一些人，神色都颇异常，再一细看，大榕树下，巷口那里，似乎有一群"造反派"正在揪斗什么"牛鬼蛇神"；这类景象近几个月里他已经见惯，本不足吃惊的，然而在闹闹嚷嚷的批判声、喝问声和口号声中，他听出来那被批斗的人似乎是……他再定睛一看，啊呀！被揪出来批斗的竟是童二娘！她头上被扣了一个剜去内瓤的西瓜皮，一些红色的西瓜汁流淌在她的脸上。她脖子上被吊了一个大牌子，写着她的名字，并且有一行宣布她反动身份的判决"逃亡地主反革命臭婆娘"，又总的画上了个大红叉……蒋盈平被这突如其来的事态吓懵了，那边的童二娘在"造反派"的威势中瑟瑟发抖，他在一群稍远的旁观者中也瑟瑟发抖——只是旁人都没有注意他罢了，他不禁出声自问似的问人："怎么回事？怎么回事？……"身边一个听到他提问的人便告诉他："是那童二娘家乡的人，出来串联，顺便把她揪了出来，说是要遣送原籍哩！"他只觉得眼发黑，腿发软……

4

在那间阴冷潮湿、弥漫着石灰和霉菌气味的宿舍里，蒋盈平蜷缩在黏糊糊的蚊帐中，偷偷哭泣了好久。

他为童二娘的被揪出所刺激，他没有别的办法，只有躲进自己的宿舍，缩进发霉的蚊帐，掩住嘴哭……

他哭，倒并不完全是因为童二娘的遭难，甚至主要并不是为这个……

他哭，是因为恐怖，他觉得有一只无处不在的、钢铁般的毫不留情的巨手，君临于这个世界，并直接笼罩于他的生活，竟使得他这绝对不妨碍他人、无碍于任何势力、不过是学过一点俄语、爱唱一点京剧中程派青衣腔调的渺小不堪弱者，也终于找不到一隙躲避之地……

他哭，是因为失却了自我，他模糊地意识到，自己所恐惧的那只巨手，恰代表着革命与正义，代表着无产阶级专政，代表着不容置辩的真理。因而，他的恐惧便是反动，便是罪恶，便是秽行……他应不应该自伐、自首、自裁？如果应该，他又没有勇气……

他哭，是因为感到遭到欺骗，童二娘为什么要欺骗他，不早向他坦白自己是个逃亡的地主婆？童姑父为什么要欺骗他，不早向他交底？他把自己的满腔感情都给了他们，他们何以不早说实话？……当然，那所谓"逃亡地主婆"的帽子，也许是"造反派"们瞎扣的。这类事他见得多了，但那些"造反派"又为什么偏偏要把这顶吓人的帽子扣到对他至关要紧的童二娘头上？……究竟谁欺骗了他？童二娘一家还是"造反派"？反正，生活欺骗了他，骗取了他纯真的、孩童般的亲情……

他哭，是因为深深的孤独，深深的寂寞，因为孤苦无告……父母兄弟妹妹，乃至其他亲戚，都远在千里之外，昔日京剧社的好友们，竟已一连多月消息全无，他满腔的幽怨，向谁诉说？他心中的空虚，谁给填补？……

他哭，是因为他看不起自己，他这一次比以前任何时候都更铭心刻骨地意识到，他那脆弱、纤秀、纯净的灵魂，却偏偏装在了一个硬邦邦、粗夯夯、脏兮兮的躯壳中。而且，比如说他这样偷偷地饮泣，也与他现在已有的年龄全然不相称。他不仅不是十几岁的少年人了，他甚至也不是二十啷当岁的小青年，他可是三十好几，胡子拉碴的大老爷们了……

蒋盈平就那么一直哭到天完全黑净。这场尽兴的哭泣，最终使他从紧张状态里松快了下来，他感到有些渴，有些饿，他从帐子里钻了出来，去门边拉亮了电灯。尽管电灯光是昏黄的，因为长时间待在了黑暗里，那灯光仍然使他觉得灿然，觉得温暖，就在他心理上感到一种平复的暂时性快意，并打算冲一点奶粉来喝、吃一点土饼干时，一低头之间，他发现门边地上有一封信。显然，是从门外面通过门缝塞进来的——这种情况以前也有过，并不奇怪，何况这些天他总问收发室的马师傅："有没有我的信？"人家总充满歉意地向他摇头、摆手，所以今天忽然有信来，人家便主动塞进他宿舍的门缝，这也是一番好意……

蒋盈平本能地拾起那封信，信皱皱巴巴的，邮票歪贴着，应写明寄信人地址姓名的位置上只有"内详"二字；他急不可待地撕开信封，掏出信纸，抖开，凑到电灯下，只见上面写着：

> 盈平：
>
> 　想见你。盼你12月13日（星期二）下午5点钟，到武汉长江大桥公路桥桥北东人行道桥栏边会我。你想不想去，能不能去，我不管，反正我那时候在那里等你，苦等。
>
> 　一切见面说！
>
> 程雄
> 1966年12月5日

是程雄！天哪，程雄！蒋盈平的眼珠本能地晃向粘在墙上的一张大年历，现在离程雄所规定的时间，还有三天，赶到武汉完全来得及！程雄一定是大串联到了武汉……蒋盈平仔细检验信封上的邮戳，那信确实寄自武汉，好久好久没接到程雄的信了，并且好久好久根本没有他的消息。现在，好，程雄出来串联，并且想到他了，又那么情真意切地约他去武汉见面，他能不去吗？他想去、能去！没有问题！12月13日星期二下午五点钟，在武汉长江大桥公路桥桥北东人行道桥栏边相会！

蒋盈平顿时感到浑身翻涌着暖流。

他竟然又哭了！

第七章

1

你有点犹豫。

不止一点。

然而犹豫的缰绳没有勒住你,你终于还是去了王府饭店。

王府饭店!

五星级毕竟是五星级。大堂里的人造瀑布气势非凡。映入眼帘的每一个细节都有声或无声地宣布着这里的第一流属性。

第一流。上流。

仿佛是因为太过于上流了,所以要在大堂里布置一个分层跌落的人造瀑布——展示"水往低处流"这一最单纯的真理。真的,这里如果设置一个喷泉,反倒败兴了。

约你到香槟厅,吃法式西餐。还约了胥保罗。老同学聚会。弹指 35 年!

2

你去,是因为你还记得,那时候,还仅止是一个初中三年级的学生,你就做着缤纷斑斓的文学梦;并且有一天,放学后去到年虔祈和胥保罗他们住的那个大院,你和胥保罗玩得很好,平时总在胥保罗家待着,不知怎么搞的那天你从胥保罗家出来,偶然地去了年虔祈家,你和年虔祈关系很一般,可就在那里,你宣布说,你将来要写一本书,一本很厚的小说,年虔祈就问你,那小说什么名儿,你就告诉他，叫做《阿姐》。

年虔祈当时听了，似乎感到很无味。你们就没有再聊下去。后来你同年虔祈再没提起，他也再没问过。初中毕业后，你就跟年虔祈断了来往。你跟胥保罗上了同一个高中，后来你断断续续地同胥保罗保持着联系，但奇怪的是你至今没有跟胥保罗提起，你要写一本书，一本小说，叫做《阿姐》。

你不知道那是为什么。你常常不知道为什么。不为什么，结果说出了什么，做下了什么，留下了什么。想为什么，往往又说不出来，做不出来，什么也没留下。这是为什么？

3

年虔祈从美国回来。他到美国已经 18 年了。他现在是个美国人。就是说他已正式加入了美国籍。他是一个外宾。

年虔祈在旧金山，也就是三藩市，也就是圣弗朗西斯科，定居。他做生意。他是一个美国商人。他赚这边的钱。当然，他的商业活动也给这边带来好处。他是一个受欢迎的人。

他从 4 年前开始回国，到这一次累计已是第 9 次。

他回到过母校。那里的校长、教导主任、老教师和新教师，还有团干部，热烈地甚至可以说是相当激动人心地接待了他，把他介绍给今日的中学生。他也回到过昔日居住过的地方。那个他和胥保罗都住过的大院早已拆掉，现在那里是两排用钢筋混凝土预制构件盖成的居民楼，也还有昔日的邻居，他受到了现今居委会和一些老邻居及新居民的欢迎，热烈程度稍逊于母校，但也充满了令人难忘的细节。他也回到过赴美以前工作过的那个单位，原有的头头脑脑差不多都换光了，却仍有不少往日的同事还在那里上班开会领工资报销出差费用，他受到了一般性的欢迎，但关于他的出国、发财、荣归，那单位里的人私下里流传着比母校、故居更多的故事与评论。

他来中国，当然主要的时间和精力都用在他的商务上，他同不下 30 个这样那样的机构、部门、单位之间建立了不同程度的关系。

4 年里 9 次来中国，直至这最后一次，在这边人的嘴里眼里心里，他一忽儿被当做华侨，一忽儿被赞誉地称为"海外赤子"，一忽儿又被同情地称为"海外游子"，还有几回被称作"海外爱国人士"。有一回则被郑重地冠以"美国北京人"头衔，当然更常常被定性为"美籍华人"，又因为他是继承权父遗产而去的，所以还被称为"华裔美人"，再加上他现在的妻子是从台湾去的，所以他有时又被视为台胞台属。有一次还被称为"旅美爱国人士"，但在宴席上拍着他肩膀亲昵地跟他论"咱们中国人"的更大有人在。

但是，尽管年虔祈在美国还确实不能从心理上同非少数民族的白种美国人完全认同，一旦回到中国，来到北京，在中国人面前，他却充满了洋溢于全身心的意识，我是一个美国人，一个美利坚合众国的尽纳税义务的公民。

4

年虔祈很容易地打听到了你家中的电话号码。要不是你帮忙，年虔祈找不到胥保罗。你现在出名了。胥保罗仍默默无闻。年虔祈承认，他其实更急于见到胥保罗。他同胥保罗当年不仅是同学、邻居，还是教友。

"胥保罗怎么样？"

胥保罗还没有到。已经过了约定的时间，胥保罗还没出现。年虔祈先给他自己和你点了饮品，他喝人头马白兰地，加冰块，你喝他介绍给你的一种粉红色的开胃酒，他用法文称呼那酒的名字，说得很快，你没听清，也不好意思再问。

开胃酒很好喝。淡甜，有一点辣味，通过喉咙时有一种抚摸天鹅绒般的感觉。

胥保罗怎么样？

无从说起。

你望着年虔祈，奇怪，这么多年过去，他仿佛并没有什么变化，他当年就那么个高个子，那么个大脸庞，那么个大鼻子，两条眉毛离得就那么远，两只眼睛就那么有点往下撇"八"字，眼神就那么老成……尽管他穿着一身昂贵的西装，还洒了香水，但你还是总觉得他身上散发出一种陈旧的呢子大衣的气味，一种樟脑丸和霉菌混合而成的气味。少年时代的那一天你在他家跟他说你要写一本厚厚的小说名儿打算叫《阿姐》时，他穿着一件父辈留下的旧人字呢大衣，那大衣上的气味不知道为什么一直弥散到今天……

你想跟他细细地说说胥保罗。但是无论他，还是你，都没有那份时间。也许胥保罗来了，自己会说。但很可能胥保罗只会很简单地用一句话概括："我很好，我很热爱我现在的教学工作。"

你在想：年虔祈从什么时候同胥保罗失去联系的？

那有许多年了。一定是当年年虔祈一家从那个大院里搬出去以后，他们就再无联系了。

那以后，直到年虔祈到美国去之前，还有好多年，找到胥保罗并不困难，但年虔祈没有找，甚至没有打听。那很自然。现在年虔祈第九次从美国回北京，商务大昌的余暇，忽想以与老同学、老邻居、老教友的聚会调剂一下神经，也很自然。

"胥保罗怎么样？"

5

应该出名的是胥保罗，而不是你。

早在 16 岁的时候，胥保罗就能在钢琴上弹奏莫扎特、李斯特的复杂的奏鸣曲，他并且在当年全市中学生业余文艺创作会演中，因演奏自己作曲的《麻雀之歌》而获得过一等奖。

也就在那个时候，胥保罗便能在单杠上和双杠上完成许多惊险而优美的动作，他一度是区业余体校体操队中的佼佼者，在全市中学生运动会的体操比赛中获得过全能第三和双杠冠军。

一到冬天，溜冰场上便闪动着胥保罗的影子，他总爱穿一件红毛线衣，一条劳动布细腿裤，头上罩一顶黑色的绒线帽，脚上蹬一双球刀，一忽儿跟穿跑刀的人一起跑大圈赛速度，一忽儿跟穿花样刀的人一起在场心舞 8 字旋转跳金鸡独立，一忽儿又操起冰球棍到球赛区追堵奔射……

在课堂上，胥保罗显示出超凡的数学头脑，他心算的能力极强，考试几乎总是轻而易举地便得个 100，每学期发下数学课本，他不等老师开讲，几天里便翻阅完一遍，几周内便自己演算完所有习题。以至于当年轻的老师在讲授例题出现了困难时，便只好求助于他，请他到黑板前分步解说，他倒比老师更能让同学们明白那其中的诀窍，后来他就自己找高年级的数学课本来自学，到初三毕业的时候，他已经把高中的数学全自修完了……

但是，胥保罗从初中起就一直遇到麻烦。

生物课一开头讲的是植物学，后来讲到动物学，再后来讲到从猿到人，记得生物老师刚讲完从猿到人的头一堂课，下课铃响过生物老师还没离开讲台，胥保罗就走过去很真诚地对生物老师说："人怎么会是猿猴变的呢？人是上帝造的呀！"

一些同学围了过去，你也在其中。你记得，生物老师一开头以为胥保罗是故意调皮，不屑理他，一些同学也随即发出了笑声，但胥保罗一脸严肃，他竟以一种要同生物老师辩论的口气说："上帝造了猿猴也造了人，上帝造人是先造了男人，叫亚当，后来又用亚当的肋骨造了女人，叫夏娃……这都是有根据的！猿猴变人的根据在哪里呢？"生物老师气得目瞪口呆。

你不记得详细的情形了，总之，生物老师把这事及时地汇报给了校长和校党支部书记……

胥保罗因此在你和许多同学都戴上了红领巾成为"中国共产主义少年先锋队"的队员之后，尽管他一而再再而三地提出了申请，却长时间地不被批准。

胥保罗的父亲是个牧师。

那时候你不懂得什么是牧师。你去胥保罗家，见到过他父亲，他父亲同别的成年男人没有什么两样，相貌体态没什么两样，在家里的穿着也没什么两样，他父亲也同你说过话，你觉得跟自己父亲和自己父亲的那些朋友同你说话也没什么两样，你不记得他父亲跟你说过什么上帝造人一类的话，他说的也无非是应当好好学习，应当饭前洗手，应当积极要求进步，应当当天的事当天做完，诸如此类的一些话。

胥保罗家里的墙壁上挂没挂过十字架？你不记得了，也许挂过，但你那时候不注意别人家墙上挂了些什么。你只记得有一回注意到胥保罗家的书架上，有两三排好大好厚封皮儿好精致书脊上的外国字烫成金颜色的好漂亮的外国书，你问："俄文的吧？"因为那时候最流行俄文，也搭上你哥哥正在北京大学俄罗斯语言文学系深造，但是胥保罗告诉你："不是俄文，也不是英文，也不是法文、德文、西班牙文，是罗马文。"当时你不禁一愣。什么是罗马文呢？你意识到胥保罗的父亲懂罗马文。那是你头一回感觉到他父亲跟别的成年人有所不同。一种古怪的、令人不放心的不同。

那时候你同胥保罗为什么合得来、总一处玩？你常去他家，他也来过你家，什么东西把你们粘在一起？你至今不能作理性回答。你不会弹钢琴，也不练体操，溜冰溜得很蹩脚，数学更是学起来费劲，而你所爱好的文学胥保罗则一点儿兴趣也没有。他语文课上经常打瞌睡，写起作文来仿佛骆驼被逼着穿过针眼，直到高中的时候，他仍然没读过《水浒传》，并且也不读那时候很流行的外国小说，从罗曼·罗兰的《约翰·克利斯朵夫》到肖洛霍夫的《静静的顿河》全不读，也不怎么喜欢看电影和话剧。也就是说，你们两个并没有什么共同的爱好，可你们两个偏合得来，一块儿玩，为什么？

难道仅仅是一种命运的偶然？难道那仅仅是因为命运之神，要你亲眼目睹和感受胥保罗的不幸与幸、不变与变？

初中毕业时，你们的总成绩都达到了被保送到高中的标准，你们填写了同样的志愿单，志愿单上的头一个志愿学校没有录取你也没有录取他，第二个志愿学校同时录取了你们。这样你们就又继续同窗。

上到高中的胥保罗早就皈依了从猿到人的科学观念。他甚至比你还要更积极、更迫切地申请加入中国共产主义青年团，记得高一上完的暑假期间，你因为总想跟从东北农学院回来度假的阿姐，还有也正放假的小哥和恰巧从外地出差来北京的二哥一起在家里玩和一起外出游览，就很不想参加班上团支部组织的"团课学习活动"，胥保罗却不仅自己报名参加，还非拽上你，你有时候该去的时候不去，他就生你的气，还找到你家里，批评你，动员你，下一回就干脆一早赶到你家，拉着你一起去……

那时候班上的团支部书记是一个皮肤黝黑长相不佳的女同学，一笑便露出大块粉红色的牙龈，一严肃便鼻子皮起皱，但是大家都知道她父亲是某一个文化部门的级别很高的领导，她母亲则是一个著名的话剧演员——不是舒绣文那样的出身经历可疑的演员,而是,据团支部书记自己说,是一个爱惜自身形象,只演工、农、兵的革命演员,实际上也确是那样,从 1950 年到 1965 年 15 年间她只演过三个戏,一个戏里演先进的纺纱工,一个戏里演农村的女干部,再一个戏里演红军中的女政委。团支部书记不姓父亲的姓而姓母亲的姓,她经常谈起母亲而讳谈父亲,这都更让同学们感到她父亲的非同寻常。团支部书记叫黎曙霞。

"团课学习活动"的主要环节,是大家在教室里围成一圈,对照团课里所讲到的革命道理,检查自己的不足。胥保罗总是非常认真地作那样的检查。但黎曙霞一听胥保罗开口发言,便鼻子皮起皱,仿佛在警惕一只飞得越来越近的苍蝇,有一回没等胥保罗说完,便截断他说——

"不要绕来绕去的,要向组织上交出真心。比如说,你为什么要作一首《麻雀之歌》的钢琴曲子,还跑到大庭广众当中去弹奏?你为什么不歌颂雄鹰,不歌颂和平鸽,而要歌颂麻雀?"

胥保罗非常狼狈,他鼻子皮绷得苍白,嗫嚅地说:"我早就不弹了呀……"

黎曙霞便冷笑着,露出粉红的牙龈,环顾着会场上我们其他的"争取入团积极分子"说:"不要以为组织上不知道,从前的事,家里的事,社会上的事,组织上都一清二楚!"

你不记得胥保罗是怎么检查自己竟然丧心病狂地歌颂麻雀的,也不记得黎曙霞及其他团员和积极分子是怎么帮助他认识那一罪恶的,幸好那时候麻雀还未正式列入与苍蝇、蚊子、老鼠并列的"四害"之中,还没到 1958 年"全民歼灭麻雀"的时候,否则,胥保罗恐怕更难蒙混过关,但你记得当时心里"咯噔"一下,好不自在,因为,胥保罗初中时候参加市里文艺会演,自编自弹《麻雀之歌》的事,是你对黎曙霞讲的,你当时不但不以为那是罪恶而是当做一桩趣事,随随便便讲出来的……

你记得事后胥保罗对你说:"向组织上汇报是靠拢组织的表现,你做得对,你一定比我更早地成为一名光荣的共青团员!"

但你一直没有获得那份光荣。胥保罗更没门儿。奇怪的是胥保罗越没门儿越玩命儿地靠拢团组织,他每周周末都主动向黎曙霞递上一份书面的思想汇报。你注意到,黎曙霞每回接过那份汇报时鼻子皮都起皱。

后来就发生了一桩你至今想来仍感到惊心动魄的"厕所事件"。

那一天课后你同胥保罗在操场打完球，一同到教学楼里上厕所撒尿，厕所挺新式的，小便池镶着白瓷砖，上头安着刷有银粉的自来水管，自来水管上有许多小孔，往白瓷砖上喷淋着水丝，以随时冲掉尿池里的尿液。你同胥保罗在那里撒尿时，学校里负责思想教育工作的教导主任王老师，也正好去撒尿。那天胥保罗那泡尿又多又冲，你撒完了等着他，他撒完了系好裤扣你们才一起出了厕所。

谁知刚出厕所就听见一声严厉的呼叫："胥保罗！"

胥保罗一愣。你也一惊。

原来王老师出了厕所并没有离去，他在外面等着你们出去。

"胥保罗，你干了什么？！"王老师的眼光透过眼镜片，射击般地钉到胥保罗脸上。

胥保罗半张着嘴，懵了。

"你呢？你看见了吗？你看见他干什么了吗？"王老师又把眼光移到你身上，还好，和缓多了，不像射击，只像扫描。王老师好像并不知道你的名字。

你慌得不得了。想哭。你实在不知道发生了什么事。

王老师又把眼光移回胥保罗脸上，宣判般地说："你破坏公共财物！你故意把尿高射到自来水管子上，腐蚀那管子！你心理阴暗，你思想很成问题！"

你费了好大劲才弄懂那一指控。

胥保罗脸色煞白。

"你看见了，对不对？你可以作证！"王老师又对你说。

你的脸色如何？一定也很难看。你心里更慌。说实在的你不记得看见了什么，你不知道该作什么证如何作证。

"你去吧！"王老师一摆手，把你发落了，却厉声地对胥保罗说，"跟我去办公室！"

胥保罗跟在王老师身后走了。

你感到恐怖，却又感到一种意外的安全，你依稀记得自己也曾在撒尿时把尿线高扬，下意识地去射溅喷水线的自来水管，但王老师只着意于胥保罗的行为思想，而对你毫无兴趣。

这是怎么回事?

你不清楚胥保罗去了王老师办公室以后的情况。后来也没有人找你去作证。那以后你仍然同胥保罗一起复习功课一起玩耍,你也没有主动问他。

后来就到了1958年,开展了全民围剿麻雀的战役,有一天北京市全民动员,工厂停工,学校停课,集体出动,用敲锣打鼓敲盆打罐等办法发出不间断的骚扰性噪音,让空中的麻雀被惊吓得无处可以落脚休憩,便只能在飞累后跌落到地上心力衰竭而死——你们学校的师生被分配到故宫博物院即紫禁城的城墙围子上去敲锣打鼓,你们班分到的是西华门附近的一段城墙,那真是令人兴奋的事,那真是人生中难得的经历,你记得那天你们在那段城墙上亲眼见到空中不时落下被惊吓劳累而死的飞鸟——不止有麻雀,也有乌鸦和喜鹊,以及别的叫不出名儿的鸟儿,每落下一只飞鸟,黎曙霞就带领你们发出一阵欢呼,谁让这些飞鸟偷吃公社田地里的粮食呢?它们是罪有应得!——不过这是后话。且说黎曙霞在宣讲完消灭麻雀的重大意义之后作具体布置时,她念完了每一个灭雀小组的组长和组员的名单后,胥保罗举手提问说:"我呢?我在哪一组?哪一个地段?"同学们都扭头看他,又都扭头望着黎曙霞。黎曙霞先冷笑一下,露出粉红色的牙龈,又面色极为严肃,皱起鼻子上的皮,对胥保罗说:"你呀,你家里待着吧!"

你记得,当时你万没想到会是这样的,你被指定为一个小组的副组长,你就去跟黎曙霞说:"让胥保罗到我们这个组吧!他可以负责统计掉下来的麻雀的数目!"黎曙霞瞥了你一眼,不理你,径自和别的同学讲话去了;你看见胥保罗去求班主任老师,可那位面团团的班主任老师搓着手说:"这事团支部负责……"你知道那位班主任老师不是共产党员,凡带有政治性色彩的事他都不管,交给黎曙霞掌握,班上所有同学都知道黎曙霞是真正有权的人物。

你不记得灭雀大战那天见没见到过胥保罗,更不知道那天胥保罗是不是一个人老老实实地待在了家里,你心里掠过一种当时尚不能完全消化的人世悲哀,你意识到胥保罗的不幸全肇始于他几年前自编自弹的那首《麻雀之歌》。那时候麻雀并没有被宣布为社会主义的敌人,所以还给他发了奖,但现在情况变化了……敌人似乎越来越多,那个头几年常到你家去的阿姐小哥他们的老同学崩龙珍,不也变成了一个敌人吗?

后来，到高三快毕业的时候，有一阵你爸爸出差在外，你妈妈因为很偶然的原因到外地去了也不在家，你一个人在家里到了晚上就有点害怕，因此把胥保罗找来陪着你住，你记得有一晚——不是刚来的那一晚也不是最后一晚——胥保罗对你讲了这样的话：

"我知道黎曙霞为什么对我这样，知道她跟王老师讲了，所以王老师对我那样……你还什么都不知道吧？我爸爸，他三年前就划了右派，两年前又因为不认错，表现不好，送去劳动教养了，直到现在表现也不好。我妈一个月去看他一回，我跟他划清界限了，我不去看他，现在我恨他，他对我的毒害太深了！他从小给我灌输《圣经》里讲的那些个东西，所以我初中的时候糊涂到去跟生物老师辩论，出了大丑！现在我诚心诚意地信仰唯物辩证法，拥护社会主义，渴望入团、入党，成为一名共产主义战士！真的！他们不相信，你要相信才对！你知道我把自己改造成这样是很不容易的！我恨自己编过弹过《麻雀之歌》，那时候，只觉得麻雀是一种活泼泼的生命，以为用一种灵动谐谑的旋律表现麻雀的欢快，可以构成一种美，现在真认识到错了！生命是具体的，而不可能是抽象的，不是革命的、进步的生命，就是反动的、腐朽的生命！黎曙霞让我好好检查头脑里的资产阶级世界观、人生观，我一直在努力……你也要注意啊！你那么喜欢《约翰·克利斯朵夫》，很危险！让咱们共勉吧，看谁先改造好思想，先加入共青团……"

当时你很感动，真感动，所以你记住了他这一番话。他说这些话时很真诚，也很痛苦。那一晚月光很好，银色的月光从窗外透过马樱花树的枝桠泻下来，铺到你们合睡的大床上，又用树杈的阴影给罩上了一张网，你记得那月光，那"网"，月光和"网"都可以作证，你们当时是两个真诚而苦闷的少年！

6

"中国人怎么老不准时？"

年虔祈看看腕上的超薄永不磨损型拱形金表，问。

你心里想：难道年先生就不是中国人了吗？接着又憬悟：确实，对面的年先生不是中国人，而是美国人。你望着他，他呷一口白兰地，望着你，微笑。你意识到对面的这位美国人绝无半点讥讽、挑衅之意，他是很自然地说出这句话的。的确，离约定的时间已过去 17 分钟，胥保罗怎么还不来？我们中国人就是不如他们美国人尤其是美国商人遵守时间……但胥保罗其实是应该守时的，他是一个铃响后必须进入教室授课的教师啊！

你觉得又仿佛嗅到了一种旧呢子大衣上的樟脑丸和霉菌混合在一起的气味，不知道为什么，即使已经是美国人了，你还总感到飘过来这样一种气味。

"也许他来了，但找不到这个香槟厅，我出去迎他一下。"

你就去迎胥保罗。

果然，胥保罗来了，在大堂里呆头呆脑地张望，他正如所料地找不到所约定的具体场所。

你在滚梯上就看见了胥保罗。他没有发胖，身材看上去比当年略矮了一些，腰板也还挺拔，穿着一身大概是平日轻易不穿的西装，还结着领带，但浑身显露出一种说不清道不明的土气——显然他是头一回走进这金碧辉煌的王府饭店，也许他连其他那些三星四星的大饭店也都没有进去过，他被包围着他的彻头彻尾西方化而且是西方的上层社会化的景象震慑住了，可以估计出来他已经乘滚梯去过上面一层也下过底下一层，但他没有找到香槟厅；又可以估计出来他羞于开口向那些穿着西方式号服的侍应生询问……

你一望见胥保罗，望见他那一头全然灰白了的头发，望见他那老远便能看出皱纹的面孔，便不由得鼻子一酸……

你和胥保罗高中毕业时都在报考大学的志愿表上填写了一连串各自所向往的高等学府，你的第一志愿是北京大学中文系，他的第一志愿是清华大学机械系……

你们考得都不错。有标准答案，可以自己核对，自己估算得分，即使尽量保守，打折扣，往少算，那也还可以乐观。

但结果却出乎意料。你考上的不是北京大学，而是师范学院，这倒还不离奇，离奇的是胥保罗接到的是师范专科学校中文科的录取通知书——他报的是理工科，参加的理工科的考试，而且考分绝对不低，却不被任何一所志愿表上所填写的或未填写的理工科大学或专业录取，他从小就最不喜欢语文，最不擅长语文，却偏偏分配他去学语文，并安排他以后去作为一名语文教师教语文！

后来你们都搞清楚了，你未能考上第一或第二或第三志愿，胥保罗未考上所有的志愿乃至完全被转移了学科走向，确实不是因为考分的问题，不是因为身体条件的问题，或其他什么问题，而是因为操行评语，那报名表上所附的评语不是班主任拟定的，而是由团支部书记黎曙霞填写的，录取者看了那令人咋舌的评语还录取你，并且终于还录取了胥保罗，应当说已相当地宽宏大量。再一个原因是那时候师范学院总招不满，而师范专科学校的中文科，就更不得不从理工科中因操行评语不好而被淘汰掉的考生中，再找补回一些考分确实很高身体又健康的来填补空缺……

黎曙霞给你和胥保罗填写的加盖了学校印鉴的操行评语，就这样决定了你们一生中后来的走向。不知当她填写那评语时是冷笑着露出了粉红的牙龈，还是严肃得鼻子皮起皱。

……上师范学院后你同胥保罗，以及其他中学时代的同学都不再来往。后来你到一所中学当了语文教师。你渐渐从教师这平凡的岗位上获得了生活的动力和内心的满足，后来你不仅适应而且喜欢上了这一职业……到"文革"的前一年，讲究实现"革命化"。有一回你所在的那所位于南城的中学组织教师们到位于北郊的一所中学去"取经"，因为那所中学的"革命化"搞得好，有关部门号召同行业都去参观学习……在那所中学别开生面的经验展示会上，忽然钻出一队青年教师，高唱他们自编的革命歌曲，而在一旁用手风琴伴奏的那位，你好生面熟，定睛一认，不是别人，便是胥保罗！

歌一唱完，你立即走过去招呼他："保罗！"

他笑吟吟地过来同你紧紧握手，但纠正你说："叫我保红！保卫红色江山！保证一颗红心！别再叫我保罗，那是宗教味儿的洋名字，腐朽！落后！……"

胥保红？你总觉得别扭，你就不再叫名字，只叫他胥老师。胥老师问到你的情况，头一句话就是："入党了吗？"你在中学教书时倒是终于入了团。但，入党，那还没有想过，难道……你便问："你入党了吗？"

他满面红光地对你说："快了！"

你很吃惊。当然，你为他高兴……

"胥保罗！"

你从王府饭店前堂的滚梯上下来，你招呼已经满头灰发满脸褶子的老同学、老同行。他现在确实已经又习惯于人们叫他胥保罗了。

"啊呀，你 …… 我怎么也找不着那个厅 …… 虔祈呢？"胥保罗如获大赦地迎上去握住你的手。

你就领他去香槟厅。

在滚梯上，他掏出一方手帕，揩着额上、鼻头的汗，有点不好意思地对你说："真不习惯 ……"

7

"要点什么饮料？"

"随便 …… 随便 ……"

"你要哪一种色拉？"

"都行 …… 都好 ……"

"热菜呢？能吃烤波尔多蜗牛吗？"

"蜗牛？ …… 挺贵吧？别 …… 不用 ……"

"喜欢还是不喜欢？不喜欢蜗牛？那么，羊腿怎么样？烧羊腿？"

"那好 …… 行 ……"

"汤呢？你喜欢浓的还是清的？"

"怎么都好 ……"

"喝一点干白？白葡萄酒？中国的就挺好，喝'长城'的，还是'王朝'的？"

"你定吧，你定 ……"

"你如果主菜要羊腿，不要鱼和海鲜，那就该配点红酒，干红怎么样？给你来点法国的干红，如何？"

"不必，不必，我就也白的吧，跟你们一样吧 ……"

"想吃哪一种甜食？要不要点干酪？法国的干酪世界第一，有几百种 ……"

"不用了 …… 要一点也行 …… 不要吧，够了够了 ……"

"餐后来咖啡，还是香槟？建议都来一点，先香槟，后咖啡 ……"

"不用了不用了……行，行，我一样就行了……"

……

你望着胥保罗，仿佛对着一面镜子，照出了 10 年前的你，那时候你初次出国访问，大家请你吃饭，你也是这样；好在年先生毕竟不是洋生洋长的洋人，他还能懂得"随便"、"都行"、"都好"、"不必"、"不用"……一类话语背后的心理状态，还能在这样一种情况下耐心地为胥保罗安排好他的那一份食谱。

……边吃边聊。你注意到胥保罗并不同于那些从未玩过洋荤的土包子，他能中规中矩地使用刀叉，喝汤时能自然而然地由内向外地用勺舀汤，只是那动作都不够麻利，对了对了，胥保罗本是牧师的儿子，他家里一度非常的西化，他从小就弹钢琴、练体操、打冰球……而且，当年年虔祈、胥保罗他们住的那个院子原来根本就是教会的房产，里面住的不是神职人员便是两代以上的教民，生活方式都有点偏于西化，而胥保罗家似乎在其中又是最富裕的……

年虔祈问到胥保罗的父母："令尊令堂都还健在吧？"

胥保罗简单地说："家母去世多年了，家父现在很好，他是神学院的教授……"

你注意到胥保罗脸上隐现出一种难以形容的表情，你能读懂那表情，你知道他心里一定缠搅着痛苦与困惑，活像一团蠕动着挣扎着而分离不开的蛇群……

自 1965 年那一回在"革命化"取经活动中邂逅之后，你同胥保罗只有次数不多的来往。有一回他来找你，你也是问到他的父母，他坦然地对你说："他们一个是友，一个是敌，在组织的指引下，我能够站稳革命的立场，区别地对待他们。我母亲，你知道的，一直在小学教语文，她思想落后，跟我父亲划不清界限，我对她采取的是'原则性关怀'的态度，就是说，生活上照顾她，思想上批判她……因为下面还有弟弟、妹妹，生活上发生暂时困难，那几年我母亲就每一季度去血库献一次血，这也是支援社会主义医疗事业，没有什么不好，同时国家也给予献血者一定的补贴，体现出社会主义的优越性，但她回到家总是说：'唉，又卖了一次血！'我就批判她，告诉她不能说'卖血'，要说'献血'……当然我采取的是耐心的、充分说理的、和风细雨的方式……跟我父亲那就不一样了。我一度想跟他断绝父子关系，但学校党支部批评了我，我懂了，那是一种懦夫思想，也是一种投机心理，我不能逃避斗争，更不能以为只要一刀两断就解决世界观、人生观的问题了……所以我就一方面坚决不去劳改农场看他，让他不要对我存在幻想，一方面又绝不回避他是我父亲这一事实，我就主动回忆他对我的毒害，每月定期交一份揭发和批判他的思想汇报给党支部……"

你至今还记得胥保罗——那时候改名叫胥保红——对你讲到的这番话，你当时很震惊，不是对他震惊，而是震惊自己——你惊恐地发现，尽管你也确实在努力地使自己"革命化"，拼命地改造思想，但直到那时你还是完全不能理解他讲的那些话，特别是因为你比其他人更相信他的真诚和执著……

但那时令你震惊的事层出不穷，并不断地加速着呈现的频率……有一天你从报纸上看见一大版的文章，文章批判着一个文化界的领导人物，说他提出了一系列修正主义的观点和主张，那被点名批判的不是别人，便是黎曙霞的父亲。你当时心里怦怦乱跳，并且不得不作如此联想：黎曙霞是否也在某一处地方看那张报纸那篇文章呢？她会怎样？是露出她那粉红色的牙龈，还是鼻子皮起皱？……

你知道，当你和胥保罗被分配到师范院校的时候，黎曙霞却尽管考分不够高，但政治条件奇好而被清华大学录取，什么专业你不记得了也无关紧要——因为听说她刚上到二年级便被抽出去当了专职的政工干部，先在系里当，后来升到校一级机构里被委以了重任……

"文革"的急风暴雨铺天盖地而来，你吓坏了，不明所以，不知所措，除了自己家里的亲人，你顾不得念及其他人的安危……

"文革"后你趁时顺势，竟终于成为了一个作家，有一天你偶然在一本杂志上翻到一篇署名黎曙霞的文章，不由得细读一遍，读完不禁遍体清凉。这以后你再没在报刊上看到过署名黎曙霞的文章，也许她还在清华？她还在干政工方面的工作？那样的文章她只能写一遍，而你也只能读一遍。

黎曙霞的文章是应刊物之约写的，内容是悼念她的双亲。她的父母都是几十年党龄的老革命，这本是你早已知道的，你不知道是她的父母二位在"文革"中都以反革命的罪名而被弄死。她父亲死在批斗会的现场，从三张桌子搭成的一个高台上昏倒摔下来当场毙命，母亲则在隔离审查的屋子里用撕成布条的衬衣结成绳子把自己勒死在了门把手上——完成了她继那先进女工、农村女干部和红军女政委三个舞台形象后的第四个形象，不过这一回是在人生的大舞台上。

……你在"文革"结束好几年之后，才想起来去找胥保罗，那是出于一个实用主义的目的——你想得到一本《圣经》，因为你弄文学，需要把那当做一本必要的参考书和工具书；你在报纸一角的一则消息中获悉天主教和基督教都已恢复了正常的宗教活动，而在一个有关部门召开的落实宗教政策的座谈会上，有几位宗教界的代表发了言，开列出的发言者名单中，有一位牧师正是胥保罗的父亲；你去胥保罗任教的那所中学去找胥保罗，他果然还在那里没有换过别的单位别的工作，他见到你既未流露出高兴也绝对没表现出不高兴，他知道你已经成为了一个作家，已经结婚并有了一个女儿，他主动问你的头一个问题依然是："你入党了吗？"

你便问他："你呢？"

他认认真真地回答说："这回是真的——快了！"

你和他在学校操场边上那高高的白杨树下一边漫步一边聊天。你记得他对你说："我跟父亲要本《圣经》给你那没有问题。其实你直接找他要他也会给你，他还记得你。他现在是神学院的教授。现在我不能单纯地把他看成一个宗教界人士，一个唯心主义者，我认识到，他也是国家的一个难得的人才。因为，你知道，他懂得罗马文，古罗马文，还有希腊文，古希腊文，那是好比梵文、满文那样的死文字，现在世界上已经没有人用那样的语言说话了，也几乎没有人用那样的文字书写，就是能读能认能解的人也不多了，而我父亲还会。尽管他在劳改农场待了20多年，他居然还拾得起来……有关部门很重视他这个专长，正让他带几个学生……不过我当年确实对他太'左'了，现在回过头来看，是'左'了，受'左'的路线、'左'的思潮影响么！你不知道，1965年年底，劳改部门把我找去了，他们对我说，我父亲劳教期满了，让我把父亲接回家去，我一听就懵了，那怎么行？我多年来一直同他划清界限，不跟他见面，不允许他钻空子用父子情什么的那一套资产阶级的人性论人道主义来软化我。再说我母亲已去世了，我们家已经拆散了，我做主把我们家住的房子捐给街道托儿所了，我和弟弟妹妹都不再依赖父母那不干不净的房产过活；对了，我弟弟、妹妹跟我一样，考大学不管原来填的什么志愿，最后都只被师范类院校录取，而且全被分配到中文专业，所以跟我一样全是语文教师，满门语文教师……总之那时候我们都没有结婚，都住学校的集体宿舍,接回我父亲去我也没有地方安置他,劳改部门就说他们可以通知我们学校,让学校为我和父亲专门安排一间宿舍,那不成问题,可我不同意,你想想,我好不容易坚持了那么多年,同我父亲划清界限,现在可倒好,忽然他跟我一块儿住在学校,住在一间屋子里,我怎么受得了?并且你要知道,劳改部门跟我说得很清楚:我父亲尽管劳教期满,但他的右派帽子还没有摘掉,因为他拒不承认自己的右派罪行;你想当时我能接出那么个父亲来一块儿住么?我也实在不懂,他不认右派罪行,那又为什么不继续对他劳教呢?劳改部门就耐心给我解释,说虽然我父亲不认原有的罪行,但他在劳改农场的锅炉房烧火很尽职,又没有新的右派言行,而原来所判的劳教年限确实已到不拟对其加判,所以我作为家属中的最年长者应当将其领出……我坚决拒绝,我说我无论如何不能容忍跟他住在同一个屋顶下的那种生活,劳改部门就劝我跟父亲见个面,双方协商一下,看怎么办;我也坚决不肯跟父亲见面,我说我是他儿子那没有办法,但我不愿意同一个顽固的右派分子见面,劳改部门就说那只好安排你父亲在劳改农场实行期满留场就业。我一听就同意,说很好,留场就业很好。当然,他留场就业,我也还要继续肃清他对我的毒害和影响……你看,那时候我有多'左'!可当时我真是那么想的,我以为那样做是对的……"

胥保罗讲到这一切时,语气趋向于平淡,你听了却又一次感到震惊,你在心底里无论如何不能理解和谅解他当年的那种态度和做法,你可以断定,倘若换了你,你或许也会提醒自己要同父亲的右派罪行划清界限,但你会毫不犹豫地将他接出来,住到一处……

你记得那一天天气异常晴朗,金亮的阳光从白杨树上穿出来,撒出无数闪动的"金币"在你们的身上,那些"金币"非常诱人,然而却虚幻不实……

你问胥保罗:"落实政策以后,你父亲见到你,他原谅你了吗?"

胥保罗点头说:"他原谅,全原谅,彻底原谅。我问他:爸,你为什么原谅我?还问他:爸,那些年,连我们儿女都不认你,不要你,政府要放你出来,我们反不容,你在那里面又总不低头认罪,你是靠什么支撑住的?弟弟妹妹又跟他说,你那时候没出来也好,因为如果出来了,半年以后就是'文革',劳改农场里的地富反坏右反倒受不到'红卫兵'的直接冲击,那'红卫兵'对漂在外头的地富反坏右可是不论什么政策不政策的，有的拖出去就活活给打死。你没出来倒反而保住了……爸爸就说那他也不怕，我们就问：你为什么不怕？你为什么在什么情况下都能泰然处之？你知道他是怎么回答我们的吗？你知道吗？"

你设想不出来。

"我爸的回答很简单，他挺直身子，庄严地说——我信上帝！"

你心中有一个大震撼。

……后来你得到了一本《圣经》。

8

"……你又在写什么新的作品呢？"

年先生的脸庞仿佛从非常遥远的地方又飘了回来，清晰地呈现在餐桌对面。你这才意识到已经上了餐后香槟。你沉浸在回忆之中，完全不知道年先生和胥老师两位老同学、老邻居、老教友已经聊过了一些什么。

你原以为年先生会提及当年的那一天那一回，在他家，你跟他讲过的那个话，你要写一本书，一本挺厚的小说，名叫《阿姐》……然而他根本不提，显然他忘了，甚至于当时他就并没有在意，没有去记，所以也无所谓遗忘……显然他只是朦胧地记得你当年就幻想当一个作家，而且也只是从美国的华文报纸上知道你已经成为了一个作家，他至今仍并未读过你的任何一篇作品，而且今后也不会去读——他太忙，他的心思主要在他的商务活动上。当然，他倒也有跟老同学、老邻居、老教友们聚一聚的兴致，利用几个商务活动的间隙约他们来吃一餐聊一聊。于他来说倒真不失为一种调节神经调剂心理调养精神的妙方。

你知道，年先生这天一早就参加了一个已谈判成功的签约仪式，下午三点还要拜会一个有关部门的头头，晚上则要出席为上午那个成功的项目所举办的一个宴请——是中方掏钱，在新世界饭店，吃潮州菜。

中国人讲究午睡，美国人不午睡，年先生就绝不午睡，他这天把中午十二点半到两点半拿出来与你和胥保罗共进午餐，并重叙旧情。

同时也顺便关注到你们的现状。他就问你又在写什么新的作品。

不知道为什么你仿佛又嗅到一股从旧人字呢大衣上飘散出来的樟脑丸和霉菌混合的气味……

你就说你目前只写一点零碎文字，给报纸副刊和软性杂志投稿，挣一些稿费，以补助生活，"著书都为稻粱谋"，纯粹是卖文为生，有些文章不过是小巧玲珑而已，没什么深意，不过是博读者一笑，当然啦，"卖笑不卖身"……这样的提篮小卖也挣不了多少钱，同胥保罗那样的中学教师一样，现在尽管中学教师也有了种种津贴，如班主任费呀，教研室主任费呀，超钟点费呀……以及从校办工厂的收入中分得一点福利费，归里包堆——北京市民时下的俗话叫"乱七八糟加起来"，终究也没有多少，绝对比不了个体户，更比不了大商人。但是，莫要"笑贫不笑娼"啊，对吧？……

喝了大半杯香槟，你觉得自己的口舌变得油滑了，看见胥保罗一颗灰白头发包住的头颅在微微地点动。

"……不要写《古拉格群岛》那样的玩意儿！"美国人年先生捏着装香槟的倒伞形阔口玻璃杯，用一种指导性的口气对你说。"你看，现在苏联和东欧，官方自己已经把什么都公布出来了，还用作家去写吗？你写，能超过官方自己公布的材料吗？你写不赢的！"

没想到本应"在商会商"的年先生，竟有此种"在商会文"的雅兴和颇为不俗的见解。

哑然。

咖啡送上来了。

9

同年先生和胥保罗分手后，你决定一路散步着走回家去。

一边顺着王府大街往北边走，一边想：不要写什么？要写什么？怎么连年虔祈先生这位美国商人也来加以指导？这样那样的好意指导实在是太多了……

实在地，当年你竟然在年虔祈面前对他说，你要写一本书，一本叫《阿姐》的书，你为什么要那么想、那么说？直到今天你也猜不透……

但是你终于成为一个作家,一路写下来了。你要什么?不要什么?该怎样写?不该怎样写?

你有要的,有不要的,有不知道要还是不要的……

你心中有一个定数,变的是展现形式,如 2+2、2^2、(1+1)×2、8÷2、$|\sqrt{16}|$、X−4=0……终究变不出那个定数 4 去,该怎样,不该怎样,你说不清道不明,但你终究总是你……

最要紧的是你不但想写,而且能写;你对自己说,想写能写,那就别犹豫,继续往下写吧!

这么想着,走着,你就渐渐走进了童年时代曾经居住过的那条胡同……

第八章

1

二十多年没穿过这条胡同了。

变化不是很大。

夹道的槐树似乎也并没有变粗。想来是童年时我人细，那时的槐树望去便觉很粗。现在我人粗了，槐树虽已增加许多年轮，我望去感觉上却持平。不过槐树是更高了。两边枝叶的密合度更稠了，阳光透过槐树的绿冠丝丝缕缕地泻下来，自行车响着清脆的铃声从身后驶来又擦身而过，白发苍苍的老大妈提着菜篮缓缓地迎面而来。谁家院门边，把门的槐树枝桠上吊着鸟笼，鸟主人———位干瘦的老大爷坐在小竹椅上，不是仰靠椅背而是直腰垂头地打着瞌睡，椅子边搁着一只沏好花茶的、缠着玻璃丝套子的果酱瓶……

我似乎又回到了三十多年前的童年时代。

不过我不愿意回忆。回忆是个讨厌的东西。我爱一位朋友，他的名字叫忘却。忘却长得很丑，是个麻子，但麻子其实就是个筛子，他能帮我们恰到好处地筛下那些不必记忆的东西，只留下甜蜜、自豪与无所谓。人不嫌友丑。我拥抱筛子。

……渐渐走拢胡同口，忽然发现一些赤膊男子在施工，一位不赤膊的男子似乎在指挥他们，或者在训斥他们，而三三两两的路人或胡同里的邻居在一旁观望。我走近一看，看出是在修一个存放小轿车的车库，不消说，那是一座新翻修过的小院的组成部分。

我也站住围观，顺便问身边一位老大爷："哪位首长的宅子？"

"首长？"老大爷白了我一眼，告诉我说，"首长没有自个儿来监工的！是甘木匠的老七，搞个体大发了，烧包儿，摆谱哩！"

甘七？

对，甘木匠，他生了一大堆子女，不仅有甘七，那以后还有甘八、甘九……

我仔细端详那甘七，吃了一惊，活脱脱就是当年的甘木匠啊！只是，当年的甘木匠不曾穿过他那样的T恤；我不由得走上前去，我看出那T恤胸袋上有带双叶的花朵商标。啊，那是法国的大名牌"梦特娇"，倘非水货，那么起码值数百元人民币；他腰上的皮带，金灿灿的金属带头上有兔头标志，那是美国的大名牌"花花公子"，看来当然是正宗货，那就也起码值二三百元人民币……

甘七见我朝他走近，拧着眉毛，警惕地望着我。我则友好地朝他打招呼："小七！"

甘七退了一步，斜眼上下打量我，问："你哪位？"

"我当年也住这胡同，咱们两家是邻居啊！你那时候还小，我也不大……我小学时候跟你大姐是同班同学……"

"我大姐？"甘七仍旧很不放心地盯着我，他似乎并不存在过什么大姐。他完全是质问的口吻："什么大姐？她叫什么？……"

"你大姐不是叫甘福云么？"我热切地说，"那时候她净背着你抱着你，你怎么忘了？"

我期待着他那僵硬的面容软融下来，企盼着他眼中漾出记忆的波环，乃至泛出晶莹的泪花，然而，显然他同那位名叫忘却的朋友关系更瓷，忘却给予他的筛子上简直全是碗大的筛孔，他简直想不起谁曾经有过甘福云这样一个名字……

我在甘七和周围人们诧异的目光中突然抽身离去，我快步走出那条胡同，后悔自己不该一时兴起重新去穿过它那幽长的身躯。然而，我那忘却朋友却突然细密了他的筛网，使我心上有些不算沉重也不算粗大的记忆，滚动在筛网上却怎么也跌落不下，毛毛磣磣的好生难过……

2

整个50年代，我家都住在那条胡同的35号大院里。那时候，35号大院是部里的几大宿舍院落之一。

那是很大的一所院落。估计在晚清的时候筑成，并非贵族的宅院，所以院门并不堂皇，里面也不按皇家厘定的格局建造。据传是一位富商的私宅，原籍江南，所以除了垂花门以内的四合院，以及围绕那内四合院的若干小偏院和代替院墙的浅进身房舍外，靠东边一大片还有仿江南样式的不算太小的花园，花园里原有太湖石堆砌的小山、月洞门、之形走廊和小轩舍；又据说日本鬼子占据北京时，宅主逃往南方，这院落成为了日本占领军的一所特务机构，因而到我们住进去时，院内的装饰性建筑和花木已被破坏得所剩无多，那花园部分尤其已失去原有光彩，稍能令人有愉快感的，只剩月洞门和一株极大的马樱花树。那马樱花树盛夏时如一柄巨伞，投下大片的阴凉，并且开出一茬又一茬芬芳的马樱花来。开败的马樱花落到地上，并不即刻枯萎，拾起来凑成一把，搁到鼻子底下用那丝状花瓣摩擦鼻孔，可以使你接连打出好些个很香的喷嚏来。

那时部里没有冗员，住进宿舍大院的职工个个生龙活虎，各司其职，不过都是拉家带口的，单身职工另有宿舍，不入此院。那时候似乎并无房荒的问题，那宿舍大院有好几年都并未住满，对入住的职工，总务处大概也有什么级别给什么待遇的某些规定，但大家似乎都采取了够住就行的入住原则，因为刚从供给制转换为薪金制，本来并不多的房租，对一些家里人口多、负担重的职工来说，便成了须精打细算、尽量节省的一项开支。因此，出现了这样一种当今北京人难以理解的现象：本来可以住三间或四间房的家庭，他自己却只要一间或两间房住，为的是少付房租。

我父亲算是解放前与地下党合作的进步职员，解放后从重庆调到北京这个国家机关得到信任和重用，父亲当时也不过40出头，已是行政十一级的副局级干部，但我们当时兄弟姐妹五人除大哥已参军、二哥已在东北工作外，其余三人都仍在上学，所以父亲没要总务处安排的内四合院中的五间北房，而主动要了月洞门中原作书房用的三间西房，那时候不讲究什么家具摆设，别说组合柜、沙发没有，记得我阿姐新缝出一件布拉吉，想照镜子看看效果，都是跑到内四合院别人家，借人家大立柜的穿衣镜去满足那简单的欲望的。当然，50年代中期后，我家总算添置了从旧货店买来的大立柜和旧沙发，那是后话。

我家住的那个月洞门里的花园小院，马樱花树的那边，有两间比较低矮的房舍，原是阔人家抚琴清心的小小轩舍，部里作了宿舍用后，将破败的轩舍翻盖成了两间水泥瓦顶的小小平房。那时候，部里的木匠师傅甘大全便自愿选择了那两间平房作为他家的居室。当时，他和老婆以外，已生有七个子女，但他同我父母一样，觉得自己选择的房舍足够一家之用，并且房租上也节约些。我去过他家，回忆起来，似乎也并不怎样的拥挤——外间屋，一个大通铺，睡六位子女，空出来的地方，一张大炕桌，一架碗柜，一些小椅子、小板凳，足可供全家用餐和上学的子女做功课；倘在夏日，用餐都挪到院中马樱花树下，那么，那外间屋便有一半是空的；里间屋，一个大通铺是甘木匠夫妇带着幼子睡觉的地方。另外有一只甘木匠打出来的农村式大躺柜，全家的细软可以尽收于内，你想象一下，便可以明白，甘木匠当时何以并不觉得租用那两间平房有什么委屈之感。

人的空间感和空间占有欲，确是随着时代变化的。

3

我那时觉得甘木匠是一座塔。其实当年的甘木匠还不到 40 岁，我却以为他是位老大爷。也许甘木匠身高不过只有一米七几，我印象中的他那是必须仰望的。他总胡子拉碴的，不仅是络腮胡，有时候，他那微凹的腮窝上也布满长长的胡须，如果他剃一点胡须，那就只剃腮上的部分；他一年四季里除了冬季，似乎三季里上身都仅穿一件中式的无袖无领的白布小褂，前后两部分中间只用若干布条相连，前面用中式纽襻系合；他的胳膊似乎特别长，稍一弯曲，上膊的肱二头肌便鼓起老高，仿佛皮下蜷伏着一只松鼠；尽管他总在露天里干活，但他皮肤不黑，甚至相当白净。有时候他看上去皮肤发黄发暗，我妈妈看见就说甘木匠又病了，准给他送药去。

我妈妈弄得清他那一串子女谁比谁大，谁是哥哥谁是妹妹，我却只清楚老大是个姑娘，叫甘福云。因为我俩在小学一直同班，而且常常在排座位时排成同桌——很长时间里，我的身高总与她持平；甘福云比我大一岁，我妈妈告诉我的，对此我很不服气，但这件事是不能通过，比如说发奋或竞争加以改变的，对此我只能抱恨终生。

和甘福云同座是很倒霉的。往往已经开始上头一节课，她却还没到校，老师看见我旁边的座位空着，便会望着我问："甘福云呢？她怎么又没来？"

我便大胆地同老师对视，一脸"问得着我吗？！"的抗议表情。可是老师知道我家和甘家是近邻，所以有时候便毫不留情地把我叫起来问："蒋盈海，甘福云怎么没来上学？"我便"腾"地站起来，腰板挺得笔直，故意先说一声："我知道——"然后话音一转，慢条斯理地说："我知道我自个儿一早上没见着过她的影儿⋯⋯"同学们便嗤嗤发笑，老师便挥手让我坐下并让大家安静，而这时候往往甘福云恰巧汗津津地迈入教室。于是同学们便不用组织地来了一个哄堂，其中我的笑声一定最尖最响并且持续最久。

开头，我确实没有探究过甘福云为什么迟到，后来，我发现了那一秘密——我们胡同中段，当年有一家不大不小的工厂，生产什么的，已不复记忆，但它有一个挺大的锅炉房，每天早上，值班的工人要把头天封的火扒开，从后门用小推车推出几车煤渣来，那些煤渣往往还冒着烟，有些未燃尽的煤块还亮着红光。煤渣刚一倒完，后门刚一关上，便有不少拾煤渣的孩子，蜂拥上去抢拾还可再燃的煤渣。有一天，我上学出发得比往日早，路过那里时，发现冲上去拾煤渣的孩子里，最勇最鲁的一位，便是我的同桌甘福云。原来她几乎每天都来做这件事，拾完一满筐煤渣，她便把煤渣筐送回家，然后再去上学。因为那工厂的锅炉工并不能准时清渣倒渣，有时倒得晚，甘福云拾完煤渣再上学，自然便会迟到。

我知道甘福云为什么会迟到以后，之所以仍不向老师揭发原委，是因为我不愿意让老师和班上同学知道我们部里的宿舍大院中有拾煤渣的人，尤其是跟我同住大院中一个小院的邻居，竟然天天早上拾煤渣，这说出去太让我脸上无光。

可是有一天，甘福云不仅又一次迟到，还自己暴露出了她的秘密。她那天不知为什么没有把拾到的一筐煤渣送回家去，就到学校来了。她把一筐煤渣搁在了教室门口，喊了声："报告！"老师停下讲课，准许她进教室后，她在众目睽睽下背着书包走进了教室，所有的人都看见了——她右手拿着一个拾煤渣的工具，是她父亲为她制作的一个木柄上安装着五根粗铁丝弯成的笊篱状叉子。大概我又是头一个发出响亮笑声的人，整个教室中又是一个满满当当的哄堂，把站在前面讲小数点乘法的老师气得脸色煞白。他没有让甘福云坐下，而是让她站在座位上，厉声地质问她:"你怎么回事?你提的那是什么东西?不许把玩具带进教室来,你懂吗?"

甘福云微仰着脸,一双小眼睛坦然地望着老师,从容地回答说:"老师,这不是玩具,这是干活用的!"

教师以为她是蓄意顶撞,越发声色俱厉起来,批评她说:"干什么活?!这儿是教室,只许带书包,带书本文具,你那是什么东西?像是把叉子,你用那东西干什么活?"

甘福云便回答说:"这是拾煤渣用的。我把煤渣筐搁教室外头了,这把叉子我怕丢了,所以拿进来了。"

同学们忍不住又来了个哄堂。我笑得喘不过气来,心想,你那拾煤渣的玩意儿,送给谁,谁要呢?你还怕丢了它!哈哈哈……

老师气得用粉笔擦使劲敲讲台,待我们笑声终于平息,又厉声问甘福云:"你为什么不把这些东西送回家去?你干吗要把它们带到学校?"

甘福去仍旧从从容容地回答:"每天我都是送回家再来学校的,今天他们煤车倒得特晚,我怕来得太晚听不上您讲小数点乘法,所以赶紧跑着来了……我愿意听明白,两个数乘完了,小数点往哪儿搁……"

大家仍旧笑,并且窃窃私语,我朝隔走道的几位男生歪嘴角、眨眼睛,右手四指握拢、单伸直大拇哥,使劲用大拇哥指点甘福云手里那把叉。

老师听完甘福云解释,竟不再追究批评,让她坐下,继续讲小数点乘法;甘福云认真地听讲,我却总同几位男生龇牙咧嘴。

下了课,我们蜂拥而出,我率先从甘福云搁在教室门外的小筐里拾起一块煤来,投向一位男同学,那同学岂能甘休,便也拿起几块煤来追着我投掷,自然"殃及池鱼","池鱼"又岂能容忍,于是,很快便在教室门外酿成了一场煤块大战,大多数男生都卷了进去,女生们抗议着躲到一边,也跳不成猴皮筋了。甘福云狂叫着制止我们、咒骂我们,我忽然灵感勃发,便指着她大叫:

"你——母夜叉!"

几个男同学如获至宝,立即跟着我有节奏地呼叫起来:"噢嗬!母、夜、叉!母、夜、叉!……"

甘福云气得一张小脸成了金纸，可奇怪的是她没有哭，一滴眼泪也没有。

结局对我来说是很悲惨的，我被班主任叫到办公室，挨了一顿剋，这倒也罢了，他还打电话到部里，找我家长，结果我妈妈来到学校……

回到家，爸爸、妈妈，还有那自以为已经是个大人的上高中的姐姐，都对我一顿猛批，爸爸说："你对劳动人民，怎么会有这种态度？甘叔叔家子女多，经济上困难一些，为了省出煤钱，所以让甘福云每天去拾煤渣，这有什么好嘲笑的？你还乱给人家取外号，母夜叉，多难听！这是侮辱人家人格！你必须去他家，给甘福云赔礼道歉！"

没法子，我只好由妈妈领着，硬着头皮去甘家给甘福云道歉。谁知甘木匠和他妻子，并不以为这是一桩多么严重的事，甘福云呢，一边坐在洗衣盆边洗衣服，两只细胳膊上糊满肥皂泡，竟也仿佛全然忘却了我对她的无礼，只是笑着说："甭道对不起，没关系，以后别拿我开心就成。还有，以后我没听懂的地方，比方小数点究竟该怎么移位，你得一五一十告诉我！"

临出他们屋，甘木匠还往我手里塞了好大一个烤白薯，我不接，我妈也代我推让，甘木匠硬塞给我，他妻子更添上两个，对我和我妈说："福云她大舅从乡下给我们带来一麻袋，多着哩！你们尝尝！"

我捧着那热烘烘的散发着香味的白薯往自家走，不由得想：这白薯，就是用甘福云拾的煤渣烤得的啊！

4

有一座在北京历史上极为显赫的大寺——隆福寺。它的后门，便在我们居住的那条胡同当中，我和甘福云上的小学，在隆福寺前门所在的隆福寺街上，我每天上学，总从隆福寺后门走进去，穿过全寺再从前门出去，去往学校；甘福云不常取这种走法，她往往是从寺墙外的两廊下胡同穿过，前往学校。

很多年后，我才悟出，甘福云尽量少从寺里穿行，是为了避开那些太有诱惑力的摊档。

隆福寺建成于明代，据说它那主殿的汉白玉基石和围栏，用的是大内即皇宫中的材料，殿堂极其轩昂华丽。清末一次火灾烧掉了前门内的头一层殿堂，民国时期和日伪时期坍塌了一些偏殿，但到我童年时代每日穿行其间时，它大体仍是完整的，几进殿堂和最后面的藏经楼仍巍然屹立，里面的佛像壁画壁雕等都并未损坏，也仍有几位喇嘛居住在里面，看管庙产。不过，那时的隆福寺已无香火，殿堂都锁起门不对游人开放，如织的游人之所以寻访到那里，是因为那里有庙会。本来庙会有一定的会期，每月按日子在隆福寺、护国寺、白塔寺、卧佛寺（花市的卧佛寺，不是西山的那个卧佛寺）岔开轮流举行。但后来隆福寺成为每天开市的一处庙会，形同今天北京个体户云集的农贸市场。

记得那时我每天穿过隆福寺四次（我中午回家吃饭，上学下学各穿行两次），除了早上一次因为时间还早，庙会的摊档大都没怎么开张，不太吸引我外，其余三次都很让我留连。所以，甘福云常是早上头一节迟到，我呢，却是常在下午头一节迟到，好在下午往往是自习课，所以纵使迟到也比甘福云早上迟到容易混过。

那庙会的摊档，是在殿堂两边的通道上蛇形排开，在各座殿堂之间，也分布着一些；无论冬夏，摊档大都以自制的布伞布篷或布棚作为遮挡，有的小，有的大，最大的摊档像是一家颇具规模的商店。那些摊档卖什么的都有，比如有卖估衣的，卖针头线脑的，卖绢花的，卖猪胰子球（当时的一种球状香皂）的，卖香袋的（缝成粽子形、菱角形、蝙蝠形或其他种种形状，里面是天然植物、矿物研成配制的有香味的粉末）。记得有个很大的摊子是专卖各种梳子的，从梳齿粗大得像火柴棍的大梳子到梳齿密得只间隔个头发丝的小篦子，木头的，骨头的，贱的，贵的（最贵的是用犀牛角制作的），都有。摊档中摆着一只真物大小的木雕猴，漆成金色，蹲踞着手里捧着个金元宝。据说那是该梳子摊的商标，"金猴为记"，很有名的⋯⋯这些摊档，还都不是吸引我的所在；吸引我的，有三种：一种是卖吃食的摊子，一种是卖玩具的摊子，还有一种是变戏法拉洋片练把势一类好看好玩的摊子。

卖吃食的摊子很多，有一些，我是干流口涎，无从问津的。

比如卖炒肝的、卖油茶的、卖三鲜肉火烧（即褡裢火烧）的、卖门钉肉饼的、卖爆肚的⋯⋯那些吃食，除非爸爸妈妈领我去，我吵着要吃，他们或许会请我吃上一两种，我自己是没钱吃的（其实按今天的币值核算，那都是非常之便宜的）。

我自己所具有的消费能力，只能从庙会边缘处的一种卖最低廉的零食摊子上获得快乐和满足。比如，临近主殿一侧，百货摊档终结处，便有一个那样的摊子，摊主是个瘦干巴老头儿，双手上还都有白癜风，他的摊子上有半空的落花生、大大小小的糖瓜、粽果条（用各种未完全烂掉的水果剜去烂的部分，用余下的部分熬成一锅兑上淀粉冷却制成，切成小条）、干酸枣儿、牛筋儿窝窝（江米粘面制成）、铁蚕豆、葵瓜子儿……有时候只用100块钱（旧币，相当于今天1分钱），便可得到一份食物。比如他卖一种糖稀球，他有一大罐麦芽糖制成的糖稀，并备有一大堆秫秸秆截成的小棍，从100块钱到300块钱，他都可以卖给你用秫秸棍蘸出搅成一团的糖稀，按钱多钱少掌握那糖稀球的大小。我试过几次以后，就认定200块钱买一球最为合算。

卖玩物的摊子，尽管大多数货品是我买不起的，但是守在边上看看，耐心地旁观别人挑选、讨价还价、试玩，也是一种乐趣。那些五光十色的玩具中记得有各式风筝、空竹、风车、鬃人、泥塑的兔儿爷、成套的泥壶泥碗、卜卜噔（一种玻璃制品，状如喇叭，但不开口，一吹气，顶端的薄玻璃便卜卜作响，因一不慎会吹破，并将碎玻璃渣吸入肺中，所以后来不让生产）、布老虎、木制大刀扎枪……最吸引我的，是一种用纸浆制成的套头玩具，叫大头娃娃窦里翠，是一个和尚的模样，一个戏台上的妇女模样，成对地发卖。有时候一位大人带来一对子女，买下一对让他们套上，他们摇头晃脑好不得意，令我不能自已。我虽买不起上述玩物，但如果克制住吃糖稀球的欲望，把妈妈给的零花钱（平均每天100元）积攒一个时期，那么，买一版三侠五义的"洋画儿"，剪成一小张一小张的，和男同学们拍洋画儿玩（一叠"洋画儿"，伸掌一拍如有翻转过去的，便算赢下）；或者买上几个玻璃弹子，在地上挖些小坑，和男同学们"弹球"玩，那还是办得到的。

带表演形式的摊子，有的可以混在人群中，站在大人腿边看，他收钱的时候，我们小孩子愣不给钱他也就算了。当然有的戏法杂技班子和唱"落子"（就是评剧）的班子，用布幔将他们的表演区拦起来，交了钱才能进去看，但那些个表演我也并不怎么爱看，当年我花钱看过的，是一种"破电影"。那是一位中年人，他在庙里被烧毁的殿基一侧，搭了一个一人高的小棚子，四面密封，但三边开得有一些窥视孔，他不断地在那里扯开嗓子吆喝："嘿！来看破电影噢——！"凑够了大多数窥视孔的人数，他便让交了钱的主顾们把眼睛凑拢那个孔。于是，他便开动了棚里的一架老旧的电影放映机，在棚尽头处的一张小小幕布上，放映出一些支离破碎的无声电影片子，往往只放映两三分钟，便宣告结束。记得看一次要收500元之多，而我竟看过不止一次。如今回忆起来，他放映的那些"破电影"，有关于孙中山阅兵的纪录片、京剧名伶谭鑫培戏装舞大刀的镜头、中国最早的无声故事影片《孤儿救祖记》里的片段，等等。实在都是弥足珍贵的电影历史资料，不知道那放映"破电影"谋生的人后来干什么去了，也不知道他那些"破电影"后来是不是为中国电影资料馆当做珍贵文物所收购。

我爸爸当时正值壮年，工作很忙。他对工作也很积极，因此隆福寺尽管离得那么样近，却很少去逛；不过爸爸的业余爱好是研究北京名胜故实。他读了不少有关的书籍，很有"卧逛"的工夫——他临睡前总要背椅枕头读一点那样的文字，来松弛一下神经。因此，他虽然并没有怎样深入踏勘隆福寺，却对隆福寺的种种情况知之甚详。我那时就常听他说，隆福寺现存的毗卢殿中，有全中国也是全世界最宏伟美丽的一个藻井。什么叫藻井呢？就是中国殿宇建筑中的一种屋顶结构方式，望上去像一口倒悬的井似的，那木结构的"悬井"装饰华美，当心往往还雕出一条盘龙，口吐一颗硕大的宝珠 …… 不知我爸爸依据的是什么资料。他说，据专家调查比较，隆福寺毗卢殿的那个藻井，竟比故宫养心殿的藻井与天坛祈年殿的藻井，结构更为奇特，装饰更为瑰丽，而且当心悬出的那个巨大的夜明珠，尤其价值连城！他还说，那毗卢殿中，除了毗卢佛外两侧壁上还塑有别的寺庙中绝少出现的"天龙八部"，堪称另外一绝——我那时虽然还是个小学生，全然不懂古建筑学和佛教艺术，但搁不住我爸爸诱说，并且多次听他念叨："可惜现在殿堂不开放，什么时候能进去看看就好了 ……"所以，也就生发出浓厚的好奇心；这也是我为什么早在读金庸的《天龙八部》之前，便知道什么是"天龙八部"。

5

记得小学五年级放暑假的时候不知怎的我想起了毗卢殿里的藻井和天龙八部，便找到甘福云说："嘿！你跟你妈说说，让我进那隆福寺的毗卢殿，看看那里头的玩意儿！"

我知道甘福云她妈在隆福寺里为许多摊主共同所雇，他们给庙里喇嘛租金，租那殿堂当存放货物的仓库，甘福云她妈帮他们搬运、保管那些货物。我就看见过甘福云她妈，扛着大纸箱子往那毗卢殿里去。

甘福云一听我的要求笑了："干吗跟我妈说！你想进去看什么？跟我说就行！我这些天正在那儿干活哩！当临时工，帮我妈多挣些钱！我就能带你进去，保你看个够！"

原来如此，原来更有近水的楼台，更能先得月。

那时候的隆福寺，庙会已渐渐发展为一个大型的百货商场，有了一些简易的售货大棚，开始发卖大量的百货新产品。所以那些殿堂全成了货仓。其实，以隆福寺的古建筑本身，以及殿堂里高超的佛教艺术品，在这个世界上堪称是无价的。历年来在那些殿堂中存放过的货物，它们的总价值加在一起，甚至再扩大一百倍一千倍，其实相对于那建筑本身和里面的艺术品而言，都仍是不堪一比的。但那时以及以后很长的一段时间里，人们都不懂得这一点，他们将那些古建筑史上的孤例当做储货仓，任那些美轮美奂的佛教艺术品破旧、剥损、霉蚀而不觉可惜。他们有时代特有的某种价值观念，那一观念在那时候尚远未膨胀与爆炸——到"文化大革命"时期方膨胀而爆炸为"破四旧"，整个隆福寺除名称外完全湮灭无存。

那一天，我跟着甘福云进入了毗卢殿。进去之前，她问我："我让你进去看了这个，你怎么报答我呢？"

我说："请你吃糖稀球！"

她显然是咽了一口唾沫，然而，摇着头。

我便又说："再给你买一捧半空，要不，还给你买一把粽果条！"

算来，这就得花上 500 块钱了！

她却一概拒绝了，她说："我什么也不吃。你，你请我看场电影吧！"

那时候，隆福寺前门外，隆福寺大街上，有家电影院叫蟾宫（现在改名叫长虹，真是一个时代有一个时代的符号），我们隆福寺小学组织大家看电影，都是去蟾宫，买集体票，是每人交 500 块钱；倘若自己单独去看，那就是学生票也得 1000 块钱。用 1000 块钱请甘福云看场电影，对我来说真有点不甘心，但因为钻进毗卢殿看那藻井和佛像心切，再，那时我妈给我的零花钱也增长到平均每天 200 元，偶尔还另外多给个一百二百的，所以，真请倒也请得起，我就点头答应了。

那真是一次终生难忘的经历！

甘福云领我进入那当做仓库的殿堂后，便将沉重的殿门关合了，像刚刚进入已经开映的电影院一般，我两眼一抹黑，觉得身体四周，被猛然袭来的凉气所包裹。好一阵，瞳孔放大了，我才能辨认出周遭的事物，首先看到一些码放成堆的大纸匣，还有一些石棉瓦、钢筋、三合板、干沥青、成袋水泥、成桶油漆等等物品。抬起头来，这时看出正中的毗卢佛像，给我的印象是它非常大，神态非常安详。所栖息的莲座雕刻非常精美，但头部、肩部及一切接灰的地方，都积满厚厚的灰尘，佛像身上的金漆，已经变成酱色，有很多处已经剥落，大概是往殿堂里搬运摆放钢筋时并不注意保护佛像，所以佛像下半身有不少划痕，而且一只本来姿势非常优美的手，被撞断了两根手指。佛像两侧的帐幔有的地方已经糟烂，帐幔与佛像之间有大片的蜘蛛网，发出一种浓厚的霉烂气味。毗卢佛两侧，还有别的差不多一样大的佛像，黑黝黝地看不清楚。

"你不是要看藻井吗？呐，你抬头看呀！"甘福云指点着。

我便使劲仰头，朝顶上望去。那时候我年纪还小，而且直到现在，我对中国古典建筑中的藻井还是一个绝不懂行的角色，不能用科学的语言讲述它的究竟，然而，那一回的仰望，对于我来说，的的确确是一次灵魂的震撼。那藻井在顶窗缝隙透进的菊色光线映衬中，极其神秘、极其辉煌、极其壮观、极其瑰丽地映入了我的眼中，我"啊！"地惊呼出声。现在回想起来，那简直是整个中华民族赖以自豪的几千年文明史的精华，一次性地流泻、倾压进了我的眼中心中魂中，令我自豪，令我陶醉，胜过一千次爱国主义的报告，抵过一万次强制性的灌输……

令我惊奇的还有，甘福云在我一旁为我指点、解说，其言辞，竟与我爸爸给我讲过的几乎完全一样。我本以为凭她那么个拾煤渣的、当搬运的人物，不可能懂得这些呢，便不由得问她："你是怎么知道的？"

"老喇嘛奥金巴告诉我的呀！"她从容地回答。

原来，庙里的老喇嘛奥金巴——我常看见，胖得出奇，两个乳房比女人的还高还大还鼓——来查看殿堂时，给她妈妈和她讲过，她都记下来了。

她知道的还不仅是关于毗卢佛和藻井的呢，她带我去看两边墙壁上以浮雕云朵、山川、城池为背景的"天龙八部"雕像。在晦暗的光线中，那些雕像格外狰狞恐怖，她从奥金巴那里知道了"天龙八部"的全部名称：天，龙，夜叉，乾闼婆，阿修罗，迦楼罗，紧那罗，摩罗伽。其中最令人毛骨悚然的是一位全身幽蓝色的雕像，头部像一只鸷鹰，张开的嘴里却排列着尖利的牙齿，伸出的双手是巨大的鸡爪，斜立着仿佛就要从那壁上跃扑下来……我一看便尖叫一声，不由得拔腿往门外跑去，谁知让甘福云一把揪住了胳膊，为不在女孩子面前丢份，我只好刹住脚，任一颗心怦怦乱跳，对她说："我不想看了，这里头太黑！"

"什么太黑！是你害怕了，对不？"

甘福云一对小眼睛闪闪发光，她盯着我，颇带快意地说："你怕什么呢？别怕，那就是夜叉。告诉你吧，那不是母夜叉，那是男夜叉，奥金巴说，其实就跟观音菩萨不是女的一样，神佛菩萨罗汉跟天龙八部什么的，都不分男女，所以说，夜叉就是夜叉，那夜叉浑身蓝色，就叫蓝夜叉吧！我如今也不怕你叫我夜叉了，叫我蓝夜叉我还得意呢，为什么呀？奥金巴说了，这蓝夜叉是护法的好神，他不吃好人，专吃坏蛋，专吃捣乱鬼，专吃害人精。别看他丑，他心可好哩……"

但是出得那毗卢殿，我仍心神不定。

6

殿外阳光灿烂，人影儿墨黑。

"怎么着，请我看电影吧？"甘福云要我兑现诺言。

"行呀，赶明儿吧！"我有点想赖。

"别赶明儿！这就去！我的活全干完了，我这就能去！"甘福云逼我前往。

我拖着脚步随甘福云往庙外走，走拢前门内那片火灾后仅剩殿基的空旷处，我计上心来。那片地方是各种表演性摊棚的集中地。我把甘福云领到了那个演"破电影"的棚子前。

棚主见有生意来了，便扯开嗓门嘶叫起来："看破电影噢——"

我立即拉上几步，递过 500 块钱，说："看电影！"

甘福云一旁使劲摇晃我胳膊："我不要看这个破电影！我要看蟾宫的新电影！"

那棚主便劝告她说："嘿！我这电影才绝哩！蟾宫一万年也演不了这些片子啦！你听我说它破，以为它不好是不是？你回去问问你妈，是得一只新瓷碗值，还是得半只破金碗值？来吧来吧，您往里头瞧来往里头看！得，没几个人，我也开演，您这不是福气吗？……"

很多年以后，我才体会出，当时甘福云眼里充溢着多么强烈的失望感，而且还掺杂着被出卖与被戏弄的愤懑……

"我不看这个！"她脸涨得通红，大声地喊。

"你不看，我看！"见另外几位顾客都把眼睛凑拢到窥视孔上了，我便残酷地置甘福云于不顾，自己走过去看那"破电影"了。棚主开始放映，还是那些老掉牙的片段。不过，有一小段外国人赛马的电影是以前没有的，我为了表示那"破电影"很精彩，故意跺脚叫好，并嘎嘎嘎地笑。

三分钟过后，电影演完了。

"怎么着，怪你吧！"我对呆呆站立一旁的甘福云说，"我可是请你，谁让你自己不看呢？"

那棚主便招来甘福云说："小姑娘，你咋不看呢？你也开开眼呀！"

甘福云紧抿着嘴，两片嘴唇都不见了，鼻子下头只有一条缝。

我对棚主挥下手说："咳！她还看个啥呀！她自个儿又没钱！"

棚主分别再打量了我们两人几眼，脸上现出一个讨好我、鄙夷她的表情。确实，我那时穿戴虽然朴素，但新衣新裤新袜新鞋，究竟带出家庭小康的味道。甘福云呢，她的衣衫上有很多大块补丁，扎小辫连猴皮筋、绒线绳都没有，有时是两小截木匠用的弹墨线。

棚主朝甘福云摆摆手说："不看就别挡道儿啦！让有钱的主儿好过来看呀！"

我和棚主都没有想到，甘福云忽然朝前大大迈上一步，满脸喷火似的大声宣布："我看！"

接着，甘福云便把右手伸到衣衫里面的一个暗兜处，先把一枚生锈的别针松开，然后从那里拿出一叠脏兮兮的小钞来，数出 5 张 100 块钱票子，郑重地递给棚主，再把其余的钞票小心翼翼地放回原处，再用别针别好。然后，她斜了我一眼，瞪了棚主一眼，便雄赳赳地迈步走向了窥视孔……

我很扫兴。趁她看那"破电影"时，我溜了。我对她有点嫉妒，因为她身上有那么多的钱，比我阔多了！我想那一定是她干临时工得到的工钱，她自己有钱，还让我请她看电影！抠门儿大仙！好一个蓝夜叉！

7

那天晚饭后，甘木匠家突然传来了一片孩子们的哭声。我妈妈赶着过去，看是怎么一回事儿，我跟着，我妈进了他们屋，我却留在窗外，只从窗外偷觑。

原来，是甘木匠要惩罚甘福云，让她伸出左手，正打算用木尺，打甘福云的手心。

甘福云又紧抿着嘴，鼻子下面，现出个不见嘴唇的"一"字。我注意到，哭的是她的弟弟妹妹，她倒并没哭。

我妈自然马上去劝。甘木匠哪里听劝，而且甘木匠的妻子很支持丈夫的做法。我从窗外旁听，弄明白了是怎么回事——甘福云干那临时工，是每天开一回工资，每回1000块钱。她已经干了十多天，以往每天，她都能按数上交挣的那1000块钱。可是今天她回到家，却只交了500块钱。问她，开头她还撒谎，说不留神丢了，后来说了实话，却比不说实话更糟糕——原来她是用500块钱看了那"破电影"。后来我能很深刻地理解，甘木匠夫妇认为她花500块钱看那"破电影"，简直是荒唐透顶，"抽风了！""中邪了！"用文明的词儿说，便是彻底地堕落。家里这么大一群人，500块钱买腌咸菜疙瘩能买两疙瘩哩，够吃三五天，好，她今儿个一个人竟拿去看了什么"破电影"，不教训教训她，让她记住下回再犯绝不宽饶，行吗？！

当着我妈的面，甘木匠便用那木尺一记一记地打甘福云的手心。她两个不大不小的弟妹吓得大哭，另外几个弟妹呆呆地站在一边。多年后我回忆那一幕，省悟到甘木匠还是手下留情的，并且打满规定的二十记，也就中止。但是你想用惯了斧头锤凿的手，无论怎样加以自控，那木尺落在甘福云掌心，也仍有超出常人的力量。第二天我见着甘福云时，她正背着最小的弟弟——就是如今发了大财买了院子买了小轿车亲自指挥工人修车库的甘七——到街上买菜，我注意到，走到卖冻虾的摊子前，她弯腰从地上捡起些溅落的冰块，捏在左手心中，那一定是为了用冰块缓解被打肿了的手心那钻心的疼痛……

甘福云又多天不理我，我也不理她，但我暗暗观察，她对于自己的父亲母亲，并没有什么怨恨的表情，她照样去当临时工，照样干各种各样的家务事。晚上，还坐在马樱花树下，把当时才一岁多的甘七揽在怀中，哼哼唧唧地给他唱歌，逗他玩……

本来，我是应该把进到毗卢殿，看到毗卢佛、大藻井和天龙八部的情景，跟我爸爸吹嘘一番的，可就因为发生了看"破电影"的事件，我就没讲。我爸爸因此也就终生没有去看过他所向往的那些古建筑精华和佛教艺术珍品。

8

那以后，一年的"六一"国际儿童节，部里工会决定向部里所有职工的未成年子女发放节日礼物，工会派出了干部，专门到我们宿舍大院的传达室放发给我们大院的儿童。我们院里有资格领取礼物的孩子们顿时在传达室前排起了长龙，唧唧喳喳活像一座让牛郎织女跨越的鹊桥。

我家只有我一个属于儿童，而且，随着上面几位哥哥姐姐陆续走上工作岗位，我家的经济状况在大院中渐渐升入上层，我的零花钱标准，也升到平均每日一角钱（那一年已实行币制改革，原100块钱算做1分，原1000块钱算做1角，原10000块钱算做1元，余类推），那回放发的"六一"礼物，是每位儿童一纸袋小人酥糖。那时候小人酥糖于我已不算稀奇，我已能吃上上海出的大白兔奶糖和北京出的义利太妃糖，所以对于排队领取，并不积极。

甘福云对于那回的发放礼物，不消说表现出高度的热情。她闻讯去排队领取时，已居中游，但她兴高采烈地等待着轮到她的时刻。她将代表全家八位儿童一次领取（那时甘木匠夫妇又生下了甘七的弟弟甘八），因此她怀抱中将有让全院儿童羡慕死的一大堆糖果！

事隔多年，我实在已无从分析当年我那样干的心理动机，也许不过是仅仅想恶作剧一下吧。我把八九颗已成为"麻壳"的玻璃弹子，搁放在月洞门里面，甘福云经过时必然要踏脚的地方，然后，自己远远站到一旁，还招来几位和我一样惯会恶作剧的男孩，等待着那戏剧性的一瞬出现。

甘福云领到那八份糖果了，她用双掌和两只上臂，小心翼翼地托着那八只叠放在一起的糖果纸袋，如履薄冰般地小心翼翼地迈着步子，满脸漾着幸福的微笑，朝月洞门里走去。一进月洞门，就该到她家了，而这时，她的几位弟妹，不顾她母亲的吆喝，都迎出了屋门，他们即将分享那工会赐予的甜蜜福利……

可是，甘福云往月洞门里一伸脚，正好踩在我预先布放的那八九颗"麻壳"上。于是她一下子跌了个马趴，怀抱里的糖果袋，顿时飞落一地，袋破糖滚，一塌糊涂！

就在她跌倒的一瞬，我高兴地双脚跳起，拍着巴掌大笑起来，跟我站在一处的几个哥儿们也跟着我起哄，又跳又笑。

忽然，我听到一种极不熟悉的声音，使我灵魂悚然，我不由得立住脚，刹住笑，呆望过去——那是趴在地上的甘福云的哭声，那也许是我一生中所听到的最凄厉最痛苦最愤懑最绝望的哭声……

真不愿再回忆那些细节。我的朋友忘却，你的筛子眼，不能再阔大些么？

我原以为，甘福云是不会哭的。事实上，我也只看见听见过她这一次哭泣。这哭泣纯然是我一手制造出来的。

当年那部里的工会，不知是哪位干部，想出了那么个送每个儿童一纸袋小人酥糖的主意，那真不是个高明的主意！而且，也许是为了实惠，为了节约开支，是从糖果厂里，直接批发出来的，因此那些小人酥糖，都没有包上糖纸，而是赤裸裸的——偏发糖前一晚，下过一阵雨，那月洞门里面的地面上，或者还汪着水，或者还湿粘粘的，从甘福云怀抱中撒出去的小人酥糖，大多数都飞溅撒落到了积水中，或粘在潮湿的泥巴地上……

在人类文明史的进程中，那当然是一桩太微不足道的小事；在我波诡云谲的一生中，那当然也算不得一桩多么值得挂齿的事情……然而写到这里，我的灵魂忍不住颤动，至少，对于我自己，需要深入地挖掘，恶，为什么有时候会那样轻松自如地驾驭着我们驰骋？

我父亲、母亲陆续回家以后，我一直提心吊胆地等待着甘家来将我告发，或者甘福云来，或者她母亲来，或者竟由甘木匠本人亲自出面，因为我的所作所为，实在太伤天害理！

天快黑净了，甘家谁也没有到我家来。我忐忑不安地坐在书桌前，做不下功课，心猿意马。忽然，我嗅到一阵香甜的气味，或者说，是有一种香甜的气味，钻进窗隙，蹿进了我的鼻孔中。我想那不是马樱花树上头一批花朵的香气，那香气该是淡淡的，并且不该有甜味；我不由走出屋子，进行侦察。于是我发现甘福云和她母亲两个，在她家的小厨房里忙活。我悄悄走近，从小厨房的小窗朝里一望，明白了：她们已经将那些弄脏的小人酥糖，用水淘过，现在正把损坏的小人酥糖，放到一只铁锅里，兑上些水，先化成糖浆……

当天黑净了时，她家的一大锅像大饼般的糖浆（或者叫做糖酱，因为小人酥糖里有许多别的成分）已经冷凝成了一个整体。甘福云用一把刀，将那整体竖切成一条条，再横切成一块块。于是，她家便又有了一堆消过毒的小人酥糖。只不过外面没有一层珠光罢了——甘福云她妈，便把那些自家加过工的糖果，分给她的一群孩子们。甘福云最后也分到了一份。她和几个弟弟妹妹，坐在马樱树下，快活地击掌游戏，不时吃上一颗糖。她似乎已经把被我暗算的事，全然忘却了……

我心想，也许她并没有悟出，她的跌倒，是我设计陷害。她一个人捧着八包糖果走路，本来就有点像杂技里的走钢丝表演，跌倒，似乎也并不足怪。

但是，第二天早晨，我一出屋门就发现，我那屋门外的窗台上，不多不少摆放着我那使她跌倒的九颗"麻壳"。

9

有一天，是个星期日，妈妈忽然从院子里跑进屋，神色紧张地说："不好！甘师傅把自己砍了！"一边说，一边急急忙忙找红药水、绷带。

爸爸正在看书，一听就从沙发上蹦起来。我拔腿便往院里跑。

那时候，甘木匠常利用业余时间，为院里邻居们打制家具。这样，也可以就便挣一点外快，补助生活。那天他是为内四合院里的一家处长打制大立柜。那家的木料，并没有事先在锯木厂解成板材，所以甘木匠必得先费很大力气，把那料分解为可供进一步加工的板材。也许是因为他连日公活私活都太繁忙，身体疲劳，精神不济。也可能仅是因为一时失手。不知怎么的，他右手一斧子砍下去，竟砍在了自己左上臂上，顿时砍开的肉翻着，鲜血溅了他自己一脸一胸……我跑过去看热闹时，已经有几个男子汉扶持着他，帮他掐住血管止血。他却依旧叉开腿站着，像一尊被夕阳染红的宝塔。胡须抖动，两眼中充满惭愧与自责……

甘木匠住进了医院。尽管治伤有公费医疗的保障，对他家来说，那仍然不仅是人身之灾，也是经济之灾。

那一年，我和甘福云都小学毕业了。我继续升学，甘福云却不再升学，在隆福寺商场里干临时工。回到我们院里，她除了分担父母的种种家务外，还揽去邻居们的被单床单，通过洗涤这些物件，再挣一点钱补助家用。

我从中学上完学回到家，往往会看到月洞外的晾衣绳上，晾满了一溜洗得雪白的被单，风吹动那些被单，被单翻卷着边角，快干的时候啪嗒啪嗒发响。

上中学跟上小学确实完全不同。中学生跟小学生的心理状态简直不可同日而语。我到中学去不用再穿过隆福寺，功课渐渐繁重，我也难得专门去那里头逛，而隆福寺里面也渐渐改变了模样，不再有庙会的风味，变成了一个"合并同类项"的大型百货商场。实行"公私合营"以后，更盖起了售货大厅，许多原有的项目不是禁止了便是自动消失了，比如那演"破电影"的。小学生时期的那些个见闻经历，慢慢地都变成了遥远的梦影。再后来，春梦了无痕，我简直都不记得有过那么些事了。

和甘福云不再是同学，我们便简直断绝了来往，尽管仍住同一个月洞门里的小院，磕头碰脸的时候很多，但在我心理上，她简直是一个同我不复存在任何关系的人物。我无论如何也回忆不出来，那一时期我同她迎面遇上，是不是会对她点个头或笑一笑，因为我心里面，就连故意不理她的想法也不曾有过。她见到我是不是对我点个头或笑一笑，我也连一星记忆都搜寻不出，因为我心里面，从不曾有求于她的一点头或一微笑。

后来，记不清是上完初一还是没上完初一。有一天妈妈在饭桌上说："福云病了，这回真是病得不轻，不吃不喝的，又不好好平躺着，总倚着被子在床上靠着……"我也没顾得往下听，因为我一边吃饭还一边偏头看一本美国童话《绿野仙踪》。饭后，大概爸爸妈妈都去了甘家，他们劝甘木匠别净拿自己公费医疗领来的药给甘福云乱吃，她那看来不是一般的伤风感冒，还是该正经送到医院里作一番检查，对症下药。必要的时候，得住院、动手术。爸爸说可以帮助他从部里申请特殊补助。妈妈说可以为他家在院里募一点捐。临末了爸爸妈妈给他们留下了 30 块钱，甘木匠夫妇说也好，先借下，赶明儿有了，一定还。第二天甘木匠大概用自行车驮着甘福云去隆福医院看了病，带回许多的中药。那以后我们小院中就总弥漫着一种煎中药的味道，一点也不像我后来在《红楼梦》里看到的那种描写，似乎有一种与花香、脂粉香媲美的药香。不，我们那月洞门小院里的药味，简直可以说是一种古怪的臭味，可惜了那时候的马樱花，它们再不能以其淡淡的幽香构成我们小院的特色。

如今回想起来，甘福云得的那种病，就是肝癌。30 多年过去，尚且仍无特效药可治，何况当年！可怜她很快就出现了腹水，甘木匠只好单为她架了一张床，让她没日没夜地围着被子，倚靠在枕头垛上，痛苦地呻吟。不呻吟时，甘福云便呆呆痴痴地朝屋门外望着，我想她一定是望那马樱花如何迎风飘落到地上……

有一天我从学校回来，在大院门口忽然撞见了甘木匠。甘木匠正背着甘福云朝外走，伛偻着身子，下半边脸全是黑森森的胡子。甘福云用两只细得像麻秆一般的胳膊，搂着她父亲粗壮的脖颈。我不由得问："你们上隆福医院么？"

甘木匠回答我："不，上蟾宫，看电影。"

我吃了一惊。一瞥已经脱了形的甘福云，她那双从未曾美丽过的小眼睛里，竟放射出一种幸福而满足的光芒！

后来我才知道，那是甘福云一生中头一回到正式的电影院看了一场电影，并且那也是她最后一次，是她那样一个生命实体存在期间唯一的一次。

我直到很久以后才憬悟，上小学时，每逢班上组织看集体场电影，文体委员收钱时，收到我们那一排，甘福云总是说："我请假……"我那时何曾在意过！她家事多，请假就请假，跟我什么关系，我简直没有想到。因为她家没有钱供她看电影，所以她就一场也没有看过！而那时的小学生集体票，不过只要 500 块钱（相当于今天 5 分钱）！我也才恍然大悟——那一回她带我进毗卢殿看毗卢佛、大藻井和天龙八部，提出来让我请她到蟾宫看一场电影，该下了多么大的决心，付出了几乎全部的自尊，抱着多么巨大的期望，企盼着多么难得的快乐啊。而我，却把她引到那"破电影"布棚前，骗了她，耍了她，并且使她挨了父母一顿好说，一顿好打！

但是那时，上中学的我仍然不能消化这一切，不懂得生活，不懂得人，不懂得别人，也不懂得自己。

我只是多少有一点奇怪，天气渐渐转凉了，甘福云的病不见好转反在加重，可是甘木匠还是把她的病床，安放在她家一进门的地方，并且总半掀着她家的门帘，让她那幅病容，展露出来。从我住的那间屋子的门窗望过去，尤其明显。那是为什么呢？不怕人家觉着刺眼、觉得恶心吗？

甘福云本来就绝难同漂亮两个字联系在一起——她父母生她的时候，就先天不足，后天又过早承载着生活的重负，所以，她那平板的颜面上，小鼻子小眼，从无半点妩媚。她的头发总是黄焦焦的，也从未丰茂过。她脖子有点短，背很早就有点驼，脚丫子却相对比较大。自打得了病后，她头发一把把地往下脱落，脸色发青，嘴唇发黑，再加上腹水愈来愈严重，望上去，确确实实让人联想起在毗卢殿里见到的那个蓝夜叉。那时候，我有过这样的胡思乱想：甘福云，也许真是天龙八部里的夜叉，托胎生在了甘木匠他们家里吧？

10

甘福云死了。

具体怎么死的，死了怎么拉去火化的，甘木匠夫妇哭没哭，她那些弟弟妹妹们怎么个反应，我当时没注意，没过问，所以全无印象。

我对她的死，回想起来，似乎还有一丝快意。因为从我那屋子的门窗望出去，可以不必看见那样一尊蓝夜叉的丑陋面容了。

我敢打赌，我们那大院里，人们很快就把甘福云这样一个无足轻重的人物忘记了。她到这个世界来生存过，生活过，但她去得匆匆。她去的时候，还不到17岁。

我们家，不久就搬走了，部里盖出了一批宿舍楼，楼里家家有厕所，冬天有暖气。这在那个时代，算很了不起的设施了，那时候不仅不懂得什么电冰箱、洗衣机，就是烧煤气，也没怎么听说过。无论是罐装煤气还是管道煤气，部长家里也没有。但当干部的，毕竟待遇不同一般，我父亲当时已被任命为专员，所以我们搬往了新宿舍楼。甘木匠是帮着给我们搬家的员工之一。临完事的时候，妈妈非留大家伙吃饭，却都说不吃，都要走。妈妈就留大家喝茶、吃西瓜。后来大家都走了，妈妈收拾茶杯，忽见一个茶杯底下，压着30块钱。妈妈正发愣，我告诉她："那是甘叔叔喝过的茶！"妈妈这才"啊呀"一声。原来，当年为甘福云去医院看病，爸爸妈妈给过甘木匠30块钱，他想着今后见面不那么方便了，所以帮着搬完家，便还上了那钱。

那以后我爸爸调动了工作，我后来上完中学，又上大学。甘木匠及其一家，完全成了与我们生活轨迹无关的一种存在，我不记得那以后有过那样的情况，我们一家人坐在一起吃饭或聊天时，提到甘木匠，或他家的什么人。我们简直把甘木匠一家忘了。至于已经死去的甘福云，那就更不在我们意识之中了，我敢说连意识流里也不曾出现过有关她的萤光流痕。

后来我们一家，特别是爸爸妈妈，随着时代潮汐浮沉。"文化大革命"前爸爸被调到张家口一所军事学院任教。"文化大革命"期间，爸爸当时所在的军事院校两个对立的"造反派"武斗，爸爸妈妈只好弃家逃到北京，在阿姐家暂避一时，后来阿姐那里也住不安稳，就在一个老朋友的帮助下住进了一个特准不搞群众运动不许外面冲击的相对太平的单位，借了一间空闲的办公室临时落脚，而就在那兵荒马乱的岁月里，爸爸妈妈有一天在街上遇到了甘木匠。

那一回爸爸妈妈同甘木匠的遇合，激起双方内心里许多已经偃落板结的感情。不消说，他们恢复了来往。爸爸妈妈那临时落脚的住处全然无法安排居家生活，做饭的火炉只好放在门外走廊上，过来过去的人们都觉得碍事。爸爸妈妈他们总学不会封火，经常火熄断炊，只好到街上去现买吃的。苦闷时，他们不愿意到别处去，兼以甘木匠竭诚邀请，他们便带些吃食到甘家消磨。那时候甘木匠仍然住在那条胡同35号大院的那个月洞门小院中的那两间小平房里。部里的干部们宦海浮沉，起起落落，搬来搬去，甘木匠却始终是木匠，哪朝哪代哪宗哪派也得有个木匠给他们干木匠活儿，他江流石不转，始终如初。他活着时子女中头四个子女那时都已经工作，有进厂当工人的，有入伍当兵的，有当电车售票员的，有下乡插队的。剩下还有四个在上学。甘七那时可能已上到初中。那时候 35 号大院已经爆满，人们再没有俭省房租的念头，只有扩大住房的欲望。但那时像甘木匠那样的底层工人是不可能再分配到住房的。于是他们便全家动手，往那马樱花树下盖出了简易的小房，把住房总面积大大地加以扩充，总算还能对付着够住。

我当时正下放到远郊农村劳动。后来我终于也可以回到北京。回北京那天我兴冲冲地按掌握的地址赶到爸爸妈妈的住处，结果意外地撞了锁，只见门上贴着一张留给我的条子，让我到甘木匠家去"欢聚"。

说实在的，那一天我毫无同甘木匠一家欢聚的欲望和心情，我只有一肚子的话想单独对爸爸妈妈倾诉。但我只好去了。

进入那所我曾度过了童年和少年时代的 35 号大院，我并没有产生什么沧桑之感，也并没有勾出多少回忆，我的灵魂被打磨得粗砺，我无所谓地甚或说是有点不耐烦地走进那个破败的月洞门。对于月洞门里院落变得那么狭小我并无惊异之感，对于已由完全陌生的人入住的故居我甚至都没有怎样顾视。而进入甘木匠家后，一见那么一大屋子的人，我只感到烦乱……

甘木匠，他那也已经头发花白的脸皮起皱的妻子，陪我爸爸妈妈围坐在一方炕桌旁喝酒吃菜，其余几个子女——当中一定有甘七——则在屋后的床铺边不知在做功课还是在嬉闹。整个屋子里弥漫着劣质烧鸡和劣质白酒的气味，一地的花生瓜子壳儿和鸡骨头。尽管我自己也下放了锻炼了同吃同住同劳动了，但看见爸爸妈妈竟如此这般地赶着来与甘木匠夫妇共享一种我们不能理解的快乐，我还是大为吃惊。

我还没来得及招呼他们，就只见甘木匠迎着我站起来，他满脸红光，剃了个光头，胡须也尽行剃去，半个脸青青的全是胡子楂，倒显得比当年年轻许多。他见到我似乎格外地高兴，右手举起个酒杯，伸向他自己唇下，左手举起个酒杯，伸向我。那裸露的左上臂，有着一盘凸出的蚯蚓般的伤疤，我清清楚楚地听见他说："好啊！我女婿来了——来来来来，咱爷儿俩干上一杯！"后来我不再记得什么。我似乎是强忍着不耐烦度过了那一个傍晚的。但随父母返回那间临时当做家的办公室时，我见他们似乎很快乐，也就没流露什么。

11

后来粉碎了"四人帮"，后来我父母住在离甘木匠很远很远的故乡，而我自己虽然还在北京，但我成了家，娶妻生子，有了我自己的生活，我同父母哥哥阿姐等亲人也难得一见，当然更无暇与甘木匠那样的昔日邻居交往，甘木匠渐渐又从我们的生活圈子里逸出。起码在我，是几乎想不起他来，更想不起他那一大家子人……

我爸爸在1978年因突发脑溢血去世。1988年，在四川成都同二哥住在一起的妈妈突然查出来长了癌，是在肝部，这如同晴天霹雳。当医生把实情告诉二哥和我时，我们两个男子汉一下子都流出了眼泪，我们不能接受这个事实！

然而妈妈接受了这个事实。她沉着、坚毅、冷静、顽强，同癌魔进行了不懈的斗争。

我不想叙说关于我妈妈死于癌症的事情。这对于世上千千万万其他的人来说也实在算不得什么。几乎每天都有癌症患者在死去。人们已经习惯于癌，习惯于死亡。

我只想说说那一天，母亲也已经出现腹水，并开始脱发。她倚在病床上，当时病室里只有我们两个人。我握住母亲的手，母亲也握住我的手，我望着母亲，母亲也望着我。我不知道该跟母亲说什么才好，母亲却神志清明地对我说："盈海！你记得甘福云吗？甘师傅的大女儿，甘福云，她去世，该有20多年了吧？我这病，就是当年她得过的。你知道她临死以前，为什么非要她爸爸把她病床，搁在一进门的地方，又为什么要她爸爸，总把那门帘子半掀着吗？从当年你住的那间屋，望过去，正好能见着她吧？其实，是她为了能常常见着你！她对你，有一种特别的情感，临到快死的时候，她就跟她爸爸坦白了——连她妈妈她都没直接说。她是趁她爸爸一个人在身边的时候，也许是那回她爸爸背着她去蟾宫电影院看电影的时候，悄悄跟她爸爸说的。我想，她也没有特别深刻的意思，只是那时她已经快17岁了，以她那样的家境，她的早熟，是必然的。你也未必真那么可爱。说实话，那时候你恐怕是鸿蒙未开，浑浑的，而且有时候非常可恶，非常讨人嫌。但你想她的生活天地，只有那么样大，我们两家，正巧住对门，又同在一个月洞门里头，同享一棵马樱花树的阴凉芬芳。上小学时,你们俩又坐同桌,她的感情寄托,也只能落在你的身上 …… 所以那时候,甘师傅就对她说你快点儿好吧!你病好了,我跟蒋大爷大妈他们说去,让那蒋盈海娶你当媳妇!甘师傅打那以后,对你就特别爱惜,心里头总认你做他的女婿。现在你长大成人,娶妻生子了,我把这些个事情说给你,你该不在意了 …… 想起来,甘福云实在不幸!没等上富裕的日子到来就那么死去了,也没能享受到许许多多最平常的人生快乐,比如爱情、婚姻、生儿育女 …… 就流萤般地湮灭了。而我,我很满足,我付出了许多,也获得了许多 …… 我该有的全有了。而回顾一生,我也没有多少亏心、有愧的地方,我如果这就去了,也并无遗憾! ……"

听了妈妈这些话,我从默默流泪,到痛哭失声。妈妈用甘福云同她作对比,回顾一生得失,如闪电霹雳,照亮了我的良知,撕裂着我的麻木,我眼前浮现出一个蓝夜叉来。我从此坚信,那确是护法的吉物,而并非狰狞的恶鬼 ……

12

我走出那条胡同,心里渐渐平静下来。

我不想打听,那甘七究竟靠什么发了那么大的财;也不想打听,他另外的兄弟姐妹,是都发了财,还是各有各的命运;我并且不想打听,甘木匠和他的妻子,是否还都健在,对于子女的发财,他们是怎样的一种心理反应,他们是将与甘七同住进那重金购置的小院中,还是仍固守在那月洞门中、马樱花树下的老房子里 …… 是的,我都不想打听,因为那一切,同我实在都没有什么关系。我只知道有一桩事是无须打听的,就是在这条胡同的 35 号大院里,在那个月洞门里面的小院落中,在那株巨伞般的马樱花树下,活过,并且又死去了一个名叫甘福云的女子,她临死前,默默地爱着一个绝对没有爱过她,并且不可能去爱她,甚至在今日的回想中也丝毫不爱她,今后也不可能通过臆想去爱她的,那么一个比她小一岁的男子。那个绝对不爱她,并且简直心目中没有她,甚至连真正花力气去鄙弃她欺侮她也不曾有过,无非是兴之所至、偶一为之地戏弄她、伤害她一下的男子,对她唯一的印象,集中起来,不过只是一个怪诞的符号:蓝夜叉。

　　我不想再打听什么。我曾去隆福寺——现在那里是一幢现代化的高楼，称之为"隆福大厦"。平日里就开放着六层营业大厅，各层间有电动滚梯相连，里面发售着一切最时髦的什样百货，从进口原装食品到香水发胶减肥霜，从金银首饰到卫生间用具，从真皮沙发到卡拉OK演唱机——探问过：原来寺庙里的那些文物，比如说毗卢殿里那举世无双的藻井，究竟到哪里去了？人们告诉我，所有能用来修筑地下防空设施的东西，"文革"期间都用于"深挖洞"了，算是"化废为宝"、"古为今用"吧。至于那架藻井，据说原也拟用于当做洞中撑柱的，但无论如何也拆解不开。后来又打算干脆用斧子劈碎烧砖窑用。但据说斧下只爆金星，铮得持斧人虎口几乎开裂，而那木料却坚不可摧。于是乎，有位老职工告诉我，听说是运到雍和宫里存放去了。我曾又去雍和宫里询问过，那十几年里雍和宫几易归属，现在被询问的人茫然无知。看来也并不在雍和宫中。那么究竟哪儿去了？"藻井知何处，剩有游人处。"藻井如此，其他人事又何堪探问。所以，我想就一概勿再打探吧。逝去的就让它逝去，湮灭的就让它湮灭。

　　我的朋友，忘却，你好！把你的筛眼，再豁达些吧。我拥抱你。

第九章

1

他还记得十几年前在南郊的一幕：装载活羊的闷罐小车沿着专用铁路驶拢了那个肉联厂的专用车站，车停后很快有人拉开了一扇扇铁门。于是，一群群懵然无知的羊群便自动拥出车厢。在另外一些人的轰赶下顺着一条铁栅栏拦住的通道奔向一个宽大的仓库——它们在那里顶多只待上一夜，然后便被送去顺序加以宰杀。

80年代中期出现了一个文笔优美的作家叫阿城，曾写过一篇传诵一时的散文，讲在城北德胜门外看到从口外一路轰赶来也是供人宰杀的羊群，当想到那些羊竟然是自己把一身肉从几百里外不劳人类耗费运输工具而迢迢地运至屠场，不禁悲从中来，怆然深思。

但他十几年前目睹到那些羊群时，却全然没有悲怆的联想。他的阿姐、姐夫屈晋勇、侄儿屈嘹和侄女蒋飒，也一定没有。他们看到那景象甚至于非常快活。

城北的那些"走羊"也许会被分散地用老式方法非常残忍地被宰杀掉，城南的这些"车羊"却是用现代化的手段，吊起来按顺序先被电击失去知觉，然后才被"科学地"、非常"羊道"地肢解……他随阿姐和勇哥参观那肉联厂的屠宰车间时很为新时代的技术进步而自豪。

他们高兴，究其实，当然还并不是为了肉羊的丰收或屠宰技术的进步，而是因为经过"文化大革命"中连续数年、充满奔波与不安的生活之后，阿姐一家终于又回到了北京。

在部队那个文工团里，鞠琴、常延茂两口子，还有屈晋勇，原是很本分的成员。但在令人难以把握又难以逃避的政治风浪中，他们在所谓"五·一三"事件中，都站错了队。所谓"五·一三"事件，就是 1967 年 5 月 13 日，军队中的一部分文工团成员在北京展览馆剧场演出萧华将军作词的《长征组歌》大型演唱会，而另一部分文工团成员在据说是萧华将军本人的暗示或至少是默许下去冲击了演出现场，不让他们演成，双方结果酿成了武斗。那一场部队文艺团体内部两派群众组织的冲突，很快由当时的林彪副主席和江青等"中央文化革命小组"的成员做出了裁决，他们判定演出的一方为"三军无产阶级革命派"，冲击演出的一方为被"一小撮坏人"操纵的犯错误者。这样，不久后鞠琴一家和勇哥一家便相继被文工团下放，鞠琴一家去了江西，鞠琴和常延茂都分配在南昌一个部队机关的宣传部当干事，勇哥被一家伙下放到了海南岛生产建设兵团，倒是给了他一个兵团文艺宣传队副队长的职务，阿姐便在兵团下属的一个技术学校里教书。阿姐不能适应海南岛的生活，心理上总不能跟离开大陆的四面环海的岛地认同，便一再要求勇哥想办法调离海南岛，回到大陆上去——哪儿都行，只要别一躺下睡觉便总感觉屋子外头四面都是茫茫海水……后来想方设法托关系，总算调到了湛江，又转到肇庆。在肇庆时，他们万没想到林彪自己构成了一个"九·一三"事件，林仓皇出逃，同老婆儿子摔死在蒙古温都尔汗，林的那些亲信，黄永胜啦，吴法宪啦……全成了罪人。这样，当年林和其亲信所支持的"三军无产阶级革命派"，便不香了，而萧华将军却又复出，因此当年"五·一三"事件中冲击演出的一派，其罪名也便不再成立，这样，因"五·一三"事件站错了队而被下放的文工团员们，便纷纷要求"平反"，要求返京，鞠琴一家没等"四人帮"倒台便回到了北京，"四人帮"一倒，勇哥阿姐他们努力地争取，鞠琴常延茂鼎力相助，这样，在十几年前的那个初秋，他们终于也如愿以偿。

勇哥回到北京，是用了"复员"的方式，这样当然就不是回到文工团去重操红氍毹上的旧业，而是分到了二商局下属的肉联厂，安排为工会主席。阿姐便相应安排到二商局所属的一个食品研究所。

他记得，刚回到北京，在南郊的肉联厂里，阿姐一家暂时住在一间不足 15 平方米的平房里，运回来的许多家具箱笼都仍然用棕绳草绳捆扎着，阿姐、勇哥和刚过 10 岁的飒飒合睡一张临时借来的大木床，大木床一侧刚好可以竖放一个长条柜，已经 14 岁的嘹嘹晚上便到那上面睡觉。余下的空间因为毕竟要居家过日子呈现出一片混乱的景象。屋子外头有个临时搭就的小厨房。因为是肉联厂，又在郊外，所以蚊蝇格外多。他记得他头一回去看望落下脚的阿姐一家时，被那屋里屋外成团舞动的苍蝇吓了一跳，阿姐每在屋外炒好一盘菜，端到屋里的小桌上，勇哥都要立即盖上一张报纸，就那样揭开报纸吃饭时，菜里还是免不了要落着几个被热油烫死的苍蝇。他面对那个情境觉得难以下咽，但阿姐一家却都吃得津津有味——不管怎么说他们吃的是北京饭了！

他记得，鞠琴约他们去看部队文工团的新演出——鞠琴和常延茂也没回到部队文工团，而是到了一个地方的文工团，鞠琴参与组建合唱队，常延茂作行政工作，但鞠琴同原文工团联系很密切，所以手里常有大把原文工团演出的入场券——演出的地点不是别处，仍是那北京展览馆剧场，而演出的节目也并非什么新的创作，仍是那萧华的《长征组歌》。他注意到，在观看演出的过程中，连平日最不把内心活动反映到脸上的常延茂，以及似乎泪腺里从无泪水的勇哥，脸上竟然也明白地写出了沧桑之叹，眼眶里竟然也亮起了晶莹之物，阿姐也在唏嘘，最能以乐乐呵呵化解一切的鞠琴也眯着眼睛陷入了必定是沉重的思绪……是呀，将近 10 年的下放，始于斯，终于斯，绕了一圈，还是这个"组歌"，人生怎么如此奇诡？

2

但刚从南方返回北京的阿姐，即便暂时落脚在那么个地方，仍是心情大畅的。

阿姐甚至认为跑到肉联厂最南端的内部车站，看火车御羊，也是一大快乐。他记得，几乎他每一回去阿姐那里，只要有运羊的火车来，阿姐勇哥便总招呼上他，带着嘹嘹和飒飒，去看闷罐子车下羊。

确颇壮观。一定比阿城在德胜门所见到的羊群不仅数目多而且更密聚。有的羊在闷罐车里大概因吸氧不足已近乎昏迷，一下车便四蹄不稳打上了趔趄，而另一些羊大概不畏艰难生性强悍，一下车便四蹄高扬乱跑起来，一些轰羊的工人便不得不扬着鞭子驱赶那些迟慢的羊、管束那些逸出通道的羊，这时嘹嘹和飒飒便进入最亢奋的状态，他们手中各持一根长长的柳条，跳跃着，跑动着，尖叫着，游弋着，为轰羊的工人助威——也同时添乱。因为有的羊本是温驯地在往栅栏拦出的通道里跑，他们一吆喝，反倒慌张地逸出了应在的行列 …… 但寥寥的几个轰羊工人对两个孩子的助威虽不甚欢迎，倒也并不反感。阿姐在那景象前面便咧开嘴笑，也不顾羊蹄掀起的昏黄沙尘——她笑，显然并不是为了羊群，而是为了她的两个孩子，从她的笑容中可以看出：她欣慰于自己总算把生于北京的儿女又带回了北京 ……

阿姐他们一家下放时，嘹嘹已能欢蹦乱跳，他见到已成为少年的嘹嘹那样奔跑着赶羊，并不觉得奇怪，而嘹嘹在奔跑中也不时朝他投过亲切的一瞥，仿佛要格外向小舅显示出回到北京的快乐；飒飒却不然了，阿姐他们南下时飒飒还是个完全不省事的、瘦小得可以装进旅行袋拎着走的小丫头。她对小舅根本没有留下印象，而重逢后他对她也完全感到陌生，令他无比惊异的是虽然长高变大，却依然显得干瘦精黑的飒飒，在挥舞柳树枝轰赶羊群时竟比嘹嘹还要冲动激烈。她头发稀薄焦黄，在脑后结扎出两根细细的短辫，一点儿没有她妈妈少女时期头发乌黑丰茂乃至获得"小辫"绰号那样的丰采。她的胳膊和腿杆也显得过分细长，唯有那"崩儿头"下深眼窝里的一双大眼睛，焕发出阿姐青春期特有的炯炯神韵；他至今记得飒飒在那火车站轰羊的情景：简陋的连衣裙在跑动中紧裹在她身上、大腿上，敞开的毛线外套下摆闪动着，她额上汗津津的，嘴里不断发出用粤语呼出的尖叫，在兴奋的东拦西截的跑动中使劲地舞动手中的柳枝，一只鞋跑丢了，便爽性甩掉另一只鞋，光脚在那沙石地上跑，而她做这件事时，眼光只盯着羊，没有一次朝他，或阿姐、勇哥站立的地方瞥视过 …… 一个女孩子，怎么会比男孩更乐此不疲？他对外甥女飒飒的这种惊异感一直保持到今天。

3

其实阿姐本身可谓"百废待举"——首先他们连正式的宿舍还没分到；两个孩子虽然总算进入了附近的小学插班就读，但因户口未正式落定，也只能算是借读；阿姐本是学农业机械的，食品研究所的技术工作与她的专业并不对口 …… 但也许是感到前面的一切都充满希望吧，阿姐不仅生气勃勃地张罗着自己家的事，还生出了管闲事的雅兴。

他记得那一天去看阿姐，勇哥没下班，嗳嗳飒飒也没放学，阿姐却早已回到家中，一边招呼进屋的他坐下一同折豆角，一边对他说："喂，你那些老同学里，有没有还没有结婚的？我们所有个老姑娘，跟我特别亲热，我想她也实在该嫁人了……"

接着便絮絮地讲起了那老姑娘的种种情况。

一开头他没听进去。他只是望着阿姐，心里无限感慨。阿姐明显老了，南方的气候水土使她本已偏黑的肤色更加黝黑，眼角的鱼尾十分明显，脸上的肌肉虽然仍很饱满结实没有松弛下落，却已减去了原有的红晕。但生活的这一良性转折明显恢复了阿姐心中仍潴留着的可贵热情……他回想起阿姐上大学期间寒暑假常带许多外地同学到家里留宿，有一晚一个福建籍的小个子同学半夜里滚到她怀里，哆声哆气地叫："盈波，我肚子哟，肚子疼哟……"阿姐便给她揉肚子，又给她找药吃……

"喂，你听清了吗？你倒是说呀，怎么样，你老同学里，有没有还没结婚的、合适的……"

阿姐催促着他，他便只好再请她重讲那老姑娘的情况。原来那老姑娘乃将军之女，原是最令人羡慕的家庭出身，本不至于快30岁了还未嫁人，自然是由于乃父"文革"中受到冲击，她受到株连，才一下子沦落到生活底层，在农村插队多年，直到最近才随着父亲的起复，回了城，并进了那个食品研究所……不错，她淳朴、善良、能够吃苦耐劳、懂得珍惜真情，但，他不得不提醒阿姐："她家里很快会恢复到'文革'前的状态，也就是说，她很快便会成为许多男子追逐的名门之女，她那自视高贵的意识，也许没有多久便会恢复……而我的老同学里，没结婚的，你想那家庭情况好得了么？本身又无非是些中学教师一类的清寒职业，年龄也比她要大上许多。总之，门不当户不对的，介绍给她，合适么？……"

"有什么不合适？难道找对象，谈恋爱，结婚，要考虑那么许多么？……"阿姐闪动着一双眸子依然油黑的眼睛，反驳说："只要两个人见了面，碰撞出了感情，那就行了么！"

他记得，阿姐这句话一出来，他心中便似有一道清纯的溪流潺潺淌过，不由得又回想起许多年前阿姐同达野哥在他家那间屋子里倚在五斗橱旁对视的一幕……

"……她还挑什么呢？你要晓得，她可一点儿不漂亮，不过是干干净净、壮壮实实的罢了……她也实在等不得了，该嫁人，自己成家了……"

阿姐在继续议论，不知怎么的，他头脑中又闪回了当年在北京旧火车站月台上，阿姐同勇哥对望的一景……

他被阿姐说动了，将老同学中仍未成家而又仍能联系上的排了排队，很自然地，便挑出了一个胥保罗来——那是初中、高中六年都在一起的同窗，后来又是同行，现在胥保罗仍在中学里当语文教师。

"啊哟，他呀！"阿姐笑出了声来，"不就是那个爱弹什么《麻雀儿》的吗？他怎么会还没结婚呢？他可比你漂亮，比你帅，比你多才多艺哩！……"

他便把胥保罗的情况扼要地介绍一番，末了强调说："尽管他父亲是个虔诚——甚而可以说是顽固——的有神论者，可我敢保证胥保罗本人早已自我改造成了一个坚定的——比你我坚定万分——的无神论者，一个信仰共产主义的理想主义者……我可以把他约到你这儿来，先会一次，你看一看，聊一聊，如果觉得有几分把握，再把他介绍给你们那个老姑娘，如何？只是，你跟他聊什么都行，可千万别提那个钢琴曲，不是叫《麻雀儿》，是叫《麻雀之歌》，那曲子可给他带来了影响一生的麻烦，是他心上未必已经完全愈合了的伤痕……"

过些天，他果然把胥保罗带到阿姐那里去了。胥保罗那天穿戴得很整齐，新理了发，把胡须剃得干干净净，但仍然显得比实际年龄要大一些。胥保罗心里如何想不好猜测，但他对阿姐一家临时凑合的蹩脚居住条件，没有显露出丝毫的鄙夷、困惑或好奇，他该问的问，不该涉及的绝不涉及，对阿姐的提问则有问必答，并偶尔不待提问便自动涉及一些他自己和他父亲及弟妹们的情况。

本来跟阿姐说好头一回见胥保罗，先不要把那边的情况和盘托出，以便下回有充分斡旋的余地，但阿姐到饭后喝茶的时候，还是忍不住把那老姑娘的情况特别是家中的现状淋漓尽致地介绍了一番。

胥保罗听完，本来就一脸严肃的脸色愈加严肃，沉吟了一下，便斩钉截铁地说："那我不合适。我这样的父亲，怎么好去玷污她家的光荣？不行。不行。"又说，"蒋姐的好意,我心领了。但如果是她,我万万不行。"

一旁不怎么说话的勇哥便说:"如果对方同意跟你见,就见见嘛!这毕竟是你们两个人的事,跟双方的父亲关系哪有那么大!"

他也说:"如果人家不在乎,你又何必在乎?"

阿姐更提高声音说:"你父亲有什么不光荣的?她家又有什么格外的光荣? ……"

"那当然是有点儿别扭。"勇哥忍不住插了句。

"不用你添乱!"阿姐偏过头把勇哥骂了回去,"什么别扭!依我看一点儿不别扭!不是都挨过别人整吗?都倒过霉吗?都落实政策了吗?都好转了吗?可以找到不少的共同语言! ……"

从那一回,他就隐隐感觉到,阿姐有一种超常的自信,但那自信却脱离了对人情世故、世道人心的准确、深入的把握,而仅止建立在一种粗糙的主观直感上,这就埋伏下了以后许许多多大大小小的悲剧。

胥保罗竟不为所动,甚而至于说出了这样的话:"无论如何,即便她不嫌我,我也不能去犯这个错误!"

"你这个人!"他不禁又好笑又生气,斥责胥保罗说,"你怎么变成了这个样子?形成了这么个思路?那你这辈子就别结婚,打一辈子光棍吧!出身好的跟你结婚你犯错误,那你跟出身不好的结婚不也是犯错误吗?你自编自弹《麻雀之歌》的那些个灵气儿怎么点滴不存了?!"

阿姐一听他这末尾一句,便忍不住同他对了个眼。胥保罗一听《麻雀之歌》四个字,脸色顿时一变,原来那严肃的表情如果是一池静水,那么这曲名便犹如一粒石子,使他满脸生出抖动的涟漪,拼命加以抑制而不能及时复原——最后竟呈现出一个明显的痛苦而委顿的表情。

亏得这时嘹嘹汗津津地闯进屋来,宣布说:"运羊车到了!飒飒已经去了!你们今天不去看吗?"

他和阿姐、勇哥便邀胥保罗一起去看那卸羊的情景。胥保罗开头莫名其妙,及至到了现场,目睹了那一般城里吃涮羊肉的人不去想也想象不到的壮观的卸羊和轰羊场面,便不禁大表惊愕。

嘹嘹和飒飒在寒风中依然尖啸着来回跑动,手里各舞着一根木棍。飒飒头上罩了个毛线帽，遮住了小辫儿、尖下颏、深眼窝、小棉袄、长棉裤、圆头棉鞋，看去不像个丫头，因而胥保罗对他赞叹说："这哥儿俩浑身有多少没处使的劲儿哟！"

"是呀，就像那活泼泼的麻雀一样，体现出一种原始生命力的美！"

他确实是无意中又提及麻雀，朝胥保罗一瞥，这一回胥保罗的脸色并不难看：严肃，但又掺和着某些感奋与领悟的成分。

4

20世纪70与80年代初的那七八年，对所有步入生活的人来说都具有无比重要的意义——仿佛时代老人突然一改往昔的吝啬，竟猛地打开了一个装满机会的宝匣，并将许许多多大大小小方方面面形形色色的机会像仙女散花般地从宝匣中抖落了出来……连往日最麻木最愚笨的人也知道到了踮起脚尖甚至蹦跳起来抓获机会的时候了！

他便是在那几年之中，一举成名天下知，俨然成为人五人六的作家的。

他的大哥因肺癌死于20世纪70年代末，当时只不过50出点头，实在可惜，但毕竟在临死前得以由组织派专人出面，彻底、干净地推翻了"文革"中强加于他的种种诬蔑不实的"问题"，不仅完全平了反，还得到一大堆赞美之词，并分配到了一套崭新的住房，后来大嫂和侄女侄儿都搬了进去，生活蒸蒸日上。

他的二哥二嫂都顺利地评上了工程师，并又进一步评上了高级工程师，也有了四室一厅的宽敞住房，两口子还多次出国参加本行业的学术交流活动。

就连那前20年充满了别人难以理解的辛酸，生性懦弱而又性格独特兼有古怪癖好的小哥，也终于从穷乡僻壤的中学调到了省城的大学……

甚至于那个小哥、阿姐他们中学的同学，曾被打成右派沉沦20年的崩龙珍，也有了令人——也令她自己——完全意想不到的一百八十度的大变化：她那原也一度被打成"右派"的丈夫，一个原民主党派中的工作人员，改正后又回到恢复活动的民主党派中，并被委以秘书长的要职。从而相当于局级干部，分到了两个相连的两室一厅的单元，使她过上了干部夫人的生活——更何况她自己也很顺利地评上了副教授的职称，并有机会以交换学者身份去了美国半年。

例子实在太多。又比如小哥当年一起唱戏的朋友，外号叫"袖珍美男子"的鲁羽，谁曾想到 20 世纪 80 年代初时，竟已成了他家乡无锡郊区一家日用化工制品厂的总经理兼总工程师，那厂子虽是集体所有制的执照，实质上是他同自己一家子近亲组合成的他当老板的私人企业，早在 80 年代初，他就已盖起了外观中西合璧而内里全盘电气化的小楼，购置了自用小轿车……

就连昔日邻居——经济上多年最为拮据的甘木匠的儿子甘七，不也发了财，成为京城的"大款"之一了吗？

……

但他那阿姐，却仿佛是一个在漫天飞舞的缤纷天花中，明明最该抓住最容易抓住"机会之花"，却又偏偏使足了浑身力气，也总是捞空抓漏的不幸者……

他很后悔，那几年里他总忙于自己的事，而没怎么在意阿姐，而当他发现阿姐处在不是一般的窘境中时，却又不知道怎样才能帮助她安慰她……啊，阿姐！

5

他记得阿姐，他们刚搬进永定门外那二商局分配的楼居时，不仅心满意足，甚而是洋洋自得的。

是一个两居室的单元。门厅很小，放了电冰箱和碗柜后，便无法用来支桌子吃饭了。但大间屋方方正正地挺大，摆下双人床、大衣柜、小柜橱、一对沙发和茶几、一张书桌和转椅之后，仍有不小的一个空间，足可支起折叠桌、摆上折叠椅吃饭，不吃饭时折叠桌和折叠椅搁到门厅或阳台，在屋子里从事各种活动便显得颇为从容。小间屋虽小些，但是长方形，当中用书橱一隔，恰好一分为二，嘹嘹和飒飒可以各自享有一块空间，各有各的小床，各有各的小桌，哥哥照顾妹妹，让她住里面有窗户的明亮部分，妹妹也体恤哥哥，便在书橱分割时，尽量扩大哥哥那一部分，而嘹嘹所在那部分时常开着台灯，也便并不怎样感到阴暗。

那时候那一带一大片陈旧乃至破朽的平房之中，只有那几座红砖的单元楼。有一回他去看阿姐，阿姐刚买菜回来，在楼梯口正好遇上，阿姐边带他上楼边笑着说："那边自由市场的小贩都知道说：您住大楼的，还在乎一分钱两分钱的……

嘿嘿，我们这就算'大楼'了么！"

还有一回勇哥告诉他："修理电线的电工刚走，他问：您这单位住几口人呀？我说四口，他嘬嘬牙说：您这么大的屋子统共才住四口人……我跟他说我这儿还不够呢，我眼看就大儿大女了，还缺一间，他就说：妈呀，我们家七口人才两间，还是平房，也没自个儿的厕所……"勇哥笑了笑，重复那一句，"您这么大的屋子统共才住四口人……"

勇哥有一笔数目不算小的复员费，他们一搬进那单元楼，便买下了一台 14 英寸的日本松下彩色电视机，成为家族中最早看上彩色电视的一家。

但是那楼房不通管道煤气。阿姐勇哥他们借到了液化石油罐和灶架，做饭倒还方便——尽管换罐的地方离那里极远。那楼房也没有暖气——说是要安装暖气，后来也果然又凿墙又穿壁地安装了管道和暖气片。但因为地皮呀归属呀种种的扯皮事，锅炉房总建不成，好几年都只能是一入冬便家家烧煤炉子取暖，阿姐他们只在大屋里安了煤炉，嘹嘹、飒飒那边屋只好任其成为"冷宫"，实在那边也无隙再安插煤炉；安煤炉带来了一系列败兴的后果，屋子空间因而变小了且不说，为通出烟囱去不得不取下一块玻璃改装成带圆孔的三合板，为加煤方便又不得不在炉边靠墙码上几摞煤饼，而一撮炉子便满屋飞舞着煤灰，倘火没封好炉子熄了，为重新点燃发火煤，往往要烧掉许多报纸和劈柴，弄得屋子里浓烟滚滚……更何况还要去煤铺买煤、往楼上搬煤；有一天早晨阿姐、勇哥都感到头晕欲呕、浑身无力，显然是中了煤毒，又不得不从此注意开窗，并常常为封火的事、炉门是否保持通畅状态、烟囱是否已被烟灰烟油堵住……而争吵、担忧，到头来还发现枕头被子一冬里全免不了有一种煤烟熏过的气味，刚穿上身的衣服，一转眼不知怎么的，就上了煤黑或被滴上了烟囱缝滴下的烟油……

"大楼"之说和"统共才住四口人"的话茬相继湮灭。附近盖起了一些有双气（管道煤气、暖气）的新楼，三亲四友陆续住进好房子的消息不断传来。而更重要的是嘹嘹和飒飒都呼呼呼地往上蹿更往宽处发展，飒飒渐渐要求在书橱隔开后的空隙处再挂上门帘，又渐渐要求嘹嘹"到那边屋里待一会儿去"，自己红涨着脸匆匆地奔波于厕所、厨房、水池和自己卧室之间……

阿姐搬进那单元不久便调换了工作。主要还不是为了专业对口。阿姐在"文革"

前工作的那单位欢迎她回去，但她坚决不去。她对那时候每天来回挤公共汽车上下班的苦楚记忆犹新，现在离那单位更远上了一倍，怎能考虑？食品研究所从地图上看似乎离得不怎么远，但从住处去得换两回车，下车后还得步行十多分钟才能走到，必须调离。最后阿姐从地图上找到了一所从她家附近搭公共汽车可以直达——尽管几乎要坐满全程——的一所学院，偏巧鞠琴姐又认得那学院人事处的一个什么人，联系了一阵，便调成了。阿姐到了学院便满脑门子心思要评上副教授。她似乎想把前一二十年让生活给颠簸光的东西全都急茬儿地给找补回来。

　　不记得是住进那二商局宿舍的第几年，反正有一回他又去那里看望阿姐一家，一进屋发现阿姐正在发怒，她用火筷子使劲地捅着炉子，炉子里蹿出一股热烘烘的煤灰，勇哥在一旁对她说："你越捅那不就越灭得快吗？"

　　阿姐衣衫不整，披头散发，动作粗鲁而任性，一边还使劲地捅一边几乎是喊叫了起来："灭！灭！灭！灭了就灭了！大家别吃饭！"

　　给他开了门的嘹嘹便告诉他妈说："小舅来了！"

　　阿姐还只顾捅火，那火本来可以救活，那么赌气地一捅，便彻底塌下去，全线崩溃了。她头也不扭，根本不看弟弟，只是发狠地说："来了好！来了一块儿喝西北风！"

　　他便过去劝慰。勇哥忙去给他泡茶。

　　一听见勇哥取茶叶罐的声音，阿姐便大叫："少给人家放那么多茶叶！谁跟你一样，喝茶像喝苦药一样，稀奇古怪的口味！"

　　阿姐落身在沙发上，只是喘气。嘹嘹刚要转身回自己的屋子，她一声吼："嘹嘹！你又想偷懒！别溜！跟你老子一块儿生火！"

　　嘹嘹满心不愿意，嘟着个嘴，反抗说："明天'二模'考物理，我还没温完呢……"

　　"你也别温了！有什么用？！"阿姐满脸红涨，毫不留情地说，"高考你物理才得了17分，'模'一万遍你也提不上 10 分！"

　　嘹嘹满脸涨红了，眼眶里蓄满了泪水。

　　"好，嘹嘹你温物理去吧，我来帮你爸生火，你去吧去吧……"他便把嘹嘹往那边屋推。嘹嘹那年夏天高考失利，总分距最低录取线还差 50 多分，正准备来年再考——参加了一个补习班，补习班经常搞"模拟高考"的测验，"二模"

就是"第二回模拟高考"，嘹嘹想温好书考出个好成绩争口气，完全可以理解。但阿姐对其前景的绝望也并非毫无根据，这孩子从小跟着父母下放、奔波，换了不知道多少个学校，小学时根本没学到什么东西，到了北京上中学任怎么努力也跟不上趟；飒飒虽然稍好一些，但毕业后能否考上大学也一样是个很大的疑问。

勇哥一边准备报纸、劈柴、发火煤，一边说："其实，反正也考不上，找个工作算了……"

阿姐便从沙发上欠起身子，残酷无情地说："算了？！你以为你儿子就该跟你一样，什么学历都没有，随便找个破单位混就算了？！我的儿子就得上大学！就得有高学历！就得像个样儿！……找个工作算了？！找什么工作？还找你们肉联厂这样的工作！整个北京市才算个部级单位，二商局勉强算个局级，下属食品公司勉强算个处级，你们肉联厂好几百人，才是个科级，你一个工会主席，才算个副科级干部，分这么个破单元，据说还是看在你从部队上下来的面子！我算倒霉！北京市分房子，又规定以男方为主，我看我就得跟你老死在这么个鬼单元里头了！暖气管暖气片倒都有，不过那是装饰品！装饰品！什么时候通气？不知道！没人管！没人跟你解释！没人回答！……我算受够了！受够了！"说着便自己用手指揪额头下两边的太阳筋。

勇哥便不再说话。默默地生火，他在一旁帮忙。

趁阿姐去卫生间，把卫生间的门"砰"地使劲关上，估计要在里头待一段时间，他便小声劝慰勇哥："阿姐是到了更年期了，你别在意……据说妇女闹更年期，除了不死，什么症状都会有，脾气会暴躁得吓人，吃什么药也不灵，怎么劝也没用……就由她去，让着她好了……过一段自然会好的……"勇哥清清嗓子，什么也不说。

阿姐从卫生间里出来以后，情绪竟基本平复，她重新洗过脸，梳过头发，身上飘出一种柠檬香皂的味道，她用正常的嗓音对勇哥说："咦，你还愣着干什么？小弟来了，家里什么也没有……"勇哥便立即默默地去取买菜的筐子，穿上棉大衣，戴上栽绒帽，又取过手套，临出屋时，阿姐喊住他："喂！钱够吗？"勇哥尚未答言，阿姐就从自己衣兜里掏出钱包，从钱包里取出两张大票子递给勇哥；勇哥拉开了门，阿姐又叮嘱说："别一买一大堆！知道你对小弟好，不用那么买！买多了吃不掉，冰箱也塞不下，浪费！"勇哥点点头，走了。

屋子又渐渐温暖起来，阿姐把一钵卤水坐到火炉上，那是妈妈传给她的一种家庭常备食品——卤水不断加热不断续新，但老卤底子始终保留着，肉类、禽蛋、豆腐干，都是可卤之物，随时可以夹出来切开食用，佐酒辅餐都极为可口。卤水钵渐渐咕嘟咕嘟地哼唱起来。屋子里一时又颇呈温馨气象。

阿姐倚着床上的枕头垛为嘹嘹织一件毛背心，他坐在沙发上，呷着勇哥沏出的毕竟还是放了过多茶叶的茶水，姐弟俩且娓娓谈心。

他讲到自己事业上的展拓，颇有春风得意马蹄疾的气概，阿姐含笑听着，对于亲弟弟的任何成绩和得益，她都绝无嫉妒只有高兴。

但是一提到别的人的情况，阿姐的反应便不同了。

他提到一位亲戚，他们的姨父，他们都叫他曹叔，他告诉阿姐部里有人提名曹叔当一个局的副局长，话没说完，阿姐便切断说："才副局长！小死了！他早该当局长了！"

其实，他得到的消息是曹叔连那副局长也未必能当上，因为有人排挤，而曹叔又无过硬的后台。

又提到小哥给他的来信，说见到了去成都签什么销售协议书的鲁羽，当年同台唱戏的那个"袖珍美男子"，发了大财了，家里一座小洋楼，间间屋子都安了空调机……

阿姐便撇嘴："还不都是偷税漏税得来的……什么好东西！"

他便感到阿姐心底里有一团乌云，不管遇到什么山什么水，总要冒出来笼罩其上。

他知道，阿姐在学院第一轮评定副教授职称时，竟然落选，这是骇人听闻的，因为她不仅完全符合规定的条件，而且，在那学院里她的学历是最高的——50年代的研究生，苏联专家亲自带出来的。阿姐的烦闷暴躁，说真的倒未必是更年期使然，其缘由盖出于此。

他便有意扯到二表姐田月明，说你看她在那一界干了那么多年，高级职称没拿到不说，连调级提薪也总是落榜……他想田月明的例子，也许能缓和些阿姐心中的失落感，至少使阿姐感到不那么孤独……

阿姐却扬起下巴说:"谁让她上的不是五年的本科,只是三年的专科! 又偏要去嫁个混血儿,生一串千金,不好好上班……"

他便只好拿鞠琴当舒心丸:"鞠琴姐他们文工团评职称,她和茂哥知道自己没学历,爽性根本不申请,倒也省心……我看鞠琴姐还是那么乐乐呵呵的,一点儿不在乎……"

谁知阿姐却突然发起火来:"她一点儿不在乎! 她那人总那么一点儿不在乎! 可你看她给我介绍的是个什么地方? 她介绍完乐乐呵呵地走了,把我搁在这儿她就不管了……她不在乎! 我能不在乎吗?!"

他愕然。同时酸辛地想到,确实,鞠琴姐和阿姐似乎有一种由冥冥中的主宰者设定的古怪关系,自从鞠琴姐父母在火灾中双亡,阿姐挽着她胳膊在蜀香中学操场上走过一圈又一圈之后,鞠琴姐就总在阿姐生活转折期的关键时刻,起一种介绍的作用,阿姐开始总是无比感激地领受,后来却又总是无比烦恼地在心中乃至口中对之抱怨……

记得嘹嘹生下来以后,头一个保姆也是鞠琴介绍的,那是个四川老太婆。按说乡里乡情的,勇哥阿姐又舍得给钱,保姆和孩子单有住处条件也好,该能和谐地相处。谁知没待上一个月,阿姐就烦恼了,倒不是那保姆不能干活,而是在干活时特别是洗尿子时,公然唠叨说:"哎呀,造孽哟,我命好苦啊! 我落到这么个地步,给别人家当苦力哟!"原来那四川老太婆是鞠琴一个什么当处长的远房亲戚的母亲。她原来并没给别人家当过保姆,是她投奔儿子以后,儿媳妇整天跟她吵闹,婆媳最后水火不相容,她自己赌气提出来"不如到别人家当个保姆,自食其力",儿子劝阻了一阵,而她决心似乎铁铸,这么着才由鞠琴介绍到阿姐这里来的,勇哥阿姐对她很好,奉为长辈,双方并没有发生任何摩擦,而嘹嘹也并不难带……但那四川老太婆一而再再而三地当着阿姐那么唠叨,终于有一天令阿姐不能忍耐,阿姐便对她说:"你莫总说这个话嘛! 你要老这么说,我们怎么办? 总不能不让你干活了,我们自己来干,或另找别的人干吧? 你干活,我们不是给你钱的吗? 又没有白让你干!"这话一出来,那四川老太婆便泪落连珠子,爽性掏出手帕揩眼泪擤鼻涕地哭了起来:"造孽哟! 我好造孽哟! ……"结果阿姐立即跑到鞠琴家,气急败坏地让鞠琴赶紧——一分钟也别耽搁——把那四川老太婆带回她所来的地方……

鞠琴姐却还是不断地给阿姐帮忙。阿姐也还是不断地接受鞠琴姐的帮忙。

鞠琴姐帮阿姐调成的那个学院，原是一所中等专业学校，"文革"前一年才升格为大学，因而学校的班底里，掌实权的一大半是当年中专毕业的留校生，他们原来学历很低，但后来一方面拼命参加自学考试提升了学历，一方面在长期的教学实践中也确实积累了丰富的经验，因而在评高级职称的过程中他们上下抱成一团，尽量占据百分比中所允许的那些个名额，排斥像阿姐那样，尽管有高学历，但去得晚的大学本科的教师——鞠琴原来何尝知道这些，阿姐上赶着去时，最初也主要是贪图坐一趟公共汽车便可抵达校门，来回方便，谁曾想兴起了高级职称的评定！谁曾想阿姐竟在评定中败北！那评定过程的最后一关是无记名投票，事前谁也没流露出对阿姐的丝毫否定与排斥，但投出的结果却是名落孙山，你说阿姐窝囊不窝囊、憋气不憋气！

但阿姐又不允许任何人对她当面表示同情。有一回崩龙珍来访，他在场，崩龙珍自己情况柳暗花明，自然乐于向阿姐倾泻同情："他们真是欺侮人！这么投票太离奇了！你应该往上反映！看他们怎么解释？上头一批示，他们就该傻眼了……"

阿姐却白了崩龙珍一眼，硬邦邦地说："我才不会跟你和你们那口子一样，写一大摞申述材料，没完没了地往上送……我又没给打成右派！我不用！"

崩龙珍当时脸上好下不来。自那以后崩龙珍似乎就很少去阿姐那儿了。

……他记得，那天勇哥买菜回来，依然是过量，知道他最爱吃韭黄，便买了一大捆，说是给他炒韭黄肉丝，阿姐一见那大捆的韭黄便叫喊起来："怎么回事儿？！你当那是草呀！你当小弟是头牛呀！谁吃得了那么多！"

勇哥便说："吃不了存起来……"

阿姐跳下床，气冲冲地说："存哪儿？存冰箱？弄得冰箱里全是那么一股味儿？我冰箱不存这个！存阳台我也闻不得那个味儿！……"

他便赶忙表示，剩下的他乐于带走，他明天再吃一天韭黄炒肉丝也不会厌烦……

那天开饭时，依然是一大桌子菜，勇哥照例不断往他碗里攓菜，阿姐不断气昂昂地说："少给小弟攓那个……那肚丝胆固醇高，小弟吃多了不好！……你少喝两口吧,看你眼珠子红得像炭球儿一样了! 飒飒,多吃些豆腐,豆腐里有卵磷脂,健脑的,你正该吃它 …… 嘹嘹,别老那么没眼力,总得让人支使你你才动吗? ——给小舅舀汤,从底下捞点虾仁儿 ……"

飒飒从放学回来到吃饭,一直没怎么讲话。他记得,那天外甥女儿脸色格外沉郁,与她那个年龄极不相称。飒飒比以前稍丰满了些,个子超过了一米六五,仍显得高、瘦,她头发依然焦黄而稀薄,扎了两个干巴巴的小刷子,崩儿头下深陷的大眼睛极像阿姐,却闪避着别人的观察,仿佛那里面深藏着许多生怕别人窥探的秘密 ……

他问飒飒:"还有工夫去看卸羊吗? 还有兴趣操根棍子帮着轰羊吗?"

飒飒冷冷地回答说:"早忘了!"表情、声口甚像她的母亲。

…… 那天从阿姐家里出来,在楼下的空场上,他看见巨大的暖气锅炉仍摆放在干枯的杂草之中,上面已经出现了许多锈斑——那锅炉头年就运抵了,却又不知为什么总不能装进锅炉房启用,周围几座楼里的居民,从苦苦盼望到渐渐失望乃至绝望,终于能心平气和地在那开始生锈的新锅炉前耐心地运煤、搬煤,过他们那屋里有暖气管和暖气片,却仍要烧煤炉子取暖的冬季生活 ……

那锅炉赫然在楼与楼之间的空地上蠢踞着,他不忍心多看,他把头别了过去 ……

6

常常回想起,阿姐和她的同学们那欢快的歌声:

> 小乖乖小乖乖,
> 我来说, 你来猜 ……

惹得他家对门甘木匠一家的一群孩子,都跑到院心,甚至趴到他家窗户上,朝里张望、耸耳谛听 ……

常常回想起,夜幕降临,院中的马樱花树合上了满树的羽叶,丝状的马樱花放送出阵阵沁人心脾的馨香，阿姐端坐在书桌前，在一盏墨绿罩子的台灯下，抿着嘴写她的日记，当中还不时停笔，托腮凝神沉思⋯⋯

常常回想起，阿姐把一本小说捧在胸前，两眼炯炯地望着空中，回味着她从那些小说里获取的教益与鼓舞，那些小说的封面事隔多年仍如在眼前：《钢铁是怎样炼成的》、《牛虻》、《海鸥》、《远离莫斯科的地方》⋯⋯

常常回想起，阿姐用娟秀的笔迹抄写一些激动人心的格言在自制的卡片上，郑重地赠送给他，他过10岁生日时所赠与的格言竟是："当我死后，请不要在我的坟墓上安放悲哀的安琪儿⋯⋯"那是一位叫伏契克的捷克共产党人——写过一本书叫《绞刑架下的报告》——说过的；还有一回抄给他的是《钢铁是怎样炼成的》那本书里的主人公保尔·柯察金的话："人最宝贵的是生命，生命对人只有一次，人的一生应当这样度过⋯⋯"伏契克和保尔的话最后都归结到人应当为崇高的共产主义理想和事业而生存而奋斗，那也是阿姐当时的信念，是的，他常常回想起，阿姐自己用绳子在捆一个铺盖卷，妈妈问她："学校既然没规定女学生去，你二哥过两天又正好要来北京，你是不是就⋯⋯"阿姐把长长的小辫用力一甩，坚决地说："我要去！我们要去！"她们五个班上的女生，非要自愿参加农村的秋收劳动不可，那本是学校里只组织男生去的⋯⋯他记得那四个高中女生是来他家集合的，阿姐同她们吃过妈妈煮出的面条后，便一块儿欢声笑语地背着铺盖卷出发了⋯⋯

常常回想起，阿姐穿上姑妈送给她的一个粉红绸子缝制的布拉吉，领口处有当时极为不寻常的木耳形镶边，她穿上容光焕发，高兴得飘飘欲仙，但忽然犹豫起来："这布拉吉能穿出屋子去吗？"姑妈说："怎么不能！就是让你穿出去的呀！"阿姐兴冲冲地跑到邻居郭大娘家去照大穿衣镜——当时他家竟没有那样的大镜子——他悄悄跟了去，阿姐在镜子前提起裙裾，转动着身子照了好一阵，后来忽然双手捧着自己的脸，仿佛做了什么值得害臊的事。又忽然一扭头瞧见了他，便伸手拍了他脑袋一下，说了声："讨人厌！"⋯⋯后来阿姐到底没把那粉红绸子带木耳领饰的布拉吉穿到街上、穿进学校⋯⋯

更常常回想起的，自然是那五斗橱前，阿姐和达野哥默默对视的一幕⋯⋯五斗橱上有一台已然陈旧，但声音很好的美国电子管的收音机，是姑妈送给他们家的，曾经不亮灯没声音了，是小哥的同学——唱老旦的徐明益来家里给修理好的⋯⋯

是的，还常常回想起寒假里阿姐从哈尔滨回来，给一家人讲她们到北大荒实习的种种情形，有几天，她们是分散到不同的农机队活动，有一夜人家安排她一个人在一间有火墙的屋子里睡，结果她发现那屋门里面没有插销……屋外北风怒嚎，雪花狂舞，她把屋里的一张桌子顶住那门，自己放心地睡，半夜里忽然有拱门的声音，越拱越凶，阿姐就跳起来，拼命把屋里所有的东西都往门边顶，还大声地喊："你敢！你敢！！你敢！！！"后来那拱门的声音终于停止，阿姐便疲惫不堪地重新上炕去睡，昏昏然睡到天光大亮……白天她把那情况讲给农机队的男子汉们听，大家都愣了，队长直为没发觉门后插销坏了的事认错道歉，队员们都说这事非查个清楚不可，要不都有嫌疑……最后一查，门外雪地上留下的是野狼的蹄印！……是的，他还常常回想起，阿姐讲到这些事时，妈妈眼中那担忧的表情，爸爸脸上那自豪的红光……

是的，他常常回想起，阿姐出嫁前，把那一摞大小厚薄不一的日记本，用当年最心爱的一块苏联进口的丝织头巾裹好，又用细绳捆扎起来，递给了妈妈……那里面记载着她少女时期全部纯真的感情、热烈的憧憬、诚挚的自剖、隐秘的痛苦、难言的困惑……

但这一切的回想，最好都消失掉吧！

尤其在那一天。那是怎样的一个日子啊……

尽管阿姐职称的事仍然极不合理极不公正地未能解决，尽管嘹嘹第二次高考依然失利，尽管飒飒的脾气变得相当古怪和一家人尤其和阿姐总那么样地不和谐，但当他把妈妈从二哥那里接到北京来长住时，阿姐还是总说也该让妈妈到她那里住上一阵，她要好好给妈妈做些可口的菜吃，陪妈妈逛逛城南的天坛、龙潭，跟妈妈说些母女间的私房话……

正好勇哥随厂里一个小组去内蒙古考察肉羊放养情况，阿姐便把妈妈从他家接了去，勇哥不在，妈妈在阿姐那里才有了床位，本来阿姐要飒飒到大屋和她睡大床，把飒飒那个"小屋"让给妈妈暂住，妈妈说不用，说她很愿跟阿姐合睡，这样夜里母女俩还可以继续谈心……

他想有妈妈去阿姐那里暂住一时，可以大大缓解阿姐心里的烦忧，更可大大促成阿姐和嘹嘹、飒飒母子、母女间的和谐，对于勇哥回来后同阿姐的相处，也有回温润滑的作用。他帮阿姐把妈妈安顿好，返回自己家的一路上，都在默默地为阿姐一家和妈妈祝福⋯⋯

半月后他去阿姐家，一进门便发现妈妈果然是绝妙的润滑剂，整个单元沐浴着一种春草返绿、杨柳拂风的温馨气氛。

⋯⋯折叠圆桌前，飒飒坐着，面对桌上椭圆的镜子，妈妈站在她身后，正给她梳理刚洗好的头发；妈妈矮胖而慈祥，飒飒黑瘦而喜悦；嘹嘹则在圆桌对面的沙发上坐着，膝盖上立着个画板，正给姥姥和妹妹画一幅炭笔素描；阿姐则站在书桌旁，正在一只陶钵里拌饺子馅，屋子里因而弥漫着一股茴香猪肉馅的气息⋯⋯

"小舅！你看我头发是不是黑多了？"飒飒一反以往的冷漠，活泼地报告说。"姥姥每天给我冲'黑发饮'喝！是姥姥自己用黑芝麻、核桃仁、熟薏米、炒砂糖给配的，我每天早晚喝两回，姥姥还天天给我按摩头皮，我现在天天晚上头发痒滋滋的，就是在长哩！小舅你看呀看呀⋯⋯"

"是呀，妈说得对，"阿姐也笑嘻嘻地说，"我们蒋家，还有你勇哥，谁的头发不黑不稠呀？飒飒的头发根本不是先天的问题，不是遗传的问题⋯⋯都是跟着我和你勇哥'征战南北'，营养不良，过度紧张，才没长好，显得又黄又稀的⋯⋯是得好好地给补补啊！"

"小舅！我报考了一个广告设计班，正苦练哩⋯⋯"嘹嘹也舒眉展眼地向他报告，"结业以后可以分配到大的百货商场搞橱窗设计，挣的能比我爸我妈他们还多！"

看到听到这一切，他是多么高兴啊！

⋯⋯然后亲骨肉们围着圆桌包饺子，阿姐说："原来我根本不能吃茴香，闻见那气味就受不了⋯⋯哈，都是你勇哥把我拉下水的——现在一包饺子，首先想到的倒是茴香！韭菜、大白菜都屈居二三位了⋯⋯"他听了更觉顺耳，实在是有很长时间没听见过阿姐以这类的语气提及勇哥了⋯⋯

但是大家刚吃完饺子还没来得及喝饺子汤，忽然有人敲门。都觉得诧异。因为阿姐那里一般很少有客人去，她同邻居们也几乎从不来往⋯⋯

嘹嘹开的门，门外不是一个人而是一男一女两个人，他们说要找一个人，说出的名字不是阿姐不是勇哥不是嘹嘹和飒飒，甚至也不是他，但他们又并非找错了门，他们说出的那个名字是妈妈！

真是咄咄怪事。

只好把他们请了进来，他们这才提到他的名字，说是已经去了他家，他爱人接待的——他们要找他的妈妈，他爱人便只好告诉他们他妈妈现在住在他姐姐家，他们便记下了地址一径地找了来……

"找我？！"妈妈眯起眼睛发愣。大家都望望妈妈，又望望那一男一女两个人。男的五十多岁，相貌毫无特点，女的比较年轻，看样子不过三十出头，其貌不扬，右脸颊上有个很大的痣，暴突着，深褐色。

"蒋师母！"那女的主动招呼起来。

"啊！是你——"妈妈认出那女子来了，脸色顿时不快，皱起眉头问，"你跑这儿来干什么？你找我干什么？"

那一男一女便态度极为谦恭地从从容容地解释起来。

阿姐只好请他们坐下。嘹嘹给他们倒了两杯茶。

原来，那一男一女是爸爸原来所在的那所军事学院的办公室工作人员，他们说最近彻底清理了一次档案室，发现档案室角落里还封存得有一些当年"文化大革命"中抄家抄去的东西，不止一家一人的，有前院长的一些笔记本，副院长的几本集邮册，某教员的几轴古诗词画卷，某教员的几本私人照相簿……而他们在清理中也就发现，还有一包日记本，是从爸爸那里抄去的，现在虽然爸爸已经故去，但他们觉得有必要把那包日记本归还给爸爸的未亡人，因为他们远道专程而来，须当面归还并获得收领人亲笔签名，所以冒昧地追踪到阿姐家里……

阿姐听至一半便喝令嘹嘹和飒飒回到他们自己屋里去，并让他们关上屋门。

妈妈坐在床沿上，仿佛被撕开了刚刚愈合的伤疤，她五官抽动着，瞪视着那脸上有痣的女子说："多此一举！你们这算是做什么？！……"

那女子便竭力赔笑地说："蒋师母，这也是为了彻底落实政策，不留一点尾巴嘛！当年我也做过错事，很痛心的……我本人愿意向蒋老师的亡灵，向您，赔礼道歉……"

那男子一旁说："当时是那么个特殊的情况嘛，那些个胡闹的'造反派'头头后来我们也都一一处理了……小姜她当时只是一般的卷入者，受了蒙蔽，后来

一直作检查。我们也批评了她 …… 这回特意让她一起来，也正是为了彻底地向
您赔礼道歉 ……"

说着，那男子便从手提包里取出了一摞裹在一块已经褪色，而且破损的头巾
中又用绳子捆扎了几匝的日记簿，伸手递给妈妈。

妈妈不接，她只望着那脸上有痣的女子，声音喑哑地说："我当时就跟你们说
过，那不是蒋一水的东西，那是我女儿蒋盈波上中学、上大学时候记的日记，你
们偏抄走不可，偏抄走不可 ……"

那女子便劝慰地说："事情都过去了，极左路线嘛！那时候我们都那样，凡有
字的东西都觉得可疑，都是敌情，都是严查 …… 现在认识到那样抄家完全错了！
对，您说得对，这的确并不是蒋老师自己写的东西 …… 当时由我分工检查，我
全读过，没什么反动的内容 ……"

"你全读过？！"阿姐忽然发出一声——只能形容为怪叫。

那男子和那女子原来注意力全集中在妈妈身上，没怎么注意他和阿姐。这一
声异音才使他们把头转向了阿姐。

他记得，阿姐那一刻整个脸简直变了形，两只眼里闪动着炽烈的火苗，只有灵
魂里破碎了最宝贵的东西，划下了最深的伤痕，一个人才会有那样的面容和眼神 ……

"是呀，我们几个造反派轮流读过，是没发现什么反动的内容 ……"那女子
和颜悦色地进行解释，"所以后来就一直扔在档案室角落里，再无人过问，最近
大清理才发现 ……"

"我不是让你把它们全烧掉吗？！"阿姐又突然朝着妈妈嚷，"怎么回事？为
什么不烧？！"

妈妈凄楚地望着阿姐，眼里饱含着无辜。

他坐到妈妈身边，握住妈妈一只变得冰凉的、颤抖的手。他理解，妈妈当时
没有烧，也许仅仅是出于一种惰性，妈妈几乎从不人为毁坏任何东西，况且妈妈
怎么会预料到，后来会有"文化大革命"，会有抄家，会有居然检查人家女儿日
记的"造反派" …… 妈妈又怎么会预料到事过多年，爸爸已经亡故，还会有这样
的一男一女追踪到阿姐家里来，死缠着要落实什么政策！

他便对那一男一女说："你们是不速之客，你们把我妈妈给刺激坏了 …… 为

了我妈妈的身体，为了她的健康，请你们留下日记，赶紧走吧……"

那一男一女便站起身来，把日记本搁到了圆桌上。

那男的从提包里取出一张纸来，点头哈腰地说："签个名吧，签个名我们就走……"

阿姐倏地冲上前，抓过那张纸几把撕得粉碎，她怒喝一声，伸手朝单元门一指："滚！你们给我滚！"

那男的一惊，马上绷紧脸抗议："你、你这是干什么？！"

那女的吓得往后一躲，连连说："我们不是代表个人啊，单位派我们来的啊，我们是落实政策来的啊……"

阿姐一下子顿脚痛哭起来："我的日记！我的日记！你们凭什么看我的日记！你凭什么看我的日记！"她掩面大哭。他一生从未见人那样痛苦地号啕过……

他便起身连推带搡把那一男一女排除到了单元门外，重重地关上了门。

他刚扭转身，就只见阿姐近乎疯狂地把圆桌上的日记一把抓过，几下子扯断了绳子扯破了包裹日记本的纱巾，日记本噼噼啪啪落了一地，然后阿姐就蹲下抓到哪一本便撕哪一本，撕不动便咬牙发狠，后来又跑去取来火柴划着了便要烧……他从背后搂住了阿姐。亲爱的阿姐！曾经因为读《钢铁是怎样炼成的》淌下青春热泪的阿姐，曾经因为看了电影《幸福生活》决心以纤弱之身贡献于农业机械化事业的阿姐，曾经同达野哥倚在五斗橱两过默默对视的阿姐，曾经与一群纯真的大学同学敞开喉咙高唱"小乖乖小乖乖"的阿姐，曾经只身在北大荒的土坯房中与野狼抗衡的阿姐……

嘹嘹和飒飒冲过来，呆望着那令他们万分惊愕与困惑的一幕。

阿姐跌坐在地上，侧身扑到蹲在地上的弟弟怀中失声痛哭。他紧紧地搂住阿姐。他深深地理解，阿姐被抢掠、亵渎、奸污了什么！

妈妈仍旧坐在床沿上，双手合扣在膝盖。她没有哭，甚至眼眶里也没有泪光，她一生中经过的事不太多，她只是悲怆甚而庄严地默坐着，紧抿着她的双唇……

第十章

1

四十多年前的某一天，山城重庆照例缠裹着霉湿的雾气，一位年轻女子登上高高的石梯，找到重庆海关，进入到一间办公室。当年父亲每天一早就坐在那间办公室里。至今仍留存着一帧照片，照片上横着一张壮观的办公桌，桌上的笔筒因为离相机镜头过近，其影像膨胀成一个怪物，筒体仿佛一张鼓足腮帮子吹气的鬼脸，筒顶露出的散开状的铅笔、毛笔则是那鬼头上竖立的发辫；童年时代我总在梦中遇上这个怪物。至于照片上的主角——办公桌后面的父亲，他那时究竟什么模样，我总形不成概念；我是父亲最小的儿子，他拍那照片时我大约五岁，我只记得晚年父亲的模样。

晚年父亲曾偶然回忆起当年的那一幕："…… 你八娘一坐下就哭开了，拿块手帕子抹眼睛；其实什么要紧的事，我两下子就给她解决了，她泪珠子没擦干，又笑了……"

当年八娘找父亲是为了弄到一张去南京的船票。父亲从十八岁考进海关，混到那时候足有二十多年了，总算从最底层的稽查员混成了个坐办公室的科长，以海关科长的身份弄张到南京的船票自然犹如探囊取物。

2

娘娘就是姨妈的意思。《现代汉语词典》把"孃"字作为"娘"的繁体，读作 niáng，而我们四川人，至少我们家族中，把"娘娘"读作 liangliang，两个阳平声，第二字并不轻读；四川人一般 l、n 两辅音不分，善于发 l 而不善于发 n 音。因此，八娘于我来说绝非"八娘"，而是 bǎ liǎng。

八娘并非母亲的同胞妹妹，她的父亲与我外祖父是堂兄弟，当年大家族中时兴同辈混排，我母亲在同辈姐妹中排第三，所以八娘一辈的都叫我母亲"三姐"。

当年大家族人丁旺盛，八娘虽已排至第八，大家也并不以为怎样，我这一辈也并不觉得可惊，因为倘要惊讶的话，那八娘的母亲大家都称之为九外婆，似乎还有十外婆、十一外婆呢；但母亲家族方面，几十年来同我家有所过从的，单只九外婆这一支，这一支之中，又以八娘这一分支过从最密。

3

八娘当年乘船出川奔南京，是去上大学，她上的是金陵农学院。很多年后在她家翻阅她的照相簿，她指给我看过一张照片，是毕业时与几位同学游明孝陵时，在石像身旁拍的，当中一位梳着两根细而不直的短辫，以一种潇洒的劲头自然显示出腰肢的曲线，上面短衫子，下面不是裙子而是长裤，八娘呵呵地笑着说："完了！你看嘛！当年我好摩登哟！"照片上那个眉目不清的短辫女子的确摩登，使我总不能把眼前的八娘同那影像联系在一起；自从我懂事以后，也就是随父母迁居北京并且在北京同八娘团聚以后，我就总觉得八娘固然有其性格乐天活泼的一面，但她的形象做派，实在与"摩登"联系不上，最要命的，就是她始终说不好普通话，或者说是并非不能说好而竟不去说好，她在单位就用四川话跟人对话，在街上买东西也用四川话，在家里更不消说，只不过在单位和街上她避免使用四川话中的特殊语汇罢了。她同我们亲戚对话时频频使用方言，比如"完了"就是一个随时随地派作用场的感叹词，发音为 wan lao，两下上声，重读，并且后一字使用拖腔。

"完了"在她口中更多地表示着赞叹、惊喜、羡慕、感激，比如：

"完了，画得好啊！"

"完了，是你们来了！"

"完了，出了名了哇！"

"完了，买这么多香蕉来作啥子哟！"

……

八娘使用"完了"这个感叹词时，十有八九总伴随着一阵爽朗的笑声。她那笑声在我们亲友之中，是享有口碑的，人人乐闻，常常忆及。

4

50 年代初的某一天，八娘又到我们北京钱粮胡同海关宿舍大院来，可是我母亲迎进家门来的并不止八娘一位，还有另一位，是个男的，个子很高大，那时候我还上小学，但所积累的社会经验已足可断定他是怎样一种身份，不过我有我的世界，比如我有没搭完的积木，没看完的小人书，没画完的大鲸鱼等等，所以父母迎让之间，我也就溜了；记得上饭桌时母亲命令我："叫八姨爹！"我还没反应过来，八娘以一阵笑声拦阻了这个命令："完了！难听死了！啥子八姨爹，莫那么喊，他姓曹，你叫他曹叔就是了！"我抬眼望曹叔，他有一张挺顺眼的长方脸，正朝我微笑着；不记得当时我是否叫了他"曹叔"，反正这以后，我来往的亲友中就添了曹叔了。

在饭桌上，父亲和曹叔聊得挺欢，曹叔一口很好听的普通话；他们喝完了酒，父亲命令我去给曹叔盛饭，母亲阻拦说："莫慌！莫舀饭，有馒头……"原来八娘在厨房里就跟母亲说了，曹叔是山东人，喜面食，而且，"完了！他简直讨嫌大米，只要有任何一种面食，馒头呀，大饼呀，包子呀，面条呀……就是窝窝头，他都觉得比米饭好吃，你说怪不怪嘛？"曹叔的确如此。尽管多少年来，他自己当众表态时总是说："什么粮食种出来都不容易，都该吃，米饭我也不是不能吃……"但我同曹叔在一起吃过那么多顿饭，没见他吃过一碗米饭，有时主食除了米饭没别的，他就光喝酒、吃菜。

5

八娘和曹叔在西北郊农业科学研究院搞研究工作。那一阵他们一个月里总要进城来我家一两回。他们对我都很好。我上到初中了，暑假里闷得慌。原来我暑假可以到小哥那里去。他在西苑一个大机关当售货员时，宿舍后门外头就是一片草地，还有好大的一个露天剧场，走不多远还有好大一个花园，从那里可以望见万寿山……可是小哥后来到北大念书去了，我就只好投奔八娘和曹叔，他们热情地欢迎我去他们家里住；当时他们住在海淀镇上单位的宿舍里，从那里去颐和园也不远。我已经不记得当年的详细情况了，比如说，当时他们住的是一间屋子还是两间屋子？只模糊地记得八娘给我准备了一张发散出肥皂香味的单人床，记得总为我端上一大盘西红柿炒鸡蛋；当时他们的大女儿似乎已经出生，那就至少该住着两间屋，因为模糊地记得有个皮肤很黑的保姆给带孩子，并且曹叔一下班就整个地跟我那表妹泡在一起，抱着她逗乐儿，或者喂她吃什么；当时我年纪尚小，性格又内向，简直不懂得同八娘、曹叔聊天，每天就是去颐和园，到颐和园我也很少逛来逛去，就是带着画夹子找个地方取个景画水彩画儿，至今我仍留存着一张那个暑假的作品，是在知春亭往南的东墙下，画西堤的玉带桥及其远处的玉泉山，画面的下半部分完全是湖水，我用了许多琐碎的笔触去表现水波，完全违反了水彩画的规定技法；很多年以后，当我翻阅西洋绘画史资料时，惊讶地发现我这幅少年时代习作上的水波，颇似印象派修拉等人所使用的点彩法；我并不是据此引以自负，而是悟出了冥冥中支配人类感受的一种通力。

从颐和园写生回到八娘家中，自然总要把画的画儿向他们展示，八娘那"完了！完了"的赞叹及一连串的拊掌欢笑，对我并没有多大的冲击力，倒是曹叔偏头凝视了我那幅"点彩"式的"昆明湖西望"十几秒后，语气平平的一句："嗯，能成！"使我全身一震，仿佛听到了一种权威性的预言。

6

曹叔和八娘的第一位千金他们取名为涧，我父亲曾这样向他们开玩笑："是不是你们有一阵子，总在山涧边谈情说爱啊！"八娘尖声驳斥说："完了！哪一个跟

他跑到那种kaka里头去哟！"接着便笑，脸便泛红，眼便放光；四川话的kaka
就是北京话旮旯里的意思。曹叔对这一调侃却并无所谓，脸上只有淡淡的微笑。

那时候非但没有确立"只生一个好"的准则，而且正强调"人多好办事"，
曹叔和八娘自然不会节育。但很奇怪，八娘在涧表妹之后，流产流下了一个已初
成形状的男胎，千方百计保胎保住了第三胎，足月后去医院临盆，生得也还算顺
利，甚至刚见天日时也有过一点声息，但随即就发现脐带绕着脖子，医生解脱无术，
一个胖乎乎红扑扑的小子竟出生即为死亡。这打击于他们夫妇极为沉重，八娘出
院后妈妈带我去他们家看望，曹叔黑瘦了，八娘难有笑声，连"完了！"这感叹
词也少用，唯有已能蹬着小三轮车满院跑的涧表妹"隔江犹唱《后庭花》"，把她
尖细的笑声漏进门缝、窗缝里来；我那时已经15岁，已读完四大本《约翰·克利
斯朵夫》，自以为很懂得人世的艰辛，内心里很为曹叔和八娘怅叹。

后来八娘怀孕了，生产也很顺利，我有了另一位表妹沁。我父亲曾在茶
余饭后褒贬过："你曹叔喜欢古诗古词，有点艺术家的做派，但未免胶柱鼓
瑟，给女儿取名字选字过于生僻拗口了！'涧'字南方人北方人读法不一，
正音读作jian，放在名尾听起来别扭；'沁'字你八娘喊成'心'，其实正音
应读qin……"

沁之后，八娘又怀孕，不仅曹叔和八娘，我们一家也都默祷这回生下的该是
一个男孩，结果呢，生下的果然是一个男孩，但脐带又绕脖子，医生竟又解脱无术，
八娘又留下了一个"他还哭过两声呢"的惨痛印象，等候在产房外的曹叔又得了
一个轰雷般的坏消息……

八娘从此失去了原有的鲜润，额头眼角的皱纹留而不去，我们都怕她永远失
去那"完了"的尖声感叹，以及一连串朗朗的笑声，还算好，半年后她性格方面
的魅力恢复了。有一回他们全家来我家过星期日，其时她已到香山卧佛寺旁的养
蜂研究所专门研究养蜂，并主编一份《中国养蜂》杂志，她侃侃而谈养蜂之道，
我记得她讲道："……莫以为蜜蜂儿光采花粉，有时候工蜂还专门要飞到茅坑里
头去，采一点无机盐回窝，那也是酿蜜不可少的成分哩！我们反复搞跟踪记录、
化验分析，完了！硬是有这么个内幕哟……"她笑，我们也笑，她为蜜蜂笑，我
们既为蜜蜂笑也为她笑；可我注意到，曹叔不怎么笑，但也绝无悲戚消沉一类的

表情，曹叔总是那么不动声色，我想也许是因为他调到农业部去当了干部，在我想象之中，国家的一个部该是非常了不起的地方，在那些高大宽敞的办公室里，坐在厚重敦实的大办公桌边的干部们一个个都是不苟言笑的。部啊！像八娘那样的性格搁在部里办公室是不相称的，而曹叔似乎是恰能配套。

再以后八娘又生了一个表妹"涓"，生完作了结扎输卵管的手术。一天晚上，我躺在床上眼皮已经发粘，在外屋灯下扯闲篇的父母的一些对话忽然使我吃惊，我使劲眨眼，并且伸长耳朵，捕捉外屋传来的一言一语：

"…… 八妹其实不必有那个思想负担，如今新社会，生男生女一个样嘛；再说，曹家并没有绝后嘛，他那原配不是生的儿子么？该有十五六岁了吧？"

"不止十五，总有十六了！我问过八妹，他追你的时候，说没说过他是有妻儿的？八妹说哪个没说，一说就掉泪了，说实在是那时候他没反抗到底，父母包办的，一共没同房几夜，后来就跟大学同学跑到解放区；现在解放了，婚姻自由，那个包办婚姻，早已名存实亡，现在只差一个手续，手续一办，名也不存了嘛 …… 他们那回参加一个农业考察团，活动完了回到北京，他就去办了离婚手续，八妹这才跟他结婚 ……"

"八妹始终没见过那位原配？"

"没见过，也不必见嘛！那儿子倒是见过，可后来八妹总生不下儿子，就跟他说，你去看你儿子，我没意见，可你就别把他带回这个家来，也别让他找到我这儿来，不是我心胸狭隘，实在是我怕心里头难过，撑不住 ……"

"其实也还是狭隘，何必呢？"

"你谈得轻巧！八妹虽是搞科学的，这事情到底不能从科学上得到充分解释：为什么他们一生女儿就顺顺当当，一生儿子就偏偏有灾！两回都是脐带绕脖子！解脐带的当口都听见儿子哭了几声，就是解不好，硬是死在眼前头！八妹命苦啊！"

"那原配命就不苦么？听说是一直还住在他父母家里，从儿子那儿算不是媳妇了，从公公婆婆这儿算还是地道的媳妇，尽着孝道 ……"

"那倒是！婚是离了，可她没回娘家，听说娘家也不让她回，她只能还那么不明不白地当着媳妇！现在只剩公公了，婆婆是她伺候到底的，在床上一瘫就是几年，光收拾那褥疮就够磨人的 …… 亏得有亲儿子在身边，一天天长大成人！"

"儿子对她还孝顺啵？"

"还用说！听说一懂人事，就跟她说：妈，我再也不去那边了，我是您一个人的，您等着瞧吧，再过几年，我就挣钱去，我要让您过上比他们还好的舒坦日子！……多好的儿子！可眉眼，听说还是更像他老子……"

……

听着这些令我吃惊的交谈，我睡意全无。曹叔原来还有如此隐秘的一面……

7

出于好奇心，后来我捕捉到更多的信息。据说曹叔家里原是从山东来到北京当上大官的望族，清末时在北京东城有一座颇为壮观的宅院；我甚至根据那传闻骑车去那院落所在的胡同考察过，那胡同一头因展宽马路已然拆除，拆剩的部分一道匆忙砌就的新墙后面，露出一座干巴巴已无花木的土山，山上有一座破败的四角亭，据说那便是当年曹家花园中的一处胜景；我父亲对北京旧宅院颇有研究，他说过去同讲究"真人不露相"一样，舒适幽雅的阔人宅院也讲究"门墙不露谱"。皇族因为有厘定的制式，院门格局便等于是地位的标签，引人注目，京官及阔商富绅的私宅则可以做到"富而不露"；因此，有的似乎很一般的门户里头，转过影壁竟是一进又一进的华丽房舍；或者房舍不算怎么炫目，而穿过一个月洞门后，竟是一处江南苏州风味的花园，太湖石叠成小山，曲板桥跨过萍藻丛生的池塘，临塘的轩馆支开窗板露出琴台，曲折游廊旁有丛竹或紫藤，如此等等；有的更在山上置亭。但一般从院外的街道胡同里，不仅绝对望不见里面的山亭，甚至那些单调的灰墙和尘土飞扬的道路，使人连亭台楼阁、池塘鱼鸟的联想都很难产生。童年的曹叔，该常到那山亭中憩息游玩吧？但时代的变迁，瓦解了这些个大家庭，也肢解了他们的宅院，曹家宅院不仅早成了许多户人家杂居的地方，又经局部拆改露出了当年从墙外望不见的山亭，那破败的山亭在白昼喧嚣的市声里不知感受到些什么，在静静的黑夜里又做着什么样的梦。

当我有一回从那胡同里路过时，遇见从那有山亭的院子里走出来一位妇女，胖胖的，端着一个盛垃圾的破脸盆，走向垃圾站去倒垃圾，她移动得相当迅速却又有点颤颤巍巍，仔细一看底下是一双小脚，不知怎么的我立即判定她是曹叔的原配，于是我假装自行车出了毛病停下来收拾，等那妇女倒完垃圾往回走时，我便特意从旁端详了她一番。她有着一张显露出善良与顺从的圆脸，眼睛很大很鼓，嘴唇却又长又薄；当她消失在院门里以后，我好奇地想：她怎样度过每一个白天和每一个夜晚呢？她真同那破败的山亭一样，虽仍存在却已被人遗弃。我对她油然而生同情，但我却并不站在她的角度去怨责曹叔。

随着一步步进入社会，我越来越深切地认识到曹叔和八娘那充分建立在自发感情基础上的结合是美好而难得的。

八娘的同胞兄妹，后来都住在上海。我叫七舅舅的，是九外婆的长子，也是唯一的儿子，在上海是数一数二的牙医。他的妻子则是享有声誉的产科医生，我叫做七舅母，我对她有着一种特别的感情，因为当年我在成都落生时，是她给我母亲接的生；七舅舅和七舅母都是最善良、最本分的知识分子，业务上又是同行，但他们不是自由恋爱而是经人撮合成婚的，他们住在一起，却格格不入，经常为一些最无谓的琐事争吵不休，甚至常常说出"那就离婚算了？！""走嘛！去离嘛！"一类的话来，但他们却始终并没有真去离婚，因为他们的道德观惊人的一致，心底里都认为离婚是一种绝不可以真正履行的丢人行为；他们又都绝对与罗曼蒂克无缘，虽然苦闷却又并无任何婚外恋的尝试；他们便那么长时间地纠合在一起。后来七舅舅病重去世，七舅母尽心尽力地照顾，送走了七舅舅以后，自己也垂垂老矣。她回忆起七舅舅来并无甜蜜之感，却又绝无采酿夕阳为蜜的意愿。他们没有生育子女，这就更增加了七舅母晚年的孤寂。除七舅舅这位哥哥外，八娘还有三位姐姐，我分别称她们为四娘、五娘和六娘。四娘是早年在四川老家时，家里就给她包办了婚姻，她为了反抗这包办的婚姻，曾只身逃出老家，跑到省会，这在当年算是相当勇敢的行为了。因为那老家是穷乡僻壤，连最有知识最有身份的人也很少主动与命运抗争；但四娘的抗争终于归于失败——省会的近亲与远亲都拒绝长期收留她，她又找不到什么出路。于是她终于被追赶到省城的九外公捉获，押回老家塞进花轿，她能有什么幸福可言呢？五娘终生独身。六娘经人介绍与丈夫组成了一个初看似乎还算和顺的家庭，生育了几个子女，后来终于破裂，懒得去办理离婚手续，而实行了永久的分居。这样一对比，八娘真是全家中最幸福的一位了；而曹叔，他是诚心诚意地爱上了八娘，尽管他曾切盼由八娘为他生下了一个儿子，但这一愿望破灭以后，他对八娘的爱意没有丝毫的减弱，体现于涧、沁、涓三位表妹身上的父爱，更证明着他对八娘爱情的增强。"有情人终成眷属"自古以来兑现率就并不高，从旁看去，曹叔对八娘真不啻是情事与姻事中的幸运儿。

8

记得在曹叔八娘家中看到过一张拍得非常成功的照片，是当年他们热恋时，在轮船甲板的栏杆边拍的，那时他们参加同一个考察团，乘船从甲地去往乙地，他们倚着船栏，姿态自然而优美，江风吹乱了他们的头发，他们对望着，眼睛里面颜上喷溢出青春和爱情的无形火焰，他们那相互吸引的情景，难道不是这人世最辉煌而永恒的珍宝吗？

曹叔对我少年时代的水彩风景写生给予过"嗯，能成"的预言，这预言并没有准确地实现，但也并没有落空——我后来没有成为画家，却倒成了一个作家——我至今感念曹叔对我潜在的艺术创作能力的发现与推动。

我上到大学时，同曹叔已成为了朋友。这是很微妙的事。八娘于我来说永远只是个可亲的长辈，而喜怒不形于色的曹叔竟同我渐渐结成了忘年交。

我在高中毕业前已开始在报纸副刊上登出些"豆腐块"，八娘对此的反应，不过是笑眯了双眼，拊掌调侃我："哼，完了！成了大作家了哇？"曹叔却试图同我做些令我乍听颇为吃惊的探讨，例如："散文的本性究竟是什么呢？""文尾总用省略号作结尾是否善策呢？"我发表过一篇散文《银锭观山》，描绘的是北京西北城什刹海水域的特异风光，他很在意，鼓励我说："你跟我一样，虽然没生在北京，却长在北京，今后怕也长居于北京了，你不如专门研究北京，着重写北京，这就需要深入到真正体现北京特色的方方面面去……"于是他怂恿我去喝豆汁，吃爆肚，乃至于嚼闻上去臭烘烘的雪霜肠；他细细地引我探讨："炒肝明明不是炒的，并且主要成分是肥肠，那为什么要称作炒肝？小肚儿明明是猪尿脬做成的，尿脬是膀胱，并不是肚儿，即不是胃嘛，那为什么要叫小肚儿呢？这里头都掺和着老北京人的微妙心理……"诸如此类的探讨，往往是在他家的饭桌上，八娘和表妹都吃完散开，而我俩却仍慢慢地喝着酒时展开的。我的喝酒，是曹叔教会的，八娘常常感叹："完了？！一个人灌不算，还把人家拖下水，有你这么当叔叔的么？"曹叔面对这话仅仅淡笑着，有时甚或还微微颔首："是呀是呀，我是罪魁祸首么！"好在曹叔自己的量并不大，而且喝得很慢，又讲究要有两样以上的下酒菜。因此，他带我喝酒，只给我增添了许多的乐趣，并未给我的身体和精神带来过些许的不适。我们喝得最多的不是啤酒和白酒，而是黄酒，烫得暖暖地喝，小口小口地喝，在这饮酌之间，曹叔为我迈进文学艺术天地提供着不知不觉的推力。

八娘之爱曹叔，因素之一就是她觉得曹叔有才，不仅有农业专业方面之才，而且有文艺才能，八娘曾在我家对我母亲眉飞色舞地夸耀过："三姐呀，你哪猜得到，他画漫画画得才好哟！机关里头搞个展览，贴出他好多漫画，咦，笑死人，画那个闹个人主义的，脑壳儿膨胀得南瓜般大；画那个爱闹情绪的，自己把自己身子打了个结儿，完了！围起看的人都笑个不停哟！……"但曹叔自己冷静地意识到，他的漫画，他的书法，他私下写着解闷过瘾的散文，离公开发表在印刷品上都还有一段距离，因此，他把期望寄托在三个表妹身上，这是我意会到的，他并未当着我明确地流露过，他总不失其含蓄沉静的做派，自然又是八娘，往往过分热烈地暴露出她及曹叔的那样一种期望，记得有一回她来我家，手里提着好大一件东西，我母亲一看吃了一惊："八妹，你这是要出远门么？"她满脸红光地大声解释说："哪个出远门哟！你看嘛，这不是行李箱，这是手风琴啊！天津鹦鹉牌的，一直想给小涧她们买，总碰不到这个名牌儿，今天你来这儿耍，路上恰恰让我碰上了，吉人自有天相么！"我母亲问她花了多少钱，她说出的数字让我母亲喊出："完了！你哪个那么舍得哟！"八娘竟激动得一跺脚，连短发都摇动起来："我们就是喜欢艺术呀！就是盼小涧她们能入个门呀！"这镜头我至今回想起来，还活灵活现，世上渴爱艺术达到我八娘这种程度的也许很多，但表述其酷爱表述得如此真率和强烈，怕不见得多吧？

就爱好艺术而言，三位表妹确实继承了曹叔和八娘的心性，但她们似乎都乏于其父的深沉而富于其母的奔放，记得有一回，我们同去看部队文工团歌剧团的演出，所演的是一出平庸乏味时过境迁永不会复排的歌剧，因为我姐夫屈晋勇曾是那歌剧团的演员,参加了那出歌剧的演出,因此我和表妹们坐在台下等候开幕时都颇有傲然之气,幕布拉开后,在舞台上认出了我那姐夫时,三位表妹都惊呼出声,幕间休息时,我领她们绕到后台,在后台她们不仅看到了熟识的表姐夫,还见到了曾随他们表姐夫到过我家的常延茂。那一回她们恰巧也到我家玩,相互攀谈过,她们竟因为在后台近距离看到自己认识的人以浓烈的化妆改变了面容,并舞动着腰肢准备下一场戏,而互相拍打着手掌表露出一种率真的狂喜——多少年以后回忆起来,我还觉得这是不褪色的一幕。当年我曾暗暗地为她们害臊,我以为她们把一种对艺术的神秘感和崇拜心表达得太直露太丢份儿了,但现在想来,那出自天性的无掩饰流露,难道不是如晨曦中的露珠般艳丽、晶莹、纯洁、芬芳么,后来生活的艰辛人事的烦扰在她们的心上都磨出了厚茧,再想看到她们那种纯情少女的奔放表露,是永不可能的了。

9

曾同曹叔讨论过《红楼梦》,有一次我对他说,《红楼梦》里写到贾敬吞金丹丧身以后,贾珍贾蓉跪哭的描写,使我感到他们既有作假装样的一面,也有内心真情流露的一面,他却不以为然,冷冷地对我说:"我有经验的——那全是作假装样。"当时我没有同他争论下去,心中却以为他忽略了高级艺术对人物内心多层次描绘的特性。后来,我才慢慢体会到曹叔自有他的道理,他在大家庭里生活过,在有那土山小亭的宅院中积累了他的生活经验,他深知多角的宗法或人际关系可以把人性压榨得多么干瘪、多么虚伪。

很久以后我才知道曹叔在北京还有一位胞弟,也生下了三位千金,但他们两家似乎绝少来往。"无产阶级文化大革命"起来以后,他们的父亲遭到了冲击,被愤怒的"红卫兵"批斗以后遭送回了山东原籍。与他们父亲同住的曹叔的那位原配及曹叔的儿子没有被"红卫兵"一同轰回山东。因为"红卫兵"觉得他们实在与那"老吸血鬼"难划归一类,有的"红卫兵"还认为他们母子二人是被"老吸血鬼""吸血"的对象,故而引为"红五类"而发动他们"造反"。曹叔那唯一的儿子原来几乎不同他的生父和胞叔来往,爷爷遭冲击后却几次去他们家中活动,希望他们想想办法，使爷爷能返回城中，至少在原籍不那么受苦，但据说那位叔叔冰冷地拒绝了，认为早已划清界限，现在更不能丧失立场；曹叔动了心，却一筹莫展。据说那儿子一跺脚，瞪了父亲一眼，一阵风走了，从此再未登门。我至今不敢就此事问及曹叔，我想他内心一定很复杂，他或许对原由父亲操持的大家庭早生厌恶，那强加于他的包办婚姻就曾危及他人生的基本幸福；但他对解放后获得了文史馆馆员资格的父亲也未必没有一定的尊重和情感，他真应该重新研究一下《红楼梦》中的人物关系，人们的生活经验确实需要在新的情境中不断地加以过滤和重组。

　　"文化大革命"使我家和曹叔一家以及其他亲友家都相继动荡飘移，曹叔八娘在70年代初带着三个女儿去了河南"五七"干校。"文化大革命"初起时，八娘的状态可谓没心没肺，曹叔的状态则可谓不知所措。记得八娘在所谓"派仗"兴起后还到我阿姐家去过，那时我父母正从张家口来到阿姐处躲避武斗，.她竟若无其事地向我父母描绘了如下的开斗场面："…… 开会开到一半，咦，就冲进一群人来了哇，手臂上都戴到起一尺长的红箍箍，是毛泽东思想战斗队，那一派的'送瘟神敢死队'，他们二话不说，抓起空板凳就朝台子上摔哇，完了！会场乱成一窝蜂，我就跟到起喊：'莫打架哟！'结果，也不晓得哪个人把我一推，差点儿就推到了别个脚底板下头哟！ ……"讲至此她竟呵呵地笑了起来，急得母亲拍着她手背说："八妹哟，好险哪，你怎么就不躲开嘛！他们打，跟你啥子相干嘛！"八娘频频点头，却似乎并不感到处在那么荒谬的情景中应当感到恐惧或悲凉。也还可以理解，八娘不是党员，不是当权派，"资产阶级反动学术权威"也还不够格，两派都不把她放在眼里，甚至都对她忽略不计，因此她心理压力不大。曹叔在部里是个副处长，也不算什么引人注目的"当权派"，但两大派斗起来，他却成了双方争取的对象，夹在当中，态难表，步难迈，结果似乎是投向了保谭震林的那一派，被另一派视为了"老保"，这下子就追究到了他的出身，他的"陈世美式行径"，乃至他曾"用漫画向党进攻，属漏网右派"，等等，等等；他们下"五七"干校前我曾去看过一次曹叔和八娘，曹叔拉我喝白酒，反常地不用酒菜，只用几个蒜瓣下酒，并且头一回所答非所问，还喃喃自语，最后竟语无伦次，我不知该怎么好，倒是八娘一旁劝解说："完了！天又没塌下来，啥子不得了的事，把自己愁死了，不倒中了那些砍脑壳儿的奸计！"最后八娘给我们一人剥了一只热气蒸腾的肉粽子，逼我们停下喝酒而吃那粽子。

到 70 年代初，二哥、阿姐，还有曹叔、八娘他们，都离开北京，下放外地了，只剩我一个人留在京城西北隅，仿佛一只缩在墙缝里的土鳖虫儿，过了今天不知明天会怎么样，勉强打熬着灰暗压抑的时日。

10

灰色的日子毕竟也是日子。日子的好处就是会流动，你主动也好被动也好它反正会带着你往前移动。灰色的日子里毕竟也还有亮点。即使像芝麻粒那么大的亮点，也总能放出点暖心窝儿的微光。那几年里，亲友们从外地寄达我那个胡同杂院小小东屋里的书信，便是我生活中的亮点，心主中的星光。

有一天接到了曹叔从河南"五七"干校的来信，厚厚的一叠信纸，密密麻麻地写了许多，使我惊喜不已。原来那是一个难得的休息日，他坐着小板凳，掀开床褥，以铺板当桌，几乎写了一整天，专为我。这使我非常感动。他写他对北京的怀念，写着写着就信马由缰起来，写到渴望能喝到一碗热豆汁，就着炸成金黄色的焦圈儿，或者起着许多小泡泡的薄脆；还渴望在北京小胡同里的大槐树下，让晚风把满树的槐花瓣儿吹落一头一肩；甚至渴望让春天的沙风扑面而来，从而嗅到一股"沙尘的香味"。他又写到在"干校"的生活，写大家如何席地而坐地看一晚上电影，整整两个多小时里所放映的全是有关欢迎西哈努克亲王的纪录片，大家竟目不转睛、津津有味，乃至已经映完意犹未尽。又写到有一天集合排队，步行十几里去镇子里一个广场，看县里一个剧团演样板戏《沙家浜》，因为去的人太多了，观众席又无坡度，结果除头几排外后面的人几乎都觉得看不见台上的演出，于是乎往前拥，于是乎争吵，于是乎推搡，最后竟至于大打出手，甘蔗头和甘蔗皮满天飞，人们的审美饥渴化为了一片原始的宣泄……读完这封信我非常忧郁，我强烈地思念曹叔，渴望与他同桌对酌，仿佛我能抚慰他那在深处寂寞着并憧憬着的心灵。

几年以后，已经粉碎了"四人帮"，情况开始发生了一些根本性的变化，我收到了中国少年儿童出版社复刊的《儿童文学》寄给我的一张"内部电影观摩票"，演出的节目是西方电影《蛇》。放映的场所是一处内部礼堂，我以一种空前的荣幸感凭票进入了那所礼堂，从下公共汽车起直到进入礼堂大门，我穿过了稠密的等票、求票乃至于试图抢票的人群；开始放映电影了，我坐在前排，突然听到一阵阵猛烈的撞击声，不是银幕上传来的，而是已经紧闭的礼堂大门被由于极度想进场观看而未能得以进场因而暴怒的一些人所撞击，那声音清楚地表露着他们不是用手拍用胳膊肘敲用脚踢而是用整个肉身在撞，实在是惊心动魄！我看不下电影去，我忽然想到了曹叔的这封信，我洞见了普通人心灵深处的一种最纯朴的渴求与一种最浑黑的寂寞以及试图冲出这种寂寞的暴烈挣扎，我鼻子发酸。

11

其实曹叔给我寄出那封信不久他就回到了北京，不过我是很久以后才知道的，因为他回到北京后并没有来找过我，估计他也并没有喝到豆汁吃到焦圈或薄脆，甚至也并没有重温到槐花的芬芳与沙尘的馨香。

是组织上通知他并让他回到北京的。

北京那时候正全面修建地下铁道，很大一部分修建任务由工程兵部队承担，该部队有一支庞大的汽车队，负责运输土方以及各种建筑材料；车队的司机大多是些十分年轻的义务兵，他们经验不足，特别是以往习惯于野外作业，到了这人烟稠密的城市难以迅即适应，自然也还因为北京人中总有那么不小的一部分对汽车并不怀着畏惧心理，特别是年轻的骑自行车人，从而常常酿出恶性车祸。

在那几年的许许多多这类车祸中，有一桩出在东单。一位工程兵的大车司机在慢车道上撞死了一位骑车人。撞死人的战士和被撞死的工人都是才二十多岁。那被撞死的小伙子骑的是一辆才买了没几天的崭新的凤凰车，手腕上戴着一块才买了没几天的崭新的全钢防震防水上海表。

工程兵部队十分重视每一桩他们属下造成的车祸，甚至早就成立了专门的办公室，抽调了若干精明强干的人员，按部就班地处理每一桩有关事宜。这桩车祸发生后他们处理得也一如既往地及时、大度、精心。

他们查实了死者的身份，先主动到所属工厂致歉，并由工厂方面陪同到了死难者家中，向那工人的母亲诚挚地致歉，不仅肇事者声泪俱下地跪到她膝前愿认她作自己的母亲伺奉她终生，肇事者一个班的战士全都诚挚地围住她向她宣誓："娘！我们全是您的儿子！"部队不仅允诺负责全部殓葬事宜，并赔偿她5000元人民币的人身损失，肇事者所在班且拟承担她家的全部家务，从买米买煤买菜到做饭洗衣，乃至于要给她念报纸讲故事陪她唠嗑儿解闷儿。但那母亲对这一切的反应是没有任何反应。她眼睛睁得大大的如两个铜铃，嘴唇抿得细细的如一道刀痕。她坐在那里不哭不语，不动不晃。

她便是曹叔的原配。死于车祸的便是曹叔唯一的儿子。

我至今没有问过曹叔这回事。也不应当问。但我至今仍不免悬想，他那原配究竟还在不在人世？如何生存于这人世？曹叔从来没有爱过她。她的公婆也不可能给予她爱。唯有由她输出己爱培植出的儿子能回报她以爱，使她灰暗的生命趋于明亮。他们母子相依的生活流程刚刚达于一个新的起点，十几年来她每天用多于十个小时的十指劳作（挑绣外贸桌布餐巾），含辛茹苦供儿子上完了中学，又蒙政府政策照顾，没有安排上山下乡而分配到了一所很大的工厂，在一个很大的车间里当上了车工，并且开始领回了工资，给她置买了新的衣衫和鞋袜，跟她反复地说："妈，打今儿起就是我养活您了，您该歇着了！"还懂得给她往家里带她最爱吃的酱牛肉和京白梨，又在她督促下为自己置买了新自行车和新手表，谁料到这刚刚达到的新起点竟也是突然降临的终点。她失去的不是一个儿子而是生命的一切。她的命运为何如此悲惨？冥冥中真有主宰么？谁这般忍心？

12

70年代中期，曹叔和八娘又回到了北京，带着表妹涓。涧留在了河南。在"五七"干校时，他们都以为再不能回到北京了，而涧已上完中学，所以就进了当地一家工厂当工人，刚得到那机会时，八娘还曾在给我的来信中表示他们非常高兴，因为并不是每一位"五七"学员的同龄子女都能进到那样一所国营工厂当正式工人，有许多只好到干校邻近村落里插队。表妹沁他们过继给了在上海的七舅舅和七舅母，使沁迅速成了一位满口哕腔的上海姑娘。

曹叔和八娘回到北京后，我去看望他们。他们一家三口挤住在一间狭小的平房中，他们以往在北京从不曾住得那么糟糕，但他们却喜形于色，因为毕竟回到了北京又有北京的户口了。八娘一边招呼我和曹叔挤坐着喝酒一边念叨着："就是小涓可怜啊！唉，当初真不如就让她在附近村子里插队哩，你说谁想得到呢？现在的政策是允许插队的办回来，进了国营工厂的倒一律不能随父母回北京，唉……"八娘经过干校的洗礼变成个十足的老太婆了，脸上添了许多的皱纹，并且不大显现原来乐观的天性，"完了！"的感叹也大为减少。曹叔却似乎没有什么变化，对比之下，他比八娘显得年轻许多，也许那天是刚刚洗过澡、理过发的缘故吧，我觉得曹叔比以往还英俊潇洒。他仍是喜忧不形于色，表情淡淡的，同我边喝边扯闲话，他嘴里谈的，远不如他给我寄来的信上写得那么丰富、生动，他基本上是有一搭没一搭地问我这个那个，我说得很多，我问他什么，他有问必答，但都很简要。

没多久就有"四人帮"倒台的大转折。曹叔的父亲从原籍回北京落实了政策，他自然不便与曹叔的原配去住，曹叔弟弟那里，或者是不欢迎他或者是他不愿去，结果就住到了曹叔那里，曹叔的住房条件并无改善。只不过多了一间厨房，老人就在厨房里搭了一块铺板凑合着住下。我直到这时才认识了这位曹爷爷，他衣衫破旧，但面容整洁，而且红光满面，下颏蓄着一撮白须，与长长的白眉相呼应，见到我蔼然可亲，礼数周全，说话露出一口完好的白牙，使我猜想到，他年轻时一定比曹叔更风流偶傥。同时我也默默地想：昔日有着一所大宅院的他，那土山上的亭子也比这低矮的厨房面积大啊，日推月移，如今他在京华中竟只能这样地存在，《红楼梦》中的《好了歌注》真是不能不服呀！

八娘原来同这位公公是互不相认的，因为公公认为自己的大儿媳是那位原配，而那位原配也尽心尽力地对他执媳妇之礼；事到如今，八娘同曹爷爷只能面对面相处，并且是在极其狭小的空间中，依我从旁冷观，他们渐渐地也就习惯了。有一回我去他们那里，曹爷爷到胡同里遛弯儿去了，八娘一边做菜一边主动地对我说："我们爷爷倒是个难得的好脾气，你看这么不方便，他也能将就着，从没提过什么要求，有过什么抱怨——对了，他唯有一条要我们，包括小涓，为他做到，就是'千万莫把绝后的事儿告诉曹楼的人'。你懂了吗？完了！你还没明白过来么？你晓得曹家他这一支，他老子单有他一个，他这一房两个儿子就你曹叔给他留了一个孙子，好容易长到二十出头竟让大卡车给撞死了，他不就绝后了吗？他们老人是不把小涧、小沁、小涓她们作曹家人的，早晚要嫁出去的嘛！这事对他的打击比遭'红卫兵'遣返大得多，他不怕他那个老家曹楼村的人批斗他如何如何反动，他就怕这消息传过去人家笑话他绝后……其实我们怎么会去说这个又找谁去说这个呢？但只怕那曹楼村的人早晚能得着消息……唉，我们这位爷爷也真可怜！你看，挤在厨房这么个kaka里头过日子……"

其实以亲戚而论，八娘与曹叔及三位表妹算我的亲戚，曹爷爷已不甚与我相干，曹叔的那位原配更与我风马牛不相及，但曹爷爷的命运，那位原配的命运，至今仍偶尔牵动着我的心肠，使我浮想联翩，扼腕感叹。我的心肠是不是过于柔弱了呢？

13

人生的大趣味在于变化。意想不到的变化是最浓酽的趣味。当曹叔他们背朝青天脸朝泥巴地在"干校"插秧、割稻时，当他们被一遍遍地训诫着要对"干校"生活作"长期"乃至"终生"打算时，他们怎会想到几年后，不但能够回到北京，恢复机关的工作，而且还能出国考察，所考察的竟又是美国呢？

曹叔所参加的那个考察团是先飞往西欧再飞往美国的，当中在巴黎有一天的停留，曹叔因此游览了向往已久的花都巴黎。曹叔同我喝着黄酒，慢条斯理地闲话巴黎和纽约。他说起在巴黎时，他们团的一位成员，不知是上飞机前吃了什么不干净的东西，还是飞机餐里的什么东西变了质而未觉察，下飞机后肚皮里就闹腾起来了，因为他们在巴黎只停留一天，公派出国的团体只能集体行动，个人身上连一个子儿的硬通货币也没有，语言上又有困难，所以只能是集体游览——大使馆派出一辆大巴士，向路经巴黎的各种出国团体提供方便，乘坐那巴士可以速成式地浏览巴黎风光，巴黎铁塔、圣母院、卢浮宫、凯旋门、协和广场等每处最多停留半小时，最少只给一刻钟——那位成员自然不愿放过这一生难逢的机会，因为他们从美国考察后不再途经巴黎，他估计自己以后再无游览巴黎的可能，因此强忍着肚中的造反登上了游览车，开头去到几处，尚能勉强将肚中"造反派"镇压下去，后来就不行了，简直是活受罪，找厕所又不会找，有的厕所收费又上不成，找到一处又怕误了回巴士时间，结果弄得神魂不定，坐到车上时竟至于憋忍不住而流泻裤中，使周围的人掩鼻奚落。曹叔讲完此公遭遇后咋舌感叹说："这也许就是命，就是所谓缘分吧——他跟巴黎就那么无缘，现在问起他来，他后悔那天为什么不就留在使馆招待所中——他说一路上他什么印象也没留下，唯一的印象就是自己的狼狈和臭气……"

"我就不信我命里注定要在河南过一辈子！就跟北京无缘！"

切断曹叔语头的是涧表妹。她又一次从河南来京探亲。因为她的归来，八娘家变得更加拥挤。八娘悄悄告诉我，晚上曹叔只好睡在书桌上——别看他去了美国，还逛了巴黎！

从河南回来的涧表妹我简直认不出来了，那不仅是因为她已长大成人，模样上起了变化，她那原来充满弧线的脸庞已有几处——例如下颏、鼻翼——变为了生硬的折线；更重要的，是她性格似乎已与从前迥异。当年她拎着手风琴时，眼里的那种稚气和欢乐哪里去了？还有在后台见到我勇哥他们那些演员时，那种纯朴的大惊小怪和迸发着生命力的狂喜怎么荡然无存？当年她还有在生人面前极为腼腆的一面，而据她自己的陈述，她现在简直不懂得自尊心和面子在这个世界上值得几分钱！

我以惊讶的目光望着涧表妹。以前我没把她看在眼里，一方面固然是因为她小，另一方面是因为她太单纯，单纯的东西我们可以喜欢却不会特别地加以注意。长大成人的涧表妹坐在我面前，目光冷峻，语调尖酸，她对我，也对父母，乃至爷爷，宣泄着她刚刚积累起来却颇为厚重的人生经验：

"……我们那个站是个小站，每次火车只停一分钟，上了车当然不会有空座位，有时候连厕所门外都挤着坐着好几个人。开头我脸皮嫩，就那么忍着，你忍吧，几个钟头，十几个钟头，你就别想坐下，一直站回北京！座位要自己找！自己的命要自己去挣！缘分不会从天上掉下来！这么简单的道理，我得来容易吗？不容易！……现在我一上车就往车厢里挤，我从一号座位问起，一个挨一个地问，一排一排地问，人家不理我，我也不生气，可我也不停下不问；人家回答的话难听，或者骗我，我也不在乎，反正我还要问下去；问什么？就问：'您哪站下车？'那么一排排问下去，问到一个最近一站下车的了，我就破开脸对他说：'好了，您下车这座儿我坐，我就在您边上等着了。'他高兴也好，不高兴也好，我就在那儿死等了。别以为脸皮厚到这个分寸座位就把牢了，有时候那下车的人屁股刚挪开，有人就抢在我前头把屁股搁上去，所以后来我就把脸皮更加厚了几分，问妥了坐在座位上的，我还要跟站在周围的人都说清楚：'这个座位是我等的，他下了车可该我坐，谢谢你们了！你们要是谁不同意，早一点儿说，我好再往前等别的座儿去！'这就把牢了，过那么一个来钟头，我就坐下了，坐下来是真格的，就是跟站着不一样，而且这座儿是我自己挣来的，坐着格外舒服……也有人看着我，仿佛嫌我年轻轻的又是个姑娘怎么这么不顾脸面，我就看着别处，给他一脸冷笑，脸面？我没丢别人的脸，再说，脸面值几个钱？……"

润表妹就这样开始了她寻找自己人生座位的奋斗。八娘暗地里流过泪，为当年不该一念之差把小润送进了那工厂，害得她一个人流落在外；为小润的性格变得如此粗糙，甚至对父母说话也变得生硬而功利；为曹叔和她自己缺少门路无法将小润弄回北京……八娘也托过我，看能不能找到线索，用对调的办法将润表妹调回北京，我挠着后脑勺发愁，且不说没有线索，就是找到原籍是河南那个县的人，人家又怎么会愿意离开北京回到原籍呢？

润表妹的探亲假到期了，临回去以前八娘弄了一满桌子的菜，我也凑热闹给她送行，润表妹在饭桌上只拣一种她最爱吃的菜——鲜藕肉盒吃，对于八娘的眼泪汪汪和曹叔的额纹抖动，似乎全都无动于衷，末了冷静到极点地说："你们就都别操心了，连小表哥也别再帮我打听，你们都是只能靠组织、靠别人、靠运气解决问题的人，出了家门儿脸皮嫩、舌头软，不顶用的。我想好了，我自己有办法——我回去以后就自己跑，一户户地去问，你们家有没有人在北京工作的？有没有退休想叶落归根回老家的？在北京什么单位？那单位让不让对调？……我就不信一个县里问不出一个来！……"

两年以后，润表妹竟真的用这办法将自己调回北京了，是在一家近郊的仓库里当统计员。

14

当我心烦的时候,我就抻过一张纸来,在上面先写一行"我究竟在烦些什么?"然后开列出 1、2、3、4……开列完了逐项冷静地考虑,将它们再分成 A、B、C 或更多一点的级别,接下去就能把 C 级以下的逐项划去——这其实很不值得发烦,这其实很容易排除或实现,这是"自作多情",等等——剩下的几条,集中精神想想,而且尽量往好处、宽处想。最后,望着那张纸,心里就松快多了,尽管事态一点变化也没有。

曹叔和八娘一家回北京很久了,我父母还未给落实政策,原在北京工作的阿姐和二哥也还未回到北京;我自己虽娶妻生子,建立了小小的家庭,聊可自慰,但事业上困阻颇大,经济上甚为拮据,烦恼事真是一大堆。

那几年里,我在北京唯一的亲戚,就是曹叔八娘一家,出于对他们的关心,有一天我也抻过一张纸,为他们开出一串他们的烦恼,综合分析了他们的各项烦恼以后,我把所有的箭头都集中到一个字上,并用红铅笔把那个字重重地圈了起来。那是一个"房"字。

涧表妹虽然对调回了北京,却并无宿舍可住,办对调手续时,接收单位就把话说在前头了——人可以来,住房请自理——她回到北京便给家里买了一张上下铺的铁架床,让涓表妹睡下头,她自己睡上头,铁架上下铺紧挨着曹叔和八娘的双人床,当中拉一幅布帘,这样睡了些时候,曹叔感到很不自在,后就换成八娘和涓表妹睡双人床,涧表妹睡上下铺的下铺,曹叔每天晚上爬到上铺去睡。但这样睡了一阵,又因为曹叔块头儿太大,一翻身就满屋子的咔啦咔啦响,涧表妹说简直是地震,最后曹叔和涧表妹又易了位——别忘了外面厨房中还有爷爷,爷爷身体垮了下来,晚上忍不住地咳嗽;全家这样地睡觉在盛夏尤为痛苦。

他们合用的空间如此之小,却又至少总有三个人白天仍要留在家中,爷爷不必说了,八娘因为确诊为冠心病,提前退休了;涓表妹因为考大学失利,决心在家复习一年重上考场;这样就引出了许多难以避免的摩擦。

当然,希望在前,曹叔他们机关正盖宿舍大楼,大楼刚打基础,机关的分房委员会已经开始工作。为了公平合理,根据十多种因素给每个人打分,我听八娘给我念叨过，他们有希望分到三居室的单元，关键在有爷爷同住，因为三代人比两代人多五分，倘若他们的三代人是有一位奶奶或姥姥，因为他们是两个女儿，那就要再从五分里扣去两分，因为人家觉得女儿可以同奶奶或姥姥同住一屋。

那一阵子我去曹叔八娘那里，或偶尔曹叔八娘到我的小家庭来，我们的话题往往不知不觉地就转到了房子上。涧表妹很少到我家来，涓表妹根本就不来，因为她自从考大学失利以后，就抱定了某种其实是过分的决心。据曹叔八娘说她在家跟他们话也很少，跟姐姐和爷爷甚至能不说话就不说话，一天到晚坐在屋角的书桌前温书——那书桌别人都自觉地不用，尽着她独享——我去他们家时，她往往头也不抬地继续背书、做题，所以我对她留下的印象，只有两个反射着光影的近视镜的圆片儿，以及偶尔发出的"你们声音小点儿行不行？！"的呼声；吃饭她往往不到厨房的小桌边，而由八娘把饭菜给她端到书桌上去。

但有一天忽然有人敲我们住的那间平房小屋的门，开门一看我愣住了：是涓表妹。我把她让进屋来，只觉得眼前是她那副高度近视镜的圆片儿冷冷地放着光。我简直想不出她跑来找我的道理。她摘下了眼镜，我这才发现她原来也有一双富有感情的眼睛，我看见她眼眶里蓄满泪水，她掏出手帕去揩那泪水，这时我心里一紧，慌慌地问："怎么了？"她用悲戚的声音告诉我："爷爷死了……我爸突然犯病，我妈让你去帮忙……"

我举起脚就跟涓表妹到了八娘家，帮着料理一切。我发现不仅曹叔在失去父亲以后从内心里迸发出了强烈的人子之情，八娘和表妹们也都真的流泻出超乎我预料的悲痛。原来爷爷在大限来临之前，挣扎着对他们说的最后一句话是："对不起，我没能为分房子坚持到底……"的确，按分房委员会的计分法及规定，他家爷爷一死，他们就不再可能分到三居室而只能分到两居室。

当我陪着曹叔去寄存曹爷爷的骨灰盒时，我痛切地感觉到那盒骨灰在分房计分表中值整整五分。我脑子里不知为什么浮出了那胡同院中的土山和四角亭。后来我再骑车去那院墙外张望，土山连同四角亭都没有了，那里正在盖一座楼房。原有的居民都迁走了，因此我也不可能在那里遇上一位端着脏土盆倒垃圾的小脚老太太了。去了，去了，该去的都在离去。

15

去的在去，来的倒也在来。企盼的和未曾料到的，该来的都来。

80年代以后，我自己家的各个方面都有程度不同的良性变化，这暂且不说它；曹叔八娘一家也日渐好转起来，头一项，就是终于住进了新住宅区——团结湖的单元楼，而且分到的是三居室——曹爷爷临终遗言传出去以后，引起了普遍的同情；而且不仅家里明摆着有两个大女儿，沁表妹在上海的户口问题遇到了麻烦，她很可能不得不按有关"干校子女"的政策仍迁回北京，这就更促成了三居室的到手。

曹叔他们高高兴兴地迁入新居以后，八娘就到上海去了，一来去看望多年不见的兄妹，二来好把沁表妹的户口归属落实——这倒不成为她的心病，因为无论沁表妹最后是在上海落户还是回北京团聚，都令人高兴，只要不再悬着就好。此外还有一桩喜事——四娘那已经35岁多年落实不了对象的儿子沈锡松，终于宣布要在国庆节结婚，八娘正好可以赶上他的婚礼，热闹一番。

八娘去到上海一周，忽然一天中午曹叔到我家来，爱人上工去了，我不会做饭，便请曹叔上什刹海边银锭桥畔的烤肉季去小酌。直到落座以后，我才发现曹叔眼神有些异样。我原以为他是八娘不在，发闷无聊才来找我消遣消遣的，看他那眼神我猜想是家里出了点什么事，是涧表妹又有什么古怪的表现？是涓表妹高考再一次失利后精神状态不能稳定？我只是望着曹叔，等他开口。

我们的座位靠窗，望出去是湖畔高高的杨树，以及它们倒映在湖中又被微风吹得不断抖动的图像，一个卖糖葫芦的老头在湖边倚着铁栅栏打瞌睡，那些插在玻璃匣子内外的糖葫芦无人问津，倒引来了几只粉蝶上下翻飞；曹叔望着窗外良久，才呷了一口白酒，幽幽地对我说："你四娘没有了……"

我吃了一惊。四娘我与她相处的时间很短，就是有一年她从上海来北京散心，住在八娘家中，那时候涧表妹她们都还小，我曾陪她及八娘带着头两个表妹去游颐和园，当中要换几次车，每次一挤上公共汽车四娘就抢着去为大家买票，那阵式就像在抢银行似的，倘若大家不是从同一个车门上的，她买妥票后总要扯着大嗓门用地道的四川话嚷："买了票了啊！八妹你们就莫买了啊！"那声音响彻全车，引得许多人既张望她又转头张望猜想中的"八妹你们",每回都弄得我很不好意思。四娘在任何场合都使用这种大嗓门讲话,在家里也是如此,而且那口气听去大半像是在吵架:"嗬!你把它放稳当些嘛!""哪个说的啊!那哪么得行啊!""完了!未必哪个是哄你们么!"其实,她那么甩着大嗓门讲话不仅绝非吵架,而且是诚心诚意地倾泻着亲热。这也许是我们四川人的一大特点,所谓谈话十分"展劲"。前几年我回四川住在一家旅店中,傍晚时刚在床上靠靠想养会儿神,就听见走廊里好一阵吵骂声,几个人都甩着大嗓门,声音既高昂又急切,还夹杂着拍击身体的声音和尖叫,我实在忍不住了,遂起身出门劝架,哪知定睛一看,是几位服务员在极为亲热的互相嬉戏,无论是他们互相切断对方的话头高声笑骂,还是互相拍肩打背,以及尖声叫喊,都只说明着他们心境的欢乐与生命力的旺盛。四娘便是一个典型的洋溢着欢乐精神的生命力旺盛的四川人。从未听说过她有什么病,年纪也不算太老,况且所钟爱的独生子又洞房花烛得大欢喜,她怎么会"没了"呢?

曹叔只顾喝酒,不怎么夹菜。我劝他多尝一点烤肉季的风味烤肉和甜味羊肉"它似蜜",曹叔慢慢腾腾地夹口菜,呷口酒,两眼不望着我而望着窗外,用一种仿佛在叙述非洲的什么与我们全不相干的事情那样一种口气,淡然地向我报道:"你沁表妹打来个长途,让我去上海接你八娘来。她被四娘的事弄懵了。你那表哥的婚事一切都筹办好了,只等着在南京路上一家饭馆请客办事。就在要办事的当天上午,你四娘忽然想上街再买一样东西,她出门的时候你表哥劝过她,那东西什么时候都可以去买,何必这么着急?她却非去买不可。就那么去了。结果,过马路的时候,她从一辆停在路边的面包车的车头前往前穿,一下子被忽然开过来的一辆运货卡车撞倒,当场就死了。"

听完这叙述我再吃不下菜,又是车祸!我茫茫然地望着窗外,湖水中漂着些杨树叶,卖糖葫芦的老头在伸懒腰,斜对岸有个孩子在抖空竹,传来阵阵嗡嗡的声音。我心里空落落的,把目光转回来,恰恰与曹叔的目光相对,我发现曹叔眼仁里增添了某种我不熟悉的因素,我心里一颤。

"是呀,"曹叔喝了一大口酒,用手背抹抹嘴唇说,"我这边,是车祸死了人,死的是儿子;你八娘那边,又是车祸死了人,死的是当妈的。都在大马路上,光天化日之下。这算怎么回事?"

　　我的心往下一沉。我从小受的无神论、唯物主义教育，但曹叔八娘身受的这些遭际，不能不让我犯疑。对能够认识到来源的打击，我们可以以理性来支应它，对莫知其因的神秘打击，我们从哪里取得抗击力和支撑力呢？

16

　　八娘和沁表妹回北京了。我去看她们，大家都回避着四娘的事不谈。

　　日子一天天地过去，伤心事渐渐也就化解了。后来沁表妹在园林局找到了一份不错的工作；涓表妹卧薪尝胆终于成功，考上了北京大学印度尼西亚语专业；涧表妹正积极地找对象，她那种形同当年在火车上找座位和主动寻觅对调线索的大方劲儿，使曹叔八娘对她的婚事不怎么焦虑悬心，尽管楼里与她同龄的姑娘纷纷都已结婚乃至生了娃娃。

　　我也给涧表妹介绍过几回对象，她都很坦然地去接触考察。有回我把从我父亲这边算称作香姑姑的大儿子介绍给她，约定在故宫神武门外会面，我陪涧表妹走到神武门，忽然先闪出一高一矮两个姑娘来，迎着我叫"小表哥！"随后才有我那位表弟显露出来——他的两个妹妹不知是出于好奇还是出于怕哥哥轻率从事、上当受骗，竟大摇大摆地来参与这次的会面，我好尴尬，这是事先没有说好，且也未曾料到的；涧表妹却毫不慌张，大大方方地去售票处买来五张门票，引大家一同进入御花园游玩。这么五个人搅在一起，算怎么回事呢？我想告退，又怕涧表妹事后更加埋怨我；那两位俨然以大姑子小姑子自居，竟毫无回避之意，那位大表弟倒脸上讪讪的，似有难言之隐，涧表妹却愈加镇静，她干脆迎上那两位本不相干的人，同她们闲扯起来，这就使得我同那位大表弟被撇在一边；我悄声问那位大表弟——其实并非真有血缘关系的姑且叫做大表弟的小伙子——"你觉得我这表妹风度怎么样？"他含混地应着："当然，您介绍的还差得了么？"我知道他在找对象上对女方的相貌和风度是相当挑剔的，这也是他老大不小仍未落实婚姻的主要原因。但从他那闪烁斜视的眼光中可以推测，他那两位自己尚未出阁的妹妹，似乎对未来嫂子的相貌和风度要求得更加严格，尽管在相貌风度方面她们自己究竟是个什么水平，也还构成着可以争鸣不休的学术问题。

在一处亭子里大家坐定，那位大表弟买了五份冰激凌发给大家，但三位女性仍凑在一起说话，是二比一的阵式，我发现她们进行着微笑战斗，所说的话似乎都很平淡很礼貌很得体但脸上那挂出的微笑里却伸出了无形的针尖和麦芒，涧表妹虽有点"寡不敌众"，但毫不示弱，颇有蔺相如立于秦庭的气概。

这次会面自然没有任何积极的成果。而且自此以后我再也不揽这一类的瓷器活儿了，涧表妹倒丝毫没有对我流露对这次故宫御花园之游的不满。

17

一个星期日，我去看望曹叔、八娘，家中只有八娘一人，她跟我没对上几句话，忽然爆发出对涧表妹的怨愤，这颇令我吃惊，显然，她隐忍了很久，但终于按捺不住，怨愤既已涌出，她也就不再顾忌，任其喷发倾泻。

八娘告诉我，涧表妹现在自私得可怕，例如某天她买回一斤肉馅来，搁进家里的冰箱时，偏要说一句："这是我的，星期五请客包馄饨的。"她们单位歇星期五，她有时请几个相好的同事来家，搬开桌椅打开收录机放音乐练跳交谊舞不算，还要凑在一起包饺子或馄饨，吃吃喝喝说说笑笑；结果那个星期五她约请的同事们不知为什么一个也没来，八娘很自然就从冰箱里取出她买的肉馅要烙馅饼给全家吃，涧表妹见到竟冲上去，一点情面也不讲地阻拦说："别动我的肉馅！你们有自己的肉馅嘛，用你们买的嘛！"八娘自然不高兴，少不了说她："我做馅饼你不也吃吗？"涧表妹则立即反嘴："我每月不是都交伙食费吗？"诸如此类，已成常态。此外，八娘眉头皱得紧紧地告诉我，涧表妹现在越来越奇装异服，街上乱买些怪模怪样的出口转内销的货不算，还自己动手剪裁一些"简直丢人"的服装，例如八娘看去认为是只能做睡衣睡裤的布料，涧表妹却偏缝制成连衣裙，并且大模大样地穿上身，摇摇摆摆地上街去；据涧表妹自己声称，她要钻研服装设计，将来自己开一爿服装店，专营最时髦的女服。八娘认为她神经恐怕是有点儿不正常了，但简直不能数落她一句半句，"她那张嘴，活像冰箱里拿出来的水果刀，又快又冷，连你曹叔也拿她没有办法！"八娘边谈边连连摇头。

偏偏这天八娘刚跟我唠叨完，单元门钥匙孔一阵响，涧表妹从外面回来了，她穿着一身大块白与大块黑组成的连衣裙，一脸若无其事的表情，八娘迎上前去问她："怎么？今天下午不上班么？"涧表妹坦然地告诉她："下午跟别人倒班了，我在家歇半天。"八娘嫌恶地打量了一下涧表妹那身的确怪模怪样的连衣裙，老着一张脸去厨房做饭了，涧表妹倒兴致勃勃地跟我聊了起来。她让我帮她找几本国外的时装杂志，哪怕借看也行，她说日本有一种《登丽美》杂志对她来说最有参考价值；我问她为什么把连衣裙做成大块白与大块黑的样子，脖颈处为什么不对称，下摆底缘又为什么是斜线。她对我侃侃而谈。给我印象最深的，是她对颜色的论述："世上最美的颜色，是黑、白、灰三色；要说配色，红与黑是永恒的主题，我今天下午就试着做一件蝙蝠衫，深黑配大红，等我穿出来你看吧——"正说着，厨房里几声锅铲击锅帮的锐响，涧表妹走进去问："妈，要我帮你炒吗？"八娘恶声恶气地回答她："你还帮我？你不把我气死就算好的了！"

糟糕！一场母女口角就此开始，我走过去想劝，她们唇枪舌剑，一句咬着一句，我简直插不上嘴。

"我怎么了？招您惹您了？"

"我见不得你那一身怪样子！"

"我穿我的，又没强迫您穿，碍您什么事？"

"大白大黑的，办丧事么？莫在我眼前晃来晃去！"

"躲着您还不容易？可您的丧气事再多也赖不着我！"

"我有什么丧气事？我不像你，都这么大了，嫁都嫁不出去！"

"嫁不出去碍您什么事？嫌我老在家住么？分房子时候有我的一份分数，我住这儿名正言顺！"

"哪个嫌你在家里住了？你莫狗血喷人！"

"行了行了，我还不知道您的，自己糊里糊涂提前退休了，整天窝在家里头，哪还有点知识分子的味儿？整个地一个家庭妇女，闲了没事就找别人别扭！"

"完了！我好心倒变成驴肝肺了！当年要不是为了把你弄回北京，我能愁成这么个老太婆模样么？"

"回北京我靠的是自己！"

"好嘛好嘛！你就自己一个人去过嘛！早晓得落这么个下场，我就不欢迎你回来！”

"我回来不取决于你欢迎还是不欢迎！"

"天哪！就算我没生你这么个女儿！"

"可你就偏生了我这么个女儿！"……

我在她们母女之间旋转着身子，连连摆手哀求双方："算了算了，莫说了莫说了……"却毫无效果。

一阵门铃响。她们家安的是音乐门铃，奏的是《致爱丽丝》，居然要奏半分钟才停。在这半分钟里，八娘和涧表妹总算偃旗息鼓。我过去开的单元门，门外的人我不认识。

"啊，是老丁啊！"八娘迎到门前，满脸堆笑。

"丁伯伯，您来啦！"涧表妹也轻盈地迎到门前，满脸和悦。

虽是不速之客，显然母女两人都真诚地欢迎。叫他们三方几轮问答过去，我就明白，丁伯伯是给涧表妹介绍对象的，这介绍工作至少已延续了相当一段时间。

"你来得正好！今天恰恰有你最爱吃的炒苦瓜！"八娘手忙脚乱地张罗着。

"我爸刚买了一坛子'加饭'，我来给您烫酒！"涧表妹快活地旋转着身子，跳舞似的去取那酒。

我便借机告辞，说有事。三个人都坚持留我吃午饭，我说确实有朋友等着我去，要请我吃烤鸭，这才放我走。

走在大街上，我回想着八娘涧表妹母女争吵的一幕。迎面来风，一些细沙打在我脸上，痒痒的。也许，人生必得如此。我微笑了。

18

涧表妹结婚了。新郎就是那位丁伯伯介绍的。他们实行的旅行结婚，京沪线上有亲戚，所以前半段路线是泰山—曲阜—南京—镇江—无锡—苏州—上海；上海亲戚最多，因此下半段又以上海为"根据地"，"出击"杭州、黄山、九华山；最后从上海乘飞机回北京，领略一下腾空而行的乐趣。

涧表妹夫妇旅行结婚期间，我去曹叔八娘家，曹叔发胖了。他本来就人高马大，如今更魁梧惊人，八娘指着他对我说："完了！你看嘛！他那个腰得了呀！小涧要给他裁条裤子，量了几遍尺寸，手里头拿着剪刀，就是不敢往料上下手呀！小涧跟我说：妈呀，爸爸的腰嘣么这么粗哟！这么裁下去，横起竖起一样宽，眼睛望过去不习惯哟！我就跟她说：尺寸不骗人嘛，你就依到尺寸下剪刀嘛！……完了！要是还像当年那么发布票，我们一家人的布票凑起来供他一个人怕都还不够！呵呵呵呵……"八娘尽管背已微驼，头发麻白，一说话脸上的皱纹就随着话音抖动，但涧表妹的成家似乎使她的性格恢复了一些乐天与达观。

曹叔因在部里提拔司局级干部的竞争中失利——表面原因是不够"年轻化"的条件，他已 59 岁；八娘则认定深刻的原因是"他上头没有人"——所以打算不久离休，这样他们老两口就都要过家居生活了。我便劝他们合作写书，我记得早在 50 年代初，他们就联名在《人民日报》上发表过关于植物保护的文章——那时候《人民日报》定期刊登一些专业性的文章——我父亲母亲当年是订阅，并精读《人民日报》的，曾很为他们骄傲，并剪下来夹存，多次用以激励我的上进。后来八娘更发表了许多养蜂方面的研究文章，记得有一篇也是发表在《人民日报》上，几乎占了一整版，当中还有若干曲线图、数字表格什么的，那时候中苏关系恶化，中美之间尚无外交关系，但苏、美两国的农业科研机构都曾致函《人民日报》社，要求与八娘取得联系。

我提起这些"当年勇"，引出了曹叔和八娘的怀旧之情，他们便从书柜、壁橱里取出许多卷宗夹和书刊来，坐在沙发上翻检开了，卷宗夹里是许多已经发黄的剪报，他们当年所发表的专业性文章远不止我所记得的那两篇；许多大厚本的农业辞书，编写者名单中都有他们；而《中国养蜂》的合订本更全部都浸润着八娘的心血，她抚摸着那刊物对我说："你信么？当年专职的编辑人员就我一个，从约稿、改稿、编稿、发稿、画版、跑厂以及寄发稿酬，都是我一个人干，刊物也一本一本地印出来了，现在的刊物呢，动不动二三十个人，唉唉，我们那时候啊……"

我竭力鼓动他们"重打鼓，另开张"，曹叔深深地叹口气说："我后来撂下科研搞行政工作去，荒废了啊！"八娘拍打着膝盖说："完了！你以为写这种文章跟你写小说一样？没有实验设备，没有大量数据，没有最新资料，关在这单元房里哪么写得出来？……可惜啊，当年那些实验课题刚搞到一半，政治运动一来，不是停了就是误了，后来连实验棚也取消了，改成了种黄瓜、西红柿的暖棚，说是那才是直接造福于人民；还有好好的一个养蜂研究所，'文革'里头说撤销就撤销，十多年以后又恢复，设备、蜂群还好恢复，资料呢？都失散了，莫说有经验的科研人员不好找，就是有经验的放蜂员也难找啊……"

聊到最后，曹叔八娘一起向我举出一个例子，他们一位好朋友，退休以后一直刻苦地著书立说，写的是一本关于螨虫的学术著作，送到出版社去，编辑看完连称"了不起"。但就是压着不出，因为在新华书店征订，征订数还不到100本，出版社实在赔不起，结果是请作者自己出3000元印，你想搞科研的人哪来的积蓄，何况又退了休，再加上脸皮嫩门路窄，破开脸求亲告友好不容易才凑足2000元，出版社都打算付排了，财务科核算后又让编辑来找他说，如果开印，他需补上的不是1000元而是2000元，要是他不补追加的1000元，那么，印出后就得由他自己销售300本，那作者一听立时血压就上去了，家里乱作一团，后来就决定再等一等，看出版社能不能发一笔财，使几本像他这样的学术著作得以正常开印，这么一等就是3年。有一天有人给那作者带来一本国外这方面新出版的书，那人也是多事！何必给他看呢——谁想到他一看，竟晕过去了，醒过来以后脾气变得暴躁不堪，家里人注意不够，几天以后无端地一发火，顿时就脑溢血去世了！原来国外那本书展示的是当年国外某科学家在那一课题里的最新成果——而那成果在我们中国这位作者的书稿中早已显示了！

"所以，我们也就不作此想了……"讲完他们朋友的这番遭遇，曹叔把摊放一茶几的书本收敛起来，向我宣布，"我离休回家以后，就练字吧，我喜欢书法……"八娘则若有所失地喃喃自语："唉唉，小涧算是落实了，还有小沁、小涓啊……"

19

这以后我搬了家，搬得离曹叔八娘他们很远，加上我陷于名利场中，整天瞎忙活，所以很少去他们家了。涧表妹倒时不时到我家来打一头。后来她有了儿子，就带着儿子来。

润表妹到我们家后，说话里总少不了一个符号，比如："这件衣服的色调晓强就觉得好"，"要依着晓强的脾气，他就不看这个节目"，"你写累了应该做一套就地保健操，不离开座位都行，就像晓强那样……"开始，我和爱人都抓不住这个符号，不免问她："谁觉得好？""谁？什么脾气？""像谁一样？"……后来，我们听得耳朵里结茧子了，往往不等她话出口，就主动调侃她："要是晓强在，他加不加辣椒呢？""我这样做是不是比晓强笨呢？""这事你是不是得请示了晓强才能决定呢？"……润表妹听了总高兴地笑，笑得鼻子上起皱纹，看得出，她不仅爱她的丈夫晓强，而且简直是崇拜他。

晓强姓严。润表妹和他的结晶——那宝贝儿子，取名叫严序，润表妹郑重地解释说："晓强翻遍了《辞海》，最后选定了这个'序'字，光'序'字不算什么，问题是把'严'字和'序'字并到一起，'严序'既符合东方文化的伦理观念，又符合西方文化的理性观念，念起来又顺口，你们不觉得是这样么？"

我们当然多次敦促润表妹把严序的爸爸带到我们家来，以便一睹风采。但她总说他忙："忙得一天好像不是24小时，好像上床睡觉是购买高档奢侈品，连吃饭好像也是荒废光阴……"我们只好从小严序的形象上推想严晓强的面容风姿，不消说，我们想象中的他都有着一个精干聪慧的形象。

我自己也忙，总说得便去润表妹他们那里瞧瞧，结果也总是说说而已。润表妹详细地把她自己的小家庭对我们作了描绘，使我们知道是在东四一带的一条大胡同里，一个挺不错的四合院，几家人合住，严晓强父亲早就去世了，母亲带着他和他哥哥住着两间西屋，那屋子几十年前日本人住过，所以有高出屋外地面的地板，有别致的板拉门；润表妹和严晓强结婚以后，把两间屋子当中的门堵死了，他们小夫妇住一间，严晓强妈妈和严晓强哥哥住一间，各屋走各屋的门，但合用一间另搭出来的厨房，有时合着做饭，更多的时候是分开做分开吃；润表妹和严晓强利用那住房原有的特点，布置成日本式的居室，进屋前先要脱鞋，屋里满铺草席，靠墙是极矮的沙发，基本上用若干软垫子搭靠而成，是润表妹自己设计制作的；严晓强设计制作了一张既可以折叠又可以加长的矮桌，既是饭桌，也是茶几和书桌，他们自己已习惯于席地而坐，润表妹制作了一大堆或圆或方的坐垫，客人来了，他们也就请客人在坐垫上坐，嫌太矮可以坐一叠坐垫；他们的睡具白天都放在壁橱里，晚上才取出来铺在草席上睡；这样，原来小小的房间白天的空间感就非常宽舒；他们的四壁点缀着几件得意的工艺品，窗帘是涧表妹照着国外杂志上的样式制作的，拖地式并有三种闭合法；严晓强又用冲击钻在屋梁上钻了几个孔，嵌入膨胀螺丝，吊了几盆绿叶植物，其中一盆绿萝与严序同岁，如今枝蔓已下垂了三尺有余……

　　涧表妹还把一些其实本不必讲给我们听的情况也讲得很详细，严晓强的母亲，即她的婆婆，和他们处得很好——涧表妹言语之间，流露出一个比较，就是严晓强的母亲也是个退休的知识分子，但比八娘心胸开阔得多，从不在鸡毛蒜皮的事情上计较生事——但严晓强的那个哥哥，竟同弟弟有天渊之别，智力发展上有问题，上学上到小学三年级再升不上去，却迅速地长得五大三粗的，最后只好在街道做纸盒子的小厂就业；这么一个情况自然讨不上媳妇，看来只好一辈子同母亲同住，母亲要是没有了，真不知他一个人如何生活下去；严晓强的这哥哥平日倒不碍他们的事，但有一回严晓强出差多日未回，严晓强的哥哥突然跑到涧表妹他们住的这边来，手里举着两张纸头，满脸憨笑，一迭声地对涧表妹说："我请你看电影去！请你看电影去！"搞得涧表妹手足无措，倒是小严序冲上前去，仰着头轰他说："去去去！我妈不跟你看电影！我妈就跟我看电影！"后来严晓强妈妈为这事直跟涧表妹道"对不起"，涧表妹的结论是，婆婆尽管通情达理，大伯子这么个情况终归让人受不了，因此，早晚还是得搬出去另过。

　　严晓强不仅是涧表妹的骄傲，也是曹叔和八娘的骄傲，有一个国庆节，我匆匆忙忙去曹叔和八娘那里打一头，因为还要赶一个活动，坐了不到半小时就告辞。半小时里曹叔简直没问到关于我和我一家的情况，尽管我们几乎半年多没有见面，我一句随口而出的"小涧和晓强他们怎么没来"，就引出了他一连串对严晓强的夸赞，我笑谈着："真是宝贝女婿呀！"八娘一旁尖声说："完了！你以为你曹叔把晓强当成女婿呀！你总女婿女婿的他怕还不顺耳哩！他是把晓强当成亲儿子待哩！小涧倒仿佛是个媳妇儿了！"我看八娘那一脸丰富的表情，其实，她自己又何尝不是如此呢？他们送我下电梯的时候，八娘当着若干等电梯的熟人和生人，甩着嗓门向我建议："你们文学界现在不是时兴那个报告文学么？我们晓强其实就很典型哩！你哪个不采访采访他嘛！你就写写他嘛！"曹叔也附和着："是个自学成才的典型啊！"

严晓强的确是自学成才。他比涧表妹大两岁，"文革"中他到吉林农村插队八年，回城以后分配在司法部所属的一个部门的食堂当炊事员，学会了白案和红案上的一般手艺，后来他又拜那个部门的一位老木工师傅为师，练就了一手好木工活；再后来他自学大学文科课程，一门门通过了成人教育的单科考试，获取了有关部门承认的大学本科文凭。一个偶然的机会，部里一位副部长发现了他，便把他调到身边试做秘书，他不仅反应敏捷，善应对，有文才，而且在陪伴副部长出差的过程中，不仅显示出解决某些缠夹不清的扯皮事的能力，而且以其知识面的广博和恰到好处的幽默感，使副部长在处理公务之余，还能从他那里得到意外的启发和快乐。

20

终于见到严晓强了。是一个细雨霏霏的夜晚，先接到一个电话，说他是严晓强，问我接待不接待，我问他在哪儿给我打电话。他说就在楼下的公用电话那儿，我笑着说："胡闹，都到我们楼下了，为什么不直接上来？"他乐呵呵地回答说："知道您是大忙人，一般不接待事先没约定好的客人；我这样已经怪难为情了，有点强加于您。"我说："快上来吧！我们高兴还来不及呢！早盼着见你了！"

严晓强站到我们面前时，我觉得除了个头矮些，其他方面都与平日的想象相合。一张未脱净稚气的圆脸庞上，两道浓眉在印堂上交相，两只亮闪闪的眼睛聪慧外露，厚厚的血色充沛的嘴唇，咧开一笑露出两排整整齐齐的小白牙；他肩宽背厚，很敦实，但身材又显得很紧凑，一举手一投足显得很飒利。

"小涧怎么不一块儿来？"我爱人一边给他倒茶一边问。

"嘿嘿，她还不知道我到这儿来了哩……"严晓强落座以后，乐呵呵地说，"早该来拜望表哥表嫂，实在是顾不上——我们这一辈儿的让'文革'耽误了青春，所以把一天掰成好几天地玩命儿找补；我的大概情况你们早都知道了，这两天又有新的进展——我调到中国法制报社了，社里面决定除了出报以外，还办一份《法制文学》的刊物，我跟几个哥儿们应了这个活儿，立马制订了一揽子计划，这不，今天下午刚领了'记者证'，我就按计划跑表哥这儿约稿来了——所以我今天也是无事不登三宝殿；同事们都说我'近水楼台先得月'，表哥啊，你无论如何得让我得着月啊，即使得不着玉盘似的满月，得个镰刀似的月牙儿也行啊……"

"你怎么不给那副部长当秘书了呢？"我问他，"那才是近水楼台呀，那个月亮才大才圆哪！"

"咳，"严晓强坦率地说，"那并不符合我的根本意愿，那只不过是一道光明正大的阶梯罢了——我从一回城那时候起，就盼望着有一天能当记者、当编辑哩！"他把崭新的"记者证"递给我看。我递还给他以后，他又主动递给我爱人看，并且郑重声明："涧还没看到哩！你们比她先睹一步了！"

我高兴地说："我们是先睹为快啊！不过，你不忙约稿行不行？我们先随便聊聊嘛，早听小涧和曹叔八娘说过你，你人不大，见闻挺广，知识面挺宽……"

于是他便同我海聊起来。我爱人端来的一大盘葵瓜子，被我们边聊边嗑，嗑得盘子里精光，沙发下面一地的葵瓜子皮儿。

严晓强讲到他随副部长出差的种种见闻经历："……原来光知道那些显露在街面上的大饭店大宾馆，跟着跑了几圈，才知道还有一些不显山不露水而实际上更高级的地方；有的市民在那城市住了几十年，别说没进过那种地方，甚至听也没听说过，也不大可能从电影电视照片图画上看到那景象，因为完全保密，离内部很远的入口处，甚至入口处外面，就有人站岗守卫……也别把那里头想象得金碧辉煌，豪华不堪，特别是现在对外开放了，那些中外合资的大饭店才是真正地豪华和绝对地现代化，我说的那种地方却另有特点，比如，空间感特别强烈，空荡荡的前厅，大得没有道理的卫生间，老式的笨重得不得了的沙发椅，还有大肚皮痰盂；建筑风格也许是西方古典式的，科林斯式立柱，哥特式窗框，或者还有洛可可式装饰的壁炉，但里头现在几乎绝对不悬挂油画、不放置西洋式裸雕，而挂着国画或书法条幅，摆放着景泰蓝或雕漆工艺美术品……说实在的，住在那里头也未必多么舒服，冷冷清清的，有一种异样的感觉……""说到下面的吃喝风，那是很难刹住的，我们那副部长确实不喜欢下面搞宴请，且不说按规定不该搞那种宴请，就是规定允许，我们那副部长也是个最厌烦饭桌上应酬的人，可你知道吗？有时候你不得不含糊一点，将就一点，入乡随俗，否则，那就不好办！

有一回我们到一个县里去，副部长拉下脸，说无论如何不出席晚上的宴请，因为他听说为准备那顿宴席特意从离县城几十里地的水库里调运了一车活鱼来；我起头也跟副部长一个心劲，颇有点同仇敌忾的气派，宁愿啃两个馒头喝几杯粗茶了事，可是你猜怎么着？我出去转悠了一圈，就没主意了，因为我看见那摆宴席的食堂外面，淤集着不少人。一打听，许多都是一般的工作人员，有的手里还拿着空饭盒，他们都说难得有这么个机会，公费报销吃上一餐活鱼，还打算用饭盒带一点回去，给家里人尝鲜。一位瘦长脸的会计对我说：'你们罢宴，固然保持了你们的廉洁，可我们这么多人，就都吃不上活鱼了——而这些活鱼，也不可能再扔回水库里去；会怎么样呢？你们一走，一半的鱼，就会被五六个头头脑脑分别以处理价分掉，还会用公车给他们一家家送到冰箱边上；另一半哩，倒可能成为明天食堂里的甲菜，我们都得用一大把菜票才能尝到一盘；结果是，你们廉洁，头头脑脑也没犯什么错误，而我们却不能沾光吃上公费报销鱼！'我转悠回去把这个情况跟副部长讲了，我劝他勉为其难，睁一只眼闭一只眼地去赴这个宴，竟把他说动了。结果，我们去了那餐厅，皆大欢喜；我暗中算了一算，一共五桌，竟有四十八个人陪我们两个人吃鱼；但吃完以后回到住处，我对副部长说：'您细想想，如果只有一桌，八个人陪咱们，那么，那四桌四十个人不就没份儿了吗？那咱们十个人不就更特殊了吗？这么着，倒还无形中增加了四十个工作人员的福利！'副部长不以为然，可我至今还在这么想：下面的干部靠薪水也确实难得打牙祭啊，各种大大小小的宴请等于是一种福利，你要取消已经惯享的福利，那是很难的事啊……"

我们又从他们部里聊到家常方面，严晓强坦然而自信地说："其实，好多家庭里的纠纷，完全不必从什么世界观角度思想修养角度道德角度去分析，那样越分析会越糟糕……比如涧和她妈妈，这些年来总不和谐，我一开头也总试图用'代沟'之类的理论模式去套。后来，我想透了，生活是复杂的，人更复杂，有各种各样的因素，有些因素，我们以往很少考虑甚至全然忽略。例如，心理因素，心理问题常常与一个人的世界观、人生观无关；还有生理因素，有时候人的多疑、超敏感、烦躁、失态、语言混乱，完全不是或主要并不是出于真正的是非混淆、爱憎颠倒，而是因为生理上的某种问题，比如内分泌的不均衡，循环系统的不顺畅，传导系统的暂时阻隔和紊乱，等等；所以我最近就常开导涧，不要把妈妈的埋怨、责备以及烦躁、不满都看成是什么深刻的东西，其实那很简单，就是冠心病患者的一种病态，因此遇到这类情况应当完全不存芥蒂，只有充满爱怜地关心维护她的健康；涧正在慢慢适应我提供的这样一种方法……"

严晓强的侃侃而谈把本来忙着别的事的表嫂也吸引过来了，他见我们夫妇都兴致勃勃，聊得更无顾忌："……其实，当然啦，涧有若干明摆着的缺点和弱点，可我同她头一回见面，就感受到她有时候显得外刚内柔，有时候又显得外柔内刚，她身上埋藏着很大的潜力，我说的潜力就是创造力，我喜欢这种创造力！她热爱服装设计，有着一个当著名的服装设计师的理想，别人可能觉得她是想入非非，或者认为通向那一理想的道路几乎是开辟不出来的。我却以为无论她能不能实现这一理想，她为之奋斗的一系列行为本身就是美的；当然，她现在还很不成熟，比如，我就认为她现在过分追求一眼望上去的强刺激，这显然不是服装设计上的高级趣味；我给她提出来了，她气得要命，顿着脚跟我争辩，咦，我又很喜欢她那股子为自己抗辩的劲头，我预言，凭这股子劲头，她又很可能不按常规常理，而是从斜刺里杀出来，获得一种超出一般高级趣味的成功！……"

要不是时间已经很晚，担心他赶不上末班车，我们真想留他再多聊一阵。外面还在下雨，我送他下楼去，他带着伞，撑开了伞，同我告别。路灯下，雨丝衬托中，他一脸的朝气，笑着叮嘱我说："别忘了正事儿——给我们创刊号一篇法制小说！"我有点恋恋不舍，似乎纯粹是没话找话地问："你们单位在什么地方？"他告诉我："在陶然亭里头。临时租借了公园里的几间屋子。报社大楼快盖得了，盖得了我们就都搬过去。"

"陶然亭！多优美的地方！其实就一直在那里面上班才好哩！"我随口应着。

他笑笑，转身走了。我望着他的背影，高声说："以后要常来哟！"

"我会常来的！"他没有回头，只送过清脆的许诺来。

我望着他举伞的背影，直到消失在灯光不及的雨夜中。

21

陶然亭是北京西南城的一个有名的公园。我父亲生前最喜欢陶然亭,他说北京城内公园中唯有陶然亭有一种难得的野趣,再加上陶然亭里有世纪初传奇人物赛金花的墓地,还有什么鹦鹉冢、玉猫坟之类引人遐思的小讲究;50年代初从东四十字口拆下的大牌楼,也迁置在陶然亭中,我家50年代一直住在东西牌楼附近。因此,到陶然亭公园的大牌楼下坐一坐转一转,也是我怀旧的方式之一。

记得父亲有一回同我游陶然亭,在湖边垂柳下,似乎是漫不经心地说:"好一个所在!人固有一死,假使能死在这里,也该知足了!"

果然有人死在了陶然亭。死得很惨。不是别人,就是严晓强。

就在他打着伞同我告别以后的第三天,是一个静谧的傍晚,公园里没多少游客,他们中国法制报社借用的那一角外面简直就没有人影;严晓强因为工作太积极了,忙来忙去忙到下班很久,别人都走净了,这才离开那排屋子往院子外面走。其实也无所谓院子,因为并没有正儿八经的院门,就是两道墙当中留出了一个出入的豁口。他从那豁口走出去,万万没有想到,一辆载重卡车飞驰过来,当即把他撞倒,卡车紧急刹车后冲出了十多米去才停住,司机和搬运工下来一看,滚在路边的人已经血里呼啦,顿时吓傻了。当然,他们也就立即把受害者抬上车去,送往医院抢救。

按说公园里是不该有汽车行驶的,但偏那时陶然亭的某一角正在施工,因而有准予通行的汽车进出;按规定汽车在公园内行驶时速不允许超过十公里,拐弯处更不允许超过五公里,但那天那位司机觉得眼前的路径上旷无一人,又急着去吃晚餐,就没按规定掌握时速而开了快车;偏巧严晓强在那个时候从那个墙缺里走出来。倘若那卡车速度慢一些,或速度虽快而出发得早一些;又倘若严晓强步子迈得慢一些,卡车飞驰而过时尚未及迈出墙缺,或严晓强步迈得快一些,早一点迈出墙缺,卡车驶来时司机已能看见他的身影,也许就都只是一场虚惊,而不至于酿成这样的惨祸。但两个运动着的物体竟偏偏在那墙缺处会合相撞,一个是高速的钢铁巨物,一个是毫无防范的小小肉身,焉能不呈惨象?令人思之更为心酸的是,车祸发生的周围环境并非车水马龙或人流滚滚,倒是湖水漾漾、杨柳依依,墙边的黄刺梅开得正灿烂，岸边花圃中的江西腊朵朵绽得浑圆。

严晓强是被撞破了脑袋，脑浆已然外溢，医务人员们用尽了一切办法，也无法挽回他的生命，但几位医生和护士后来都啧啧感叹——严晓强的机体原属最健康、生命力最旺盛、抵抗力最顽强的那一类，他的脑袋已经撞破，脑浆和溢血已经搅成一团，然而他的心脏却久久地、久久地令人不忍目睹其心电图催人泪下地跳动着、收缩着、痉挛着、挣扎着、喘息着、悸动着、微颤着⋯⋯仿佛有一个无形的声音在呼喊："不！不要！不死！不能死！不愿死！不给死！⋯⋯"

医务人员从严晓强的衣兜里翻出了鲜血浸染的"记者证"，这才同中国法制报社联系，报社的人赶来以后，惊诧莫名，来的几个人谁都不愿扮演通知涧表妹的角色，最后还是由肇事者单位赶来的负责人去扮演了这个角色。他们见到涧表妹自然只说出车祸了、正抢救中，让她不要惊慌；据说涧表妹随车跟他们来医院的路上镇定得令他们惊奇。事后涧表妹告诉我，当时她的心情是坚信严晓强能够活着，大不了留下点残疾，而一个有残疾的严晓强对她来说依然是可敬可爱的，所以她并不怎么慌张——然而当涧表妹到达医院时，严晓强已经全身盖上了白被单。

令所在场人感到奇怪的是，涧表妹没有号啕大哭，也没有掩面啜泣，甚至看不到她的眼泪，她就那么往走廊里长椅上一坐，坐得直挺挺的，两只手放在膝盖上，一脸的冷笑。不管围着她的人说什么、劝什么，她都管自坐定那里冷冷地笑着，一直冷笑到那一夜过去，天光透进医院的窗户。

22

严晓强之死是对曹叔八娘一家最沉重的打击。亲友们背地后窃窃私议：怎么一回事儿、他们家怎么一连三次车祸死人？而且车祸的细节一次比一次离奇。我也独自冥思了很久。那冥思是痛苦而无益的。

我去曹叔家安慰他们。八娘垮了，她已全然失去往昔的风采，呈现于我眼前的不是悲戚而是暴躁，她见我进了屋后便扭头扬声高喊："小表哥看你来了，你出来呀！"从那边屋里走出了涧表妹，头发乱蓬蓬的，脸浮肿着，见到她我只是微微点了个头，也没什么话；八娘瞪了她一眼，竟当着我大声责备她说："你也说句话呀！要么你就哭！丢人啊！你、你、你……你男人死了你都不晓得哭哇！"曹叔过来把八娘劝到一边，又对涧表妹说："小表哥不是外人，你现在不想说什么就再一个人靠靠去，过一会儿再说。"

我和曹叔又把八娘劝进另一间屋去休息。我瞥见了肩并肩靠坐在一起的第三间屋里的沁表妹和涓表妹，可怜她们必须得分担突然降临到这个家庭中的灾厄所引出的纷乱与悲痛。

我和曹叔坐在门厅的沙发中，默默地对望着。曹叔一头理得很圆整的短发已然全白，他虽发胖但皮肤还颇紧凑，脸上的皱纹不算太多，但眼睛里有了更多的难以捉摸的藏敛着的因素，两边嘴角微微向下弯；我一向认为曹叔是条硬汉，经过一次又一次的突发性打击，特别是这一回可谓登峰造极的离奇灾难，我望过去，觉得曹叔依然没有被压垮压瘪。当然，天知道他承受着多么大的压力，尤其是那个神秘的问号：为什么一连三次？

我不知道该如何安慰他。本能地问："严序呢？"

"在他奶奶那儿。他奶奶比我们受到的打击更大，不是吗？"

"你们都要好好保重，要让严序好好地长大……"我知道自己的话语是无力、无助的。

"小涧一直没哭出来，你八娘理解不了；我开头担心小涧精神上承受不住，现在我觉得并没有什么异常——她自从在河南当工人以后性格就很特别。她的特别，就她个人而言，是自然的，因而我们应当顺其自然……"

"当然。"我为曹叔还能如此理性而感到宽慰。我也确实同意他的分析。并且我想到了那晚上严晓强给我讲的一番话，我认为八娘现在的暴躁以及对涧表妹的嫌怨，其实基本上都是冠心病转重的生理性反应。我对曹叔说："逝者已去，追不可还。我们活着的人要互相扶持，自我保重。八娘是你们全家的重点保护对象，小沁和小涓最近要特别多照顾她一点，她24小时身边都不要离人。"

曹叔点着下巴，眼里蓦地涌出泪水，他望着窗外，肯定地说："你说得对。别看我们这个家，她最弱，这个家没有我行，没有她还真不行。"

23

曹叔离休以后，每天用大部分时间练书法；八娘冠心病时时发作，几次送进医院抢救；他们的大女儿在守寡三年以后又已结婚，二女儿和三女儿也都相继结婚了，三个女儿生的都是儿子，这也很怪，曹叔和他的兄弟共有六个女儿，六个女儿生下的第三代都是儿子。倘若他们的父亲曹爷爷仍在世上，不知该作何感想。关于曹叔和八娘一家遭遇到三次车祸的事，因为时间相继变得久远，亲友们的窃窃私议也逐年减少着，近年来大多数亲友简直已经淡忘。

近两年，我很少同曹叔八娘一家见面，见面时更绝少提及往事。但交谈之间，有一回八娘偶尔对我说——

"你知道四娘临死那天，是为了上街买什么吗？为了买一副鞋带，一副只值一毛钱的，其实可买可不买，尤其不必在那天那个时候去买的鞋带！"

我一愣，但没顺着她的话茬往下说，我岔开去，跟她聊别的。

有一回涧表妹忽然对我说——

"我最后一次去河南，我们那个县外头我们那个厂所在的镇子里，去办最后一道手续，我站在办公桌这一头，忽然，觉得脚脖子痒痒的，什么东西在蹭我，我低头一看，原来是一只猫，再仔细一看，是我们全家在'干校'的时候，从小养大的那只黄狸猫，我吃了一惊，我就顺口对给我办手续的人说：'怎么搞的？我们家的猫。你们养了吗？'他低头一看，惊讶地说：'我们这儿怎么会养猫呢？'他就一阵跺脚，一阵吆喝，把那猫轰出去了……不知道为什么，这些天我忽然想起这回事，总在后悔，当时我为什么就没弯下身子去，抱起那猫，亲热亲热？就是光弯下身子，去摸一摸它也好，我出了办公室以后，就匆匆忙忙地去赶长途汽车，我都没想起来张望一下，也许那猫还在院子里，街角上，望着我，等着我……我就那么走了，把它忘了！这几天才猛然想起来……"

我很惊奇于涧表妹能有这样的心境，但我也没顺着她的话题跟她往下聊，不一会儿她也就跟我聊上服装设计方面的事了。

而曹叔，有一回边喝黄酒边对我说——

"……他死了，看上去好英俊，好个小伙子啊！"

我接过话茬，但立即后悔——

"您说晓强么？"

当然不是。严晓强是被撞烂了脑袋，再好的整容师也难使其恢复英俊的。曹叔眼里的红丝像在微颤。我立即跟他讲开了我去厦门的见闻。

头年春节期间我去给曹叔八娘拜年，见曹叔家满墙挂着他的书法作品，鉴赏之余，我就顺口求他给我写几个斗方，都写"福"字，我好回去张贴在家中各个屋门上，他很高兴。但因为没有现成的红纸，就约定写好后通知我去取；谁知给他们拜年回来没几天，就在楼下邮箱中发现一只牛皮纸大信封，拆开一看，原来是曹叔写好的几幅"福"字斗方，每个"福"字都颇有神采，可以想见，他一定写了几倍以上的斗方，是挑了又挑，把自认最成功的及时寄给了我。我心里感到暖暖的。

但我并没有把曹叔寄来的斗方贴在门上。开头是忙，顾不上；后来取出来，都要去拿糨糊瓶了，不知怎么的滋生了一种心理障碍，就又搁下了；现在那几幅斗方还都叠放在那大牛皮纸信封中。倘若哪一天曹叔偶有雅兴，不辞路远来到我家散心，看不到我巴巴地求他、他巴巴地写好寄来的斗方，责问我为什么不张贴，我该怎么回答他呢？

我不知道。

第十一章

1

至今你不知道那一天究竟发生了什么事。

就是 1966 年 12 月 13 号那一天，是个星期二——星期几并不要紧，那时候到处都已经"停课闹革命"，乃至"停工闹革命"，对于激昂地进行"革命造反"的人们来说，"一万年太久，只争朝夕"，上帝创造六天后要休息一天，他们却哪天也不休息——那一天下午五点半，在武汉长江大桥公路桥北头东边的人行道上，你小哥与他当年北大京剧社的社友程雄在那里相会。

是的，后来小哥向你断断续续地讲了些他们相会的情景，你用心地捕捉小哥那话里话外的心迹，张开想象的翅膀在脑海里再现、剪辑、放映那暮色苍茫中桥上的人生戏剧，但你终究还是不能深骨入髓地知道，到底都发生了一些什么。

2

你成为作家以后，小哥常常在信里对你说："真怄人！你写这个写那个，就是不写我！薄幸儿！"甚至当你正好出差成都，在那里得到母亲查实癌症的消息，心境最坏时，小哥——他对母亲的担忧和挚爱丝毫不减于你和二哥——却仍然要在看护母亲之余，忽然想起，以一种不自觉的京剧青衣的表情埋怨你说："就是从来不写我，怄人！"

尽管小哥也是学文学的，并且啃过大本的文艺理论书籍，熟知恩格斯给哈克纳斯的信里讲到的现实主义文学的定义，以及别林斯基、车尔尼雪夫斯基、杜勃罗留波夫等等古典批评家的种种论述。他当然知道小说到头来都是些虚构的人物虚构的故事在作家的文字中蠕动流淌，但一到读起你的小说，他便总要模仿起那个给《石头记》写批语的脂砚斋，一会儿说："作者与余，实实经过！"一会儿批："犹记余二人……乎？"更总要指出，你小说中的这个人物便是哪位亲友，哪个人物又是哪个你们双方都认识的真人……他给自己取了个雅号，叫"白显斋"，"白显"又来自"白湿"。"白湿"是指他在湖南那个县三中时的宿舍里总撒着大片白石灰而又总是潮湿难耐，他说："白湿"的"湿"字太难听，故又衍化为"白显"，你当然从未自诩为当代曹雪芹，但手足之间，私下里通信调笑，他自拟为"脂砚斋"一流的"白显斋"，似也未尝不可。他就总在读到你的新作后写些龙飞凤舞只有你一个人读得懂的"白显斋评"来，寄给你，倒也并非全是游戏之言，有些他是极认真地提出来供你参考的，尽管你其实大都付之一笑，但他却一直盼着在你的小说中出现他的影子。

是的，你写了那么多小说，却一直并没有写到阿姐，没有写到小哥，为什么？因为他们太平凡？平凡到简直进入不了小说的猥琐地步？小说是写给读者看的，你没有把握，以阿姐、小哥那不入"旋律"——无论是文学的"主旋律"还是"副旋律"——的素材写成小说，究竟有多少人会愿意看？也许会有，甚至很多？也许就甚至于只有两个人：小哥和你，因为你知道，和小哥完全相反，阿姐是断然不允许你把她写入小说的，她也看小说，但她不要看你的小说，又尤其不要看并且奉劝你也不要写那些涉及家族真情实况的东西……

你在写小说。你不知道这小说的命运，如同你不知道自己今后的命运一样。想起来很好笑，以前你拿起笔写小说，仿佛自己就是一个上帝，这个人物怎么样，那个人物怎么样，乃至他们的内心，有几个层次，几多隐情，几多煎熬，几多挣扎，仿佛都可以透视，都可以了然……其实这茫茫宇宙，大千世界，攘攘人世，芸芸众生，包括我们自己，又究竟有万分之几，是真可以用文字这玩意儿再现诠释，穿透把握的呢？

有一些东西，是永远写不出，也用不着写的。不是惧怕什么，顾虑什么，而是因为我们的生命存在，有着文字这玩意儿根本不能企及的更本质的部分。即如小哥，他要你写他，你诚然也可以用一大堆文字铺排起来，算是以他为主要原料，烘烤出一块文学蛋糕，倘卖得出去，也便一可补助你的生活，二可填补你那瘪塌的虚荣心（"又出了一个作品！"），此外当然还可使他免除你的"薄幸"之名，得到一些作为特殊读者的特殊乐趣。但倘若你走火入魔，一时间竟以为自己有能力以文字这钝拙不堪的玩意儿，直逼那生命本体中最隐秘最深层的东西，比如说，在表达 1966 年 12 月 13 日星期二武汉长江大桥上那一幕时，便毫无顾忌地直捣黄龙，那么，他读了真能容忍吗？真能承受吗？

小说啊小说，有时候，写的人怕你，读的人也怕你！

3

仔细想来，程雄是一个男人。

这与户籍登记、档案表格中"性别"一栏、学生证、工作证乃至公共电汽车月票上所证明的那个"男"，并不完全是一回事。

……你记得有一年暑假，程雄来家里找小哥，你也凑过去听他们聊戏。程雄大老远地跑来，热汗淋漓，那时家里并无电扇，小哥就递他一把大蒲扇。他就把身上的海魂衫卷至胸脯以上，使劲地扇着扇子，你惊讶地看到，程雄那隆起的胸大肌，是那样的紧凑，两边的胸肌之间是一道深沟，足可以夹住一只鸡蛋不让它掉落；程雄的身上飘散出一股浓郁的体臭，奇怪的是那气味并不令人厌恶，反倒使人联想到强壮、健康、旺盛、饱满、雄伟、昂扬……一类的词语，那时候你还不知道阳刚这个词汇，现在回忆起程雄，你想，要是每一个在表格中"性别"一栏填入"男"字的人，到头来都像他一样，该有多好啊！你那时就默默地下定决心，一定要使自己长大以后，也如他那样雄健，所以你一上到高中，便参加了学校举重小组的活动，固然后来你因为患了肺结核没能坚持下去，但那一小段的举重锻炼，至今仍在使你受益……

……你记得程雄说话的声音很阔朗，很厚实，很好听，笑起来仰着脖子，脖子上的筋显得很粗很韧，绷得很直，而他那笑声同在舞台上扮演花脸时的"哇呀……哈哈哈"很接近，却又丝毫也不造作，听起来十分自然，很有感染力……

……你记得程雄那时候问过你，在读什么小说？你就说读了《牛虻》，正读《钢铁是怎样炼成的》，他说他不喜欢《牛虻》那本书，因为亚瑟直到最后也还是太"娘儿们气"，他说《钢铁是怎样炼成的》那本书里最值得佩服的倒不是保尔·柯察金，而是那个海员出身的革命家朱赫来……你还记得他跟小哥聊戏时说，他不喜欢演李逵（尽管他和那个叫徐明益的戏友多次在北大演出过《李逵下山》），因为李逵太"孩儿气了"，他喜欢演《霸王别姬》（小哥极想同他配虞姬，但据说两人调门不和谐，因而总是詹德娟同他搭档），他说霸王虽是一个失败者，但那真是一条响当当的汉子……

……你记得小哥同你说过，毕业分配时程雄要求一定把他分到大西北的荒原上去，他说："那是男人工作的地方！"后来他果然雄赳赳地去了，还给小哥寄过照片，照片曝光过度，黑白分明，但荒原的背景把程雄那满脸满身的轮廓都衬托得更粗犷更刚硬，小哥给你看过那照片，你记得照片上的程雄一定是好多天没有理发剃须，他那两只眼睛和一头狮鼻被蓬草般的黑发黑须包围着，令你望上去一惊，同时又一震……

……但程雄后来在一次事故中伤了腿，据说伤腿后因为一时不能找到车辆，他又坚决不愿让别的人抬着他背着他走，便佯装"没有大事"，硬是用一条已然骨折的腿配合着健康的腿，同大家一起挣扎着挪动到了可以搭车的地方，那段路足足有六里地远！等到他终于被安放到担架上时，人们才惊讶地发现，那断裂成匕首般的一截腿骨已然扎穿他的肌肉筋腱，赫然露在了外面，而淤血已经把他的裤管、袜子和鞋子都浸成了红色，并呈糨糊状……他呢，在担架上只要求允许他抽烟，并甩开嗓子唱了几句《盗御马》："将酒宴摆至在聚义厅上……窦尔墩在绿林谁不尊仰！……"

……程雄回到北京，住了一百多天院，腿骨接上了，回家又静养了一百多天，架了几十天的拐，后来就扔了拐，走路走慢些时不大能看出他腿有毛病，再后来他又恢复了骑自行车，并声称完全可以重登舞台，起个霸、偏个腿、舞个锤不成问题——但终于没有再登台彩演而只是清唱……鉴于他的身体状况，不能再回大西北搞野外工作，他后来便到地质学院附中当了物理教员，在那里教了一阵，又由于他那住在城内的寡母瘫痪在床，须就近照顾，便又从地质学院附中调到了城内一所离他不远的中学，那是一所女子中学——眼下北京已不再实行男、女分校了，但那年头北京有许多所男中和不少的女中——程雄仍教物理……

　　……你记得，"文革"前一年的暑假，小哥又从湖南跑到北京，那时你父母已不在北京，二哥、阿姐、你都因这样那样的原因不好给小哥留宿，小哥来到北京便只好住进小旅馆中。有一天你去那小旅馆看小哥，恰巧程雄也去了，程雄便邀小哥和你去全聚德吃烤鸭——那时候到街上吃饭，饭馆里的座位很难找，一张餐桌，往往由两组乃至三组各不相干的人共同进餐。记得那天你们好不容易才找到两把椅子，好不容易挤到已经有四个人进餐的一张方桌前，算是有了开票叫菜的权利；程雄没有椅子，后来便搬过一只不知道餐馆里装过什么的露着大缝的木板箱，竖起来权当凳子坐，小哥和你都要把椅子让给他，让他各用一根拇指将你们的肩膀按定，使你们谦让不得……你印象很深，你觉得那样的拇指，那种从一根拇指传递过的力量，唯有真正的男子汉才能具有……

　　……你记得，那天吃完全聚德的烤鸭，出得饭馆，程雄就拍拍你肩膀，爽快地说："老弟，我跟你小哥，有好多话要细说，我们一路走过去，进天坛的松柏林子里说去！你呢，你就过马路去大栅栏里头，到大观楼看一场《魔术师的奇遇》吧！"说着掏出五块钱的大票子来，递到你手心，不容你推辞，又用他那骨粗肉厚皮糙劲足的大手整个儿连票子和你的手一捏，接着便对你咧嘴一笑，露出两排结实的大牙齿，转身同小哥一路往天坛去了；你望着小哥和他的背影，直到被稠密的路人遮闭……

　　你对程雄的印象，也就是这么多。所有的印象合起来，只不过觉得他是一个男人，或曰一条汉子，"一条"这个数量词使你生出无限的感受，同时也使你更深刻地意识到语言的无能和不得不使用语言时的无奈……

4

　　……那一天小哥准时到达，并且一眼就看到了站立在桥头的程雄，小哥跑过去拉住他的手，照例——他不管多大的年纪，一见到亲友总难免——双脚一蹦，快活地嚷："哎呀太好了！程雄！你果真在此！"

　　程雄却似乎并不怎么激动，甚至过分地不动声色，他从小哥手里抽出他的手去，简捷地问："你吃过饭了吗？"

"吃过了吃过了……"小哥沉浸在重逢的快乐中，他没心没肺地只当程雄那是一句中国人之间惯常的问候语。

"我还没吃……"

"不要紧不要紧，"小哥照例全然不能察人心意，兴高采烈地说，"其实我也还没吃晚饭哩，不过一点儿也不饿，见到你我就是饿也让高兴给填饱了……快快快，咱们好好聊聊，等饿了咱们再找个地方吃夜宵吧！"

"我饿。我现在就要吃。走，你请我吃。"

"好好好，我请我请……"

可是直到在桥头不远的一家小小米粉店坐定，小哥仍然没有意识到程雄已经身无分文，并且起码有一整天没有进食了。

"哎呀，程霸王，快给我讲讲，北京的朋友们都怎么样？袖珍美男子最薄幸，我写了一封又一封的信，他竟然片纸不回，怄死人！何康两口子呢？詹德娟呢？……"

程雄只是呼噜呼噜地埋头吃米粉，小哥这才把他仔细端详了一下：头上的棉帽子帽耳朵张开着，破绽处露出灰色的棉花球，一腮胡子，身上的棉袄脏得泛着油光，一双手黑糊糊的，指甲里全嵌着黑泥……固然跑出来串联的人都顾不得讲究生活条件，又听说火车上拥挤和肮脏得吓人，接待串联者的接待站也人满为患难以洗濯，可程雄似乎也太邋遢了……

程雄吃完两碗，还要一碗。小哥这才觉得他有些蹊跷。

……后来他们又到桥上去。沿着那公路桥的桥栏，边走边谈。

"哎呀，盈平，你怎么就死猜不出来，我是怎么来的吗？"程雄在小哥絮絮叨叨跟他讲县三中的情形、讲童二娘的遭遇的过程中，终于忍不住停住脚，截断话茬，两眼闪闪地望定小哥，幽幽地说，"我哪里是来串联的，我是逃出来的，我没有介绍信，我钱和粮票都没有了，我是让女学生们揪出来的牛鬼蛇神啊，我逃出来的……"说着，便把头上的棉帽子一摘——尽管那被剃光的头皮上已经蹿出了一些发茬，但小哥一看便全都明白了。

小哥的反应一定让程雄感动。小哥不是表现出吃惊，因为在小小米粉店中小哥已经觉得情况有点不那么正常。小哥也不是表现出镇定。以小哥那似乎永远不得被生活炒熟的灵魂，他即使在感到情况有点不正常时，也并没有往深里去探究，尤其没往程雄竟会被揪出定为牛鬼蛇神的方向去想，因而一听到程雄的自白，他还是被惊吓得心里发紧，尽管他已有过关于童二娘的经验，并正在向程雄讲述那一刺激。但小哥的双眼却并没有因程雄的自白而中断与程雄的对视，小哥的双眼里流露出的是丝毫不动摇的信任和一如往昔的情感。不过也不能说小哥的眼神没有变化，那变化又是很明显的，便是在抖动中溢出了对冲击程雄的那些女学生们的无比惊诧与本能谴责……

文字真是无能的东西。怎能准确而深入地表达出那个夜幕降临的时刻，在长长的武汉长江大桥公路桥上的两个人的对视……

程雄为什么要把小哥约到那桥上去？小哥从未向你讲清楚过，并且显然还回避你的追问，更不愿同你讨论……小哥愿意你写些有关他和他的戏友们唱戏的故事，一些温馨的故事，一些犹如《锁麟囊》那样的悲无大悲喜无大喜的优雅而洁净的故事……他却从来没有过要你写出这桥上一幕的愿望，"怄人"，你真的试着去写了这一切，他究竟是怒你"薄幸"还是怒你残忍呢？

……程雄是怎样讲出那些情况，那些想法的？连续地讲？断续地讲？悄声地讲？不管不顾地扬声倾诉？那桥上应该还有别的行人，甚而会有激昂的当地"造反派"和串联而至的"红卫兵"列队而过，还应该有汽车、自行车、三轮车从人行道边驶过，对了，应该还有巡逻的军人和民兵，因而程雄和小哥的交谈即使是在一种不断移动的过程中，也应该说并没有取得一种安全而舒畅的环境，他们当时是忘乎所以了，还是不断地设法隐蔽自己？……不知道，永远不能准确而详尽地知道……桥下江水滔滔，桥上凉风嗖嗖，该有月亮挂在天上吧？那一天是阴历十一月月半，月亮该是圆圆的，纵使有浮云从它前面冉冉飘过，那苍白的圆月该能知道，该能作证，可短暂脆弱的你我，又怎能同那万古长存的冷月沟通？！

……程雄讲到，"红卫兵"刚掀起头一轮"破四旧"的冲击波，就破到了"袖珍美男子"鲁羽家，他家那个独门四合院被抄了个底儿朝天，"红卫兵"把他家珍藏的上百张旧京剧唱片当场一张张砸烂，直到完全捣成碎片，鲁羽帮着他们砸烂捣毁那些原本几乎视为第二生命的唱片，并且更干脆砸烂了留声机，还自动举臂高呼："京剧革命万岁！……""红卫兵"总算撤了，鲁羽一家人顿感绝处逢生，但当大家总算扒了几口饭并准备上床睡觉时，忽然鲁羽想到还有一张萧长华的《连店》唱片。他一贯单独存放在南屋一只柜子里的，那唱片是百代公司灌录的第一种萧长华唱片，并且当年鲁羽爷爷得以购到了上市发售的第一张，因而弥足珍贵，轻易不听，视为寰宝，另行妥藏……他跑到南屋里一找，尽管那只柜子里许多东西都翻出来撒了一地，偏那张唱片漏网！将那唱片拿在手中，鲁羽一时没了主意，家里人赶到他身边，都劝他砸烂捣毁了算了。

他却实在舍不得，说无论如何等到第二天天亮再说……谁知那一夜里，先是鲁羽新婚不久的老婆失眠中发起了癔症，疯喊："砸了砸了你给我砸了呀！你别连累我呀！"紧接着又吓得鲁羽父母哆哆嗦嗦披衣过来劝慰媳妇，婆婆恐惧中不禁跪在她面前哀求道："别嚷了别嚷了，求求你行行好行行好……'红卫兵'冲进来可不得了呀！"而当鲁羽要砸那张萧长华唱片时，他父亲竟又死抱住他胳膊苦苦哀求："别就砸呀别就砸呀……万一'红卫兵'真的冲进来问咱们院为什么深更半夜地嚷，咱们可以把这漏网的唱片当个见证，当着他们的面再砸呀……"鲁羽挣脱父亲，跺跺脚说："那还得了吗，还得了吗……那不更说不清道不明了吗？那不打死白打死吗？……"一家人就围着那张漏网的唱片哆嗦成一团……

"没个人样儿了，没个人样儿了呀！"——你记得小哥给你引述过程雄这一感叹。程雄那时候大概还没有遭殃，还去看望过鲁羽一家，但鲁羽怎会向他披露这一切呢？倘若说及，又该是怎样一种文体怎样一个文本呢？……

……程雄告诉小哥，黄绿青已经死了，他是怎么死的？他那右派的身份是明摆着的，率先被揪出来是必然的，想必他也还是能够忍受的，然而他那曾登台演过彩旦的历史也随即暴露，"造反派"从他的箱子里翻出了当年他登台扮演媒婆的剧照。于是"造反派"不是给他戴高帽子，不是给他剃"阴阳头"，而是强行把他装扮成彩旦媒婆的模样，又并非让他上台演戏，而是逼他就那么在单位里存活：干活时候那样打扮、上食堂时候那样打扮，甚至上厕所的时候也必须那样打扮——又非逼着他进女厕所，及至他憋不住了真要进去，又把他揪出来轰进男厕所……"造反派"们并不怎么批斗他，而是让他随时随地是一个男扮女装的丑媒婆。结果这样胡闹到第三天，黄绿青就扑到运磷矿石的火车轮子底下，结束了他那悲惨的演出……

"告诉你吧，'造反派'的内心深处，是一种可能他们自己也没有意识到的强奸欲……人成了兽了！"小哥轻声把从程雄那里听来的惊心动魄的话语转述给你，你也震惊，但小哥似乎总也不能真的理解程雄那么早就讲出来的这种感慨，你也一样，直到很久很久以后，你才忽然醒悟，确有一种超出形形色色厚厚薄薄的符号包装的人性深处的东西，在这人世上趴伏着，一旦被调动、被释放，那跃起的利爪便异常狰狞！

黄绿青死了！你还依稀记得这个人。你不想对此动用自己的感情。"文化大革命"中死了很多人，其实就是在最清明的社会状态中，也几乎每天都有人死于比如说车祸那类无足怪讶的事件中。你只想探索这样的问题：有着顾长的身材、仿佛法国电影明星钱拉·菲利普（此人早就死于胃癌）那般俊俏的美男子黄绿青，他为什么在太平日子里，把到舞台上装扮成一个丑媒婆视为一桩乐事？而至今在春节所举办的游园活动中，也还很有一些郊区的农民兴高采烈地跑着旱船、踩着高跷演出着所谓的"花会"，那里头总有若干男人，甚而是满脸褶子的老头心甘情愿，乃至扬扬得意地装扮成戏曲舞台上的丑媒婆，手里拿着个烟袋锅，扭着屁股晃着脑瓜儿地随着旱船队或高跷队前行。他们那一生存状态同黄绿青临死前的生存状态的不同之处究竟何在？他们不仅不怕围观的人们看他们，还生怕人们注意他们不够，而黄绿青却恰恰是在围观的人们的眼光中感到生的屈辱和死的必要的……人啊，个体的人啊，你对他人的眼光，为什么会有如此不同的反应？

……程雄又是怎样得知黄绿青情况的呢？与小哥合作过《锁麟囊》的黄绿青的死，究竟给予了小哥心灵怎样的一种刺激呢？你都不清楚，小哥只很偶然地说及了一次，从此任凭你问，他再也不提，小哥希望你写的，绝非这一类的事……

……程雄好端端的为什么被女学生中的"造反派"揪了出来，打入牛鬼蛇神范畴？程雄家庭出身不错（城市贫民），本人历史清白，在大西北时卓有贡献，腿残回京教书工作一贯认真，对待久瘫在床的母亲又是一位邻里称颂的孝子，并为此一直未能结婚成家，他怎么会终于也惨遭冲击？……

……是程雄隐瞒了一些具体的原因，还是他不屑于转引那些外在的原因？"外面的都是包装，里头那真正的东西没人肯说，也许是好多人还没看穿，还没悟透，告诉你吧，不是别的，就是人性恶，嫉妒，权力欲，虐待欲，兽性 …… 还有就是男不成男，女不成女，那么一种苦闷，苦闷了就发泄，就专找最过瘾的对象发泄，你还不知道吗？男'造反派'，就专爱斗女反革命，越漂亮的越爱斗，女'造反派'，就憋着要斗我这样的 …… 你不明白吗？天哪，你这家伙！你也早给弄得不像个人样儿了！你就总长不大嘛！总是个儿童！幸亏你没成了个儿童'造反派'，那你一定专爱斗老头儿！ ……"程雄的这些话，直到很多年后小哥转述给你时，他还是发愣，他也许一度懂得过，但他的天性又使他复归于不懂，不愿懂不忍懂 ……

…… 你战栗地想象到那一切，那些女子中学的"红卫兵"，那些"造反派"，她们把头发剪得短短的，她们革掉了裙子的命，她们穿得和男子几乎没有任何区别，她们忽然从温驯听话的女学生一变而为比男子中学的"红卫兵"和"造反派"更暴烈的斗士，她们揪出了程雄，她们剃去了他的头发、胡须，乃至于眉毛，她们用绳子把他捆在柱子上，用铜头皮带抽打他，她们强迫他下跪，她们给他戴上装上铁块的高帽子，她们又给他脖子上挂上铸铁的哑铃 …… 她们轮流用绳子牵着他让他去男厕所拉屎撒尿，绳子一头套在他脖颈上，另一头握在她们手中，她们在厕所外的走廊里还总不断收紧那绳子直至他在蹲坑中摔倒 ……

"是呀，你可解释成，她们被革命热情冲昏了头脑，她们不能掌握'要文斗，不要武斗'的政策，她们真诚地认为她们在捍卫什么，缔造什么，走向什么 …… 可是我看透了这一切，一切其实都很简单，简单到不能再简单——她们要竭力忘记她们是女人，是年轻的姑娘，是生殖器官和异性不一样的人，但她们却又无法根本地彻底地抹杀这一切，她们有一种确实连她们自己也不自知的大苦闷，而这场横扫牛鬼蛇神的大革命使她们能够大大地、充分地发泄一番，她们终于不放过我，因为批斗我、折磨我最让她们过瘾 ……"

程雄说的是不是一派疯话？是不是？ …… 他跟小哥说的一定更多，而且未必像小哥所复述的这样，但小哥极其偶然，并且事后十分失悔的透露出的这些，已足令你心魂震撼 ……

"盈平，我逃出来了，可是我也已经不是人了，你知道吗，我也不是了 ……"

小哥为程雄的这话而大惊异，他问："为什么？为什么？"

"我一个男人被她们这么折磨过，这么玩过，我还是人吗？我活着就够不上一个人！"

小哥听不懂这话，他不知道怎么安慰程雄，小哥嘴唇哆嗦着……

"你看！你看呀！"程雄一把抓开了棉袄，原来他是光着身子穿一件棉袄逃出来的，他使劲一抓，原来已经松动的几粒纽扣便都崩落了。小哥看见，那敞开的、裸露的胸膛上，紫红的淤着一大片……

"她们用剪子剪掉我胸脯上的乳头！"

小哥这才看明白，剪掉的地方进了脏东西，已经发炎、化脓……

小哥忍不住扑到了程雄身上，紧紧地贴住他的胸膛，拥住他那仍旧非常厚实的脊背，哭泣起来……

你无从判断，当时，那桥上有没有其他的路人，或驶过的车辆里坐着的人，注意到他们那可疑的言谈和行为；他们当时又是怎么应付那周围毕竟险恶的环境的……

程雄的眼泪也落到了小哥的脖子上。程雄的眼泪不多，不成线，是单粒地落下。小哥听见程雄忽然异常平静地跟他说："我安心的是，母亲总算在这一切发生之前就过世了，我给她从从容容地送了终。可怜的是我自己，因为原来太傲气，也因为确实家有瘫痪在床的老母，自己腿又有毛病，不轻易接受女人的情爱，结果到如今只受到了女人的凌辱，没有得着过女人的爱！"

"我爱你，阿雄呀，我爱你……我疼你，我只恨我不是一个女儿身，要不，我愿意把自己完全献给你！……"

程雄感动地把小哥拥在怀中……

"可你不是一个女子，并且，你也不是一个男子，你……怎么总长不大啊！……"程雄用大手拍着小哥那脊柱突出的硬邦邦的脊背。

"干什么哪？！"

终于有人走过来干涉，是军人，还是民兵，还是别的什么人？不清楚，总之该出现的干涉终于出现了……

"他有点晕，他犯病了……你们有药吗？"在小哥慌乱无措的时候，程雄沉着地应付着……

干涉竟很轻易地排除了，但那桥上显然已经不宜再待，程雄就对小哥说："该分手了。我心里现在很舒服。我把想说的话总算都说了。这些话也许没有什么意义。这个世界谁要听这些话？你原来也没想要。可你听了。我感谢你，盈平，你快长大吧。你还有希望成为一个人。"

小哥懵懵懂懂地问："你回哪儿去？我有介绍信，我找到个接待站，要不，我们一起去？我不想离开你，我也还有好多话要跟你说……"

程雄笑笑说："该分手了。你那个接待站在桥北，我要去桥南，我那儿有个地方……"

小哥站着只是不动。

程雄便说："不要又惹得人家来问：干什么哪？……要不，明天再见吧，明天一早再来……"

小哥痴痴地问："几点钟？几点钟？"

程雄说："八点钟吧，就八点钟吧。"

小哥点头。你知道，小哥为此后悔一生……

小哥望着程雄转身，望着程雄头也不回地朝桥南那边走去，有几辆汽车接连迎面开来，前灯打出的光很强烈，有一些嘈杂的声音，小哥便不由自主地也转身，朝桥北那边走去……

小哥走了一段路，大概因为心里头很沉重，脚步拖得很慢，所以实际并没有走很远，忽然他隐约听见背后传来一些人的喊声："有人跳江！""什么人？！"

小哥猛回头，木雕般定在那里，两秒钟后，他便发疯地朝那边跑去……一些人，不算多，趴在桥栏上朝下望，几辆汽车在那个位置急刹车，车上跳下一些人……

小哥趴在桥栏上朝下望，下面的江面并没有什么异常的变化，无从判断究竟有没有人跳了下去，显得十分遥远的江面上闪烁着冷冷的月光，传来闷闷的几声渡轮的汽笛……

有一个人在向身旁的人形容，那跳江的人是如何陡然就翻过桥栏掉了下去的，有人在问他那跳江的人的身材面貌，有人问那跳江的人往下跳时有没有喊什么反动口号……

……小哥后来对你忏悔地说，他事后很惊异，为什么当时他五脏俱焚，却并没有也跳下去的冲动……也许是因为他不愿承认那个事实，或宁愿深信跳下去的是另外一个人……

　　……第二天早晨不到八点钟小哥就赶到了桥上。他在桥上走了整整一个上午。他悲痛欲绝，却也仍然没有翻越过桥栏的冲动。

5

　　但是一切都仍然不清楚。而且可能永远不清楚。

　　那个大桥之夜是小哥的隐私。你永远不可能弄得一清二楚。

　　说到底程雄给你留下的印象是粗线条的、模糊的。你只记得那是一个男人。世上有那样一个男人被淘汰掉了。就同老舍是一个作家，世上有那样一个作家被淘汰掉了一样。也如同傅雷是一个翻译家，世上有那样一个翻译家被淘汰掉了一样。还如同贺龙是一个革命家，世上有那样一个革命家被淘汰掉了一样。

　　是一种逆向淘汰……

　　这样的思绪使你感到沉重。

　　……你惊异于时下常常出现在电视荧屏上的那些舞蹈，包括为歌唱家演唱时安排的伴舞。你问：

　　为什么所出现的男子都很像女人，浑身柔媚？

　　为什么所出现的女子都很像儿童，满面烂漫？

　　为什么所出现的儿童都很像木偶，最得意的动作便是把头歪向一侧，然后再迅速地歪向另一侧？

第十二章

1

家里来了不速之客。一位年轻的女性。自称来自遥远的故乡。她拿出工作证给我看，我没有在家里检查别人工作证的习惯。我细细打量她，我真怀疑她来自那遥远的县城。她的衣着很入时，那衫、裙和露出的木耳领衬衣显然是价值不菲的来料加工然后又"外转内"的三件套；只是脚上的一双半高跟鞋样式落伍而且做工粗糙，透出一股土气；不过在我们这个大都会中，七成以上的摩登女性也是衣衫不让港台而鞋袜大为"露怯"。据说有位境外的摄影家来大陆后专门拍了一组都会女郎的照片，裁为两截刊载在杂志上，小腿以上的部分说明词是："猜一猜，她们行走在香港、台北还是新加坡？"小腿以下部分的说明词则是："不用猜，全是大陆靓女。"来客落座后进一步说明来意，是为了了解我七舅舅的情况。我不免发愣。

2

七舅舅是我母亲的从堂兄弟。七舅舅的胞妹中有一位我唤做八娘，八娘的老伴我本应称为八姨父，因为觉得绕嘴，他姓曹，我便称他为曹叔。按说"七舅舅"这么三个音节的称谓也够绕嘴的，但不仅是我，我们家族中与我平辈的，也都不简化为"七舅"，都一律叫他"七舅舅"，就是我父母以及八娘曹叔他们，提起来也是说"你七舅舅"如何如何，而不说成"你七舅"如何。多一个音节少一个音节值得这么细交代么？值得。细细推敲，"曹叔"、"七舅"这类双音节称谓，似乎体现出一种阳刚之气，而"七舅舅"，就化为柔曼的韵味了。的确，回忆起来，我的这位七舅舅，无论形象、性格、做派，都绝少阳刚之气而只使人联想到天鹅绒一类的东西。

3

50 年代初，我已随父母定居北京。正上小学。一天放学回家，见家里来了两位生人。一位胖胖的男子坐在椅子上朝我眯眯笑。我觉得他处处都是圆的。圆圆的脑袋（他不留长发，我每次见到他，他总像刚从理发馆里理完发出来，不是时下时兴的那种有棱角的"板寸"，而是随头形而保持等长的短发）；圆圆的光下巴；圆圆的肚皮；圆圆的手；圆圆的鞋头。他的五官似乎都是圆形的。母亲一旁对我说："快叫七舅舅！他跟你七舅母刚下火车哩。"我叫过七舅舅，便去亲热七舅母。七舅母的形象没有什么特色，但我记得母亲多次谈过，我落生时是七舅母接的生。七舅母是个助产护士。七舅舅是个牙医。

七舅舅和七舅母那一回是利用休假时间来北京游览。他们来自上海。父亲因为天天要去机关上班，不能陪他们，母亲虽是家庭妇女不用上班，但一来体力不支难以天天陪同，另外也须在家里安排饭菜，所以陪得也有限；我很想天天陪他们，但父母和七舅舅七舅母都要我好好上学、用功，所以也只能是在课堂上托腮与他们一起神游。

别看七舅舅那么富态，似乎行动不那么利索，他的游兴可真浓得出奇。天天早出晚归倒也罢了，他的一大特点，是要按照旅游地图和指南上所标示介绍的一一游遍。没几天以后我就发现七舅母宁愿留在家同母亲折豆角、擀米粉、聊闲天，也不愿再随他出游了。七舅舅的旅游地图和指南不止一种，有解放后也有解放前的，至于当时新出版的，有多少种他就买多少种。一天吃早点时他问我父亲："利玛窦墓怎么个去法哇？"我父亲称得上是个"北京通"了，在这个问题面前却也张口结舌。但傍晚时七舅舅兴冲冲地回来了，满面红光地向大家宣布，他终于在阜成门外的一个什么旮旯里找到了利玛窦墓。我母亲问他风景究竟如何？他说有一块碑，他见到了。

父亲望望他，不问什么也不说什么。后来七舅舅和七舅母回上海了，我听父亲向母亲议论七舅舅说："他那个人呀，连利玛窦墓那样的小风景也不放过，可他根本是猪八戒吃人参果，哪里品得出滋味来？他是急匆匆地把旅游图和指南书上提到的地方都转上一圈，满足于到此一游罢了。比如利玛窦，他究竟知道这位意大利传教士多少事迹呢？"母亲夫唱妇随地说："是呀！不光逛风景如此，就说看戏吧，他是什么戏都要看，可他连好戏孬戏都分不清，好的也不见他感动喝彩，孬的也不见他厌烦皱眉……"

七舅舅来京时，的确几乎天天晚上吃完晚饭便赶往戏园子看戏。话剧对于他来说不算"戏"，他只看古装戏曲。我父亲陪他看过梅兰芳的《霸王别姬》，我小哥陪他看过程派青衣赵荣琛的《荒山泪》，我母亲和七舅母陪他看的场次就更多了，我总是闹着要跟七舅舅去看戏，多半是让母亲强行留下，让我在家温书，但总算也看了一些。七舅舅好看戏，但并不懂戏。京剧、昆曲、河北梆子、蹦蹦儿戏（就是评剧）、曲剧（当时刚刚形成）以及恰逢进京演出的汉剧、豫剧、赣剧、花鼓戏……他都一视同仁而并无偏爱。一流剧团大名角儿演的戏和末流剧团四流演员演的戏，他都一样地坐在位子上不知是同样地认作享受还是同样地当做消磨时间。记得有一回我同母亲陪他和七舅母看一出场面瘟得不行的梆子戏，一位嗓音沙哑的小生在纸片搭成的"望乡台"布景上唱个没完，我打完个瞌睡，一睁眼，那小生还在唱；再打完个瞌睡，再睁眼，还在唱！但我斜眼一看旁边的七舅舅，他坐姿不变，但双眼合拢，他不仅在打瞌睡，而且还在均匀地打鼾。显然他比我更难享受那小生的绵长咏唱，但散戏以后，登上三轮（那时七舅舅出游及上戏园子多半雇三轮），搂着我坐定，七舅舅却悠悠地自言自语一声道："唱得好啊！"

4

我和七舅舅交往不多。刚才讲了，他和七舅母住在上海，而我40年来一直住在北京。七舅舅也很少成为我父亲和母亲谈及的话题。但七舅舅毕竟是我三亲六眷中的一员，所以等我上到大学以至工作以后，零零碎碎也就知道了七舅舅不少情况。据说七舅舅的医术非常高明，在上海牙科界中坐头几把交椅，解放后头一回评定工资他就挣200多块人民币，这样的工资直到十几年前听来还是令人咋舌的。他和七舅母没有子女，因此他们的生活相当的富裕。自50年代末他就不轻易直接给患者治牙了，而是悉心地培养徒弟，他的徒弟总是同他建立起一种类似父子至少是类似叔侄的亲昵关系。有几位干脆就拜他为干爹。他的每一位徒弟后来都成了有口皆碑的好牙医。据说上海的高级干部、社会名流都经常指名道姓要他的徒弟给治牙镶牙，倘若他亲自出马，则更觉荣幸而放心；他和他的徒弟们还有两点广泛地为人称道，一是对普通的市民患者与对上述人士的态度绝无差别，二是绝不靠医术谋求额外的好处，小礼品有时收下一点是因为不收似乎过于绝情，贵重礼品则坚辞不收。

七舅舅在上海治牙以外的时间，据说大多用在两件事上，一是吃馆子，一是进戏园子。他终于吃成了一个圆滚滚的大胖子，但始终没有看戏看成一个行家。他吃东西绝不忌口，各种风味各种菜肴他都乐于品尝，并且还亲自在家里同七舅母一起自制水豆豉和豆豉，这是两种我们家乡的家常佐餐食品。制作过程中都要刻意让黄豆瓣长上霉菌，按说他们两位大夫应该最忌讳这种食品，但他们几乎是无一日不食这类东西，还有糟蛋、腌肉、熏鱼等等。说来也怪，他们吃了一辈子时下保健书中谆谆告诫不宜食用的这类含有"致癌物质"的食物，却都没有患上癌症。

上海这地方说实在的除了吃馆子进戏园子以外，也就只能是逛商店，风景真是没什么风景，于是七舅舅七舅母逢到休假期间，照例是走出上海去逛风景，他早在60年代初就自费乘飞机游过海南岛，以那个时代的总体风气及他胖大的身体而言，真不可不称之为壮举。据说他每去过一处就在他保留的旅游地图及旅游指南书上在该处画上一个圆圈，颇有某类高级干部圈阅文件的架势——永远只是画圈，而并无一字一句的批语。

5

在很长的时间里，我得到的信息都说明七舅舅是个绝对不问政治的人。过往北京的亲友们，特别是我这一辈的，常常传说一些关于七舅舅的笑话，比如他家中虽然既订有《解放日报》又订有《文汇报》还加上《新民晚报》，但这绝不是因为他对时事有一种超乎常人的兴趣（很长时期里这些报纸的时事报道是大同小异乃至于完全相同的，最关心时事的人也订一份足矣），而是因为这些报纸的广告栏中戏曲演出的广告常可互为补充，如有一两份报纸因故未登完全，则另一份报纸上必可钩沉，便于他遍看诸戏。上海最常演出的戏曲是越剧和沪剧，尽管七舅舅始终不会说江浙话并且不能完全听懂上海方言，但他面对越剧和沪剧的演出，仍能甘之如饴。

有一则轶闻大约过分夸张，属演义性质，但听完细想，倒也恰能传神。据说60年代初，大约已进入"三年困难时期"，中苏两党的分歧已通过报上刊登的"公开信"暴露于世。有一天七舅舅在饭桌上听到外甥女或者某徒弟——他几乎每餐总要留亲友乃至偶然造访的不甚相干的人吃饭——大声议论时事，不禁难得地开口问道："怎么？苏联把专家都撤走了么？"惹得其他人——包括七舅母——都面面相觑，老天爷！他怎么才知道！都撤了一两年了！大家争先恐后、你一嘴我一嘴地向他灌输了一番，他表情如故，轻松而闲适地吃饭，也不知道他听进了多少大家讲的政治时事。

6

"文化大革命"的疾风暴雨来临时，我惊吓成了一只傻鸭。但到1966年秋后，因为出现了一个"反对资产阶级反动路线"的阶段，我所在学校的党组织和工作组以及第一茬"革委会"相继被"造反派"轰垮。而"造反派"又很快分裂，故而出现了一种绝对混乱的局面，绝对的混乱造成了权力真空，因而大家都反倒松了一口气，适逢"革命大串联"之风兴起，因此我也便裹挟在"大串联"的旋风里，挤进了沙丁鱼罐头般的硬座车厢，钻到座椅下躺了二十几个小时，串联到了上海。

到了上海，自然要去看望七舅舅和七舅母。按地址前往时，心中不禁惶然。我平时并不同他们通信，依北京"横扫一切牛鬼蛇神"的标准而言，七舅舅很可能被指认为"资产阶级学术权威"而受到冲击，真不知我能否顺利地看到他。他和七舅母住在离市中心并不太远的近郊新居民区中。我竟很顺利地找到了他们的住处，并很顺利地见到了他们二位。

七舅舅和七舅母大约属于上海市民中最早住进单元楼房的幸运儿。他们的住房宽敞而整洁。七舅母见到我是"惊呼热中肠"，七舅舅呢，却淡淡的，仿佛我们不是十多年未见，而是昨天才刚刚见过。我见他们的家具摆设十分质朴，问他们是不是因为"破四旧"时把那些碍眼的东西破掉了。正巧六娘的女儿瑶表妹住在他们那里，遂告诉我，他们这里原来也并无什么称得上"四旧"的东西。我在那里住了几天，渐渐知道多年来七舅舅七舅母就是那么过的。他们过得很舒服很实惠，应有的尽有，但避免一切多余的"符号"。比如他们的床虽是宽大的席梦思床，但床栏绝无新奇的样式与装饰，铺的床单、枕巾、枕套以及罩单，质地优良但一律素色或仅有条纹或格子，没有一点花朵或其他的图案；沙发坐上去很舒服，但式样单调而古板；墙上不挂任何照片、图画或装饰品，没有花瓶及其他任何纯装饰性的摆设；暖水瓶有好几个，但也都是素色外壳的；走进卫生间，所有的毛巾也都是没有图案的；书架上除了医学书和字典之类的工具书没有任何一种文艺作品；七舅舅的那些旅游图和旅游指南其实算不得什么"四旧"，但"文革"一起来都当废纸卖掉了。瑶表妹端起一口大瓷茶壶给我看，笑着说："唯一有点'四旧'的就是这只壶，是六娘给七舅舅他们买的，上头原来有牛郎织女渡鹊桥的图画，可是我拿张白纸往这上面一糊，就连这点'四旧'也没有了。'红卫兵'也来查过，连他们都说：'呀，没想到这家人真连一点'四旧'都没有！'……"再后来我进一步了解到，七舅舅连旧照片也一张未保存过，打开他的衣橱，也找不到西服、领带，他都是中山装——当然质地都很好，但样式绝无问题，衬衫都是白的；他也不爱穿皮鞋，有的是一大堆旧的、半旧的和新的布鞋。

瑶表妹见到我兴奋不已，不住地问北京方面的这个那个，打探小道消息，同时也不停地告诉我上海方面的这个那个，散布许多的传闻。七舅母偶尔插进来问一句说两句，七舅舅却既不问也不说这类时事，只简单地问问我父母的身体，特别是牙齿的状况。

"文革"使得七舅舅无古装戏可看，并且也无法外出游山逛水，连上饭馆大吃大喝也受到抑制，但他依然有着他的乐趣——就是在家里自己烧菜自己吃。"文革"毕竟革不到餐桌上来，反正七舅舅有钱，只要一早挽着菜篮子上菜市上耐心地一转，他家餐桌上的鸡鸭鱼肉便川流不息，他烧的菜比七舅母烧的还要可口。我住在他那里"串联"的十多天里，就吃到他的拿手菜红焖肘子、红烧狮子头、麻婆豆腐、白斩鸡、樟茶鸭子，以及椒盐田鸡腿、怪味田螺、清炖乳鸽等以往我从未吃过的东西。因为他品尝的经验十分丰富，所以他烧菜的路数不拘一格，并且常常按自己的爱好加以发挥创造。我说肥猪肉简直没法儿吃，他不是像我母亲那样，以"三年困难时期"的情况来压服我："饿你几天，你就要抢着吃了！"而是默默地埋头操作，他把肥多瘦少的猪肉白煮之后，又放进冰箱（他恐怕是上海市民中最早使用冰箱的；那冰箱记得是医用冰箱，七舅母说是医院要进新冰箱，淘汰下来折价给他们买下的）搁放一阵，然后取出来，切成小小的薄片。然后用酱油、醋、精盐、白糖、味精、麻酱、葱花、蒜泥、辣油，少许白酒调成汁液，把那肉片一拌，端到我面前，让我尝，我一尝真叫可口！瑶表妹一旁自豪地说："这可是七舅舅的一绝！白煮、冷冻、切片和调料都要掌握好火候分寸才行！真是人见人爱，百食不厌！这样的肥肉片，不吃饭的时候，当零食吃也行，再佐以一杯热滚滚的绿茶，真是神仙一般了！"我至今回想起来，仍然口有余香。从那以后我对肥猪肉不再一概排斥了。

七舅舅他们医院，自然也有如火如荼的运动，也确有人按运动的逻辑自然把他列入"资产阶级学术权威"的范畴之内，但他没有丝毫的民愤，因而引不出一张大字报来。当昂首的"造反派"把医院里的高薪大夫们集合到一起，并"勒令"他们每天一早必须到医院清扫厕所时，他们望到自动入列的七舅舅，却都禁不住一愣——原来七舅舅多少年来就是一个最爱主动帮助勤杂工打扫厕所的人，曾广泛地被视为有洁癖和怪癖的怪人——他不能容忍医院任何一处的厕所——包括那些他自己并不会去使用的厕所——有一点脏乱差的景象和飘出异味，而且他并不是用提意见或提建议的方式去解决这个问题，而是身体力行地去扫消毒和保洁，这感动了医院所有的勤杂工，他的徒弟以及一部分大夫和护士乃至于科室人员，最后并带动了院长和党委书记，使他们那所医院成为厕所最清洁的医院，一个地方的厕所既然清洁了，其余的场所的清洁程度便不言而喻了。这情况也使得他们医院对"牛鬼蛇神"的这种惩罚变得远不像其他单位那样显得屈辱和难堪。"造反派"出于某种可以理解的心理，反过来好言劝喻七舅舅这时候不要再参与清扫厕所的劳动。于是七舅舅自动提出来去院落里帮助勤杂工收拾花木。当然,除了这种"改造"性质的劳动,大夫们也照常给病人们看牙,七舅舅亦然。两派"造反派"武斗,双方都有人打烂了嘴巴,他们都愿意让七舅舅及其徒弟们来处理,七舅舅及其徒弟们对双方一视同仁,耐心、细心、精心地给他们治疗,该拔的拔,该补的补,该镶的镶。

瑶表妹总结性地对我说:"七舅舅没人冲击他,固然是因为人缘好,无民愤。可最重要的还是他并非当权派,尤其重要的是,他是个政治白丁,他不是共产党员!"

7

但七舅舅终于还是受到了专门对他而来的冲击,那是在 1969 年"清理阶级队伍"的时候,我在北京接到了瑶表妹的信,她在信里简单地说:"原来七舅舅有严重政治历史问题——他 1927 年在江西脱党!现已被医院'革委会'隔离审查。"所谓"隔离审查",在北京当时俗称"办死班",即被指定在一个不许回家的"毛泽东思想学习班"里交代问题,又借用托儿所的名词,叫做"全托",要由家里人送去被褥脸盆牙刷牙膏粮票饭费之类的物品,非探视时间不许见面。我见信大吃一惊。我之吃惊倒还不在他的脱党,而在难以想象他那么一个人怎么会一度加入过中国共产党。

8

家里来的那位不速之客——来自故乡的女郎,坐在我面前,自称她是县委下面一个专设的县志委员会的工作人员,她具体负责县志中党组织的创建和发展史料这一部分的搜集、整理与记录成文工作。

下面是我们的对话——

女郎:我们给您寄出过好几次征集资料的信,都收到了吧?

我:收到了。大概有三次吧。

女郎:对,两年里一共三次了。您怎么不回我们一封信呢?

我：当然，这不礼貌。可我也实在提供不了你们需要的资料。据你们来信说，我七舅舅竟是1923年入党的中共党员，而且还是县里第一届党支部的第一任支部书记，这真让我大吃一惊！可是，我比他晚生三十多年，又不曾长期生活在一起，我怎么会知道他的这些事呢？况且，他也去世十来年了……

女郎：你母亲，你父亲，会知道他许多情况，难道你从来没听他们说起过？

我："文革"当中，1969年，七舅舅被当做"叛徒"揪出来的消息传到我们耳中以后，我才听父母，主要是我父亲，讲到七舅舅的一些往事……可是，那恐怕并不具有什么史料价值，因为你该知道，我父亲从来没跟七舅舅共过事，他讲的那些七舅舅的事，只有小部分是从旁观察得来的印象，而大部分也是从别人那里听来的、辗转相传的东西，恐怕变形得厉害，难以当做历史的……

女郎：你父亲知道你七舅舅曾是县里第一届党支部的第一任支部书记吗？

我：我想他并不知道，他从没提到过这一点。1923年的时候我父亲已经到北方求学，并不在故乡了。

女郎：可是你七舅舅1924年也到北京来了，追随你爷爷。并且在1925年同你爷爷一起去了广州，投入了大革命……

我：这我当然听父亲讲到过。但是你也该知道，大革命失败后没几年，我爷爷就去世了，我在那以后十多年才出生，根本没见过我爷爷，所以关于七舅舅追随我爷爷参加大革命的事，光凭听我父亲那么一说，能有清晰的概念么？

女郎：当然。可惜你父亲和母亲也都过世了。我们修这段县志动手太晚了！不过你要是能提供一点从你父母那儿听来的资料，对我们多少总有点用处。

我：这……

9

我很不愿意对那故乡来的女郎讲述从我父亲那里听来的一切。

我很早就发现父亲不喜欢七舅舅。七舅舅被揪出来以后，父亲对七舅舅的鄙夷溢于言表。我不愿意转述这些更多的倒不是因为怕伤害了母亲一系的家族感情，而是因为怕人们误解了我的父亲，以为他是一个落井下石或者思维偏激的人。父亲对我讲到七舅舅的种种事情时，他的心情十分复杂，他潜意识深处激荡着的因子不仅繁杂而且相互撞击，而这又与他本人及他们那一代人中的其他一些人的命运遭遇直接有关。我或许永远不能深入到父亲的思路和意绪中去，因而我如转述很可能都是些无意的歪曲。我最好还是凭借我自己的想象力来勾勒一切，把父亲提供的材料糅进去，当然，也有母亲及其他人提供的某些材料。

10

一切还得从我爷爷讲起。我爷爷一度是故乡最有名气的人物。他到省城参加清末最后一届科举考试，考中举人。这样他就来到了北京，以图进一步的功名。当时西方已敲开中国这座巨大庙堂的殿门，连朝廷也认可派举子出洋深造是一种有益于加固中国殿堂的措施。于是将两条路摆在众举子面前供他们抉择：一条是像老规矩那样在京等待委派官职，另一条则是出洋留学。我爷爷选了后一条路。他去了日本，就读于东京早稻田大学，学的是人类学。结果他同许多留洋举子一样，不但没有通过留洋成为朝廷的栋梁之材，反倒滋生了猛烈的掀翻古老殿堂的激进思想。他参加了孙中山创建的同盟会。回到北京后，他又与陈独秀、李大钊等人过从甚密。他的精力主要用于各种家里人不甚清楚的社会政治活动，他的公开身份则是在蒙藏院（清朝覆灭之后国民政府的一个处理少数民族事务的衙门）任佥事，这也是他挣钱养家的主要经济来源。不知道为什么凭借这样的身份和经济来源他能一度生活得那么好——父亲把那一时期称为"朴园时期"，朴园是爷爷租住的一所位于北城净土寺街的大宅院，宅院的格局次于王府贝子府贝勒府，但绝对高于一般阔人的四合院。据父亲形容，住房部分有精致的穿堂倒厅、穿山走廊、回廊别院。其中央部位的房屋是歇山顶带卷棚的高大轩昂的建筑，有着花雕金边靛蓝底子凸起金字的廊柱对联，并在气派十足的正屋正门之上悬有一块大匾，匾上书有"朴园"二字，这所大宅院的总称谓即由此而来。宅院前部及一侧有土山太湖石及无数高大的树木和丛生的花草灌木，其间点缀着旧亭荒榭、石桌石凳、古井灯台，由于久未刻意收拾而任其生灭，因而充溢着神秘的气氛。

朴园时期，我爷爷享受着一种特殊的尊敬，那就是来自遥远故乡的进京士人的崇拜与投靠。据说那一两年里，几乎每个来自故乡的读书人都不仅一定要来拜望我爷爷，争取当面聆听他的教诲，而且常常就留宿在我爷爷家中，那大宅院中的一些偏房几乎成了同乡会馆式的免费宿舍。开饭时就更热闹，不仅留宿的人都坐下来白吃，更有并不住在朴园而特意从老远的地方跑来赶饭的。所以据说爷爷家那时候雇佣的厨子就有四个之多。白米捞饭和白面馒头每顿都是用大笸箩往饭堂里送，菜肴和热汤一般情况下并不特别高级，但分量颇大，大盘大碗地往桌上端，还总有泡菜和霉豆腐佐餐。据说每顿开饭时人们并不固定座位，随便乱坐，一般当然都愿与我爷爷同桌，但我爷爷在外面吃饭的时候多，回家吃饭时候少，所以很难获得与他同桌的荣幸。但我爷爷因为一脑子新派思想，所以并无架子，他回来吃饭时，常常端着碗，主动移到这里那里，边吃边同故乡来的年轻人攀谈，有时候突然来吃饭的人过多，菜供应不上，我爷爷就用筷子，敲着桌上的霉豆腐碟子，乐呵呵地说：“你们莫忙，莫忙啊，把这个留给我啵！”而也就偏有调皮的年轻人连那碟子也端走，笑嚷着：“先生吃白饭！我们白吃饭！”我爷爷便仰脖大笑，常常把嘴里的饭喷了出来。也有时候突然某顿并没有多少人来吃饭，我爷爷便皱眉，显然心里在嘀咕：今天是怎么回事呢？那时候还没有冰箱，厨师怕做多的饭菜馊掉，也唉声叹气，也确实经常馊掉许多，只好便宜了来捡泔水的郊农。

　　七舅舅原只不过是众多跑到朴园来赶饭的故乡青年之一。他究竟是来朴园时已经加入中国共产党，抑或是来朴园后，甚至是经我爷爷认识了陈独秀、李大钊或别的未在青史上留名的哪位早期共产党人后在北京加入的，还是他在几次往来于故乡——北京——上海之间的过程中在故乡或上海或别的什么地方加入的。这我就不清楚了，相信七舅舅在自己的档案材料上是写得一清二楚的。这一点来自故乡的县党史修撰者也毋庸我来考据证实——但有一点父亲告诉过我：我爷爷很喜欢七舅舅，甚而从喜爱发展到宠爱。

　　那是个大革命的时代。1925 年年初，我爷爷决定抛弃朴园，把奶奶、我父亲和当时尚未成年的几位姑姑移到远比朴园狭小简朴的四合院中，前往广州参加革命。他决定把七舅舅当做他钟爱的弟子及亲密战友带走（其实就七舅舅方面而言，无须谁把他带走，他是把我爷爷视为可爱而可敬的辛亥革命老前辈，愿推动他进一步加深与中国共产党的关系，以利革命事业），这大约引发出了我父亲与爷爷同时兼及七舅舅之间的尖锐矛盾——须知我父亲当时也是一位血气方刚的激进青年，凭什么他就得留在北京挑起维持一家的生活重担？凭什么他就不该前往迸发出诱人的革命魅力的广州，也成为一个惊涛骇浪中的弄潮儿？难道七舅舅就真比他强么？难道爷爷同七舅舅在一起，就真比同自己亲生儿子一起更感到昂奋而快乐么？

但不管怎么说，爷爷同七舅舅一起去广州了。北京的一大家子人，并不能及时得到爷爷从广州汇来的钱，后来更干脆一个子儿也收不到，恐怕是爷爷根本就没有再寄，我父亲，当时也不过才20岁的样子，便在对爷爷爱恨交加的感情冲击中，咬着牙挑起了越来越沉重的家庭重担。

七舅舅呢？他是快快活活地革命去了！一身轻松地弄潮去了！据父亲告诉我，七舅舅年轻的时候不但不是个猥琐的胖子，竟是个身材颇显修长的健壮男子。他蓄着一头浓密的长发，并且蓄着一腮一下巴的胡须。父亲曾挤在人群中听过七舅舅演讲。据他形容，这位与他同年龄的布尔什维克显示出惊人的成熟与雄辩。他纵论天下事，横扫当世雄，像一支火把在噼噼啪啪地尽情燃烧，不打手势时，他两手手背贴在后臀上，打手势时，他的一只手或双手突然伸向斜前方，手掌立起来，五指用力地张开，"赤潮澎湃！""唯我工农！"当这类词语从他口中喷出时，听众中的一部分会狂热地鼓起掌来，而一些剪着短发、穿着月白肥袖短衫、深黑百褶短裙、长筒厚袜子、带襻布鞋的新女性，便会从仰望着他的眼睛里，闪出异样的光芒，连我父亲的恋人——我的母亲，当时国立女子师范大学附中的学生，七舅舅的从堂姐妹——也是如此；父亲回忆起这类情景时，心头肯定是五味交织。

北伐军节节向北推进。据说我爷爷和七舅舅都担任随军的军医。爷爷在日本早稻田大学主修人类学时便上过医学课，后来又专门去修过外科，七舅舅从十几岁起就跟着一位教会医院的洋医师学牙科，因而他们担任随军医师自然相宜。据说终日处于激昂亢奋状态中的七舅舅面对着送入野战医院的鲜血淋漓的伤员，常常一边心疼地抢救，一边大声地用家乡话中最刻薄凶狠的脏话骂军阀及其走狗，还常常不顾我爷爷及其他军医的劝阻，跳着脚要去参与前线的冲锋陷阵，并且在汀泗桥一战中，果然擅离野战医院的职守，跑去强行参加了敢死队。据说他高举着一面北伐军的战旗（我想象不出那是一面什么图案的旗帜），在烽烟中冒着枪林弹雨,冲在最前列,并终于把那面旗帜插在了所攻下的屋宇上,他的英勇、热情、浪漫、豪放,一时传为佳话。

我爷爷和七舅舅随着胜利的北伐军进入了武汉城。那时候我还远未出生。后来我从教科书上和老师讲述中知道发生了什么事。国共分裂,"四·一二"大屠杀,白色恐怖。我爷爷同一位"马日事变"后从湖南逃出来的女赤卫队长(几乎比他小 30 岁),一起前往上海同居并开辟新的局面,七舅舅则辗转到达江西南昌。后来就有历史上著名的南昌起义,并使我们在以后的每一年 8 月 1 日永志不忘这一壮举。那是中国革命史上的一个转折点,也是七舅舅生命历程上的一个转折点。

传说起义前数小时,召集了中国共产党党员及北伐军军官会议,后来彪炳于史册的几位人物主持那次会议,他们宣布了起义计划,并郑重地说:愿意参与的,留下来;不愿参与的,可以坦率地表白,发放路费请速回乡——当然,不允许做有害于起义的事。七舅舅出人意料地当场走上前去,冷静地清晰地表白了他的意愿。他不参与,他将于第二天返乡当一个牙科医师,他绝不会投靠国民党或别的什么政治派别,他将永远从政治中退出。他不领所发放的路费,因为他自己有足够的钱供他退出。说完,他便一步一步地退出了会场,人们给他闪开一条路,许多目光逼视着他,他却双眼不看任何人,匀速运动地走出了大门,消失在苍茫夜幕中。

11

我父亲对七舅舅的鄙夷,不仅有一般政治道德标准的依据,更多的,是他以自身及另外一些亲朋的遭遇与之作平行对比,而切肤般地感受到一种不平。

父亲向我披露七舅舅的这段政治隐私,已是在"文革"的后期。当时父亲已从一所军事院校被强行"复员"回到遥远而偏僻的故乡。其实父亲早在幼年时期就随我爷爷奶奶迁到了北京,后来几十年间从未回过老家,并且他调到军事院校任教已是 60 年代初,是从北京国务院一个大部调去的。他之被强行"退休"回乡自然是受极左路线的迫害,"四人帮"被粉碎后他才得以平反,这是后话。父亲遭难时,七舅舅却依然安安稳稳地住在上海。前面讲过七舅舅在"清理阶级队伍"

时也受到过冲击，被"揪出来"送进了"死班""全托"，但那时间很短，很快就为他落实了政策——认为他的历史问题早已查清，他也早已交代得一清二楚，他只算是脱党而不能算作叛徒。确实也是，他毕竟是在主持起义的共产党领袖宣布了可以退出以后，当众明明白白退出的。他退出以后确实回到故乡、后来又到上海当了一个只给人看牙绝不参与政治的牙科医师。据说国民党在"剿共"时期也曾派特务严密监视过他并骚扰过他，但他确实没有再同共产党保持任何联系并且也确实没有向国民党提供任何关于共产党的机密；又据说国民党在第二次国共合作期间及抗日战争后表示要实行政治协商期间，派大革命时期与他交往过的要员上他家去动员过他，让他出来在某种花瓶性的政治组织中充任某种插花角色，而都被他婉拒，他见到这类造访者都只热衷于为他们全面检查牙齿，并提供口腔牙齿保健的切实可行的建议，所以最后人家也便听任他当他的牙医。

不知道当中国人民解放军开进上海时七舅舅是怎样的一种心情。当他的历史污点曝光后，而社会又处于稳定而开放的状态时，他们医院中的一些人，乃至我们家族中的一些晚辈，都曾发过这样的议论：倘若那一天七舅舅不是从会场上退出而是依然保持一种昂奋的状态，那么也许率领解放军进城的将领中就有一位是他。但七舅舅似乎从未流露出过他对这一巨大历史进程的心情。他仍是一如既往地埋头为患者精心治牙。

又据说上海解放不久，一位很著名的共产党领袖人物被引到七舅舅面前治牙，那秘书正向那领袖人物介绍七舅舅是怎样高明的一位牙医，那领袖人物却突然快活地大叫一声，把秘书撇在一边，呼唤着别人都不知道的七舅舅当年的名号，一把抓住七舅舅的手，同七舅舅叙起旧来——他向七舅舅提及了他们在北伐进军中的几桩往事，七舅舅含混地应答着，只管笑眯眯地请他的这位故旧坐下来看牙。这以后发生了一系列连七舅母也难以理解的事——要安排七舅舅当政协委员，七舅舅拒绝了；要给七舅舅挂医院副院长的名（并不要求他做任何事），七舅舅拒绝了；后来又有统战部的人来动员七舅舅到"民革"中当个什么（因为当年在广州同许多中共党员一样，也同时加入了国民党，有国民党员的身份），七舅舅也拒绝了；派报社记者来采访他，要表彰他的医术医德，他称病挡驾了；请他出面会见招待来访的外国医务界人士，他推脱了；就是每逢"五一"、"十一"等节日送来请柬请他出席市里的大型宴会、集会或观看演出，他也都没有去过。更为古怪的是，医学方面的协会、联谊会之类的组织他也不参加，医学方面的杂志向他约稿他也从不投稿，后来院里打算让他的徒弟记录他的临床经验整理成书，他也摇头说："写下来有啥子用哟，我教给他们做就是了嘛，他们日后再教他们徒弟就是了嘛！"七舅舅终于不曾挂过任何职务，不曾有过任何头衔，报纸书刊上也不曾出现他一次名字，他也没有留下一篇论文更别谈留下一本专业方面的著作。但七舅舅自那个历史上著名的夜晚到后来去世的半个多世纪中，生活平稳而安适。"文革"的冲击对他而言是短暂而且也并不怎么猛烈的。据说他被"解脱"而放回家中后，见到七舅母的第一句话是："快去买个蹄髈来炖，我潮得很哟！""潮得很"是我们家乡话，意思就是久未见到荤腥的一种强烈向往。七舅母即刻提着篮子奔向菜市场，并且果然买了好大一只蹄髈，炖得烂烂香香的让七舅舅吃了个够。七舅舅吃蹄髈的这个生活细节传到我父亲耳中以后，尤其令他愤懑，他对七舅舅有着一种超常的嫉恨，我想这大约是因为他认为命运太便宜七舅舅了。站在我父亲的角度替他想一想，也确实容不得七舅舅的悠哉游哉。当年父亲留在北京，眼睁睁地看着七舅舅兴高采烈地随我爷爷去广州投入革命洪流，他恐怕是认为牺牲了自己成全了七舅舅，而七舅舅竟并不能从一而终，在革命的关键时刻当了逃兵，这倒也罢了，这位逃兵直到全国解放以后，依然坚持脱离政治，而他竟得以保全！我父亲呢，他挑着沉重的生活重担（开始是维持爷爷扔下的一大家子，后来他同母亲结婚后又养育了五个儿子一个女儿），直到解放前夕才算终于同地下党挂上了钩，解放后他一心一意跟着共产党干革命，领受了党给他的职务、头衔、身份和使命，然而在"文革"中却要他为此付出难以承受的代价，他既被判定为"有严重历史问题"，更有一系列文章和言论被列为"毒草"惨遭批判，最后竟被"复员"到对他来说极为陌生的故乡，这怎么能让他想得通呢？为什么七舅舅"逍遥法外"，而他却在劫难逃呢？我父亲还向我提到了一串亲朋的遭遇，他们当中大有与七舅舅同时参加革命并且一直坚持下来的优秀之士，却挨斗的挨斗，受罚的受罚，甚至惨死的惨死……其实父亲也用不着跟我讲那么多，我当然知道有一位叫贺龙的元帅是怎么死的，当七舅舅啃那只炖得烂烂的香香的蹄髈时，贺龙元帅连干净的饮用水也没有得喝！

12

故乡来的女郎问我有没有保存着七舅舅当年的照片,我说哪里会有。其实我是有的。从故去的父亲母亲的遗物中,我发现了一包经过"文革"洗礼而依然幸存下来的旧照片,其中就有一张是七舅舅的。背面写着年月日,摄于北伐途中,是寄给我父亲"留念"的,父亲在"文革"中毁掉了那么多旧照片包括大量他本人穿西服和母亲穿旗袍的,而偏留下了七舅舅的这张照片,是出于什么样的心理,我难以揣摩。也许是因为即便"红卫兵"查抄出了这张照片,也无法"上纲"吧!因为"红卫兵"们都看过大型音乐舞蹈史诗《东方红》的演出,会唱"工农兵,团结起来向前进"的歌子,会懂得北伐战争的革命性质的。七舅舅的这张相片拍得实在不错,他身着戎装,戎装外还有一个大披风,披风悬于身后,长及地面,他侧身面对照相机,一手叉腰,一条腿蹬到身前一只木凳上,摆出一个威武的姿势。这姿势不知是他自己设计的,还是所路经的那个县城照相馆的摄影师代他设计的。总之很妙,具有强烈的时代感和个性色彩。

我不愿把这张照片提供给故乡的县志办公室,因为我不理解为什么他们要对七舅舅这样的人物如此尊重,其实就一生的总体价值而言,我觉得我父亲就远比七舅舅更值得故乡看重,然而我父亲毫无希望进入县志,顶多是在关于我爷爷的小传中提到一句,他的子女中有一个是我父亲,更多的可能是连一句都没有,或者未定稿中有,到定稿时肯定要删去——仅凭一条精练的原则。

我把这想法同那来自故乡的女郎说了,她颇不以为然。我们有这样的对话——

我:你们搜集一个逃兵的照片干什么呢?

女郎:我们是搜集县第一任中国共产党支部书记的照片。

我:他那第一任支部书记的意义就那么重大吗?

女郎:对一个县的党史来说,当然重要,这是历史,要尊重历史。

我:尊重历史?

女郎:对。尊重历史。历史首先是事实。我搞这个具体工作,第一环,也是关键的一环,就是把当年的事实加以搜集、还原。不管你七舅舅后来怎么样,当年他是县里第一个中国共产党支部的第一任书记，那就要记下来他是第一任书记；尽管他后来脱党了，而当时支部里的另一位同志后来坚持革命，并且善始善终，最后地位很高，盖棺论定评价很好，我们也不能因此就把他移植为县里第一个党支部的第一任书记加以记录，我们必须还是要记下来：你七舅舅是中共的第一任支部书记。因为他占据着这个第一，所以我们打算搜集他的照片。就好比中共中央搞党史的会搜集陈独秀的照片一样，当然不是因为他当了"托陈取消派"而搜集，而是因为他是中国共产党第一任总书记而搜集。

我：我七舅舅成为这个第一，我想有着这许多的偶然性……

女郎：陈独秀成为中国共产党第一任总书记，也有人认为有着偶然性。不过这属于分析研究，是历史的另一层面，历史的基础是原始事实。根据同一原始事实人们可以形成不同的历史观点，甚至构成完全不同的史学派别。

我：啊！

13

我感到惊讶。故乡竟有这样的新女性。她对历史的见解不管是否正确，听起来蛮新潮。我打听出来，她不过毕业于地区级的师范专科学校，因为她也算是当地的干部子女，所以毕业后没有分配到中学里当教师，而是得到了现在这样一个工作，不过听她的口气这也只是她向上进取的一个中间环节，她的下一步我揣测是上调到市里或者省里的一个理想的机构工作。

她跟我讲历史，告诉我历史有着怎样的几个层面，其实不用她宣谕，我也是一个富于历史感的人。我以为历史不仅包含着流动冲突交融生灭的人和事，更包含着空间景观的变化。我想起了那遥远的故乡县城。幼儿时母亲曾带我回过故乡，不过我没有留下任何印象。我对故乡的感知是"文革"中回那里看望"复员"的父亲和跟随他的母亲。记得是在一个只停车两分钟的小站下的火车，下车时天麻黑。那地方只有两栋建筑，一栋是小站的候车室及办公室，一栋是一座歪歪斜斜的公共厕所。我在小站那小小的候车室的一条破朽的长椅上睡了一夜，半夜几次被臭虫咬醒，但我居然醒醒睡睡、睡睡醒醒地在那里熬到了天亮，天亮以后，我利用了那叹为观止的公厕，然后步行两里路去圩上赶搭长途公共汽车。那汽车是从城里淘汰下来的，前面有"大鼻子"，所有窗玻璃都缺失了，因此通风状态极其良好。上车后我占据了一个靠近司机的座位，司机座位上悬挂着一块木牌，上面用拙劣的书法写着："禁止吸烟。严禁与司机谈话。"司机上来了，与当地满目皆类的众人那矮小精瘦的形象呈鲜明的对比，竟是一位横宽的胖子。他一上车便有人向他进烟，他便立即抽起了香烟，车子发动、行驶了，他不断扭过头来，同后面的熟人聊天，言谈极欢，那块禁止吸烟及禁止与司机谈话的木牌就在他头上晃动。通向故乡的公路是没有柏油只铺沙石的"战备公路"，高低起伏，时有丘陵上的盘旋，虽然所经的山路难称险峻，但偶尔车窗外也能呈现出十几米几十米的落差。那司机满不在乎地一边吸烟一边扭头说笑地开车，车身颠簸而转弯急促，使我一颗心不时跳到嗓子眼儿，于是我终于憋不住地问那司机："这条路上，翻过车么？"他望着我，嘿嘿地笑着说："啷个没翻过车，你往右首看嘛，那不就是几日前翻的？"车子猛地一抖，擦着崖边的界石一转，我朝他头甩的方向一望，果然，崖下有辆已经摔瘪的四轮朝天的破汽车……

尽管那时的北京城远不能和如今的北京城相比，但毕竟有北京饭店，有王府井大街，有三开门的长型公共汽车，有冰激凌和橘子汽水，也就是说总还有点现代化的气息，而遥远的故乡啊，水田中迟缓的耕牛，竹丛中陈旧的瓦房，小路上头缠旧布肩背箩筐腿脚暴突着蚯蚓般青筋血管的乡亲，都使我觉得历史的篇页仿佛在这里掀翻不动停滞沉落……

然而我很快也就改变了想法，我注意到那简易公路一旁每隔百米左右便有一座新砌出的小碑座，尽管用砖材不多而以土坯堆砌为主，但碑顶上还是做成宫殿式华盖，中心刷上白粉，而以红颜料书写着"最高指示"，这就提醒着我历史的脚步并没有绕过这穷乡僻壤。这毕竟是1923年便有了第一个党支部的地方。

几乎经历了整天的颠簸，终于开到县城了。我很惊讶于县城几条用青灰和炉渣铺成的马路，为何呈现出明显的球面形，中间比两边竟高出一尺左右，后来我父亲告诉我，他们是仿效城里的柏油路来铺敷的，但考虑到晾晒稻谷及雨后泄洪的需要，所以修成了这样的拱形。在故乡父母的居处我遇到了许多的亲戚，有在县政府工作多年仍未到过省城的小干部；有在县中学教了多年初中物理课但仍然没有使用过电灯的老教师；也有算是当地打扮最时髦的青年问我从北京的五层楼房上朝下看腿会不会发软……

不管怎么说我还是爱自己的故乡，毕竟这里的穷山恶水养育出了我们家族——父系的和母系的。出现了我爷爷、我父亲、我七舅舅等许许多多走出那狭小的天地的各式人物，他们的个人命运，或强烈或微弱，或一度或长期地与民族的现代当代历史进程相交融。

前两年我回过一次故乡，严格地说是路过故乡，我是随一个参观团去往一处著名的摩崖石刻。旅游车在故乡停下来，用两小时给大家吃饭。我很惊讶，公路依然大部分还是沙石铺的简易公路，但那一座座的"最高指示"碑已无影无踪，真不懂为什么连一座也不加保留，就如同现在许多家庭中居然找不到一册"最高指示"的语录一样，那时候每个家庭起码有四五本以上的"红宝书"，何以事过境迁，便一概不留？敢问故乡修党史的女郎，这也是历史的一个层面么？何以涌来时如醉如狂，消去时如雾如烟？

然而必须对故乡刮目相看。拱形马路已铲平重修；五层楼房已不稀罕，阳台上朝下俯望的青年人双腿肯定不会发软；百货店橱窗中陈列着20英寸的彩电；路边拐角处竟有一家新开张的冷饮店，出售着咖啡冰激凌！

当旅游车开出县城后，我隔窗眺望丘陵田原，尽管仍有水牛耕地的画面，但竹丛中毕竟增添了青瓦白墙的新式农居，而且屋顶上还高耸着叉子形的天线。我相信，尽管有的汹涌而来的东西会一旦消去，但已经有了楼房的地方不可能再退回无楼状态；已经有了电视的地方不可能再退回到无电视的境界；已经吃过冰激凌的青年也不可能再去禁绝生产冷饮的机器……历史！你的疏松与坚实、无形与有形、情盛与情衰、迟缓与突进，究竟由着怎样的内在机制运作？

14

仔细地想一想故乡，有助于理解我那七舅舅。起码可以理解一半。

面对着本世纪初的民族现实，振兴图强是许多读书人的共同愿望，这愿望凝聚为革命，革命的洪流席卷了大半的读书人，尤其是热血青年。

然而七舅舅何以在那个历史性的夜晚，断然退出了洪流，去延续他那一变而为平庸猥琐的生命？如今与我平辈的亲族中对他的这一巨变各持己见，有的判定他是被白色恐怖吓破了胆，有的估计他是被事态的混乱懵昏了头，有的怀疑他当初的亢奋激进里就埋伏着投机与权变。然而是瑶表妹的分析最有特点，她说那肯定是七舅舅终于清醒冷静地发现，他是误选了自己所应扮演的角色，他如果继续扮演下去，不仅自己吃力而痛苦，对群体和社会也都将造成损失。所以他急流勇退，及时地改扮他所适宜的角色，结果他改扮得非常成功。半个多世纪来从口腔中得他益处的人数以万计，所以，她认为七舅舅后三分之二还多的生命比他前三分之一还少的那部分生命更有价值。她断然斥退了我那"平庸猥琐"的考语，她说："历史需要始终勇猛前行的革命家，历史也需要兢兢业业医术精良的牙科医师；历史常常强迫一个人扮演并不适合的角色，能够及时发现自己不适合，并及时改扮更合适的角色，这也是一种大智大勇，这恰恰并不是平庸，更不猥琐。"

15

跟瑶表妹争辩于我很不利。因为毕竟她在七舅舅身边生活过多年，并给七舅舅送了终。更何况瑶表妹还掌握着七舅舅的一桩隐私，听她讲来真令人遐思绵绵。

据瑶表妹说，那是七舅舅逝世前两年的一个春日。她的单位组织了一次旅游活动，在运河边一个江南水乡风味盎然的镇子上，瑶表妹竟突然尿急，而所在的运河边并无公共厕所，不得已，她便向一位正坐在河边风雨廊下自家门前守摊子（卖一点香烟糖果之类的小食品）的娘娘求情，那娘娘并不见怪，便把她引进了自家房内，一直引进最里面一间，那是间睡房，有老式的悬帐睡床，古旧的五屉桌，等等。房中有一面大衣柜，那娘娘将她引向那大衣柜后，在那三角形的空间中，有一只漆得光光亮亮的木马桶。这当然大大地解决了瑶表妹的燃眉之急。事毕，瑶表妹千恩万谢，那娘娘更显得慈眉善眼，竟端来舀好水的铜盆，放置在古色古香的旧盆架上请瑶表妹洗手，洗毕又递过干干净净的毛巾来让她擦手。就在瑶表妹擦手之际，据瑶表妹说，简直像有一道闪电突然射进了她的眼里，她一时懵了，呆傻地定在那里。

原来,那睡房的墙壁上,挂着一张12英寸的旧照片,镶嵌在一个木质的镜框里,那照片上坐着三位成年人,站着一位幼童。当中的成年人年纪颇大,一边是位妇女,对比之下相当年轻,那幼童就站立在那妇女膝前。另一边呢,则是一位男士——尽管相片上的男士也很年轻,并绝非胖人,但瑶表妹本能地认出来——那是七舅舅!绝对是!

瑶表妹出神地望着那张照片,不禁脱口发问:"相片上是谁?"

那位娘娘回答她:"当中是我公公,早去世啦,我也没见过。这边是我婆婆,前几年也过世了。这个小人么,是我男人。他现在好老了,在镇子上五金公司做事。"

"那,这边这位是啥人呢?"瑶表妹只好指着主人没有介绍的一位,盯着她问。

"那是我们一位亲戚,我男人跟我都随小辈们叫他七舅舅……"

大概那位娘娘从瑶表妹的神情里看出了问题,便不打算再招待她,而提醒她说:"大妹妹不是说你们就要集合回上海么?大妹妹不要误了车子好哩……"

瑶表妹心里乱哄哄的,哪里肯移动双脚,她坚持打探:"你们叫他七舅舅!那,你们现在还来往么?"

那位娘娘的眉眼全变了,据瑶表妹形容,仿佛一盆脏水倒进了莲花池,她满脸乌黑地对瑶表妹说:"完了事了,请你去吧!"

瑶表妹恍恍惚惚地出了那户人家,恍恍惚惚地至集合地点,恍恍惚惚上了带空调设备的飞机舱式旅游车,单位的人都以为她病了,有人递药给她,有人递水壶给她,她糊里糊涂地吞了、喝了,闭上眼,放倒座椅半躺着,心里头仿佛有许多部电影片子映在同一个屏幕上,直到车子进入上海市区,车窗外显示出万家灯火,她才痛切地感到悔恨——竟没有记下那户人家的门牌号码,更没有能知道姓甚名谁!

然而当瑶表妹把这梦一般的遭遇告诉我时——其时七舅舅已然去世——我不用她帮着分析,便立即悟出,那照片中的老一点的男士,便是我的爷爷,而那年轻许多的妇女,便是与爷爷相爱并同居的湖南农运中的女赤卫队长。传说曾是位左右手都能开枪的双枪将,而那依在她膝前的男孩,便是我的一位叔叔!瑶表妹所见到的那位摆小摊子的娘娘,不消说便是我的一位婶娘!

我当然要追着问瑶表妹:她回到上海以后,可曾向七舅舅打听过:他承不承认跟这样一个人家来往过？他们都是谁？而最关键的是，他这些年来直到最近是否仍同这家人保持着联系？

瑶表妹说，她曾寻找一个七舅母和保姆都外出，而七舅舅精神尚好的机会，把她在那运河边小镇子里的遭遇，细细地讲给了七舅舅，她自然重点描绘了那张旧照片，并且重复了那位摆小摊娘娘的话："我男人跟我都随小辈们叫他七舅舅……"讲完，她坦率地问："那个七舅舅就是你吧？你该把这家人的事告诉我们才对！"

据瑶表妹形容，七舅舅很平静地听她讲述一切，面对她提出的问题，也很平静，然而没有马上回答，而是沉默了好几分钟，在这几分钟里，瑶表妹盯住七舅舅的眼睛仔细观察。七舅舅坐在藤椅里，肥胖的双手指头交叉地握在圆鼓鼓的肚子上，双眼望着窗外，瑶表妹似乎从他双眼深处捕捉到了一点什么，像闪烁的火花，或像晶莹的泪珠，又有点像缥缈的云丝，但刹那间随着七舅舅的回答这一点点东西便再也捕捉不到了——七舅舅慢悠悠的回答是："有这事么？没有什么。天下本来会有好多个七舅舅。"

瑶表妹因此一度确把这事看淡。天下凑巧的事本来不少，所以她那时并不曾把这事告诉给我。

后来七舅舅身体一天不如一天，外出游逛的时候便渐次减少，但他只要是精神稍好便一定要外出活动，晚上仍然常进戏园，吃东西依然讲究口味，不是进饭馆便是在家里大盘大碗地饕餮一番。七舅舅是好热闹的，举凡外出游览、上饭馆、上戏园，总希望有人陪同，在家里更是希望顿顿饭有客人来吃，偶尔一个人外出，多半是因为亲朋徒弟中实在找不出有空闲的人相伴。但就在瑶表妹向他询问有关那张旧照片的事以后不久，有一天七舅舅一早就显示出要外出活动，当时七舅母恰好回娘家去了，瑶表妹便对七舅舅说要上哪儿去，告诉她好了，她到单位后可以打电话给他一个也已退休的徒弟，让那徒弟去找他，以便与他做伴，并陪他吃饭和送他回家——这也是以往常有的做法，比如说七舅舅先一人去老城隍庙湖心亭吃茶，亲朋中哪一位过些时候到茶亭中去找他，会合后再一起消磨。七舅舅说不用瑶表妹打电话，各人都忙，都不必陪他，他一个人随便走走。瑶表妹也就算了。但当天傍晚——瑶表妹在轮船码头附近换乘公共汽车时，却发现有一个胖胖的老头仿佛刚从到埠轮船上下来，在雇三轮车，从那侧影上看，很像是七舅舅；当她搭上公共汽车后，在前后左右乘客的拥挤中，她猛地想到：七舅舅莫不是去了那个镇子？乘小轮船当天来回是完全来得及的！瑶表妹到家时，七舅舅已然安坐在家中藤椅上，打着瞌睡——他在等待家人归家汇齐吃饭时常是这么一种状态。保姆开饭了，当七舅舅与瑶表妹以及保姆一同坐下来吃饭时，瑶表妹便问七舅舅："今天玩得开心吗？去哪儿了？"七舅舅平静地夹菜，保姆汪妈代答道："能有多开心？还不是老地方。"瑶表妹干脆逼近一步问："是坐船去远处了吗？我路过码头时候好像看见您在雇三轮车……"汪妈抢着说："偌大年纪敢一个去坐船？亏你想得出！"七舅舅表情依旧，平静而恬淡，瑶表妹便没有再问下去。

七舅舅在那以后没多久就发病了。冠心病又引发了肺气肿，很快转入危急阶段。七舅母、瑶表妹、汪妈及其他一些亲戚及七舅舅的徒弟轮流值班，在医院特护室陪住照顾。有一天瑶表妹去接班，在医院走廊上同一对五十多岁的夫妇擦肩而过，瑶表妹走出几十米后，猛然觉得那擦肩而过的一对中有张面孔似乎在什么地方见到过，对了！就是那运河边小镇上摆摊卖小食品的妇人！就是那开始好心地借她马桶用后来却脸色乌青地把她赶走的妇人！就是同她男人也把七舅舅叫做七舅舅的人！悟出这一点以后，瑶表妹赶紧扭身回去寻找，一直追到候诊大厅和挂号处，却再认不出那张面孔……瑶表妹到了住院部七舅舅的特护病房，正在那里值班的是他的一位徒弟，也已是年逾花甲的老人了——瑶表妹便问他下午都有谁来看望过七舅舅，他说来过的人很多，有市卫生局的领导，有曾受惠于七舅舅的患者，也有他认不清的我们家族的亲友……瑶表妹便把那对夫妇的面貌身段形容给他，他却说不清是来过还是没来过——瑶表妹不便再问下去，因为七舅舅似乎又从昏睡中醒了过来，费力地喘息着，瑶表妹立即踩动吸痰机，给七舅舅吸痰……

七舅舅终于寿终正寝。追悼会开得很隆重。悼词全是赞美的话，但没有提到他早年的革命历史，讲他生平只就他何时学医、何时从医、何时成为名医一路讲下来，颂扬的全是他的医术医德。难道他果真是及时退出了不适宜的人生角色而终于选定了最称职的角色？幕落时他安详地躺在那里，听取他想听的评价。

我在北京，自然没有参与七舅舅的丧事。不过当瑶表妹把那一切转述给我时，我却颇为不平，我想到了我父亲的去世。我父亲去世在 1978 年，当时部队已给他彻底平反，并承认对他的所谓"复员"处理荒唐失当，父亲原来任教的那所部队军事学院"文革"被砸烂，1978 年时正积极准备恢复，父亲等待着学院把他和母亲接回去继续任教，但父亲却突然在那年的一个夏日中午脑溢血，几个小时后仙逝而去。据母亲事后告诉我们子女，直接的发病原因是父亲为准备重执教鞭，从县立中学教师那里借来了一套供教师进修用的英语教材，那教材是省城一所大学编印的，父亲借看是为了了解一下那几年里英语教学的一般情况，谁知他一翻阅，大惊失色，不仅编写的角度他认为岂有此理，不按英语本身规律，而是按马列主义毛泽东思想的各个组成部分排列课序，而且语法上的错误比比皆是，加以校对极不认真，而"勘误表"中又再出现错误，他气得一拍桌子："简直误人子弟！"就在这一拍之间，便发作了脑溢血！

我父亲逝世在离他所属的那所恢复中的军事院校和我们子女都很遥远的地方，我们赶回去时他已火化。部队来了两个人，因陋就简地在父母所住的那个院子里开了个追悼会，尽管部队带来的悼词也都是些赞扬的话，但原则而空洞，究竟我父亲的一生是扮演着一个什么角色？很不明确；并且他也未能像七舅舅那样，以瞑目的遗体聆听着悼词中的字句。

16

我后来给那个小镇的户籍部门及五金公司写过信寻找那与我父亲同父异母的叔叔，都给了我回信，说根据我提供的线索，他们找不到那样一个人。我又曾向瑶表妹建议约定一个于我们两个都相宜的时间，一同去那小镇一趟，找到那个摆小食品摊的娘娘，同她恳谈，也许她和她丈夫会认下我这个侄儿，但是瑶表妹写信告诉我，她后来又曾去过那个镇子，沿河那条街的旧房子全拆了，翻修后的街道为适应旅游已几乎全是商店，大多数居民都已迁往别处，她又不知那位娘娘的姓名，如何问得出下落？而在街巷市场中邂逅的机缘又实在渺茫。她对此已全不抱希望。瑶表妹毕竟与那对夫妇毫无血缘关系——就算他们真是我爷爷的儿子和儿媳妇——而我却总在心中萦怀着一种拂不去的柔情。也曾向最亲近的朋友讲起过这桩事，有的就打趣我说："人家都是忙着跟失散在台湾的叔叔婶婶相认，因为都知道台湾人如今腰包鼓，你倒好，急着要认小地方的穷亲戚……"我便也揶揄地说："你怎见得我那叔叔没发财呢？也许他是个乡镇企业家，已经腰缠万贯了哩！寻上他，不是连你也能揩一点油么？"

近来我对寻找这位叔叔的兴致也淡下去了。因为我悟到即便真有那么一位叔叔，当县里有关部门或五金公司有关人员拿着我的信找到他面前时，他明知我们有那么一层血缘关系，也会冷淡地否认，因为，他一定从他父亲——我爷爷，还有他母亲，以及他也叫做"七舅舅"的那位亲友那里，继承到一种心理，那是一种隐姓埋名的心理，一种退出政治的心理，一种减少复杂的社会联系的心理，一种避免内心激动而归于永远恬淡的心理。该怎么样来评价这样的心理呢？

当然，我爷爷、爷爷那位未与之正式履行结婚手续的爱人，其具体的心理状况及形成那么一种状况的契机与我七舅舅并不相同。似乎不好一概而论。

从前面的叙述可以看出，我爷爷有同乡间口碑相符的一面，在所谓"朴园时代"，他享有"小孟尝"的美称；到广州投入大革命，他在中山大学任教授，周围也总是簇集着若干相得的学生，并且他与廖仲恺、何香凝、胡汉民、鲁迅、郭沫若、黄琪翔、孙炳文等历史上留下重大痕迹的人物都有过从。然而，他的人生观里一开始就有着某种排拒公开登上社会政治舞台尤其是浮上表层涌向旋涡中心的固执想法，他总是既积极投入演出，又自觉地与舞台中央保持距离。因此，他就总带有着某种神秘色彩。据我父亲告诉我，奶奶临终以前，告诉我父亲，历史上著名的刺杀摄政王的"银锭桥炸弹事件"。其实是爷爷同黄复生、汪精卫及一位日本浪人一起干的，他们的地下机关就设在地安门外大街的一家照相馆中，炸弹就是在那照相馆的暗室中制作的——谋炸未遂后黄复生和汪精卫均遭逮捕，并成为名噪一时的社会政治名人，我爷爷逃脱并始终未让清廷得知，辛亥革命后，我爷爷亦绝不提起曾参与此事。又据说爷爷在北京时曾参加过陈独秀、李大钊初创的共产主义小组的活动。但他并不每次参加，并主动向陈、李二人说明他不算正式成员。到广州中山大学任教后，他与大学中的中共党员如毕磊等过从甚密，在近年出版的一册《鲁迅在广州》的资料书中，尚可见到有关资料。当时毕磊出面组织了学习和宣传马克思主义的组织"社会科学研究会"，曾邀鲁迅先生演讲，鲁迅先生并多次捐款给这个组织，而我爷爷则是这个组织的幕后张罗者之一。虽然如此，估计我爷爷却未见得正式加入了中国共产党，就像找不到证据判定他曾正式加入过中国国民党一样；大革命失败后，我爷爷得知孙炳文、毕磊等同辈及晚辈的挚友惨遭国民党杀害，曾愤而写下长达千行的七言歌行《哀江南》，由神州国光社印行。诗中大骂蒋介石和汪精卫，但在这个小册子上他并未署下真名；又传说他由武汉赴上海前夕曾在一次集会上有过他生平最后一次演讲，因为他既痛骂了蒋、汪，又抨击了当时使他不能理解的某些共产党人的言论做派，而当场遭到了一位年轻的共产党员的枪击——没有击中；但那位共产党员后来被共产党本身宣布为"托洛茨基派分子"，加以开除，不知所终。我爷爷到上海后在"上海公学"任教，仍保持着一种所谓"独立知识分子"或"个人革命家"的做派。他 1931 年中风后住进一家教会医院，他在不能说话的情况下，用颤抖的手歪歪扭扭地写下了几行字，请他的爱人——那位湖南农民赤卫队的女队长——带着孩子赶快去自谋生路；在 1932 年的"一·二八"事件——日本飞机向上海掷下炸弹引起国民党十九路军奋然抗战的当天，我爷爷被日寇的炸弹炸死在医院中，同日被炸的还有上海商务印书馆，炸毁了许多未刊的书稿，其中就有我爷爷写成送去只等付梓印成一厚册的《人类命运论》。也许那本《人类命运论》得以出版会使我爷爷成为一位在中国政治思想文化史上留下一点切实痕迹的人物吧，但异族的侵略之弹把他本人与他的著作一古脑炸成了齑粉，因而他的一生表面上颇为轰轰烈烈，实质上是躲避于自我心灵因而等同于隐姓埋名的一生。

我爷爷的那位湖南籍爱人，那位能左右开弓的"双枪将"，她的退出革命，则又是一种情况。估计她带着孩子离开上海后，大概也曾想方设法再回到革命的阵营中，在当时革命已非洪流，潮锋、潮心都已隐退，难以寻觅，大概她是直到很久以后，才知道毛泽东领着暂时失败的农民赤卫队残部上了井冈山，那对她来说是太遥远而朦胧了；她内心的波澜在现实的生存问题面前大概不得不一环环地收敛。最后，她可能就此流落在江南，成为烟花梅雨中的一位谁也难知底细的小镇妇人。

七舅舅大约是在离开南昌后的第三年或第四年在上海又与我爷爷及其年轻的爱人重逢，想来他一定向他们坦白了他在那个夜晚的人生抉择，他们对他的这一行径是怎样的一种评价？显然他们不曾把他视为难以宽恕的叛徒或逃兵，所以有后来瑶表妹见到的那样一幅留影。

我那至今未曾谋面的叔叔，生长在这样的一种氛围中。可想而知，他并不渴望与我们这样一些潜在的亲属取得联系。但令人悬想不已的是：倘若七舅舅生前，多年里都同他们一家保持着联系，当七舅舅同我爷爷的那最后一位爱人相会时，他们难道丝毫也不忆旧吗？他们心底那熊熊燃烧过的烈焰，难道再没有一星可以复燃的回光？或许，仅仅在他们两人之间，可以进行一种隐秘的对现实政治关注的交谈，展现出他们灵魂的那一个不曾真正泯灭的棱面？

这都成了永远的秘密。

17

我问来自故乡的女郎，找没找过我七舅母，她说："找过。在她那儿简直没有一点收获。"

这很自然。七舅母是七舅舅脱党十来年后，才同七舅舅结婚的。估计七舅舅一直没向她坦白过自己早年的激进与那个历史性夜晚的脱党。直到"文革"中"东窗事发"，七舅母才知道原来如此——但七舅母并没有被这桩事弄得六神无主，而且，据瑶表妹说，反倒是经过这桩事之后，七舅母与七舅舅之间才有了些看得出的温存。

亲族之间，其实早有"七舅母守活寡"的窃窃私议。我很早便问过母亲："七舅舅七舅母他们怎么不要孩子呢？"母亲自然用一些似是而非的话搪塞过去了，然而待七舅舅的历史问题大白于天下之后，我既已成年，便也悟出了个中究竟。七舅舅自那一晚的"全面退出"，像一只噼噼啪啪尽情燃尽的火把，不剩一点的火星。他是不仅退出了政治，退出了涉及面广阔的社会生活，而且在拼命收敛的同时，也一并退出了某些迸发型的生理机能，比如说大声喊叫、大声哭泣、仰脖大笑、快速迈步、手舞足蹈、滔滔议论、用力握手、出声叹息、闻讯色变、自吟自唱……所以不难判断，他肯定阳痿，七舅母跟他在一起，哪能有什么严格意义上的性生活？

幸而七舅舅在游山逛水、看戏、饕餮方面维系住了自我同外界的联系，并且不求甚解、不择精粗，因而苟活到比古稀人年还高的寿数。

来自故乡的女郎对我说："也找过你表妹，因为她长期跟他七舅舅七舅母住在一起，可是我们谈了不足十分钟——不是她懒得接待我，是我不想听她讲那些琐琐碎碎的事…… 你知道，只有当一个人成了伟人、名人的时候，人们才会想知道他的私生活，他的各个方面，包括他结过几次婚，有没有子女，一直到他爱吃什么东西穿什么衣服常进行哪一种娱乐和体育活动…… 可你七舅舅，说实在的，不过是我们小小县城党史县志里得提上一笔的人物罢了…… 对了，为了让我不虚此行，是不是还是麻烦你找一找你七舅舅的旧照片，你表妹说你这里有，我们明年计划搞一个展览，可以展示——我们复制成大幅的后，不仅归还你原照，还将送给你一幅大的……"我还是告诉她没有。

18

送走了故乡来的女郎，我便想取出七舅舅的那张照片来看一看。自从搬家到如今这栋楼里以后，我还没有翻检过父母一辈留下的旧物。

很奇怪，我把父母遗留下的东西从箱子里取出来，翻检一通后，却怎么也找不到七舅舅那张北伐时期的留影。我又把自己所有的照相簿及搁放未入册相片的纸匣子搜索了一遍，还是没有！我想搬家时我是不会丢失这张照片的。我究竟把它放在了哪儿？夹在了书架上哪本书里？塞在了哪个柜橱的哪只抽屉里？为找那张照片我把屋子又弄得乱七八糟，以致爱人下班回来以后大吃一惊。

我这才意识到，七舅舅于我原来并不重要……

第十三章

1

还记得那张照片，还记得。

照片上是两个穿西装的少年，一个瘦些矮些，一个高些胖些。瘦些矮些的两只眼睛很有神，直视着镜头；高些胖些的两眼斜睨着一侧，脸上是一种颟顸的神情，而且，从照片上可以清楚地看出来，他的脑门上、下巴上都疙疙瘩瘩地长着一些疮。

那张照片后来在"文革"、"造反派"抄家的时候，从父亲那里抄走了，后来落实政策退还抄走的照片时，没有发现这一张，想来一定是混乱中给弄丢了——没有人会截留那照片，对于外人来说，那是一张极其无聊、乏味的照片。

他在小时候多次看到过那张照片，现在照片不知所终，他却一闭眼仍能复制出来。

照片上是他的大哥和二哥。

2

父母刚过 20 岁就生下了大哥。大哥刚满一岁又生下了二哥。两个只差一岁的亲兄弟长相和性格竟截然不同。

大哥直到成年以后，仍个子不高，始终没发过胖，但他从儿童时期便浑身充溢着仿佛随时要爆炸开来的精力，而且胆子奇大。母亲多次讲起过大哥小时候的一桩事——那并不是唯一的或特别突出的事，母亲不过是用其举例举得习惯了而已——那时他刚上小学，才七八岁的样子。有一天，他就自己做了一个秋千，荡起秋千来了；怎样的一个秋千？那时候父亲在宁波海关当外班验估员，宿舍在一条巷子里，那巷子很窄，两边相对的三层水泥楼房之间，大约只有两米的间隔，大哥便不知从哪里找来了一块大约三米的木板，爬到楼顶上随便地往两边的楼沿一放，木板上套下一条绳索，呈环形，他自己便坐到那绳环上，开心地荡起秋千来，而且越荡摆幅越大。那木板随着他的荡动在逐渐地滑移，眼看着一端的木板已经快要脱离楼顶……当时，望见这一类似杂技表演的邻居们全都惊惶起来，一位从窗口探头张望的太太竟忍不住发出了一声尖叫……妈妈被唤出望见这情景时，双手捂在胸前不知所措……后来大哥是如何停止荡动，如何回到屋顶，如何安全回家，都不记得母亲是怎样交代的了，单记得母亲所形容出的那惊心动魄的一幕；至今一想起大哥，这一幕还会如电影般地在脑海中放映出来……

据母亲说大哥从小就经常挨父亲的打，像荡秋千这种行为，打得还轻，他在学堂里的淘气行为，危及别的同学，使家里丢脸，那就打得很重了。比如说有一次上唱游课（相当于如今体育课），他趁老师眼瞧不见，将大家共玩的一只皮球用力掷进操场边一棵老桑树树干上的一个窟窿里了，还跳着脚拍手自我叫好……母亲说为那事父亲打他的屁股，边打边命令趴伏在凳子上的大哥认错，而大哥就是不认错，不仅不认错，还咬紧牙关不哭，屁股被打得肿起老高还不哭。最后就气得父亲去找锥子来要往他屁股上扎，母亲过去死死抱住父亲胳膊哭着求情，才算没扎上去……

二哥却一生下来就很温驯，甚至温驯得令父母怀疑他是否有些弱智。但二哥饭量很大，又爱吃零食，因而很快个头就超出了大哥，并且发育成一个小胖子。不过二哥身体并不好，经常伤风，长流着鼻涕，一到夏天就满头生疮，形象很为不雅。那时家里经济状况足称小康，父母给他们西装革履地装扮起来，又一定要送进学费昂贵的教会小学读书。两个人学习成绩都很差。大哥是鬼聪明、贼淘气，但心思不用到功课上；二哥是绝不淘气，却让老师感到死不开窍。大哥在学校里经常欺侮别人，二哥却经常受别人欺侮。两个人不在一个年级一个班，但上学时一块儿去，放学时在校门口一块儿结伴回家。常常是放学会合时，大哥见比他高出半头，也宽出一块的二哥，鼻孔里挂出两串鼻涕，眼泪汪汪的一脸委屈，便问：“哪一个又欺侮你了？”二哥便总先是发呆，又缓缓摇头。大哥急了，便又大声再问一遍：“究竟哪一个嘛？”于是二哥便嘴里含着棉花般地说出一个同学的名字来，自然是绰号，如"鲤鱼头"、"大汤团"之类，大哥便让二哥在校门口站着不动，一径去寻那"鲤鱼头"、"大汤团"去，寻到了，也不询问，劈头便打，对方逃跑，便追赶，赶上再打，直到打得"唉哟"连声，讨饶不止。最后赌咒发誓："再也不敢欺侮你弟弟了！"大哥这才罢休；也有并不逃跑、讨饶、服输的，便扭住对打，打成平手，双双冲出围观的人群，互相扭头恨恨地骂："下回再来！看你还敢不敢！"大哥便会脸上身上挂着彩地回到二哥身边，二哥也不知感激，两人便往家里而去……那被大哥一时打败的，事后未必真的履行誓言，那打成平手的更憋着要出气。结果是二哥再去上学时又再受欺侮，大哥得知便再去替弟弟报仇……

大哥这样打架，自然很快就引起了校方注意，校方便把父亲请到学校去，校长亲自接待，很客气，告诉父亲鉴于大哥这种情况，他们只能请他将大哥领回家中。为顾全海关职员的名声，他们这样做不叫开除，也不叫斥退（是一种比开除级别低些的处分，被斥退者一般较被开除者容易转到别的学校读书），而叫默退，即不出告示不扬恶名，蔫不唧唧地将学生除名，这样就完全不影响大哥另换一个学校去继续学业……父亲听完少不得暂时按捺住心中一腔怒火，回到家中，便又发狠地打大哥的屁股，奇怪的是这时二哥并不跑到父亲跟前为大哥说情，比如说一声："爸，哥是为了我受欺侮，才跟别人打架的……"而是只知在一旁吓得吸着鼻涕哭泣；大哥依旧不讨饶、不哭，也并不解释自己找人打架的缘由……妈妈则在一旁叹气。

大哥换了另一所私立小学，学费也不低，教学质量却差多了，但他仍旧惹是生非，没念多久，便被斥退。据说父亲气得面如金纸，却没有为斥退再打大哥，我记得母亲回忆起那时的情形，是这样说的："你爸爸认定你大哥是块不可雕的朽木，从那时候起他就讨厌他，再没给过你大哥一个笑脸……"

3

大哥二哥都比他大十几岁，他懂事时大哥二哥都已经是青年了。他只和比他大八岁的阿姐玩，有时候也和比他大十多岁的小哥玩。他的童年时代是在山城重庆度过的。那时候他家不住在城里而住在南岸，从他家的阳台望出去可以看到整个山城的剪影，经常笼罩在灰雾中，入夜则闪烁着万家灯火。大哥断断续续地读书，没读完中学就读不下去了，他父亲便给大哥在海关找了个差事。那一时期的大哥在他印象中是一个极为模糊的存在。他不记得那时关于大哥的一切，除了那一天父亲摔碗的一幕。

详情他长大后听母亲讲过，但他后来有自己的人生，有更多值得记忆的事情，因而终究还是又不知其然了。总之，那时候的大哥经常同父亲冲撞，他还记得母亲有一次把家里的水果刀、剪子一类利器都藏到了装大米的缸子里，他后来懂得了那是为什么，当时却只觉得好玩，很为自己掌握了那样一桩秘密而得意，并曾跑去向刚放学回到家里的阿姐报告那有趣的发现…… 再有就记得那一天大家围桌吃饭，吃的是面条，一种浇着十分可口的肉臊子的臊子面；父亲和大哥你一句我一句地争执着什么，母亲和阿姐等大概都紧张而担忧地望着那不能相容的父子俩，而他却懵懵懂懂地只在那里单拣肉臊子吃，弄得嘴角上糊满褐色的卤汁……忽然父亲把一整碗没怎么吃的臊子面往地板上用力一摔，站起来厉声指着屋门对大哥吼："滚！你给我滚！你再莫回来！"

"滚就滚！我再不会回来！"

大哥"呼"地站起身来，扭头便朝屋门外大步走了出去，转瞬消失。

唯独这短暂的一幕深深地嵌入了他的记忆中。那一年他大概还不足四岁。

母亲当时为什么不站起来阻拦大哥？据母亲后来说，父亲和大哥的冲撞次数已经太多，她虽忧心忡忡，毕竟又司空见惯，且这一夫一子都是暴烈的脾气，气头上谁也听不进她的劝阻——更主要的是，母亲以为那一回大哥也无非如同以往一样，天黑净时也便回家，或至多赌气到他的朋友处待上几天，过几天后身上的钱花光了自然还是回来。

但那一回大哥却真的一去不返。

大哥离家出走后他怀念过大哥吗？他向父亲母亲阿姐小哥他们这样询问过吗："大哥呢？大哥怎么不回家呀？大哥到哪儿去了呀？"据他父母阿姐小哥等回忆，他没有那样的表现，他一句没有问过。他照常同家里的大黑猫嬉戏。

大哥扭头走出家门的第二天，母亲便开始着急，阿姐小哥他们分头去大哥可能借宿的亲朋家找过，毫无踪影，更无消息 …… 三天四天，一周半月，大哥不知所往，下落不明。但父亲不容家里人提及大哥，有一天更在饭桌上庄严地宣布："我只当没生这么个儿子！你们也要只当没他这么个人！"

4

大哥出走的一幕演出时二哥不在场。二哥那时候不在重庆而在乐山，他初中毕业以后考取了乐山的一所技术学校，学木材加工。

二哥属于那种晚熟型的人。直到初中阶段他还笨得出奇，不仅功课成绩很差，那时候学校教师除了给学生评定操行评语还要评定一种"情趣"分，他竟总是只能评上个三十四十分，也就是说他那么个青春少年竟全无情趣可言，固然还不至于令人生厌，但可以说是相当地乏味。以当时父亲的收入，供子女上大学是力所能及的，大哥不肖，另当别论，二哥倘能考上大学，自当鼎力支持，但二哥初中毕业已很吃力，考蜀香中学的高中名落孙山，到野鸡中学去上高中学费一样不低，学完了也无考入像样大学的希望，所以父亲托了一位朋友崔伯伯的关系，把二哥安排到了乐山技术学校去学一门将来不难谋职的技术。谁知到了那有"神秘大佛"的乐山以后，二哥竟突然鸿蒙顿开，他不再傻胖，而且也不再挂出两筒鼻涕，脑门脸颊下巴上也不再生疮，更重要的是他眼神开始凝聚而锐利，脑瓜里的聪明仿佛啄破了蛋壳的小鸡，飞快地长大，不久便能拍动着健壮的翅膀喔喔啼叫——他上到第二学期时便达到品学兼优，暑假里提着个小皮箱回到家里，一身不怎么合身的西装（父亲穿过的）刷得干干净净，里面的衬衫领子雪白，扎着一条蓝色的领带（姑爹姑妈送的），头发刚刚在理发馆里洗烫过，斜分着，多的那半边发型是高高地呈隆起状，少的那半边服服帖帖，脚上还蹬着一双涂了厚厚一层鞋油的旧皮鞋，望去俨然一位书香少爷，更何况见到父母便递上一张大多是"优"、"良"只有一二项是"中"的成绩单，那评语上说他诚实善良，勤学苦读，尊师爱校，洁身自好，总之几乎全是褒语，而情趣分则达到了80之多——二哥自称他在技校参加了业余剧团，在陈白尘编剧的《升官图》里演了一个什么角色，任是什么角色，任他演技如何，他能登台演戏，这就证明他绝对不再是个低能儿，而成为了一个聪慧的时代青年！父母都为二哥高兴得合不拢嘴，在饭桌上频频指示阿姐和小哥以二哥为楷模。他记得，倒是没对他提出什么向二哥学习的要求——因为他毕竟还很小，父母容许他且与大黑猫为伴，任意嬉戏。

二哥和小哥玩得很好。暑假里两个人坐轮渡过江，到城里姑爹姑妈家玩，大看电影——主要是好莱坞电影，那些 40 年代的好莱坞电影，那些好莱坞电影明星，至今二哥和小哥仍如数家珍；他们有时候是同姑爹姑妈家的大女儿田霞明和二女儿田月明一起去看那些电影，不知道为什么他们却不怎么跟他阿姐一块儿玩，过江看电影也往往不带阿姐一起去，阿姐便苦闷得只好同他在南岸的家中玩一些自己发明的游戏，比如"卖水"——在阿姐所卖的那些自制饮料中，他买的最多的是滴进蓝墨水的凉白开……

他记得二哥同阿姐发生过好多次冲突，记得阿姐蹲在地板上哭，说二哥打了她……但等他长大以后，提及这个印象时，二哥矢口否认，阿姐也含含混混地说："晓得当时是怎么一回事儿！"

5

1950 年对重庆人是个命运的分界线。1949 年 10 月 1 日还并不是。1949 年 10 月 1 日毛泽东在天安门城楼上用浓重的湖南口音朗声宣布："中央人民政府成立了！"（后来有的史书记载为"中华人民共和国成立了！"固然实质上是那么一个意思，但你如果注意看有关的电影纪录片，就会发现他宣布的还是政府的成立），毛泽东那庄严的宣布使得北京城一片欢腾，然而同一时间的重庆城市面上却异常地沉寂，因为那时候重庆还没有解放，解放军还没有突进到那里；当时国民党的高官大都已经飞往台湾，政权机构实际上已经瘫痪，驻军也已开始自动溃散，或在准备投诚；共产党的地下组织积极地准备着接应解放军，却也尚未正式公开亮相；盼望解放军到来的人们或待在家里收听北京传来的电波，或者到街上喜形于色地聚集议论，但也还没有条件公开地集会欢呼；心怀不满乃至充满恐惧又没有条件远走高飞的人，则各自打着形形色色的应付变局的算盘；也有为数不少的中间派，他们对腐败已极的国民党毫无眷恋，对神秘莫测的共产党即将到来又多少有些惴惴不安；还有一些小市民、流氓地痞、社会渣滓，则利用社会的真空状态和混乱局面拼命捞钱，捞好处，捞原来还不敢捞、不敢那么粗鄙那么残忍地去捞的东西，从囤积居奇、哄抬物价到坑蒙拐骗、抢劫奸淫，无所不为，无奇不有……这局面直到 1949 年冬天解放军开进重庆才终于结束，并相当迅速地建立起了一种受到大多数人拥护的新秩序。

自 1950 年重庆人各自重新确立自己的命运，该翻身的翻身，该倒霉的倒霉，该侥幸的侥幸，该沉沦的沉沦，就是到头来社会地位和生活水准既没提升也没下降的中间一群，也都经过了重新定位。

他的父亲在这一命运中转站，搭乘的是一趟上升的车。同是国民党重庆关的职员，有的被共产党逮捕镇压，有的被送去劳改，有的被遣散，有的只是暂时留用或留而不用，但也有一小部分不仅被共产党的人民海关留用，而且还相当信任地加以重用，他父亲即属于其中之一——当时北京的人民政府成立了海关总署，他父亲被召唤入京到总署工作。之所以会有这样的结果，是因为他父亲早在 1945 年以后就不仅同重庆关里的地下党员过从甚密，心照不宣地为他们打了不少掩护，更在 1949 年的变局中与地下党密切合作，为保存和移交重庆海关的财产——特别是大批查缉走私的捕获物，其中许多是新政权急需的无法从他处得到的物品——做出了实际的贡献。当然还有一个原因，就是海关是一种专业性很强而行业外的人又很难一下子熟悉掌握的职能部门，人民海关必须团结依靠一批旧海关的有专业职能的人员，方能迅捷地开展工作。重庆关地下党的一位负责人，他叫他方伯伯，还有方伯伯的太太他叫方伯母——也是一位地下党员——他们对他父亲的推荐，起了最直接的作用。方伯伯方伯母一家比他家更早地北上了，他们到北京将担任相当高的领导职务。方伯伯方伯母原来一个西装革履，一个旗袍高跟鞋，俨然一副国民党高级职员的做派，到他家来搓麻将时一个捏着玉石烟嘴抽美国香烟，一个摇着檀香扇晃着金耳坠，"蒋先生"、"蒋太太"、"小少爷"的称呼不绝于耳，但重庆一解放，他们便立即成为了共产党接收重庆关小组中的重要成员，一个一身灰布中山装，一个一身蓝布列宁装，再到他家来时，"蒋同志"、"蒋大嫂"、"小同志"的称呼叫得既亲热又清脆……他后来懂得前一种面貌全是为了作掩护，方伯伯方伯母到重庆关以前原是在延安的党校里学习过的……

他家到了北京住进了隆福寺后面的那条胡同里的海关宿舍大院，他家的具体位置在大院里一个有月洞门的小偏院中，院心有一株高大的合欢树，树冠犹如一把撑开的巨伞，到了夏天开出满树金丝绒般的合欢花又叫马樱花（更严格的写法应是"马缨花"，即花形花色犹如马身上的缰绳鞍辔所装饰的红缨子），没风的时候那花香会浓酽得有些闷人，风过时满树枝桠晃动，花香被风吹拂得浓淡相宜，吸人鼻中令人心旷神怡……

现在回想起来，他总觉得父亲那时候尽管很认真地为新政权工作，并且极愿意顺时代潮流而进步，但似乎一直没能找准自己在社会生活中应扮演的角色。

据二哥后来跟他讲，二哥他们小的时候，家里住的海关宿舍是非常神气的，是那种中西合璧式的建筑，客厅中甚至有壁炉，并且一到冬天是真的启用那壁炉来取暖的，西式沙发一类家具不消说很齐全，父母卧床上的蚊帐，不是中式的四根竹竿撑起的方形帐，而是从天花板吊下的双层帐，并且那钟形的帐顶有着许多西洋海草式花纹和缨穗，总之十分讲究，甚而可以说相当豪华……但解放后到了北京住进那新海关宿舍，父亲却买的全是旧货店里的最粗劣的家具，没有购置沙发，甚至没有购置带大穿衣镜的衣柜，因为他说过："看看对门甘木匠，人家搭着铺板睡，支起炕桌坐小板凳吃饭，不是一样过得很好？我们不要太脱离劳动人民！"如果父亲真把这准则实行到底，倒也罢了，但起码直到"三反""五反"的政治运动开展起来之前，他却总还是经常地穿着西装，他自然也置备了中山装，也穿，但终于有一天在母亲劝说他不要总穿西装时，他脱口而出地说："穿惯了！还是穿惯了的衣服穿着才舒服啊！"他在穿衣上就不怕脱离甘木匠那样的劳动人民了——实际上甘木匠那时候就仿佛连一身新的干部服也不曾穿出过，他的记忆里，甘木匠总穿着中式的对襟褂子，要么天稍转热便穿中式的褡裢背心。他记得父亲还很爱吃西餐，那时候东安市场里至少有三家西餐馆还在营业，一家叫"和平"，一家叫"吉士林"，一家叫"和风"，父亲带他和阿姐小哥去吃过，更多的时候是父亲自己去吃，后来据母亲透露，父亲那几年工资的三分之一，全用在他个人去那三家西餐馆吃西餐上——常常是中午他不在单位食堂里吃，或下午下班后不回家吃，自己溜达着去西餐馆吃，反正当时他工作的单位离东安市场很近。他记得当年父亲回到家，常戴一顶西洋式睡帽、穿着西洋式毛巾睡衣（都是解放前置的，都已有破损处），倚在床铺的枕头垛上很自觉地阅读刚出版的《毛泽东选集》，并手持一根红蓝铅笔，用那红的一头在上面不时画出一些红杠杠，注出一些诸如"！"、"！！"、"！！！"一类的符号，还有一回跳下床来，找出毛笔，蘸着浓墨写下了"头重脚轻根底浅，嘴尖皮厚腹中空"的对子，写完不待墨干便用图钉钉到床头的墙上，钉完还喃喃念诵、频频点头……但有一回他偶然翻动父亲枕头，却又从枕头下发现了几册陈旧的线装书，书名叫《儿女英雄传》。他正躲在屋角偷翻那书，被母亲发现了，母亲便将书收回，并对他说："小孩子不能看这个书！"他问："爸爸为什么能看？"母亲便唠叨说："他也是星期天才看上一篇两篇，其实他也不该看，这个书很没意思……他从东安市场旧书摊上买的，他说不贵，我看是白糟蹋钱！"现在回想起这一切，便越发地觉得父亲是没找准角色。

同院里有一位钟先生，也是旧海关的留用人员，不过不是从重庆关而是从上海关调到北京的，当时他不懂得，如今回想起来，那钟先生跟自己父亲的不同便是找准了角色，并且极其认真地进行扮演。钟先生一解放就绝对不再穿西装，甚至于也绝对不再穿皮鞋，更不像他父亲那样还去西餐馆吃西餐，还到旧书摊买旧书，钟先生在院子里出现时总是一脸严肃，并且经常地给院子里的人当面给予赞扬或批评。比如他就记得有一回钟先生不知道为什么事来了他们那个月洞门里的小偏院一趟，大概是找他父亲谈论一桩什么公事，当父亲将钟先生送出屋，并且甘木匠一家也恰好在合欢树下围着炕桌吃饭时，钟先生便用一种非常和气的音调说："刚才我进你们这个月洞门以后，无意中观察了你们两家的土筐……"土筐就是垃圾箱的意思，当时那宿舍大院各家有各家的垃圾箱，是单位里统一发的，并且一律是甘木匠的作品——形状是一种长方的上阔下窄的深斗，两侧有可供提起的木耳朵，为不致弄混，各家的垃圾箱一侧都有用墨笔写下的一个姓氏，所以钟先生得以将他家和甘家的土筐严格地区别开来；钟先生指着那并排放在月洞门一侧的两个垃圾箱，先面对他父亲提出意见："你看，你们这里头倒得有那么多的鱼骨头，上面还剩着好多鱼肉啊，太浪费啦！想想志愿军还在朝鲜前线流血流汗，一把炒面一把雪……不好意思啊！蒋同志你不要见怪，我既然自觉地用共产党员的标准要求自己，那就不能不积极地展开批评自我批评，知无不言，言无不尽……希望你对我也这样严格要求，我们互相监督、共同进步嘛！……"说完又转身朝着正在吃窝头的甘木匠说，"甘木匠，您真是劳动人民的本色，优秀的品质值得我好好学习啊！看，您家的土筐里扔进的全是地道的废物，我注意到了，连带一星黑颜色的煤渣都没有……看，您一手拿着窝头往嘴里送，另一只手就张开着在下面接那掉下的渣儿……我们知识分子跟劳动人民的差距，在这些个很小的地方也暴露无遗啊！不好好改造思想怎么行啊！……"他记得，已经上到小学的他当时觉得钟先生非常有趣，钟先生有一张不太整齐的黄瓜脸，戴着一副近视眼镜，中山装的后背部绷在身上而前摆却翘起离开了肚皮；他记得，钟先生说完那些话，他父亲似乎什么也没说，甘木匠和他那一家人似乎也没说什么，但钟先生却像获得了喝彩似的开步走了，并且在出得月洞门后还扭回头朝月洞门里谦逊地笑了笑，犹如一个自我感觉很好的演员在舞台上愉快地谢幕……

是的，钟先生很早就选定了他的角色，并且一度扮演得确实成功，在那回对他们月洞门里的两只土筐进行了考察和品评的两年以后，钟先生光荣入党，并被提升为一个处的副处长。

父亲没有找准角色。一个没有找准角色的父亲能够很好地指导他的子女进入一个崭新的社会，敦促他们在社会上找准各自的角色位置吗？多少年以后，他同二哥讨论过这个问题。这个问题无确定之解。

6

那一天父亲高兴得满面红光，把手里那封信完整地给家里人念了两遍，重点段落又挑出来念了一遍，并且在饭后借着酒劲按捺不住地跑去向甘木匠炫耀了那封来信所带来的喜讯，甘木匠也确实由衷地分享了父亲和他们全家的那一快乐，那一骄傲。

那是他大哥的来信。寄自广州。原来大哥离家出走以后，浪迹天涯的最终结果，是在1949年春天投入了解放军，并参加了进军广东的战斗，一直打到了广州，在广州又参加了肃清潜藏残匪的战斗，在一次突袭中，大哥当场击毙了三个藏在楼房里的匪徒，但也不慎被一个匪徒击伤右臂，结果从三层楼的窗台上摔了下来，光荣负伤——信是在医院里写的，说别后数年的种种情况一言难尽。总之现在自己已是一名光荣的解放军战士，并荣立了三等功；又说他从报纸上看到了一篇介绍人民新海关的文章，里面提到了留用旧海关人员的必要，所举的例子中有爸爸的名字，令他无比高兴，无比欣慰。因而马上倚在病床上写下这封信，希望爸爸原谅他以往的鲁莽无礼，同时希望能早日有机会同家里亲人团聚；又说他已申请加入中国共产党，并问爸爸是否也在积极争取？又问到妈妈的身体，问到二弟、三弟、妹妹和小弟的情况，是不是都已加入青年团和少先队？说他非常想念家里的每一个人，希望大家都给他写信，同时告诉家里人他的臂伤确已接近痊愈，他要争取早日出院，进一步投入肃清残匪的神圣斗争……信并不太长，但那分量确实重如磐石！

他记得收到大哥这封信没多久，单位里便给他家住屋的门楣钉上了"光荣军属"的匾牌——是由甘木匠踩着凳子给钉的，随着钉锤响，单位里专程派来的人和院子里的一些人便围在那门口鼓起掌来，钟先生也在其中，而且巴掌拍得最响；他记得父亲除了同别人应答，还专门对着钟先生问了句："钟先生，这四个毛笔字功力如何？"钟先生满脸艳羡的神色，连连说："同志相称同志相称，叫我钟同志老钟都行……蒋同志您真教子有方，这'光荣军属'四个字岂止是书法佳妙，这是您全家的福气啊！……"确实福气，他记得，自从他家门楣钉上了那块小小的匾牌，逢年过节就总有单位里、街道上的人提着些慰劳品送来，除了水果是必有之物而外，还有糕点肉食之类，有一回不知为什么送的是一只大铝锅，还有一回是一个和平鸽的石膏像。

父亲从那以后自然经常给大哥写信，大哥也经常来信，父亲又要求他和阿姐、小哥都每月至少要给大哥写一封信，最难完成任务的是他，因为除了那在父亲摔下一整碗臊子面以后，扭身便迈出家门的一个印象而外，大哥对他来说几乎等于一个抽象的概念；实在不知道写什么好时，他便用蜡笔画一幅画寄去，记得画过一棵树，旁边写上那就是家里院中的马樱花树，请大哥回来在树底下乘凉；还画过一个大屋顶的殿堂，旁边写上那就是离家很近的隆福寺，请大哥回来一起去隆福寺喝很香很香的面茶……

7

大哥竟从天而降！

大哥伤愈后从广州调至了海南岛，在当地驻军中任一个汽车连中的排长。大哥会开汽车是不足为奇的。母亲早就讲过："老大读书读不动，可他从小就有冒险的本事，刚上小学就敢偷着骑你爸的自行车，坐不到车座上，就一只腿从横梁下掏过去蹬那脚蹬子，身子一扭一扭地骑，骑得飞快，不会刹车，就看准了一根电线杆，骑到那前头使劲地一抱，结果他人挂在电线杆上，车还在往前跑，把街上的人都吓得哇哇叫……在重庆海关，那海关划子（就是水上摩托船）是不许别人乱开的，要开就由大车、二车他们开（"大车"、"二车"是海关船舶驾驶员的职称），你大哥有一回偏偷着去开，好吓人，那海关划子疯了一样在嘉陵江里跑，差一点儿撞到大轮船上……后来把你爸气了个半死……"

但会开汽车并且担任了解放军汽车连里的一个排长的大哥这回不是让父亲气了个半死，而是乐了个半死。

他记得，那一天父亲从单位回到家，一进门就招呼母亲说："快，快到菜市场买顶好的肉去……家里还有没有江米？快，快准备蒸珍珠丸子吃！"母亲刚听见时有点发懵，父亲一贯喜欢吃西式菜肴，就是不在外头西餐馆吃现成的西餐，回到家也总是让她弄一点炸猪排、奶汁鱼、罗宋汤一类的菜来吃，而且父亲最不爱吃江米即糯米制作的东西……母亲正疑惑呢，父亲跺下脚说："老大回来了！明天就来看望你，咦，你怎么忘了，他不是最爱吃你做的珍珠丸子吗？"母亲乍听几乎不相信自己的一双耳朵……

原来大哥带了十个战士从海南岛已然到了北京郊区某处，此次北上是为了领取十辆崭新的解放牌大卡车，因为属于军事行动，所以来前没给家里写信预告，来后经请示，部队首长允许他回家探亲三天，探亲后再带领那两个班的战士将大卡车从北京一路开往南方，直至开到渡船上运抵海南岛。大哥从出差北京的驻地往父亲单位里拨了电话，父亲刚接听那电话时也一定是几乎不能相信自己的一双耳朵……

大哥回到家里时，形成了一个盛大的节日。他记得母亲弄出了一大桌子菜肴，珍珠丸子结果远非其中最杰出的作品。父亲把正在北大上学的小哥叫回了家来，还一再为远在东北的二哥和阿姐不能赶来一聚而表示遗憾，但因为又特意通知了在北京工作的姑妈的女儿田月明、四娘（就是四姨妈）的女儿沈锡梅，还有认了干女儿的阿姐当年的中学同学鞠琴，阿姐的对象达野，以及辈分虽高一级而年龄与大哥其实相等，并且青年时代过从甚密的八娘，自然也就还有八娘的爱人曹叔，此外跟阿姐、小哥、田月明、鞠琴、沈锡梅都算是当年重庆蜀香中学老同学又最爱凑热闹的崩龙珍，也闻讯从她工作的清华大学老远地赶来了，而小哥又引来了一位北大京剧社的戏友、外号"袖珍美男子"的鲁羽，鞠琴又约上了她的对象、唱歌剧专演老头儿的常延茂，八娘曹叔又带来了他们刚会说话的女儿小涧，掐指算算吧，大哥刚回家的那天家中聚集了多少个人——对了，还别忘了大哥带来的一个黑黑壮壮矮矮憨憨的只坐在角落里微笑着没怎么吭声的小战士，仿佛是大哥的勤务兵，那一天他家的三间屋子简直要被胀破墙壁屋顶，不仅因为盛满了大大小小十六口人，也因为那欢声笑语、杯盘相碰的声浪不仅冲击着对门的甘木匠一家，也逸出了月洞门，回荡至整个宿舍大院……

他记得，他家大哥的荣归，不仅引得甘木匠的大女儿甘福云和她的弟妹们趴到窗户上往里好奇而羡慕地窥望，也引得院里的不少邻居轮流跑来祝贺——就仿佛那是一场婚礼似的，钟先生自然又来了，见了大哥抓住大哥一双手使劲地摇晃，还特别关切地问："出差多久？组织关系要不要临时转过来？"父亲便拉过他去请他喝酒，笑眯眯地对他说："钟同志，军事秘密就不要探听了吧！"钟先生便自己拍拍脑门，不无尴尬地说："看我看我……一高兴怎么就忘了这一条！"但是钟先生坚辞酒杯，也不接过敬烟，说："对自己还是严格一点的好！"……

他记得，后来父亲带队，一大群人浩浩荡荡地走出月洞门，走出宿舍大院，走过胡同中段，穿过摊档密密匝匝的隆福寺，来到隆福寺街上蟾宫电影院旁边的一家照相馆，父母坐在当中，大哥站在他们背后正中，然后再由摄影师指挥，大家乱哄哄地你谦我让嬉笑推搡，终于坐定或站定，由摄影师在"笑！笑！！笑！！！"的动员中按下快门，拍下了一张超级全家福的 20 英寸大照片，后来据小哥对他说，父亲除了自家留下数张外，还为所有在场和不在场的亲友各家都印赠了一张，那费用几乎相当于父亲一个月的全部工资。

他记得，那家照相馆有若干可以卷起放下的大幅布景图画，那一天他家选择的是一幅莫斯科红场的布景，一侧是尖顶上有红五角星的斯巴斯基塔，另一侧是表示深远处的有一堆蒜头顶的东正教教堂……他记得大哥那天拍下的形象确实非常之帅，大哥个子比曹叔、达野、小哥都要矮些，但身材比例匀称，显得挺拔而健壮，当然最提神的是他那一身军装，特别是军帽上的那颗红五角星，那小小的红五角星与相片背景上画出的莫斯科尖塔上的红五角星真是相映生辉！

……他记得那晚他同小哥一起陪着大哥在两块铺板搭起的大床铺上睡，夜很深了，小哥还在同大哥谈心，他每句都听着，但大多数他并不感兴趣，或听不懂，不理解他们为什么嗤嗤地笑，又为什么连连叹息，为什么一时忍不住声音高扬，一时又有意压低了嗓音……里屋几次传来父亲蔼然的劝阻声："老大，平儿，该歇了，明天再摆龙门阵嘛！"但大哥和小哥总是闻声停歇一阵，没多久却又开始对话……他躺在大哥身边，很为自己真有这样一个值得自豪的大哥而惊奇，他甚至怀疑那并不是一个实体，因而他几次故意把自己瘦小的胳膊撂到大哥壮实的胸膛上，大哥便把他的胳膊一次又一次地轻轻拿开，并转身对他说："兄弟，莫这样，太热！"

……但是他记得大哥和小哥之间这样的一段对话，当时他消化不了，只是觉得有一种古怪的感觉，并且听到最后无端地感到有些恐怖，就仿佛听了闹鬼的故事一样：

小哥：……你都立了功了，怎么硬是还不入党呢？

大哥：说到底还不是个家庭出身的问题……爸爸这情形你说该怎么算呢？要往好处说，那他是新中国中央机构的革命干部，行政十一级，比我们师长级别还高！……要往坏处说呢，他解放前是国民党海关的高级职员，那海关又是帝国主义把持的机构，所以人家就是骂一声"洋奴"，你也没有办法哟……

小哥：是呀！我就不大敢把家里的照相簿拿给同学看，爸爸二十几岁就西装革履，打台球，喝洋酒，特别是那些藏着镶金丝边的大壳儿帽、穿着猛看上去像军服一样的肩上有肩章、袖口上有袖标的海关制服的照片……

大哥：嘘！小声点儿！……是呀，我们团政委就跟我这么说：蒋盈农，你父亲历史复杂呀！我就问：我要跟他划清界限吗？他沉吟着，不马上回答，好久，才说：你父亲要是入党了，问题就明朗了 …… 现在么，只好算作旧职员，或者算作资产阶级知识分子吧，那你就还要注意跟他的资产阶级思想划清界限啊！……

小哥：爸爸也不是政治上不要求上进，他经常读《毛泽东选集》，除了《人民日报》，还订了《学习》杂志，凡是那上头重要的文章他都读得很认真 …… 可是他讲，他们人事处的处长，一个像方伯母那么个资格的老革命，他们机关领导的爱人，好像又兼着党总支的组织委员，也已经跟他谈过话，那意思是鼓励他积极争取入党，可爸爸非跟人家说，他觉得自己实在差得太远了，实在没有资格，他愿意兢兢业业地在党领导下工作，永远向共产党员学习 ……

大哥：我还不知道这些个事，你看他多糊涂！你知道党组织一般是绝对不会动员哪个人入党的！这不是明摆着的机会吗？他居然那么说？啧啧啧 …… 你要知道，他那样不仅把自己入党的路堵死了，也就连带着把我们入党的路堵死了啊！唉！原来还真不知道！……

小哥：爸爸说他要向共产党员学习，其实他对有的共产党员，比如说这个院的那位钟先生，那样的党员，心里头一百个看不起 …… 那钟先生的假正经做派，就连对门的甘木匠也看不上，天知道怎么他能入党！可是真跟你讲的一样，只不过那道理反了过来：钟先生一个人走通了入党的路，他的儿子女儿紧跟着就也都入了党 ……

大哥：是呀，那样他的政治面目就清楚了呀，他儿女的出身就净化了呀，就都算革命干部家庭出身了呀 ……

小哥：钟先生政治面目清楚？！天知道他肚皮里头装着些什么政治！你知道他原来在上海海关做内班的，论旧职员他旧得比我们爸爸要厉害得多！听爸爸说临到解放前夕他还在那上海海关里头跟另外几个人争夺副税务司的座席，拼命拍税务司的马屁，还用金条行贿，丑闻很多，谁知上海一解放，他摇身一变，军代表一进驻，他马上递上揭发税务司的材料，还穿上一身不知从哪儿匆忙找来的中山装，亲自带领军代表和接收小组去查抄税务司的秘密金库——那地点据说除了税务司本人外只有他一个人知晓，后来斗争税务司的全关大会上，他还表示自己义愤填膺，冲上去打了税务司一记耳光！……

大哥：这就叫关键时刻的关键表现啊！家庭出身不好、自己历史上有污点的人，唯有这样才能换取党组织信任啊！你知道跟我一起参军的有个邹志彪，他父亲是个地主，他本人又曾参加过三青团，这样的人投入了解放军，尽管表现得很好，和我一样也立过功，组织上也不是完全不信任，可要入党那真跟骆驼穿过针眼一般难啊！你知道他后来怎么让组织上和我们大家服了吗？——部队开进他们那个村，协助推动土地改革，他就亲自冲进自己家，二话不说，踢倒他那父亲，捆绑起来，揪着后脖领子，就那么揪着他父亲，让他父亲下半身挨在地上，拖着他父亲，一直拖过整个村子，拖到斗争会现场，让全村老少亲眼看见……斗争完了他又亲自把他父亲拖到大树底下，亲自开枪毙了那下半身已经拖烂、满脸惊恐的臭地主……他后来当然就入党了，大家还有什么话说呢？！

小哥：哎呀！大义灭亲，也不一定要这么个灭法啊……他可以赞成斗争，赞成枪毙，但至少枪毙的事让别个去干不好吗？……

大哥：他妈的让别个去干，众人怎么能清楚你的立场、态度？就是要自己亲手动手，一点也不手软，踢倒拖起就走，捆起拉过去就毙，才利利索索地解决了政治立场问题，划清界限问题，阶级感情问题，斗争意志问题……省去了多少啰啰唆唆的翻来覆去的考验！

小哥：哎呀，我还是觉得太那个了……

大哥：哪个？我看你是典型的小资产阶级温情主义……

什么是小资产阶级温情主义？那个时候的他不懂。现在的他呢？也仍然不懂。不过现在他相信人性中有一种可以称为温情的东西。也许不是每一个人的人性中都有这个东西。但是他有，他自己知道他有，而且那似乎既非社会所赋予，也不一定是血缘继承物，至少就他个人而言，他隐约感到那是与生俱来的，也许那东西很不好，在后来的生活中，也确实显示出那并非是一种适宜之物。但是没有办法，人的命运，就被那与生俱来的东西宰制着，后来他也经历了"文化大革命"，他绝对不想同那场由伟大领袖亲自发动的"文化大革命"相抵牾，他拼命去理解，去紧跟。他努力地学习"无产阶级专政下继续革命的理论"，并且最终服膺于那理论的自我圆满性，他并且努力理解那一条关于"革命不是请客吃饭，不是绘画绣花，不是作文章，不能那样雅致，那样从容不迫，那样温良恭俭让，革命是一个阶级推翻另一个阶级的暴烈行动"的"最高指示"。但他终于还是不能忍受种种残暴武斗和人身侮辱的场面，任凭被揪出来的那个地富反坏右或反革命黑帮修正主义分子死不悔改的走资派的罪状如何确凿，台上主持批斗的人对批斗对象一打一踢一揪头发一给"坐喷气式"，一给剃"阴阳头"、戴高帽子挂黑牌子游街，一让他们敲着簸箕自己喊着侮辱自己的口号或唱着所谓的"鬼嚎歌""请罪"。他虽也不得不跟着举拳头喊口号，但他心里总有一种不忍，他总暗暗地想可不可以不打不踢不侮辱不折磨而是正式地审判甚至实在罪大恶极就实行只有行刑队在场的枪决……那便是他灵魂中只能拼命抑制蜷缩而绝不能消失泯灭的温情。"文革"结束后，有人跟他讲，也有人写出文章，说那时候面对"横扫一切牛鬼蛇神"的狂暴行为，因为心中也充满了革命的激情，是认同的，是接受的，或至少是麻木的，又或是受蒙蔽而不清醒的，然后他却从第一次遭遇那样的情况起，就本能地清醒地当然也只能是战栗地默默地加以排拒，他曾久久地为自己心中的这种清醒的痛楚而产生出一种犯罪感，有一种害怕被人识破和抓获的恐惧，而当"文革"结束以后，并且揭露和控诉十年浩劫不再存有危险甚而成为一种时髦时，他却又有一种羞涩感，一种害怕说出来被人讥讽为标榜自我正确的顾虑，其实他并不以为他那人性中的反残忍的温情一定是好的或正确的，那于他来说只不过是一种无法摆脱的东西而已，一种无法与他的生命本体剥离开的东西……

那个夜晚，听到他大哥讲到那位叫邹志彪的战友的大义灭亲事迹，他的人性中的那种东西便有一种天然的排拒和恐惧，并且从那一晚起他觉得他就一下子了解了他的大哥，只是那时候他还小，他还不能用清晰的语言和逻辑来表述那种理解……

那个夜晚终于过去，大哥的三天休假终于结束，一周以后，大哥带领他手下的十个战士开着十辆大卡车，他和他那勤务兵坐在第一辆上，他亲掌方向盘，一辆接一辆地开进了北京城……他们按上级命令是在深夜穿过北京城向南进发，大哥征得上级同意安排车队在那个深夜穿了他家所住的胡同，父亲母亲和他按大哥电话通知的时间站在院门口等候着车队的到来（小哥回北大了没有参与），预定的时间过去了一刻钟，胡同里仍然静悄悄的，月光如水，只有蝙蝠在空中无声地飞动，父亲不禁一再地伸腕看他那只欧米茄牌的瑞士夜光表……终于听到了一种隐雷般的声音，渐渐从胡同那头持续地强烈起来，然后出现了汽车前灯照出的一片雪亮的光芒，啊，大卡车一辆接一辆、各辆间保持等距地开了过来，而第一辆开到父母和他等候的地方便稳稳地停住了，只有大哥一个人从车上跳了下来……他记得大哥同父亲紧紧地拥抱了一下，父亲眼里闪动着晶莹的泪光，大哥拥抱了母亲以后又亲吻了母亲的额头，母亲的泪水流成了两条平行线，后来大哥又把他揽到怀里，他很羞怯，他闻到大哥身上有一种军服和烟草的特殊味道……后来大哥就又跳回车上，关拢车门，然后就把车开走了，一辆，两辆……父亲母亲和他就在那院门前看那车队终于又开出了胡同的另一头，最后一辆卡车的尾灯发出的红光倏地拐出消失……

8

二哥和阿姐在遥远的东北，未能享受到同大哥久别重逢的天伦之乐，但他们都接到了家里和大哥写去的讲述这次欢聚的长信，他们也都给家里和大哥写去了为此感到高兴的长信。当然，他们的回信中都有很大的篇幅是讲述他们自己学习、工作、生活的种种情况。

他从很小的时候就最爱看二哥的来信，二哥的来信总是笔迹潇洒清晰，而且带有相当的文学气息。阿姐的来信那笔迹活像"火柴棒棒搭成"（小哥的形容），行文很像是在写一份实习报告，凡提及数量、长度、轻重、厚薄一类概念时总要写下具体数据并往往精确到小数点以后第二位，因此也自有其特色。

二哥从乐山技术学校毕业后，学校升格为大学性质，他又继续上了两年专科，再毕业后，被分配到东北中朝边境的一个小镇的一家大工厂当技术员。那镇子虽小而那家工厂却相当地大，以当时的标准衡量厂房设备及附属设施如职工宿舍礼堂商店澡堂等等都具备相当水平，那原是日本人搞起的一座工厂，日本人在那里设厂除了图就地取材方便以外，还为的是可以立即通过朝鲜把产品运回日本本土。因而铁路一直从干线上通到那个小镇。当然二哥到那工厂时工厂已属于中国自己，产品的运输方向也全然后转。二哥后来向他描述过，别看那小镇的火车站是个"死头"，但每当客车启动时，月台上的铁路职工都必然立正，一脸严肃地目送火车缓缓开出车站，令人感受到一种东北产业工人身上焕发出的敬业精神和严谨风纪。

二哥在那个东北小镇的工厂里一度工作、生活得很好。他也经常有机会出差北京。工厂里一度去了若干位苏联专家，因而地方虽然偏僻却并无闭塞之感。后来二哥给他讲到过许多有关那地方的情况，使他也觉得那地方除了冬季户外的严寒令人生畏而外，其实优点相当不少。

比如，二哥就讲到那里对年轻的技术员也相当地照顾，可以一个人住一间宿舍；二哥把自己那间宿舍布置成了一个小小的安乐窝，拍出照片寄回北京家中，令父母和小哥还有他看了都不禁吃惊——那真比北京的这个家还要设备齐全，并且洋溢着文艺气息。二哥住的是日本式带拉门的房间，房间里靠墙全是书架，书架上全是书，间或点缀着一些工艺品，房间当中铺着两块很大的草编席，席子边上有一组 C 形的矮沙发，沙发边一只陶罐里插着江边采来的大把芦花，雅致之极。另外又有一台上海产的收音机和一台苏联产的留声机。此外还有矮长的小柜，柜上是漂亮的热水瓶、饼干桶、奶粉罐、茶叶筒、成套茶具，柜下玻璃拉门里是酒和成套玻璃酒杯，还有一些碗碟杯盘 …… 至于衣服和被褥，不用时都放在壁橱之中，晚上睡觉，从壁橱中取出被褥枕头，一铺开便可；而屋里除了屋顶上吊下的电灯——有二哥自己制作的一个郁金香形灯罩——还有一个可供晚上阅读的能调整高矮的落地灯 …… 比二哥年龄略小的大表姐田霞明，当时也正好在东北上大学，有一年正好到附近一个县里实习，抽空专门去看望了一次二哥，他记得二哥跟他形容过那一次的表兄妹欢聚，吃完晚饭，田霞明和二哥便坐在二哥宿舍中聊天，因为他们不是一般的表兄妹，抗日战争时期，正当少年时代，他们两家一起在乡下避难，表兄表弟表姐表妹们每天在一处嬉戏，傍晚时就在屋门外墙根下各坐一只痰盂坐成一排拉屎撒尿。所以感情特别深厚，多年不见，惊呼热中肠之余，自然有摆不完的龙门阵。因此，田霞明便决定不另找地方过夜，二哥便不拉上窗帘，两个人爽性灯火通明地对坐在那温暖的小屋中，不睡觉地作彻夜谈，当中还穿插着欣赏唱片翻阅画册，坦然地面对着从那宿舍窗外路过的人们投去的惊异目光 …… 二哥说那一次欢聚真是无比地美好，而且事后厂里的人们也并没有抛出什么闲话。

二哥所居住的那个小镇上的新华书店店面虽小，但同那书店的经理混熟了以后，可以很便当地根据总店发下去的征订单和报刊上的广告，要求他给订购书刊和唱片，经理总是认真地完成任务并常常亲自将书刊唱片送到二哥住处。结果二哥在那一时期搜集到了不少十分值得珍藏的书刊和唱片，比如《中国近代史图片册》和《苏加诺总统藏画集》，又比如柴可夫斯基的第四、第五、第六交响乐唱片，还有奠定二哥后来英语口语基础的"英语900句"灵格风唱片，等等。

工厂的礼堂有很好的苏制电影放映机，并且那时凡公开放映的电影每一部都到那礼堂放映过，只不过映期比北京等大地方晚上半个月一个月罢了，许多艺术性很强的苏联电影和东欧电影，因为工厂一般的干部、工人并不怎么欣赏，因而二哥他们少数识货懂行的人便可以非常便当地简直是斜躺在座椅上，把腿搁到前面座席上，怎么样地尽兴欣赏，而且二哥不仅认识放映员，还经常帮助放映，有的爱看的片子，还可以把最喜欢的一本拷贝取出来自己放映着看，你想如果在北京能有这么好的条件吗？他记得那时候像苏联电影《海军上将乌沙科夫》，民主德国电影《阴谋与爱情》，匈牙利电影《奇婚记》等等，在北京都是不容易买到票子的，而在二哥他们那个工厂礼堂放映时，上座率只有个五六成；只有像香港电影《垃圾千金》《绝代佳人》或重映的老片子《一江春水向东流》《三毛流浪记》或新片子《斩断魔爪》《徐秋影案件》，上座率才能达到爆满的程度。

二哥后来常常深情地回忆起那个边陲小镇，那座规模不小五脏俱全的工厂，那些难忘的青春岁月，并把他当做一个倾诉这些怀念之情的接收器，使得他后来一想起二哥那些讲述，便仿佛自己也在那地方生活过似的……

……二哥讲到，有一回车间里死了一位老师傅，说是老师傅，其实也不过五十多岁，是心脏病突然发作死去的；当时那里没有火葬场，所以死后就抬到山上去土葬；二哥说那一天给他留下了终生不会泯灭的印象，倘若有一天他能当电影导演，一定要以那一天为题材拍一部感人至深的电影——他讲到车间里的同伴，还有厂里相好的人们，一行大约二三十个人，自动地组合到一起，轮流抬着那棺材，朝高高的山上爬去……蓝得醉人的天上，飘着大朵的厚实的白云，山上草木葱茏，野花怒放……没有人哭泣，是指老师傅的家属；也没有人故作严肃，或不得体地嬉笑轻薄；整个儿是一种纯朴至极的与周遭大自然乃至深邃无极的宇宙相谐的气氛……老少几辈的当地人中只有二哥一个来自南方的技术员，他们不跟二哥见外，也让二哥轮着去抬棺材一角……当这送葬的队伍行进在开满野百合的斜坡上时，一个工人师傅忽然唱起了歌来，是一种当地流传久远的调式，类似"二人转"又类似朝鲜族民歌，那歌词是歌者自撰的，并且显然流淌自他的内心，是一种非常自然的即兴爆发，他唱道："你走了啊，走前头了啊；我们还没有走啊，我们还要活啊；我们要好好活啊，不到该走的时候不走啊，到该走的时候不留啊……"那声音在山谷间清朗幽深地回响……没有人对他的突然引吭高歌感到奇怪，没有人发笑或者害臊；他唱着唱着，一个、两个、三个、四个，最后连二哥也应合了上去，一队送葬的人就那么淳朴至极地放声高歌着："你走了啊……我们还要活啊……我们要好好活啊……"天上的白云冉冉地变幻着形状，满坡的野百合在风中摇曳……二哥回忆起那送葬的一幕，常感慨地说："那是我一生中再没经历过的，我身边全是最朴实最厚道最本分最纯洁的人，我感受到了人性的优美，人际的和谐，领悟到了生和死的终极意义。人在宇宙中的确切位置……我感谢那个小镇，感谢那些不做亏心事每天晚上睡得很踏实的工人师傅……感谢那一次葬礼……"

二哥还回忆到，葬礼后人们把死者家属送回家中，然后就群集到镇上一家小酒馆，全是男人，只有酒馆老板是个中年妇女，大家便一边喝酒一边非常自然非常松弛非常坦率地百无禁忌地聊了起来，喝的是最便宜的薯干酒，下酒的菜很简单，其中最昂贵的也无非是猪耳朵和茶叶蛋……二哥那天也喝得酩酊大醉，但二哥记得没有人吵骂，没有人斗殴，最后三三两两互相搀扶着，非常高兴地各自回到住处……二哥说喝酒当中也没有人再提到死者，再提到葬礼，再议论到死亡，人们真是非常尽兴地继续过自己那平凡而单调，然而又极为珍贵和实质上非常庄严的生活……

也许，大哥那位名叫邹志彪的战友的大义灭亲之举，给大哥那固有的人性罩上了某种不可摆脱的投影，他不敢断定。但他却可以确定，类似小镇葬礼那样的经历，给二哥那固有的人性增添了某种强有力的催化剂，使得后来的人生途程上，二哥不像大哥那样狂躁，也不像小哥那样阴柔。同父同母的亲手足，他们的人性和禀赋是可以有着巨大差异的啊！可惜不能对当年邻居甘木匠的那九个子女进行追踪考察，想来那之间的种种相异乃至于强烈反差，会更加引动我们对生命存在的惊奇与探究吧？

9

父母希望子女中至少有一个能加入中国共产党，但即使如大哥那样已是解放军的军官，却也总无那样的喜讯传来。紧跟着父母便希望头三个儿子——都已20多岁，大哥且已年近30——能够找到对象，结婚成家。眼看着干女儿鞠琴、外甥女田月明都结婚了，同院比如钟先生那个瘦干巴的女儿和那个戴着如瓶子底般的厚近视镜的儿子也结婚了，可自己家呢？不仅人家问到儿女中可有党员时脸上无光，人家问到抱孙子否时更是尴尬。

他记得父母为此同小哥发生过冲突。有一天小哥从大学里回来——那时他已快毕业——母亲便问他究竟有没有女朋友，说实在自己交不上便请人介绍好了，话没说完，小哥便粗暴地打断她说："烦死了，烦死了，我的事你们别管！什么请人介绍，我还不知道你的心思，我一回家你们就打电话把锡梅叫来，还不是希望我们两个能好起来……你以为亲上加亲，会有个孝顺婆婆的媳妇，像薛宝钗似的！打的什么算盘！把话说死了吧！我就是一辈子单身，也不可能跟沈锡梅好！……"这话大大地伤了母亲的心，母亲便说："你什么话！我图个什么！你自己的事你自己不操心，我做母亲的能不想想吗？锡梅长相是差一点儿，可心眼儿好，很踏实，她那个单位里上上下下，谁都说她好话，你不喜欢她也就算了，怎么能臭她？过日子又不是看小说演戏，哪里去真找个薛宝钗来？……"小哥在家门外头是以温柔驯良著称的，回到家里有时候犯起浑来那可是恶声恶气、不管不顾，他见母亲生了气不但不知趣回避，反而迎上去夹枪带棒地说："哪个说沈锡梅长得丑了？什么叫'不是看小说唱戏'？我爱唱戏怎么了？招谁惹谁了？大哥二哥不在眼前，光拿我出气！抱不上孙子又不是我一个人的错！我就是一辈子不结婚，你生气也犯不上先找着我，先找大哥二哥他们去！我就知道你事事向着他们，护着他们，他们介绍些同事朋友来，又留饭又留宿，不知道该怎么捧着才好，我不过带几个唱戏的朋友来白唱一会儿戏，喝几杯茶，看你们那嘴脸，就好像占了家里多大便宜似的！……"

小哥这话就把父亲也牵进去了，父亲在里屋早听着不对，便踱出来责备他说："平儿你莫要乱讲，你妈和我什么时候又嫌过你那些唱戏的朋友！只是我们也真不明白，难道你那唱戏的朋友里就没有你看得上的女性？又难道那些女戏友里竟没有一个人对你有意？你们台上唱了那么多风月戏文，台下总该有些假戏真做的事情才对……"谁知母亲一听这话反帮小哥解释起来："怎么没有？那唱小生的何康和唱须生的范玉娥就是一对嘛，听说詹德娟跟程雄也很接近，只是我们盈平脸皮儿薄，他纵然喜欢上了哪一个，又恐怕不能大着胆子去追！"父母本都是好意，小哥却大为暴躁起来，把手里一只茶杯往桌子上一摔，简直是喊叫起来："乱点什么鸳鸯谱？！人家詹德娟学校外头有对象！一毕业就嫁过去！我怎见得就脸皮儿薄？我的事你们谁也不要管！找不找对象是我个人的事！一辈子单身也是我个人的事！你们以后少跟我提这些个事！"喊完便往另外一间屋一钻，父母只能面面相觑，各自叹出一口气来。

父母原来估计二哥能率先结婚成家，因为二哥一表人才，又从技术员升成了"合理化建议工程师"（当时的一种技术称谓），性格又温厚，当地一定有年龄相当的女子追求他，从二哥一贯的来信和出差时的讲述，又知道二哥对那地方对那工厂对自己的工作都相当满意——或者说相当地适应，只要二哥下决心挑选一个追求者，在那里落户，父母抱上孙子是绝无问题的。但二哥竟也迟迟不报婚喜。不错，确有当地女子追求二哥，大胆的亲自出马，羞怯些的便通过父兄出面，而且其中一个叫万月花的女子也一度让二哥动过情，但二哥终究还是下不了同那样的当地女子结婚的决心。不错，那样的女子健康、淳朴，有许多可爱之处，比如那万月花，壮硕的身材，红扑扑的脸蛋，一双细长的单眼皮眼睛里总含着笑意，能蒸出又白又大又暄又结实的馒头，能腌出又咸又甜又酸又辣的泡菜，手脚都勤快，说话也利索，笑起来声音不似银铃倒像小锣……她把二哥的脏衬衫偷去洗完晒干，还会给那脱了浆的衣领重新上浆熨挺，知道二哥喜欢江边的野节荻野蒲草，便大把大把地摘下来给二哥送去……万月花的父亲是厂里的老师傅，母亲是厂里宿舍区的家属委员会积极分子，两个弟弟膀大腰圆，说如果姐姐结婚，不用再找人帮忙，他们两个便能在一个月里打出全套的新家具——只要你画得出样子，他们就一定打得出来，而且保证不走样！

二哥一定认真地考虑过万月花，因为他记得父母接到过二哥寄去的万月花照片，他也有印象，从照片上看那是一个明显大气的东北女工，记得小哥看过那照片后私下里跟他讥笑过:"一定是个喜欢听评剧的!二哥今后恐怕总得陪她去剧场看《小借年》和《马寡妇开店》了!"他知道二哥虽然爱好广泛,却实在并无听评剧的爱好。小哥又模拟出一种痴憨的声音说:"那不是去列宁的吗?"这句话有一个只存在于兄弟间的典故,有一回二哥出差到北京,在家中小住,三兄弟一起聊天,二哥说起他们那个地方的一般人不懂得电影是怎么拍成的,更不熟知银幕上的那些演员,尤其是苏联电影里的那些个译名念起来很拗口的演员,又常常分不清匈牙利和捷克等东欧国家的电影,甚至连那些个国家本身也分不清,因而他们工厂礼堂放映电影时,就常有观众主观地固执地把比如说一部捷克电影中扮演工程师的一个演员,非认作是苏联电影《列宁在十月》里扮演列宁的那个演员,二哥举到这个例子时便模拟那声音说:"那不是去('去'就是扮演的意思)列宁的吗?"小哥和他听了,便笑,后来大家一说及某些人对艺术的无知,便拿出这句话来,当做一个典故,每一引出这个典故,便又笑,小哥甚至会笑得喘不过气来。小哥看过万月花的照片后引用这个典故,意味着他断定万月花的文艺鉴赏水平大概也就在那低下的一档上。的确,二哥的文艺鉴赏品位也未免太高了,岂止在那样一个边陲小镇显得鹤立鸡群,就是拿到北京,也未免曲高和寡。以欣赏电影而言,二哥是要一直议论到导演手法、表演技巧、摄影风格、音乐处理等等方面的,除了小哥最能同他谈得来外,恐怕也只有田霞明、田月明两个表妹堪称知音了。他记得,好多好多年以后,当他告诉二哥田月明和那混血儿西人感情终于破裂时,二哥便说:"不难理解。你想那个西人,连电影也不会摆,俗!你二表姐怎么能长期跟他好下去!"他很惊异于二哥这种"摆电影"的衡量标准。所谓"摆电影",就是在一起很细腻地、兴致勃勃地、互相补充或争议着讨论一部电影艺术上的成败,例如究竟是史楚金扮演的列宁更符合历史的真实,还是史特拉乌赫扮演的列宁更具有艺术的魅力?又例如究竟是《青春之歌》头一本拷贝里的蒙太奇处理新颖流畅,还是《林家铺子》头一本拷贝里的蒙太奇处理更老到圆熟?孙道临为《王子复仇记》里阴郁的丹麦王子哈姆雷特配音真是白璧无瑕,张瑞芳为《白痴》里的高等妓女娜斯塔霞配音有意突出嘶哑低沉真是韵味无穷!等等,等等,天哪,在这种内心的标准面前,那万月花怎么可能被正处于青春烂熟期的二哥选中呢?她的终于被淘汰,是二哥的慎重,也是她的幸运……

但是二哥不可能在那个边陲找到能如田霞明、田月明那样同他一起"摆电影"的恋人和伴侣，而岁月匆匆，他总单身一人，想必难免苦闷而焦虑。他记得，二哥没同小哥和他讲到自己，而是讲到了别人，讲到同样是从南方去到那个小镇那个工厂的几个男技术员，因为总找不着对象总结不成婚，所产生的性苦闷和性变态，说是当中有一个又瘦又黑又矮的技术员，工作很努力，技术上有许多革新成绩，厂里"光荣榜"上占据着稳定地位，却忽然有一天被人在女浴室外面擒获——他正蹬着一架梯子趴着天窗往里窥视，当他被发现者扭送到厂保卫科后，连厂长和保卫科科长都想保他，暗示他希望他为自己辩护，比如撒一个谎说是自己出于某种并不涉嫌"流氓"的动机，但他却双眼发直，一言不发，站在那里也不坐下，人们正感到纳闷时，他忽然伸手抓过保卫科办公室桌上的一个铜镇纸，使劲往自己下部砍去——原来他那阳具仍在裤子中勃起，他狂乱地想用击砍的办法解除那一生理上无法抑制的冲动……二哥讲到那位同事的这一悲剧时，并不带有讥讽和谐谑，不知小哥听了以后作何感想，反正他感到这故事也折射出了二哥自己内心深处的某种失落与绝望……

大哥的婚姻大事尽管鞭长莫及，父母却也在北京给张罗了一番，他记得为这事父亲找过方伯伯、崔伯伯，甚至还找过其实并非真正亲戚的一位香姑姑，弄到过一些女子的照片，给大哥陆续地寄过去……哪一个条件好的北京女子愿意远嫁到海南岛去呢？而又有哪一个单凭介绍便情愿远嫁到海南岛去的女子，会具有能让大哥满意的条件呢？所以父母的这些张罗是白白浪费时间和精力，毫无所获。

但终于有一天大哥寄来了让全家不胜欣喜的来信。他不但有了对象，并且已经定下了婚期——原来大哥得了一场病，住院期间，军医院的一位护士爱上了他。当他出院前夕，在枕头下发现了那护士塞的情书……随信寄来了那护士的照片，好年轻！眼睛好大！一望而知是个南国姑娘！真是"踏破铁鞋无觅处，得来全不费工夫"！

不久大哥便在海南岛结了婚，那护士成了父母的头一位儿媳，成了他的头一个嫂子。大哥婚后在海口市安了家，不愿意再开着卡车到处跑，搭上总未能入党升不成连长，便转为当地驻军中的文化教员。大哥大嫂一年后生下了女儿，取名蒋唱。后来他父亲从北京调往张家口，在一所军事院校中任英语教员，父亲母亲两个年纪渐老，子女都不在身边，很感寂寞，便让大哥大嫂在请假去张家口探亲时将蒋唱留在他们身边，大哥大嫂同意了，那时蒋唱才刚刚三岁，后来蒋唱一直随着爷爷奶奶长大，对于她的父母，反倒陌生了。

10

蒋唱如今已经三十多岁，有了丈夫孩子和自己的家庭，在广州过着典型的广州人生活。一年前他曾因事去过广州，去看望了这位大侄女儿，大侄女儿蒋唱热情地款待了他，但一句淡淡的问话，使他很为触动，那问话是——

"小叔你还写哪？"

这话出来时，他的眼光正和蒋唱的眼光相接，并一时间粘住了。他从蒋唱的眼光里看出了一种大怜悯。是的，一种因为对他的写作大隔膜大不解大不屑而生出的大怜悯。你可以把她的问话分解为如下许多个含义："你干什么不好，怎么还干这个呢？""是呀，你也这么老了，也干不了别的了，难为你还在干这个……""你写，写点别的不成么？怎么你写的我一点儿不爱看……""可怜你还要这么样地写下去……"

蒋唱不是现在才对他的写作、他写出的东西持这样一种淡漠的态度，早在十几年前，那时候蒋唱还在上中学，他因《迟来的春风》等作品而轰动而获奖而大红大紫时，蒋唱就对他小哥、阿姐说过："小叔写的东西我怎么一点儿也不感动？我总觉得我心里想的跟他心里想的一点儿都碰不上……"

他在蒋唱面前，在蒋唱的目光下，深刻地意识到那不是一个所谓的"代沟"问题，那是一个生命个体与另一个生命个体之间的距离问题。是的，尽管蒋唱是他亲哥哥的骨肉，同他在遗传继承上有着不可切割开的血缘关联，但蒋唱又毕竟变异为了完完全全独立于家族血统的一个单独存活的个体生命。

"小叔你还写哪？"

面对这个问题，他在同大侄女蒋唱的目光相接相粘后，忽然主动毅然地切断转移，他把目光移向了蒋唱家那个客厅的窗外，窗外是南国明媚的晴空，一碧如洗，闪烁着宝石般的光晕。

他感到深深的寂寞。

还写哪？

是的，还写。也许所写下的除了他自己，再找不到知音。那是生命的大悲哀。但那也是生命的大庄严。

……

他记得60年代初是他最感到寂寞和困惑，而内心又最充满躁动和渴求的时期。父母迁到张家口去了，北京没有了自己的家，他就完全成了一个只能把大学宿舍中的那个铺位认作自己最亲切的栖息地的青年。阿姐勇哥一家还在北京，他常常去那里，在那里同时还可以看到鞠琴姐延茂哥一家，但在那里所得到的温暖加起来也都不足以填补父母那个家迁走所造成的巨大空白。北京还有一家亲戚：八娘和曹叔一家，此外还有一个沈锡梅表姐。沈锡梅表姐当时仍然没有出嫁，在单位里住宿舍。沈锡梅表姐一度表现出对京剧的兴趣，这很令他惊异，沈锡梅表姐约他一起去看过荀慧生的《荀灌娘》，还有赵荣琛的《荒山泪》，看得出锡梅姐对一个胖大得出奇的男旦所扮演的十几岁小姑娘荀灌娘难以认同，而她对一个瘦骨嶙峋的男旦所扮演的山乡女子张慧珠那"唱得好惨啊"的评价，也很难被视为一种由衷欣赏，但她还是不仅频频把自己送进剧场，又一再让他给借市面上很难买到的梅兰芳的《舞台生活四十年》和《程砚秋文集》……但当他有一回主动给锡梅姐送去《荀慧生舞台艺术》一书时，锡梅姐却说："算了，不看了，再看我也还是入不了境，我就还是钻研我的古木复壮课题吧……"说完脸一层红似一层地达于紫涨，眼镜片后的眼睛里还闪烁着一些可疑的光点……

那时候他把一口装衣物的箱子，寄存在父亲的老朋友崔伯伯家里，因为学校宿舍里放着不方便，容易失窃。另外父母那样为他安排，也是为了使他能在北京得到一位至好老友的照应。其实父母的想法未免过于单纯。在人生途程中，自己一辈间的所谓友情已概难持恒，又何能将其辐射于下一辈中呢？……

他记得，那天下午他去崔伯伯家，为的是从寄存的箱子里取出一件秋凉后应加添的毛线衣。崔伯伯当时是一个技术权威，不仅担任着某设计院的总工程师（还兼副院长，不过副院长是虚，总工程师是实），政治上还有相当高的地位，是全国人大代表，所以崔伯伯的宿舍非常宽大……那一天他敲开门后，是崔伯伯的一个儿子来给他开的门，那儿子当时只有七八岁，才上小学的样子，见门外是他，脸上明摆着瞧不起与不高兴，也不招呼他一声，只大喊一声："妈！有人来了！"便转身跑入自己的屋中。

崔伯母出现了。是一位看上去相当年轻、体态丰腴、面庞秀美、声调娇哆的江南妇女，穿着一身在当时街上已绝对少见的旗袍，烫着式样别致的发型，一见是他便满脸堆笑，客客气气地说："啊，蒋盈海，你好，你取东西来吗？好好，你自己去爷爷屋里取吧……你崔伯伯又出国去了……我也正忙哩……你自己取去吧！"

他知道，这位崔伯母比崔伯伯大约要小 20 岁，是崔伯伯的二房妻子。崔伯伯的原配是家里包办的，他们也曾一起生活过，也曾生下子女，不过崔伯伯在解放前夕就公开地娶下了现在这位崔伯母——据说这位崔伯母的父亲，就是她从门外迎进他以后，对他提及的那个"爷爷"，当年曾当过崔伯伯所在的公司的一个小职员，在那期间崔伯伯发现了现在这位崔伯母并爱上了她——后来解放了，崔伯伯被调到北京委以重任，他便带上现在这位崔伯母来北京上任，但并未同那头一个妻子离婚，他每月按时给那发妻汇去生活费，剩下的钱便几乎悉数交给眼前的这个妻子，这位崔伯母同他又生下了两子一女，因而，他听自己的父亲同母亲私下议论过："莫看那崔三（崔伯伯在同辈亲友间的绰号）如今薪水高，两处一分，剩下的也就不多了；再说那'茉莉花'（崔伯伯第二个妻子的绰号）比他小那么多，不能不为自己后路着想，手里把钱捏得紧紧的，所以除了吃宴会，那崔三在家里吃得好清淡！那天我和莫四（另一位父亲朋友莫伯伯的绰号）在他家打戳牌（一种三个人对打的叶子牌），末后他留我们吃饭，你猜吃的什么？一盘没有几片肉的炒扁豆，一锅没多少油水的冬瓜汤，一碟子炸花生米。据说还是为了招待我们喝酒额外添加的……所以崔三现在老来俏，原来一个大胖子，如今苗条了哩！所以他总潮得慌（就是缺少油水），总愿意到我们家来打牙祭，吃你做的香香哩！就光你那卤肉，他就恨不能空口吃上一大盘！……"

他记得，那天他往那崔爷爷屋里找他寄存的箱子取毛衣时，心里头便活现着父母亲的这类议论，以及关于崔伯伯本人的种种印象……那崔爷爷是个猥琐的、矮小的南方老头儿，在屋里居然穿着那时候街上已绝对看不到的长布袍，头上戴着一顶旧的家织毛线帽,见他进了屋很受惊的样子,他便含混地点头施礼,他不愿叫那老头儿爷爷,因为其实那老头儿比崔伯伯大不了多少,比父亲更只大个五六岁,他凭什么要屈居于那个只有七八岁的小男孩的辈分,那么样地叫他?更何况即使顺那个逻辑也只该叫"外公"或"姥爷",凭什么要叫"爷爷"?……

他记得,在那个单元里最小的一间屋子里,他同那个老头儿都很尴尬,因为尽管崔伯伯和那位年轻的崔伯母的客厅和卧室布置得相当漂亮,而这间小屋子分明只是个储藏室,一切都简陋不说,还显得格外狭窄拥挤,老头儿除了一张木板床,还有一只旧藤椅,此外就是从地面一直往上几乎要堆及天花板的两摞箱笼……他很扫兴地发现他那口寄存的箱子已不在浮面上,而被压在了另外三只崔家的箱子下,"寄人篱下"这个成语的全部内涵生动地充溢于他的心间。他手忙脚乱,简直是有点粗暴地挪开了那压在上面的三只箱子,又几乎可以说是气急败坏地取出了自己的毛衣……

他记得,正当他穿妥毛衣向崔伯母告别,崔伯母正虚伪地堆出一脸笑容对他说:"吃了晚饭再走好啦……"却又有人敲门,崔伯母满脸疑惑地打开门,崔伯母吃了一惊,他更莫名惊诧。

门外是二哥。

……原来二哥上午到了北京,先去了部里,中午到阿姐那里吃过饭,又到大学里找他,没找到,便又到这里来找崔伯伯——出现了一桩大喜事,北京这边决定把二哥调来,到他们那个行业的一所干部进修学校任教!崔伯伯既是这个行业的技术权威,在部里又威高言重,二哥在办理有关手续的过程中,害怕"夜长梦多",中途生变,因而赶着来拜望崔伯伯,也是希望崔伯伯再给部里有关领导打个电话,加以巩固的意思……没想到兄弟竟相逢在别人家中!

"咦呀,是盈工呀!好一个英俊小生!你运气不好!你崔伯伯偏偏出国了哩!"崔伯母自然早就见过二哥。当年父母在北京时,二哥不仅随父母来过崔家,崔伯伯也曾带上崔伯母到过他们家,遇上过出差在京的二哥……

崔伯母固留二哥和他吃晚饭。他当时没有往深里探究过,为什么崔伯母留他吃饭时,那表情是十分勉强的故作热情,而留二哥吃饭时那表情至少透露着七分真诚……

那天他们哥俩没有留下吃饭。因为他告诉二哥，他已买好了电影票，并已同沈锡梅表姐电话约定，在首都电影院门口集合，一起看苏联的彩色宽银幕电影《红帆》。二哥愿意跟他一起去首都电影院，如果临时买不到票，就在门口等一张退票。同时听说崔伯伯不在国内，是在热带的一个友好国家里主持一桩援外工程，短时间也回不来，所以留在崔家吃饭也无意义。

…… 那年轻的崔伯母只比二哥大个一两岁，他后来听二哥说过，去得多了，混熟了，崔伯母有时就同二哥开开玩笑，有好几次把一只绵软软的拳头捶到二哥脊背上，用一种长辈对小辈的口气，似乎是责备似的说："好个盈工，吃得介胖！该死！"…… 二哥说到那儿总停住不再往下说，他那时也年过二十了，便意会出一种什么滋味，于是两兄弟便相视怪笑；他有时同二哥一块儿散步，兴致上来，就也捶击二哥脊背一下，学着那哆腔哆调说："吃得介胖！该死！"二哥便笑得喘不过气来 ……

…… 他记得，那天到了首都电影院门前，锡梅姐一见二哥竟随着他从天而降，脸就又渐次地红了——为什么锡梅姐那张左右不怎么对称的脸庞红起来时总是明显地呈现出一层层一晕晕增深的状态？那种生理现象是什么心理结构的效应？ …… 锡梅姐立即结结巴巴地表态说她就不看了，让他们两兄弟进去看，"因为 …… 你们看完了好摆啊 ……"二哥就说大家都看，等一张退票吧，看完了大家一同到电影院旁边的高台阶饭馆吃点东西——那饭馆他和二哥多次光顾，可总不记得名字，只记得门口有很高的台阶——但那天退票很难等，电影院门口以至老远的人行道上就有些人伸出提着钱的手嘴里不住地说："谁有票？谁有票？……"他就把票给了二哥，让二哥和锡梅姐进去看，锡梅姐有点惊惶，转动着头颅，仿佛在寻找一面镜子，用手托托眼镜架，又低头望望自己衣襟，喃喃地说："那怎么行那怎么行，看我今天 …… 也顾不上 …… 蓬头垢面，破衣烂衫的 ……"他当时觉得很好笑，不是进去看电影吗？难道有谁要看她吗？

…… 后来还是二哥和锡梅姐去看了那部叫《红帆》的电影。他一个人步行了好长一段路，边走边想，锡梅姐不再去剧场看京戏，而改为频频进电影院看电影，是偶然的吗？并且锡梅姐不再让他给借《舞台生活四十年》一类的书，而改让他给借乔治·萨杜尔的《世界电影史》，以及《苏联电影剧本选》一类的书，在见到他时，又似乎总试图同他"摆一摆电影"。比如问他，那个苏联电影《海之歌》，一点儿故事也没有，"乱七八糟的"（说出这句话锡梅姐马上后悔，又改说成"东一段西一段的"），究竟好在哪里呢？他倒能耐心地给锡梅姐讲上一气，但有一回是同在阿姐家聊天，锡梅姐试图同阿姐摆一摆刚看过的国产片《冬梅》，谁知刚开了个头，阿姐便极为不屑地说："什么冬梅夏梅，我现在不看电影，像二哥、小哥他们那样天天靠看电影吃饭，有个什么意思？年龄都那么大了，还不赶紧找个人结婚，瞎胡混！"锡梅姐的脸立即一个层次又一个层次地红涨起来，当时他只觉得是锡梅姐想到了自己那与小哥相仿的年龄，她也那么大了，又是个女的，还没结婚，不更是瞎胡混吗？但后来他就意识到，锡梅姐的难堪似乎还另有更深层的因素……

11

二哥调到北京以后，请假去了趟张家口，看望父母。

二哥从张家口回来以后，断断续续向他讲到一些情况。

父母在张家口那所军事学院中过得不错。尽管张家口地区一般居民的生活远比北京艰苦和单调，然而学院自成体系，占地颇巨的学院围墙里是一个与北京郊区部队大院相仿的特殊环境，父母住的是单元楼，吃粮和副食供应上都有特殊照顾，因而不必为他们的生活担忧。父亲一心扑在教学工作上，深得学员们喜爱。母亲把家务操持得比在北京更井井有条。而渐渐长大、聪明伶俐的蒋唱给他们的生活增添了无穷的乐趣。

但父亲却一反前几年对大哥的好感，重又复归于对这个从幼年起就不断给他招惹麻烦的长子的厌恶乃至于痛恨。

二哥自然一直保持着同大哥的通信，并且自然与大哥有更多的交流。据二哥透露，大哥在部队久久不能入党，使大哥的自尊心大大受挫。大哥在部队实在是极其努力，他的口才、文才，以及敏捷而大胆的思路，也深得某几位首长看重，几次借到军区宣传部参加一些很光荣的任务，但总不能正式调入军区有关部门，因为他总解决不了入党问题。为什么？为什么？……有一回大哥所在部队的一位党的领导忍不住透露给大哥：他们外调了父亲的情况，知道父亲在反右运动中有错误言论，开过中型会议批判，但最后没有定为右派，只由组织内控，即属于"内控右派"，不告诉本人，只要本人没有新的右派言论和行为，也不影响一般性使用，可继续发挥其专长……这样的一种情况，决定了大哥即使本人再加努力，也很难被吸收入党。大哥听了大为震惊，便忍不住写信告诉了二哥，二哥到了张家口，有一天当父亲抱怨"老大死不争气，这么多年连党都入不了"时，便忍不住向父亲做了解释，并问："爸，你真的被定成内控右派了吗？你真的自己一点儿也不知道，也没察觉吗？"据二哥说，父亲当时先是一愣，紧接着就暴怒地用手把桌上的烟灰缸一下子扫到水泥地板上，跳起来恨恨地说："好呀好呀，死不争气，自己入不了党，还污赖老子！我是坚决不认他这个儿子了！荒唐！荒谬！岂有此理！"吓得母亲从厨房里提着锅铲出来，不知道陡然降临了什么祸事，而还完全不解事的蒋唱便"哇"地哭了起来，跑过去使劲抱住爷爷的双腿……

二哥后来非常后悔。他再长大些后也很埋怨二哥。二哥原是最孝顺父母的，从小长大到那一回以前几乎从未让父母生过哪怕是小小的一点气，然后那一天他却猛地在父亲心上划下了一道又深又长的伤痕！

……到了那军事院校后，父亲原是心情舒畅的，他很满意组织上给他安排的那个角色，并且自己也很积极地投入那个角色。父亲在反右运动以前因为真诚地觉得自己不够资格加入共产党，因此没有像钟先生那样去刻意地塑造自己，但他后来加入了"民革"（即一个民主党派——中国国民党革命委员会），那原因一是单位里的"民革"头头动员他，二是他觉得自己的父亲早年参加过"同盟会"，后来又到广州积极投入了国共合作的大革命，与廖仲恺、何香凝等都有过从，因此自己加入"民革"颇顺理成章；在反右运动的引发阶段大鸣大放中，他正是因为参加了"民革"，才在一个"民革"的"神仙会"上出于"响应党的号召"，又碍于主持者一再点名动员，才发了一个言，那言论从后来反右运动所竖立起的坐标来衡量，定性为中右是一点也不冤枉的——他在歌颂了共产党的廉洁以后，却举出一些例子，用新旧海关对比，说新海关的一些干部实在外行，不像旧海关人人都得精通业务才混得下去……后来那"民革"头头及另外几个人都划成了右派，在批判斗争那几个右派分子的会上，也组织了几个涉及他的错误言论的批判发言，钟先生的发言火力最猛。据说发言中因为激动，拍了一下桌子，竟使得小手指骨裂，后来治疗了好久才终于复原；父亲自己也在会上对自己险些被右派分子利用、客观上攻击了党作了自我批判……反右运动过去以后父亲除了不再担任副处长，改任谁也不领导而且工作内容颇为机动的专员，但待遇不变，因而他自己并不觉得入了什么"另册"，后来调到军事院校任教，发挥他那经旧海关多年外班工作练就的英语口语专长，也很得心应手，他自觉地把自己看成是一个跟着共产党走，并且也得到共产党信用的"民主人士"，他在张家口生活得比在北京更心态平静、富有生气，虽然张家口没有西餐馆，不能满足他那吃西餐的口腹之欲，但母亲即使在那样的一种环境中、条件下，有时也能给他弄出西式的炸牛排、奶油鱼、土豆青菜沙拉吃，加上又有孙女儿在膝下承欢，那简直有一种足称幸福的感觉……

然而二哥却给父亲带去了那样一个可怕的信息！他不相信、不承认，并且不愿想象他的档案上有那样一种不仅令他自己，而且也令子女羞耻的印迹，他断定那是大哥因为久久不能入党，而造出的一个谣言，由此他对大哥恨之入骨，并且再不给大哥大嫂复信，凡去信都一律由母亲来写……

他从未向父亲坦诚地谈过这一段公案。父亲真的能通过断定大哥造谣和怨恨大哥，扫除他心中的阴影吗？他记得，那已是接近"文革"的一个假期，他那时已然从师范学院毕业并已分配到市区一所中学任教，他趁假期到张家口去看望父母，本来一切都很正常，忽然有一天母亲笑吟吟地从食堂回到所住的单元里说："……人家催乔芝芸和我们家去领苹果哩，盈海你快拿个筐陪我去提……"那本是一桩很平常的事，学院经常在食堂分发给各家一些作为福利补助的"进口货"，大概是父母那座楼里别的家都已闻讯领过了，只有那个叫乔芝芸的和父亲家还没有去领，因而食堂的人见到去买馒头的母亲便顺便作了那样的嘱咐；谁知父亲一听这话便陡然从躺椅上跳起来，将手中的一本英语语法书往地上一掼，脸红脖子粗地吼："什么？让乔芝芸和我们去领？！不要！不要！！不要！！！"把母亲和他吓了一跳，幸好蒋唱当时到楼下找小朋友玩耍去了，否则一定又要被吓得"哇"地哭出声来……

后来他弄清楚了，那个叫乔芝芸的是一个年龄已近50的妇女，他见过，望去尽管憔悴，却依稀可见当年的美貌。据说解放前是一张什么报纸的记者，解放后又一度在一张民主党派办的报纸继续当记者，反右运动时因有大量右派言行被划为了类别最为严重的右派分子，而且在大批右派分子都已摘了帽子之后，她居然还未被宣布摘帽，经过一番下放劳动改造以后，那所军事院校也通过有关部门把她调去当了一个外语教师，据说她掌握一门在当年显得相当偏僻的外语，好像是葡萄牙语什么的；在二哥透露大哥信函中的"秘密"前，父亲对乔芝芸的存在，本来是无所谓的，他懂得那体现着共产党胸怀的朗阔：一个政治上如此反动的尚未摘帽的右派，只要她有一技之长，甚至也可以调到部队的学院里来教课；只要自己和家人少同那姓乔的接触，便不会惹来什么麻烦。他分析，一定是二哥那次不慎在父亲心上划出了伤口以后，父亲便对姓乔的敏感起来，并且一定产生过某些联想，某些疑惑，果然，那天食堂里的人一定是非常偶然地为分发苹果的事将乔芝芸和父母家并提，父亲便仿佛有人将手指探进了他那无形而又无法向别人——即使是母亲——袒示的伤口，顿时暴跳如雷，最后竟语无伦次……

二哥确实很为无意中伤害了父亲后悔。但二哥出差去了一趟广州，并在那里同恰好也到广州出差的大哥相会进行了畅谈，回来后就又跟他透露说，大哥的入党难，不仅在于父亲的那个"内控"问题，也更在于他自己——他那一年因为父亲摔掉面碗赌气一跺脚离家出走以后，经历很复杂，据二哥的分析，那一段参军以前的经历，其实他本不必那么详尽地向组织上交代，因为究其实他不过是一个微不足道的流浪青年，并没有什么真正称得上是革命或反革命的政治行为，不详细交代也并不算隐瞒了什么，结果他一详细交代，就使组织上感到他个人历史也实在复杂，而他那些经历又无从去调查确证……

…… 原来那一年大哥离家出走以后，到一艘轮船上当了一个水手，乘那船驶抵了上海；在上海他不愿再干水手，便到一家高档饭店当了一个侍应生，在当侍应生阶段，他颇有一些风流韵事。据二哥转述，有一回大哥在酒吧中服务，那里聚集着若干洋人和高等华人，有一个当年相当走红的女电影明星那天去了，那女明星很忧郁也很浪漫，她好像很不喜欢那些请她去和包围着她的人，而且也并不喜欢那个地方，她为了气那些尾随着她的男士，便故意拉过大哥去要大哥同她跳舞，大哥巴不得那样，便同她跳了起来，令她和那些男士大为吃惊的是，大哥竟跳得那样棒！这对大哥来说本不足为奇，他并非贫寒出身，尤其是在到加拿大、美国当过外交官的姑爹家中，早同表妹田霞明、田月明等跳得不仅中规中矩，而且极能临场发挥，极具高雅风度……大哥说那女明星至少是在跳舞的那一段时间里爱上了他——确实，大哥正当 20 岁的青春年华，体魄健壮，面庞虽非英俊但线条刚硬和谐，是值得一位韶华即逝而情欲犹旺的女明星一恋的……大哥紧紧地搂着女明星的腰，在舞动中有时身体同女明星非常贴近，这使得周围的男士终于愤怒，他们中有人让乐队中止了演奏，女明星大怒，挥手就掴了想牵她胳膊的某位男士一记耳光，那男士用手帕捂着被打的面颊，愤愤地说："难道你宁愿让那么个臭小子亲你的嘴，也不跟我们这些男士跳舞吗？"女明星便仰起脖子把长发一甩说："你们这些男士？你们哪一位有丁点儿男子汉的气概？你们光知道在这里醉生梦死，你们哪里知道外面有多少人在流血流汗？你们敢流汗吗？敢流血吗？哼，你们哪一个有种，就流血给我看，我就跟那个不怕流血的男人亲嘴——不管他是哪位！"女明星喝香槟喝多了，显然说的一半是醉话，周围的男士们个个面面相觑，不知所措；正当此时，大哥却一把抓过桌上的酒瓶，用力往桌子边上一磕两段，那迸出的酒还没有流完，他便用右手将那摔破的酒瓶用力地往自己挽起袖子露出的左胳膊上用力一划，顿时划出一道口子，鲜血马上流了出来，而这时女明星便毫不犹豫地扑上去，搂住大哥狂吻，吻他的额头、眼睛、面颊、脖子、肩窝，最后紧紧地吻大哥的双唇……

……20 岁的大哥如此浪漫的经历，听来令他惊奇，也令他隐隐地有些嫉妒……难道连这样的事情，大哥也向组织上作了交代？二哥说，是的，大哥竟也作了详细交代，并作了相当苛刻的自我批判……

大哥后来又从上海流浪到天津，在天津还跑到一家商行当过一段仓库的看守，二哥乍听大哥那么说疑惑地问：怕是当搬运工吧？你那么一个流浪青年，人家怎么信得过你呢？大哥说那老板就信任了他，就让他当了看守，因为他说他会武功，会开枪，老板不信，他就说不信你拿把枪来我打给你看，老板果然递他一支枪。他不接，笑笑说您别给我一支空枪，我要装子弹的，老板就真装上子弹递给他，让他打院子里的一棵树，他便瞄准了那树，一按扳机他就说："是颗哑弹，不过您去看看我打得怎么样？"老板让人过去一细看，服了，大哥射中了那棵树树干的中线……二哥听了这段就相信了。因为二哥早就知道大哥摆弄过枪，那时候他还很小，但二哥、大哥已经十几岁，二哥大哥到姑爹姑妈家去玩，姑爹是个国民党的将军，住在一幢花园洋房式的住宅里，二哥随大哥偷偷跑进了姑爹、姑妈的卧室，大哥居然私自拉开了姑爹的床头柜，见那里头有一把手枪，便大胆地拿起来玩，开头先假装对着二哥，把二哥吓得不知如何躲藏，然后大哥便瞄准屋子角的衣架开了一枪，"砰！"那枪里原来装着真正的子弹，硝烟中衣架应声而倒……大人们闻声跑了进去，一见那情形姑爹就连连顿脚，喝令大哥把枪扔到地上，父亲后来自然狠狠揍了大哥一顿——但大哥已不再是个孩童，揍他时他虽不反抗，倒弄得父亲胳膊酸疼手掌发麻腰也扭伤……

他的大哥便是那样一个人！他隐隐觉得，大哥后来的继续流浪，直到终于参加中国人民解放军，与其说是一种社会的、历史的因素在起作用，毋宁说是一种天性中的内在推动力在驱使……那确实很难解释，为什么大哥要用诸如此类的方式，来创造他生存于世的一种价值？

12

当二哥宣布说决定同沈锡梅结婚，并在单位未分配住房前暂借八娘、曹叔宿舍中的一间屋子成婚安家时，他并不感到惊奇；当然他也并不相信锡梅姐（那以后他改叫锡梅嫂）的"摆电影"能力有多么大的提高。

阿姐的反应却截然不同。首先是吃惊。她那些年忙于自己的生活，尽管偶尔想起二哥三十多岁还没结婚有些代为着急，也曾跟鞠琴姐等多次商议过如何再给二哥介绍个合适的对象，但她却从来不曾真正关注和了解二哥的感情生活。她曾私下里对他悻悻地说过："想不到沈锡梅这么厉害！表面上憨憨的笨笨的，原来一直在放长线钓大鱼！二哥也是，怎么挑来选去，最后居然相中了她！不是我有意臭沈锡梅，她优点固然很多，事业上也算有所成就，我们院子外头那马路上的两大排银杏树就是她优选成功的行道树新品种，可凭她那副长相，怎么配得上我们二哥呢？说实在的，大哥长相不错可惜有点矮，小哥长得像七舅舅，金鱼眼，短下巴，扮小旦能混过去，作为一个男人那长相可不行，你嘛还没长成型，总是个少年人模样……论起来我们家四个兄弟里也就二哥真拿得出去，论个头有个头，论相貌有相貌，论风度有风度，专业上有水平，英语又自学到能同声口译的程度，又懂文学艺术，比那曹叔还风流倜傥，可他居然到头来娶个沈锡梅为妻，两个人怎么一路到街上走动呢？……"又压低声音，预报不祥说："再说沈锡梅跟我们有一定的血缘关系，你知道妈妈跟四娘、八娘她们的父亲是从堂兄弟，就是说他们的父亲是堂兄弟，再往上，我们外公的爷爷和涧表妹外公的爷爷，就是亲兄弟了，算起来还在五服之内啊，这样近亲结婚，生出孩子会是傻子、怪胎，你懂吗？……"

小哥的反应骨子里同阿姐一样，但表现方式不同，他从湖南给二哥和锡梅嫂写来了贺信，是寄到八娘曹叔那里的，信很简短，里面有个对子："千里相会终成眷属，白头偕老永远幸福。"当时谁都没有在意，后来他恍然大悟，小哥是将"有缘千里来相会"和"有情人终成眷属"两句话里的"有缘"、"有情"故意掐掉，以隐含他内心中对二哥、锡梅嫂是否有缘有情的深深怀疑。他对小哥的这一反应并不以为奇。他知道，父母是一度希望小哥同沈锡梅好的，而沈锡梅也一度同小哥保持着频密的通信关系，那对京剧的一度热衷也显然是"别有用心"的……小哥后来明确地拒绝了沈锡梅的追求，并中断了与沈锡梅的通信联系。

二哥和锡梅嫂是在1966年的"五一"劳动节结婚的。他们是大时代中两粒微不足道的芥豆。他们哪里知道那时候北京大学的聂元梓等人正在康生幕后指挥下选择着贴出"全国第一张马克思主义大字报"的时机……5月25日那大字报在北京大学贴出，6月1日晚上中央人民广播电台广播了那张大字报，6月2日《人民日报》在头版刊出了那张大字报。但二哥、锡梅嫂乃至八娘都仍旧梦梦然地过着他们那凡人的小日子，唯有曹叔从部里下班回来时脸色比往日严肃许多，但就连曹叔那时也只是隐隐感觉到有一种什么风暴在开始卷动，但同时又觉得无论什么《海瑞罢官》，什么"三家村"，什么北京大学的事情，也都离自己那个部那摊具体工作还相当地遥远……

6月中旬他去八娘曹叔他们住的那个宿舍大院，看二哥和锡梅嫂，二哥锡梅嫂借住的那间洞房同八娘曹叔一家自住的两间半房子不连在一起，当中相隔着两进院落，位于一个偏僻的角落。屋外有别人家栽种的一架葡萄，枝叶纷披，一串串的葡萄花正在转化为小小的葡萄珠。他在那屋里同二哥、锡梅嫂一起喝茶。这时就传来了一阵阵相当响亮而又浑然不清的呼喊声。原来那宿舍大院对面就是《北京日报》的办公大楼，那里已成为"文化大革命"的旋涡中心，正展开着人与人之间狂暴的斗争。那声浪一波波地传来，惊心动魄，偶尔可以听出来一阵阵的口号声喊的是"打倒某某"，但那又分明不是一种秩序井然的批判会。因而突然会有某几个人的尖声呼叫，凶狠而杂错，同时又突然会有某一两个人的尖声嚎叫，凄厉而恐怖……他记得，就在那一天，正当他们不得不停止相互交谈，悚然地坐在那洞房里不由自主地倾听着那些音响时，突然有一种更为惊心动魄的声音传来——《北京日报》社有人在批斗中破窗跳楼了……

多少年后回忆起那天的情景，那些非人间应有的嘶叫、狂吼和惨嗥还似乎回荡在耳边。他不由得惊异地想到，不管那"文化大革命"的狂风暴雨如何激烈躁猛，只要还有一刹宁静，一隙空间，即使在北京，在《北京日报》办公楼旁边，也还有人结婚，有人性交，有人受孕，有新的生命在进行细胞分裂……二哥的大女儿蒋红，其生命便肇始于斯时斯地，而那也绝非什么奇事怪事……

人们到处生活。

人们随时生活。

在有人相恨相斗的时候，也有人相爱相依。

在有人跳楼自杀或采取别的什么方式残酷地结束自己生命的时候，也有人在黑暗中默默地创造着新的生命。

在非常非常伟大的后来被记载下来称作历史的一些事情在威武雄壮地运作的同时，也有许许多多非常非常猥琐渺小后来一定不见诸历史书籍的凡人小事在密密匝匝默默无闻地生灭着……

他常常想哭，为那历史以外的活鲜鲜的存在……

他又常常想笑，微笑，为那些猥琐渺小的鲜活个体及他们的生存轨迹被伟大庄严的历史筛汰掉而庆幸……

第十四章

1

每当想办一件事却碍于面子不能四处活动时，他便对妻说："唉，要能有邢静那股子劲头就好了！"

妻也便叹口气说："谁让我们的脸皮儿这么薄呢？"

他们所说的邢静，是香姑姑的二女儿。

2

提到香姑姑，就不能不回想到当年重庆姑爹姑妈的那所住宅。

那所住宅在山城雾重庆的最高处。姑爹当年是国民党的一个将军。姑爹不是那种土军阀出身的将军，而是毕业于美国西点军校的亲美派将军，抗日战争期间曾在配合盟军开辟南亚战场的远征军中任要职，进驻缅甸；日本投降后，被先后派往加拿大和美国，任中国大使馆的参赞级武官，1948 年初回到中国，又在重庆继续担任涉外要职，因而生活方式可以说是全盘西化。当年姑爹住的那所宅子，其主体部分是一座花园式洋房，一楼进门是宽敞的前厅，放置着几组真皮沙发，配有大玻璃茶几，可以用来会见一般的客人；前厅一侧是有长餐桌的餐厅，餐桌上常年摆置着西洋式的银制枝形烛台；前厅另一侧是内客厅，沿墙摆着许多沙发椅，可以自由组合成几副牌桌，也可以撤掉当中的物事当做小小的舞厅。一楼前厅有神气的弧形楼梯通向二楼，二楼除了许多单独的可供众子女居住的房间外，也还有一间相当不小的起居室，当年没有电视，但有可以收听短波的落地式木框收音机，有在当年算是相当先进的电唱机和许多的唱片——包括姑爹姑妈他们从美国带回的许多西洋歌剧和爵士乐唱片……姑爹姑妈的子女们常约上同他们年龄相仿的亲戚朋友在那里聚会、嬉戏、胡闹；那起居室的落地窗门外面又有一个很大的平台，平台四角摆着四棵栽在木桶里的橡皮树，平台上经常支着些躺椅，撑着遮阳伞，从那平台上可以鸟瞰长江和嘉陵江汇合处的风光，天气晴和时江上的船只清晰如绘，雾气卷来时远望如神秘莫测的水墨长卷……姑爹姑妈自己住在三楼，除了卧室还有他们各自的书房和卫生间，三楼之上还有尖拱形的阁楼，阁楼上除了储藏室，也还有小小两间设置着小床的客房。那洋房周围是小小的花园，记得除了尖塔形的松柏、紫藤萝架、大株的广玉兰之外，还有小小的金鱼池，月季花圃，以及设置在不同位置的一些盆景。当然甬路边缘都栽植着总是修剪得整整齐齐的冬青……那时候重庆公共自来水设施很不发达，像姑爹姑妈住的地势那样高的宅子常常因压力不够而断水，因此在房后便有一个高似一个的平台，平台上是一个又一个的洋灰深池，池子里总储着水，他小时候一直弄不懂那些水池子是怎么回事，后来知道那是姑爹姑妈自家的一个生产自来水的设施，他们除能自制自来水外，也有自备的柴油发电机，必要时可以自己发电。他记得，在那花园洋房后面，还有一排朱红色洋瓦的平房，有的住着副官、勤务兵、仆人、保姆，有的则流水般住着一些因各种各样缘由去拜访或巴结姑爹姑妈他们的人。但他的父母因是姑爹姑妈的至亲，因此倘若去了留宿，便住在一楼客厅后装置高档并有单独卫生间的客房中，他因为小，同父母一起享用过，大哥、二哥、小哥、阿姐他们去了如留宿则都安排到顶楼或楼后平房去住，那客厅后的高级客房即使空着，也轮不到他们享用。其实那客房住着也并不怎么美妙，父亲就曾抱怨过：离厨房太近，厨房的油烟，常从客房的窗子外飘进来，使人在睡觉时也总仿佛呼吸着一种油锅的气息。

他那时候还小，记忆比较模糊，但模糊中也还凸显着某些景象，比如他就记得有一回看见鞠琴坐在平台的一把折叠椅上织毛衣。鞠琴后来再没提起过当年曾到田霞明、田月明家凑热闹的事，而且后来她入党时，成分算作小业主，而且属于那种没有雇工的小业主，类似农村里的中农，大体上还属于劳动人民的范畴，那自然是事实，是事实中的本质部分；但生存轨迹所构成的事实往往是非常复杂的，除了"本质部分"，也还有"非本质部分"，那"非本质部分"就是她曾一度非常艳羡田霞明、田月明她们的阔小姐生活，她常到她们家里去，比田霞明、田月明她们表妹蒋盈波去的次数还要多，并且渐渐"宾至如归"，去了不一定非要田氏姐妹跟她玩，她一个人坐到那平台上织毛衣也很惬意。偏他就留下了那么个鞠琴在平台上织毛衣的印象。记得解放后在北京，田月明刚分配工作刚到北京头一回来到他家时，他就向田月明报告说："鞠琴姐也在北京！她在部队文工团合唱队唱歌！"田月明便脱口而出地说："什么鞠琴！鞠富琴！"是的，鞠琴原来的名字是鞠富琴，参军时才去掉了中间那个"富"字。田月明对一身军装的鞠琴没有他那种尊敬感，但田月明似乎也没有当面打趣过鞠琴，在新的社会环境中她们自觉地在新的价值坐标下继续和谐相处，他从没听到过她们提及那栋曾是她们青春舞台的建筑物。

在那栋雾重庆山城的花园洋房中，像鞠琴或崩龙珍那样的小字辈客人常常被一位妇人用蔼然而又严厉的话语指挥或批评，那妇人对田霞明、田月明、田星明等人也一样地经常进行召唤或规劝，只是语气中更多些慈蔼和略少些严厉罢了——不知底细的外人听见看见，常误以为那便是他的姑妈蒋一溪，因为那妇人身着十分考究的旗袍，头发烫得中规中矩，淡施脂粉，画眉涂唇，耳垂上有亮闪闪的耳饰，脖颈上有白生生的珠串，手腕上有亮铮铮的镯子，手中还时常摇着一把檀香扇或古式的手绘花鸟画的纱扇，脚下是一双色调与旗袍相谐的高跟鞋，难道如此仪态万方的一位女士还不是这宅子的女主人吗？

不是。她不是。她不是姑妈蒋一溪。

姑妈下面的一辈，都管她叫香姑姑。

香姑姑不是姑爹姑妈的亲戚，严格来说也不是朋友，她也并不是管家，因为另有一个男的副官相当于管家，她又不是家庭教师，因为她并不教表姐表哥他们什么，当然她更非女仆，但她又长住在那里，在二楼上有她专门的房间，她享有许多与主人类似的特权，那么她是谁呢？在那宅子中她算怎样身份的一个人呢？

后来，他长大了，才懂得香姑姑是姑妈的一个家庭伴侣。据说旧社会许多有钱人家都有这种人，她们一般也出生在有钱人的家庭，受过相当的教育，只是或她们自己的家庭那时候比较没落，或她们同自己的家庭产生了矛盾冲突，又找不到别的合适的职业，或竟很乐于到更有钱有势的人家里充当阔太太的这种伴侣。对外有时候说成是"秘书"，有时候就不用什么名目，凡熟悉那一阶层生活方式的人一听主人介绍，比如说"这位是香女士"，那么就都明白香女士者系何种人物，一般就都很尊重，甚而至于很巴结，因为一般都知道阔太太有左右丈夫的无形力量，而阔太太的智囊和辅臣不消说便是香姑姑一流人物。

后来他知道，香姑姑其实是攀着他父亲蒋一水那条线才进入姑爹姑妈府上的。父亲早年在北京上学时，同一位叫晏子迟的同学好得要命，竟至于焚香跪拜，结为了异姓兄弟。那个时代那个社会父亲和晏子迟的那种结拜，构成一种特有的人际文化，那不是开玩笑，而是严肃到极点的。在1950年以前，父亲和晏子迟尽管长期并不在一个地方生活，但他们不仅保持着密切的书信联系，当一方经济上或别的什么方面遇到麻烦时，另一方便总是毫不犹豫地倾力予以援助；1950年以后，他们也一度依然如此相处，但新的社会迅速形成了一种新的社会文化，那是不允许人与人之间建构起一种超政治、超社会、超统一价值标准的个人关系的，因而他们两人特别是父亲很遭受到一些冲击与报应，那是后话，且不去说。

香姑姑名晏子香，是晏子迟的妹妹。

晏家早年在北京也算殷实之家，住着胡同里一所相当齐整的四合院。父亲当年是晏家的常客，自然每次都是去找晏子迟玩，但同晏子香也很熟，晏子香即香姑姑后来向他回忆过："你父亲跟我迟哥好厉害！记得有一回我在胡同里守着卖红果酪的担子，一连吃了两碗还想吃，你父亲和迟哥看见了，说我太贪嘴，便一家揪住我一只耳朵，硬是那么把我揪回了院里，气得我后来跳着脚哭了一场……"

晏子迟后来毕业于清华大学，又到美国留学，成为一个油脂工业方面的专家，一生经历很复杂。晏子香中学毕业后上过大学的家政系，这种专业解放后大陆的大学一律予以取缔。所谓家政系就是培养阔人家的太太和管家的一种专业，课程除一些文史哲的门类外，主要包括社交礼仪、服饰化妆、房间布置、烹饪缝纫、育婴幼教、家庭保健、"派对"（家庭聚会）设计、口才风度、园艺栽培、宠物豢养、珠宝常识、家庭财会、旅游常识、法律常识、保险常识、家庭工艺品制作、书画装裱、书法绘画、歌咏弹奏……据说到高年级还有关于房中术的讲座。晏子香毕业后本应按家庭的愿望嫁一个阔佬，但到她毕业时家庭已经没落，父母又难为她觅到合适的阔佬，她也决意冲破家庭的束缚，自己去闯出一条能遂己愿的生活道路。她最初的个人愿望是闯入电影界去成为一个明星。据说她提着一只小皮箱，只身到了上海，也一度确实进入了电影圈，但一连几年她都只能是在一些烂片子里跑龙套，她的名字竟几乎没有上过演员表，后来她就死了当明星的心，另觅出路。有传说她一度成为重庆上层社会的二流交际花，但也混得并不怎么惬意，后来更传说她热恋上了当年的一个什么健美冠军，但那健美冠军后来甩了她，自己远走高飞，剩下她和一个女婴。她在一种极为困窘的处境中，找到了她哥哥的契弟，即他的父亲蒋一水。当时在重庆海关做事的父亲便在那种情况下将她介绍给了姑妈蒋一溪，她到姑妈家去时是只身一人，那女婴是让健美冠军家的人接走了，还是她送人了，除了她本人谁也不清楚——她恳求他父亲不要把她有个女儿的事告诉他姑妈，他父亲后来果然没有说，几十年过去都没有说。她到姑妈那里后，两人竟一见如故，十分投机，她便留了下来，并俨然成为了家庭中的一个主要成员，除了陪着姑妈聊天解闷，还兼管束那些小姐少爷，倘若姑妈姑爹要组织一个什么"派对"，她便进行总体设计，而具体事宜都由姑爹的一位副官即男管家再支使勤务兵和男女仆人们去办理。

"龙珍小姐，喝汤的时候请尽量不要发出声音！"

在餐桌上，香姑姑轻声地提醒做客的崩龙珍，崩龙珍抬眼一看，香姑姑正眯着眼睛，微笑着，然而很鄙夷地望着她，崩龙珍便自觉形秽，赶紧坐端正，小心翼翼地把汤勺在汤盘中从内向外地缓缓舀动，又小心翼翼地将汤送到嘴边，尽量不出声地喝掉那一勺汤。

"咪妹儿！STOP！"

香姑姑步态优雅地拐进二楼起居室，打断田月明和西人两个人挤在沙发上合看同一本电影画报的甜蜜阅读，扬起眉毛对田月明说："亲爱的，你该练琴了！我记得你今天还是该弹那一首G大调307！"

咪妹儿即田月明很不情愿地站了起来，回她的房间去练琴，原来趴在他们脚下的沙皮狗杰普跳起来追随着她，她那同班的男同学外号叫西人的混血儿也便跟在她身后，要随她去。

　　"西人！你如果不想一个人在这里看画报，那我建议你回家去复习功课，你欧妈一定在挂念你了！"香姑姑便非常和气然而十分明确地阻拦西人随田月明而去。

　　"我想听她练琴！"

　　"啊，你如果想听，就坐在这里一样好听的，不必进入人家的闺房，亲爱的少爷，那是小姐的闺房啊……"

　　"闺房？那为什么蒋盈农、蒋盈平他们可以跑进去听琴？连杰普也能去……"

　　"是吗？"香姑姑故作吃惊耸起眉毛，然后又落下眉毛，微笑度增大，晃着一根手指，眨着一只眼，仿佛同西人私语似的说，"亲爱的，他们是表哥，是宠物，而你……你是不合适的，就是这样，你不合适，No，请留步……"

　　西人睨了她一眼，便只好又坐回起居室的沙发上，胡乱地翻那画报，而田月明表姐便在那边钢琴上赌气似的敲击出一串升调音阶……

　　这便是香姑姑当年的小小写照。

　　香姑姑在那个家庭里相当地权威，就连他姑爹田得垅——一家之主，似乎也从未驳过香姑姑的面子。香姑姑唯一膺服的只有他姑妈蒋一溪，也只有姑妈蒋一溪才会毫不犹豫地甚至是当着大庭广众驳斥或嘲笑香姑姑——尽管那并不经常——而香姑姑至少在表面上绝对地不气恼不失态，甚至会当即表示接受或接着姑妈的话茬进行一点自嘲。

　　香姑姑也确实不能不佩服他姑妈。姑妈早在 20 岁出头的时候就跟随他爷爷到广州参加了大革命，并一度成为何香凝手下的一员爱将，大革命失败后，是何先生亲自向国民党有关机构打招呼，以公费资格让姑妈去法国留学，姑爹为追求姑妈从美国跑到法国，他们在巴黎结的婚，后来姑爹回到国内当了将军，姑妈当上了将军夫人，抗战胜利后又随姑爹到加拿大、美国当了一阵武官夫人，回到重庆住进那个宅子后，姑妈虽说没有自己的职业，但每天应酬极多，在官场、军界属于知名度很高的人物。香姑姑对姑妈是又羡慕又崇拜。香姑姑内心里对姑妈有没有嫉妒和鄙薄，不得而知，但据他父母回忆，当时确实一点儿看不出有那样的痕迹。

　　当香姑姑和姑妈站到一起的时候，香姑姑立即就被姑妈比了下去。那倒并不是姑妈长得比香姑姑漂亮。恰恰相反，单就身材相貌而言，香姑姑远胜过姑妈。

姑妈中等身材，腰肢不如香姑姑那般袅娜，个头也比香姑姑略矮，而且姑妈的面部轮廓带有一点男相，不如香姑姑那么甜媚。但姑妈一穿戴出来，就总显得比香姑姑气派。那倒也不是因为她浑身珠光宝气，或衣衫格外华贵。恰恰相反，姑妈的发型往往比较保守，并不像香姑姑那么时髦，她并不经常戴耳环和耳饰，更不爱戴手镯，手指上一般只有一枚不嵌宝石的金戒指，那还是当年在巴黎结婚时姑爹购置的，但姑妈在社交场合却总戴着每粒都有豌豆那般大并且均匀圆实色泽统一的货真价实的珍珠项链，那项链在任何光线下都会随着佩戴者的移动闪烁出许多的十字光芒，那串项链常常无言地将在场女宾们身上所有的佩戴物都贬斥为低档的俗物。而当姑妈一走动起来，一应酬起来，那一颦一笑，一举手一投足，一高谈阔论或一沉默不语，便更是横扫钗裙，巧言善笑如香姑姑者流，也只好甘拜下风。

……那一回，楼下大客厅和小客厅里宾客如云，一个官场、军界许多要员和社会名流及其夫人、少爷、小姐都应邀而来的"派对"，正进行到半当中，一些重要的、不重要的秘密交易正在微笑和暗语中进行，一些爱爱憎憎、恩恩怨怨正在举杯相碰中曲曲折折地表达。忽然，楼上传来一声枪响，跟着是"轰隆"一声，客厅中马上有太太、小姐发出惊恐的尖叫，女仆惊惶地把一托盘酒杯倾倒在了地板上，一些男女也不禁面露惶恐之色。香姑姑原来正优雅地挥动着古式纱扇同某位最有身份的女客应酬，枪响后竟五官错位，扇子掉到地下，又慌乱中自己将扇子踩坏，唯有姑妈全然不动声色，在人们惊恐的呼声刚一停歇时，便高高举起手中酒杯，朗声地笑着说："诸位！对不起！今天舞会的信号太恶作剧了一点！不过在此多事之秋，我们何妨振奋起来，先跳出一点乐观，一点自信，然后再畅谈，如何？"姑妈说完一使眼色，负责用电唱机放送舞曲音乐的仆人立即开启了电唱机，舞曲声起，姑妈立即邀请最主要的一位官员共舞，几个仆人赶紧打扫掉落地的杂物，人们虽然对那枪声是舞会"信号"的说法半信半疑，但也不由得成对成双地随着乐曲旋转起来……香姑姑一时还收不回神，只得暂且同一些不跳舞的人坐到墙边椅子上喘息，事后她当着全家人向姑妈说："一溪姐，我算服你服到骨髓里了！"

那一回楼上的枪声，是大哥发出的。大哥和二哥偷跑到姑爹姑妈的卧室，大哥用姑爹的手枪对准屋角的衣架开了一枪。姑爹和父亲闻声冲上了楼去……事后姑爹说："没想到我们回到楼下一看，竟然一点没乱，舞局正酣，所以也就没有公布真相……我太太岂止是贤内助，真是个无价宝啊！"

香姑姑在这样一个"无价宝"的熏陶下，很快提升了她那本来就不低的应变能力。加以香姑姑有着似乎比姑妈更胜一筹的钻营术，到解放前夕，香姑姑便利用在姑爹姑妈家频频组织"派对"的机会，使一位丧偶的国民党官吏迅速堕入了她精心编结的情网，姑妈姑爹便成全了她，使她结束了那夫人伴侣的"工作"，为她操办了一个风风光光的婚礼，此后她便也成了一位夫人，再造田府时，她的身份便变成贵客了。

香姑姑所嫁的那位官吏，官位不算太高，但长得一表人才，年龄也不算太大，香姑姑是经过反复比较，才相中他的，有些官位更高的鳏夫要么年龄太大，身体糟杇，要么儿女成行，倘若嫁过去势必难以同那些大儿大女相处，而这位官吏不仅身体健壮，原来的妻子竟又并未留下子女，所以香姑姑觉得嫁给他最合算。他们成婚后倒也真相亲相爱，很快生下了一子一女。

香姑姑嫁给那官吏后没有在重庆待多久便随那官吏去了南京。那南京的官位是香姑姑给活动到的。后来不知香姑姑又通过什么办法得到了宋美龄的接见，并有一张接见的照片刊登在了报纸上。在1949年至1950年的关键性一年里，姑爹成为了国民党的起义将领，而香姑姑的丈夫成为了一个被俘虏的国民党官吏。1951年姑爹被安排到南京的一所中国人民解放军军事学院担任教官，姑妈和子女们随之都迁到了南京，重庆那栋住宅便不复与他们有关。据说后来成为了共产党高级领导的宿舍。但姑爹姑妈他们到达南京时，香姑姑一家却又不在南京了。经过一度审查，人民政府没有给香姑姑丈夫定罪，但也没有在新的政府中将其留用，香姑姑代为想辙，最后通过她哥哥晏子迟的关系，在北京一家当时还是私营的肥皂厂里给丈夫找到了一个职员的位置，于是他们举家北上，香姑姑又回到了度过童年和青年时代的北京城。

但香姑姑没有在北京城住多久，便只身去了青海。在肃反运动中，那张与宋美龄的合影使香姑姑成为了问题人物。据说审查的结果没有给香姑姑定罪，也不打算让她去劳改，不过由有关部门出面，安排了她就业——去青海大柴旦一所劳改农场，在为干警们的子女而设的小学里教书，她不仅没有抗拒这一安排，据说还很高兴地——至少表面上是这样——去了那荒原上的小学任教。她在那里一教就是 8 年，每年寒、暑假回北京探亲，她丈夫仍在那座工厂——起初公私合营，后来就完全国营，并且有了很大的发展，不仅是生产肥皂——当一个小职员，挣一份小工资，而就在那八年间，她又陆续生下了三女二男，她丈夫姓邢，她的长子叫邢强，长女叫邢玉，二女叫邢静，三女叫邢清，小儿子叫邢康。

他每当想办一件事却碍于面子不能四处活动时，对妻子说："唉，要能有邢静那股子劲头就好了！"所说的邢静便是香姑姑那二女儿。

3

仔细想来，香姑姑是在时代转换的关键时刻搭错了车，并且搭的是趟末班车，都什么时候、什么形势了，她还削尖脑袋要去争取宋美龄的接见！并且据说是贿赂了报纸的记者，才抓拍了一张照片登上了报纸。那并不是一次专门的个别接见，而是一种有一大串妇女过去同宋美龄握手的大呼隆的接见，宋美龄本人一定不会记得有香姑姑这么个人同她握过一次手，并在握手的一瞬间有镁光灯刺眼地一闪。这一闪就决定了后来香姑姑在青海荒原上教小学的艰辛历程。

他记得，在他上小学时，香姑姑曾同她的丈夫——家里人让他叫做邢叔叔，到他家做过客，香姑姑那时正从青海回京度假，记忆中，香姑姑一头女干部型的短发，皮肤紫黑，眉眼倒仍然显得比一般妇女秀丽，身穿洗得发白的蓝布制服，脚上一双带攀儿的土布鞋；邢叔叔的偏分头理得整整齐齐，胡子刮得干干净净，穿着一身新的蓝布制服，脚上蹬一双当年置下的皮鞋——擦得很仔细，只是已无法发出亮光——因为毕竟留在城市生活，邢叔叔皮肤显得白皙而细腻，这样他们并排一坐，便让人觉得女的非常土气，而男的倒有几分洋气，再仔细观察，则又会觉得女的身体非常健壮，而男的面颊微凹，仿佛刚得过一场大病，及至对谈起来，便又会发现女的中气十足，挥洒自如，而男的寡言声微，窝窝囊囊。

不过那时候他没心去听香姑姑同父母都聊了些什么，只留下一个印象，就是他到院子里同小朋友们玩了一阵以后，再返回家里时，正听见香姑姑眉飞色舞地在对父亲说——

"……这个思想改造可是顶顶要紧的啊！……"

多年以后回忆起这个镜头，他感到有些吃惊，也十分有趣。就同回忆起鞠琴姐曾在姑爹姑妈家那花园洋房的平台上，坐在折叠椅上惬意地织毛线衣一样。当年那个身着闪着磷光的旗袍，大耳坠粗项链，手摇檀香扇，满嘴"咪妹儿，STOP！"的阔太太伴侣，难道从这地球上消失了吗？从哪儿冒出来这么一个大讲青海土坯房里的土坯桌子土坯凳子有利于思想改造的浑身土坯味儿的女干部？

后来有许多年香姑姑和他家中断了来往。只模糊地听说大概在1962年或1963年，她就病退回了北京，从此待在家中。但偶尔他会听见父亲同母亲议论到父亲的结拜兄弟晏子迟，因而也便稍稍涉及晏子香即香姑姑。有一回母亲便说："也不知道那子香现在过得怎么样，恐怕恼火哟，她男人一份小薪水，听说转国营一定级就再没往上涨过，她又提前办了退休，合起来能有几个钱？就算老大老二工作了能养活自己，下面还有一笆拉子女，日子怕紧得很哟！"父亲便说："为她操什么心？她那人，什么时候都混得过去，岂止是混得过去——能拔尖儿她就要拔个尖儿，有小小的一个缝儿她就能全身都钻过去，有小小的一个坑儿她便能造成一个湖……"再后就到了"文化大革命"期间，有一回母亲又极偶然地提到香姑姑说："子香她当年那张照片，怕又会惹出麻烦啊，唉唉，遇上最凶的'红卫兵'，性命怕都难保哩！"那时父亲正为自己的命运担忧，很不爱听这个话，便烦躁地说："你去管她！你怎见得她这两年就没办法去跟江青握手，也拍张照片登到报上？"母亲从那以后就再没提过香姑姑。

4

那已经是"文革"后期，他已经娶妻生子，住在小胡同小杂院的一间小东屋里，过小日子，忽然一天有两个女青年来访，一见面便亲热地唤他："小表哥！"

他望着那两个女青年，只是发愣，无论姑爹姑妈那一家，还是曹叔八娘那一家，都没有这样的表妹，她们是怎么突然从斜刺里杀将出来的一对表妹呢？

那一对表妹一位个子高些瘦些，皮肤比较白也比较干，另一位个子矮些丰满些，皮肤比较黄而且明显属于油性，脸上不出汗也油晃晃的，她们两个叫完"小表哥"便自我介绍，高些瘦些的笑吟吟地说："我是邢玉！"矮些丰满些的就说："我是邢静！"

他一时不得要领。想不出自己有姓邢的表妹。

"我们是你香姑姑家的！"邢玉便提醒他。

"啊，香姑姑！"

他想起来了。香姑姑叫晏子香，嫁了个姓邢的丈夫，可不她的孩子姓邢。香姑姑的孩子以姑妈为本位，叫他一声小表哥倒也顺理成章。

便在小屋里招待她们，让座，献茶，抓出一碟炒花生。

邢玉邢静便毫不客气地坐下，大口喝茶，哔哔剥剥地吃花生，又东张西望，仿佛把小屋要彻底透视一番，又拿起桌上的相片凑拢了两颗头看，又嘻嘻地笑，又指着相片问："小表嫂呢？小表侄取的什么名儿？"邢静又索要牙签，说花生塞了她的牙，他说没有牙签，便向他要火柴。

他妻子回来大吃一惊。他便解释，邢玉邢静便也笑嘻嘻地自我介绍。他妻子说要去附近托儿所接孩子，邢玉邢静便一迭声地说她们陪她去接，他说他去接吧，邢玉便说："哪有劳动你的道理！这本是我们女人家的事！"临到要走，邢静又说邢玉陪他妻子去就够了，她留下陪小表哥说话吧。他妻子同邢玉走了以后，邢静便站到他那小小的书架前，先是用手指头拨弄书脊，然后就抽出这本那本翻看，也不管书架上方明明贴着他手书的纸条"参考用书，概不外借"，最后将一册《辞海·艺术分册（征求意见稿）》拿在手中，爱不释手地一个劲翻阅，然后就说："小表哥，这本借我吧！我下星期就还！"

"我……我还用着哩！"他表示为难。

"我就抄几条用得着的！抄完就送来！下星期一我一准给你送来！"

他碍于情面，只好说："我一般绝不借人的，你可一定给我还回来啊！这东西挺不好弄来的！"当时《辞海》尚未正式出版，那"征求意见稿"的16开印本是他辗转到手的，弥足珍贵。

妻子和邢玉把儿子从街道上一所简陋的托儿所接回来了，儿子走在当中，妻子和邢玉一边一个各牵儿子一只手，邢玉似乎马上就同儿子混熟了，一进屋就弯下身子问他:"我是谁?"

"玉阿姨!"儿子脆声回答。

"对对对!这边还有一个,叫,叫静阿姨!"

"静阿姨!"

邢静便摸摸儿子的头,扮一个鬼脸,吐出舌头尖,还发出怪声。

儿子赶紧躲到他身后。

他很想问那姐妹俩,有没有什么特别的事?又问不出口。妻子面临着做饭的问题。是等她们俩走掉再做,还是这就开始做?妻子犹豫了一下,便从小厨房取出饭锅,到小屋一角的米缸里抓米。

"小表嫂,别弄多了,我们吃不了几口!"邢静亲热地说。

这么说她们要留下吃饭。

邢玉便抢过饭锅,要去院外公用水龙头下淘米。邢静便说要不要拆菜,她是专门学烹饪的,拆完菜一会儿由她亮一手,保准色香味俱全。但最后还是妻子去淘了米,还是他洗了三只茄子。邢玉邢静便坐在他们床铺上逗弄他们儿子,儿子已经脱鞋上了大床,正在床上疯,把自己的小枕头从这边扔到那边,又从那边抛到这边……

当时就那么个生活水平,一锅白米饭,一大盘素炒茄丁,一大钵虾皮紫菜汤,一碟浇了芝麻油的豆腐脑,而且四个半人就围着他那兼当饭桌的书桌吃,但大家胃口都很好,邢静一个劲夸他妻子的炒茄丁达到了专业水平,邢玉说下一回一定让邢静露一手,妻子拣菜时坚持用公筷,对她们解释说肝炎还没有好利落,指标都还高,他便忙跟上去说,他和儿子近期都到医院检查过,他们的肝功能倒都正常,邢玉便说她不在乎,小表嫂其实不用那么客气,那么麻烦,她们插队的农村,谁讲究这个?有时候一双筷子还十个人轮着使哩!邢静说她口重,一碟豆腐脑几乎被她一个人吃了个精光,他妻子问她还要不要,原不过顺口客气一句,以为她不至于再要,邢静却说"要要要,多浇点儿芝麻油"!妻子只好再去给她从罐子里拣出一块,遵嘱多浇了些芝麻油——那时候芝麻油可是定量的,他一旁瞧着多少有些心痛;到喝汤的时候邢静问他妻子:"这么说,你现在转氨酶的指标还高?"妻子点头,邢静便同邢玉对望了一眼,显露出一种很欣慰的表情。

　　饭后又喝茶，又抓出一大碟花生，两个表妹又哗哗剥剥地吃花生。他便细问香姑姑和邢叔叔情况。回答说都好。又说大哥邢强已经从密云的雾灵山林场调到了密云县城，在一个工厂里，挺不错，正练开汽车，快有驾驶证了；妹妹邢清还跟邢静在一个地方插队，小弟邢康初中毕业没插队，分配在商场当售货员，卖香皂牙膏什么的。后来并排坐在大床边沿上的邢静就用脚轻轻踢邢玉的小腿，邢玉就笑嘻嘻说出正题："听月明表姐说，小表嫂跟我一般年龄，长得也挺像，又正好得过肝炎，转氨酶不正常 …… 我办病退，什么关节都打通了，现在就差一张医院的化验单，下星期三以前我必须去医院化验，我报的病退原因是迁延性肝炎，我怕到时候一化验什么都正常，又找不到医院的人帮忙，把我病退的事弄黄了，所以，想求小表嫂帮个忙，那天替我抽血去 …… 反正咱们俩年龄一样，长相又差不多，到那儿化验的人又多，大夫工作又并不认真 …… 帮我个忙吧，那农村实在待不下去了！我先病退回来，然后再给小清想办法 ……"

　　他和妻子一听，顿时有点不知所措。

　　倒不是不同情邢玉的处境。也不是心里头梗着一个什么认为自己必得坚守的原则。主要是胆子小，怕惹事。他们夫妻两家的父母都是一辈子不敢公然逾矩的本分人，因而把他们熏陶得不会撒谎，哪怕那种无害的谎，也不会撒。比如"文革"中他父母为躲避武斗一度到过北京，被他的同事遇见过，同事后来便问他："你父亲怎么不穿军装呢？"他本可以说："他经常穿便装。"或以诸如此类的话对付过去，那其实都还算不得是撒谎。但他偏老老实实地解释说："他们军事院校里的教员有两种人不穿军装，一种是有问题的，比如有个还没摘帽的女右派，就不让入伍不许穿；另一种是有民主党派身份的，比如像我父亲，他调到军事院校以前就加入了'民革'，部队按规定是不吸收民主党派入伍的，所以就也不穿军装 ……"他本来还想接着说待遇与同级的军官没什么不同，也一样受学员尊敬，等等。但人家已经不屑于再听下去，而是恍然大悟地说："啊，原来我们还以为你是革命军人出身呢，原来你父亲根本就没入伍！根本不能穿军装！原来没摘帽的右派跟你父亲在一块儿教书！……"随着这话出来，那望着他的目光便顿时有所变化，嘴角随即也微弯了下来 ……

　　但邢玉邢静就很不一样。比如他和妻子问到邢静在哪儿工作时，邢玉和邢静就同声回答说:"园林局!"

他便以为是和二嫂沈锡梅在一起,但一细问,是在园林局下属的一个远郊公园的一个大众化的饭馆的分店的厨房里当厨师。邢静初中毕业以后考上了服务学校,学的烹饪,因为家庭出身和其他一些因素并没有分配到一个理想的单位,但当人们问到她的工作单位时,她却会毫不犹豫地说:"园林局!"那并不是一句谎话。但他和他妻子就学不来那种心态那种应对那种气派。

他妻子并没有回答她是不是愿意冒名顶替帮邢玉验血以骗取到一张转氨酶不正常的化验单,邢玉和邢静却满面笑容地你一句我一句地告诉她,下星期二中午在家里等她,而且最好他和孩子也去,她们的母亲即"你们香姑姑"将请他们全家吃红烧排骨和鱿鱼汤,吃完饭后邢玉将带他妻子去医院完成那个掉包任务,邢静并说那一天她也请假不上班,正好陪她们去,相机行事,巧作掩护……她们根本就没有作出他妻子拒绝合作的估计。实际上面对着这爽朗大方、热情坦率的两个表妹,任是什么样的小表哥小表嫂也无法拒绝她们的要求,到头来只能是依照她们的安排乖乖就范。

那个星期二的中午他和妻子按邢氏姐妹留下的地址找到了香姑姑家。原来香姑姑家住在中南海附近的一条胡同里,在一个小院中,住的是两间东房。香姑姑见到他以后便满脸堆笑地说:"啊哟,长大成人了!要不是你叫我香姑姑,我还当是当年的一水哥忽然出现了!"又一把拉过他妻子,上下打量一番说:"好漂亮的媳妇儿!原来我只当这世界上有田月明一个美人儿也就够人欣赏的了,没想到还有更让我们眼睛一亮的!"

香姑姑头发花白了,掉了一颗门牙,但面部轮廓仍旧依稀可辨当年的美貌,那在青海高原变成紫黑的皮肤经多年在京调养,退去了一层紫色只剩下浅黑,背一点儿没驼,虽是家常衣装,但上身套了一件自己用小线勾出来的镂空花样的坎肩,使整个人透露出一种不同世俗的修养与趣味。

令他吃惊的是香姑姑家住的屋子尽管是北京城区中最老朽的灰顶平房,但里面布置得却极具匠心。外间屋比较大,大概有 15 平方米的样子,一小半布置成餐厅的模样,虽说无非是折叠桌、折叠椅,桌布、椅套也无非都是布制品。但在花色的选择上,可以感到那一定是把当年所有的百货商场都搜检了一遍,才终于寻觅到的一种淡绿色底子，上面有深绿色马蹄莲图样的布料；而从屋顶上吊下的电灯泡上，套着一个用南方竹斗笠改制成的灯罩，就更显得雅致非常；那另一半沿墙全是自己打制的沙发。据说是大儿子邢强的作品，材料全是他从林场只付给一点象征性费用而由司机朋友给白运来的，全部是木框架式，上面搁置着厚厚的大方垫，平搁的是坐席，斜搁的是靠背——大方垫里的人造海绵则是从邢叔叔厂里低价购来的"处理品"，其实并非残次品而是一等品；屋角则配之以茶几、落地灯，在那个时代尤为令人眼目一新的是从屋角斜挂下一只椰子壳，壳里填上了园土，里面种着吊兰，那吊兰长得十分茂盛，从高处一直垂下了不下十个叶丛，那是邢静从她们公园里弄来的……开头他和他妻子很为那家兄弟姐妹回了家怎么住而疑惑，后来得知，沿墙的沙发下面全是暗柜，他们如回家睡觉，人少时睡沙发，人多时就在地上再打地铺，而被褥枕头不用时都塞在那沙发下的暗柜中，也有若干暗柜是装他们兄弟姐妹的衣物什物的。又去隔壁香姑姑邢叔叔住的屋子探了一头，那间屋子很小，估计也就10平方米的样子，而且没有什么像样的家具，但一张大床采取了居于室中四面不靠墙的摆法，一下子就让人感到居住者的教养和品位究竟不同凡俗。

香姑姑果然招待他们吃粉丝炖排骨，还有冬瓜鱿鱼汤。香姑姑说到头年他姑妈蒋一溪从南京到北京探望何香凝之余，也到了她那里。据说姑妈在香姑姑打开门迎进她去时，不由得感慨系之地说："啊，啊，你们还存在呀……"

香姑姑重复了姑妈的那句话后，用手文雅地挡住豁牙呵呵地笑着说："你看，你姑妈竟然说：你们还存在！……怎么叫'还存在'呢？难道该不存在了吗？……"

可是他懂得姑妈的那个感慨，因为姑妈那一次先去看了他，在他那小小的屋子里，姑妈不仅感慨了他父母的回乡，感慨了他大哥的沦落，感慨了他二哥因为下放"五七"干校后没有被分配回北京而调往了成都。锡梅嫂为了不两地分居也放弃了这边园林局的工作去往了成都，暂时在二哥他们那个单位"寄存"（因为那边一时找不到专业对口的工作），也感慨了小哥的一个人孤居湘北和阿姐一家的漂洋过海……这都还罢了，末了姑妈还感慨了她去看望何先生的情况，前院何先生的爱子廖承志的住处已经人去屋空，隔着玻璃窗可以看见椅子都倒放在桌子上，那年月怎么连那样人物的命运也变得如此险厄？……

是的，姑妈的感慨不无原由，当香姑姑掩着嘴豁着牙呵呵地笑，并且烧出了粉丝炖排骨、煮出了冬瓜鱿鱼汤请他们享用时，刘少奇已经不复存在，贺龙已经不复存在，作家老舍、翻译家傅雷、钢琴家顾圣婴、一代名伶言慧珠、为新中国夺得了第一枚乒乓球单打冠军金牌和奖杯的体育明星容国团等等，都已不复存在，早就同国民党决裂的张学良的弟弟张学思也不复存在，并且连林彪、叶群和他们的儿子林立果也不复存在 ……

不存在的为什么不存在了？存在的为什么还存在？

那一定不是一个简单的原因。

即如香姑姑，她的存在，并且是相当不错的存在，有很重要的一个因素，便是她和她的家人又特别是子女们的那种超常发挥的自我心理肯定和见缝就钻的坚韧生存本能。

比如"文革"风暴初起的"破四旧"和"横扫一切牛鬼蛇神"的冲击波袭来时，她家自然不可能被轻易放过，一群"红卫兵"冲到了香姑姑他们院，并且首先进袭了香姑姑家，一个"红卫兵"指着香姑姑鼻子大喝一声："晏子香！老实交代你的历史问题！"

那"红卫兵"显然是从居委会得到的信息，香姑姑早估计到居委会里的某些人会抛她一点档案材料，但她心中有数，她的档案并不由居委会掌握，居委会大概只是从派出所之类的地方模模糊糊地知道她丈夫和她自己解放前都跟国民党有某种关系，对她实行过某种程度的"内控"，但并不真正了解她的底细，因此她极其坦然地笑着说："快请进快请进，你们自己看自己看，千万不要闹误会出笑话 ……""红卫兵"进到她屋里一看，只见毛主席像两边，挂着好几张镶在玻璃镜框里的奖状，那当然是真的奖状，是当年她在青海当小学教师时有关部门颁发的；她便指着那些奖状下面落款说："你们看，是劳改局颁发的，有的人不懂行，以为劳改局就是劳改犯待的地方，错！劳改局是管劳改犯的！我是管劳改犯的，也就是说，我是管历史反革命的呀 …… 怎么能给弄混呢？"她这么壮胆一解释，当时在家的邢玉、邢静也便跟上去说："是呀！我妈妈现在是公安部的退休干部！""大水冲了龙王庙，管历史反革命的给误会成有历史问题了！""红卫兵"便都软化下来，有的便扭头要走，偏这时香姑姑反叫住那要走的："小将慢走！慢走！看，我们把家里的'四旧'都破好了，堆在这个纸匣子里，你们带走吧！本来我们要烧掉的，后来觉得还是你们来了带去汇拢了烧更好！"那纸匣里无非是些"文革"前的画报、小人书、旧教科书之类，一个"红卫兵"用手薅了两下便说："那你们自己烧了吧！"香姑姑却又拦住那要走的，笑吟吟地说："小将且慢！喝点茶水再走吧！"原来她已准备好了一壶凉茶和若干茶杯，都已搁在饭桌上，邢玉邢静便忙倒茶，有的"红卫兵"也实在渴了便端起来喝，一喝觉得有点异样，香姑姑便笑着说："怎么样？当年我们在青海管理那些劳改犯，干警们都很辛苦啊，我就发明了这种喝法，其实很简单，就是一壶茶里适当地抓一把盐，再放一勺糖，这样能平衡体液循环，很科学哩！革命也要讲究科学性嘛！"喝了的说好喝，没喝的自然也就想喝，大家那么一喝，气氛就空前融洽了，"红卫兵"竟是气势汹汹而来，和和气气而去，邻居们——包括居委会的某些成员——都看见香姑姑和两个女儿把一队"红卫兵"送出了院门，还相互挥手致意，大有依依惜别的劲头……

香姑姑就以这样的心态和技巧渡过了许多的难关。不凭信念，也无所谓立场，她带动全家以一种冲越羞涩与畏怯的心理优势不仅生存了下来，而且生存得相当不赖。

5

自从他妻子帮邢玉取得了证明转氨酶超标确有肝炎的化验证明以后，他和妻子就密切了同香姑姑一家的联系。那时他原来所有的在京亲属和亲戚几乎都迁往了外地，因而同香姑姑一家的来往多少使他那灰色的生活增添了一些趣味。

香姑姑一家的那种无论在什么社会环境中都保持一种超然的乐观态度，即使被无可回避的社会潮流的运作击落在水乃至于被迫下沉，但只要那潮流略有转换压力略有减轻，他们便率先奋力浮冒，乃至于俨然上岸攒行，自谋其利、自得其乐的精神，一次又一次地令他和他妻子惊叹不已。

按说香姑姑那么个历史不仅复杂而且旧社会确实存在着比较严重的政治问题的退休妇人，在那一声比一声更严厉地强调"无产阶级专政下继续革命"的氛围中，心理上应有一种自我抑制的蜷缩趋向，可是她不，她不仅毫无自惭形秽的感觉，还保持着一种非常欣悦的心态。比如说她就能按花期按部就班地去中南海南墙外观赏那绿化带中相继开放的花卉。"文革"后期因为开始同一些主要的西方国家建交，外交上空前活跃，所以长安街的行道树和绿地都进行了进一步的整理与丰富，中南海红墙外的绿化带精心地栽植了一系列春夏秋三季轮番显现异彩的花卉和观叶植物，比如说光春天一季，就有早春的粉碧桃，初春的黄迎春，仲春的白玉兰和紫玉兰，还有白丁香和紫丁香，又有从白至粉至浅红至深红至绛红等不同色泽的榆叶梅、樱花、海棠 …… 那些春花，按说一是让首长看的，二是让外宾看的，三是让工农兵革命群众看的。但这三种人中似乎都没有哪一个很认真地循花踪地去细赏过，偏香姑姑却是一个得大自在的赏花人。有一回他去访香姑姑，香姑姑不在家，只有小弟邢康一个人在家里睡懒觉，一问，说是"我妈赏中南海红墙外头的蜡梅花去了"。及至香姑姑冉冉而归，一问，果然，她说那蜡梅真不错，黄中透白，白中透黄，比当年南京中山陵边美龄宫里的江南蜡梅开得还好 …… 当时看着香姑姑那美滋滋的表情，他心中不由暗想：恐怕那住在中南海红墙里头的江青，也没那么个心情去观赏蜡梅吧，那蜡梅本该是开给江青等"无产阶级革命家"看的啊。又有谁想得到，到头来倒成为了香姑姑这等人物的享用品！

又比如香姑姑的大儿子邢强，邢强高中毕业后因为家庭出身问题没能考上大学也没能分配到一个好的工作，只好去了非常艰苦的雾灵山林场，但他就有本事把那分场的头头们笼络得个个都喜欢他，他还把他们邀到城里家中做客，香姑姑就炒榨菜肉丝给他们吃。那僻远林场的土干部头一次吃到榨菜，也搁上香姑姑特别会炒，吃得他们摇头摆耳，赞不绝口。香姑姑就又立即让小弟邢康去附近副食品店给那来做客的头头一人买了一大包榨菜，请他们带回去试着炒肉丝吃，那并没有花上多少钱，便使得那几个头头眉开眼笑 …… 后来邢强便设法把自己往县城里调，县城那边关节打通了，林场分场的头头们自然给他开绿灯。邢强到了县里一个工厂，很快便又取得厂领导信任，当上了司机。记得 1976 年 "天安门事件" 过程中，有一天他去天安门纪念碑周围抄了些悼念周恩来、影射"四人帮"的诗，顺便拐到香姑姑家，发现邢强刚好在家，他便问邢强："去天安门了吗？"邢强得意地说："怎么没去？是我把我们厂小面包开进城来的，一直开到天安门正当中那个门洞前头的金水桥边上，我就把车停在那儿，我们那是辆新买的小面包，血红色的，厂里领导全在车上，我把车门一开，他们全下去转悠去了 …… 我在家歇两天再回去，最后是小王先开车把我送回家，再把他们一车人运回县里去 ……”令他惊异的是邢强说这番话时，落点全然不在什么悼念周恩来啦，有人影射"四人帮"啦，天安门的事态将如何发展啦等等上面，而是超越于政治情绪的一种个体生命的自足感：别看我在一个远郊的县级工厂，我却能在那一天那一个时候把一辆广场上可能是颜色最鲜艳的面包车径直开到广场的正中央最显著的一个位置上！嘿嘿！

香姑姑家离西单商场很近，邢强回到北京城里就经常去那商场里细逛，很贵重的东西他当然买不起，但他就总能仿佛掐鲜花儿似的买到在当时很难遇上的新型产品。记得他有一回去香姑姑家，一进门邢强就说要请他这个小表哥喝啤酒，他感到很惊异。因为一般来说邢强总是找到他家去要他请喝啤酒，在香姑姑那里你往往并不能真正地得到留饭的招待，更何况请你喝啤酒或饮料，结果他就看见邢强拿出一个在当时来说设计得非常新型也就是说相当洋气的一个塑料啤酒桶来，给他倒下半杯啤酒请他喝，他喝着那啤酒，眼睛只望着邢强不撒手的那个塑料容器，心里头当然明白邢强彼时相当自豪和快乐。

邢玉"病退"回城以后，在家待了一段业，其实也并非白白地待着，他就知道，是在积极地找对象——因为年龄实在不小了。香姑姑也曾坦率地请他留意，看有合适的给介绍一个。他和他妻子曾先为邢强介绍过曹叔和八娘的大女儿涧表妹，结果没成，使他和他妻子深知香姑姑的这些子女眼光都非常之高，所以在给邢玉介绍对象的事上便不那么积极。可也是，邢玉自己有一回忆及插队时候的情况就说："怎么搞的！不管是公社召开'积代会'（即'学习毛主席著作积极分子代表大会'），还是县里召开'积代会'，还是地区里召开'积代会'，还是市里召开'积代会'，我们几个人总又遇上，他们就指着我说，邢玉，又是你！……"说到最后，脸上漾出万分得意的表情，又"自我揭穿"说："咳，其实那些个'学习笔记'，全是瞎凑的！有些人不知道怎么就那么笨，拼命想当'积代'，就是不会写'笔记'，就是当不成！"

邢玉也跟她哥哥邢强一样，特别善于抓尖儿，凡当时社会上最招人注意的人和事或与之有关的物事，她总要千方百计去挨上边。他就在香姑姑家看见邢玉坐在沙发上看一份当时正在筹拍的彩色故事片《海霞》的电影分镜头剧本打印稿，见他去了便塞到他手中，让他"先睹为快"，但又并不答应借给他带回家去看，因为她答应人家晚上就得给送回去 …… 看得出她的乐趣并不在阅读那分镜头本本身，而是在于别管那时候北京电影制片厂恢复拍故事片是一桩多么神圣多么神奇多么神秘的事情，她邢玉偏能捷眼先睹、捷指先染 …… 当然，那天他还没离开香姑姑家，就有个小伙子气咻咻地骑自行车赶到了那里，闯进屋可以说是相当粗暴地取走了那套分镜头剧本，因为邢玉是从她的一个中学同学家里闯进了那同学哥哥的房间，未经人家同意便硬行拿回了剧本，而那同学的哥哥又是借的同学的哥哥的 …… 总之隔了好几层关系，不过即便有人当着他的面那么样地收回了那剧本，邢玉却仍然很得意，因为当时满北京城里，究竟有几个人摸着过《海霞》的剧本呀？何况不是文学本而是导演的案头分镜头本！小表哥你可亲眼看见了，不是我邢玉吹的吧？

邢玉没有了剧本，又拿出一本画报来翻着，相当洋气，当时自然不可能有美国画报法国画报香港画报 …… 也再难搞到苏联画报，那么，他就问："是外文版的《中国画报》么？"邢玉马上鄙夷地摇头，要是《中国画报》或者《中国建设》或者日文的《人民中国》那就不稀奇了。邢玉便丢给他，啊，是《阿尔巴尼亚画报》。那时候阿尔巴尼亚的文化简直要算是允许接触范围内最洋气最现代派的文化了，不是有个顺口溜吗？"朝鲜电影，哭哭笑笑；越南电影，开枪打炮；罗马尼亚电影，搂搂抱抱；阿尔巴尼亚电影，莫名其妙；中国电影，《新闻简报》！"顺口溜固然主要是抱怨中国自己没有新的故事片，但那"莫名其妙"，也十足地形容出了阿尔巴尼亚虽然政治上贵为"欧洲的社会主义明灯"，艺术上却相当地"匪"。因而使一切想突破旧框框的艺术家和欣赏者找到了一个安全而有趣的突破口，邢玉的寻觅到《阿尔巴尼亚画报》，并在其小表哥的面前炫耀，正是那个历史阶段时髦青年的一种典型做派。但后来人们知道，所谓《阿尔巴尼亚画报》中文版，其实根本就是在中国编，在中国印的，与中国印的外文版《中国画报》，其实都出于同一渠道。不过当时邢玉和他都不知道。因此邢玉面有得色，而他非常惭愧——自己怎么总显得那么闭塞和土气呢？

相对来说，香姑姑一家中邢叔叔最不具备那种心理自我张力，每次他去香姑姑家如果发现邢叔叔也在，那邢叔叔总是同他招呼几句后便自觉地退缩一角，也并不一定做什么事，常常是靠在沙发上打瞌睡——但邢叔叔不是越睡越胖而是越睡越瘦，脸颊凹陷得越来越厉害。此外小弟邢康也不那样形于外地表现出他的心理气质。小妹邢清一直没能调回北京——当然经过活动，她已不再在村里插队，而到了当地一个水电站当工人，香姑姑提起她来时才显露出心理上毕竟也有忧郁和脆弱的一面，曾当着他的面难得地皱眉叹气说："小清可太苦了！特别是她长得那么美，那种地方男人见了母猴都会觉得是天仙，怎能把她放过？我真怕哪天会出事！"

6

香姑姑一家中最令他和他妻子惊叹的还是邢静。

邢静初次见面就强行借走了他那册《辞海·艺术分册（征求意见稿）》，说是过两天还，但过了两周也没还，过了两个月还没还。有一回他在香姑姑家见到邢静，便忍不住催她还书，邢静听了一笑，非常爽朗非常自然地反问："我是借了吗？"

他就说："你怎么能赖账？有借有还，再借不难嘛！"

邢静就双手一拍说："我丢了！真丢了！我借了还不了，那就不再借好啰！"

他没见过这种人，竟反而一时语塞。

但没隔两天邢静竟摇摇摆摆地到他家来了，进门就说要借一本书。

他说："你好意思！你上回那书还没还哩，先还了那本再开口借别的！"

邢静却径直走到他那书架前，瞄准了一把抽出那本书来，那是当年内部发行的一本名为供批判实际上为许多人所欣赏的苏联小说《白比姆黑耳朵》，写的是一条狗的故事。邢静"大方"如此，他有点急了，不由得脸红气粗地说："你这人怎么回事，未经允许怎么私自拿人家东西，难道你是来抄家的吗？"

邢静便不请而自坐，坐到他书桌前的那把有个软垫的靠背椅上，笑嘻嘻地说："这回保证用完了就还！这回不还你抄我们家去！"

他哭笑不得。邢静却挥手让他坐到对面床上，拍打着那本书的封面说："你以为这是我自己看么？我是帮人家借的哩！……"邢静便说出了一个相当知名的作家的名字。不过那作家当时还处于等待落实政策的状态。邢静说那作家在她工作的那个远郊公园附近的村子里买了房子，是"文革"前买的，买得很便宜，如今城里待不住了，就成天待在那村子里头，也还在偷偷地写东西，现在当然还发表不了，可是谁知道今后会怎样。很可能没多久就会有一个很大的变化，那时候就把抽屉里的玩意儿亮出来，说不定就是个传世之作。邢静说她是偶然听公园里的人说到那个作家在村里的住处，便自己找上门去认识的。那作家一点架子也没有，对她很热情，跟她聊了不少文学上的道理。那作家告诉她，人道主义是文学的灵魂，文学不要跟着政治跑，政治白云苍狗，变来变去没有意思，文学要追求永恒的东西，人道主义便具有永恒性。那作家也弄到了一些内部发行的"白皮书"（当时那种供批判参考的外国文学译本，都印成白色的没有装帧的封皮），但只听说过而没有得到《白比姆黑耳朵》，邢静记得他书架上有，所以替那作家来借。

邢静说："小表哥，你不也想写小说吗？这就是个上门请教的机会嘛！等人家看完了，我找上你一块儿去取书，聊上一聊，肯定对你有好处！"

这么着就把他说动了，那本《白比姆黑耳朵》就让邢静给拿走了。

过了半个月左右邢静又来了，他以为是还《白比姆黑耳朵》，或者约他一起去远郊拜见那位作家。

不是。完全是另外一桩事。从邢静的表情上看，这回的事更重要。

邢静告诉他，出版社正组织各系统的业余作者赶写一批反映"走资派还在走"而广大革命群众与之坚决斗争的战斗性很强的小说，他们园林局也领到了任务，因而园林局的宣传科正准备从基层抽十来个人到局里办个创作学习班，这可是她脱离厨房油锅的大好机会，所以她已经赶写了一篇，准备交上去得到基本肯定，从而进入那个创作学习班，现在她把那稿子带来了，希望他帮她看一看、改一改，务必改得能挤进那个脱产的创作学习班——这对她至关重要。

他听了很不高兴。便问她看没看那本《白比姆黑耳朵》，她说在给作家送去之前看过了，特棒！他便说："可是呀！那作家不也跟你讲了吗？文学别紧贴着政治，何况什么批'走资派还在走'，批什么'唯生产力论'，得人心吗？谁看那样的小说？你既要写小说，为什么不写点表现人性、人情、人道主义的呢？"

邢静便坦率地说："那样的小说我以后再写吧！现在我顾不了那么多！先跳出

厨房再说！……"

他不愿看她写的那破小说，她便说："你不愿意看，那我就念给你听吧！"接着便念……

她给她那小说中"还在走"的"走资派"取名儿叫郅梦奇。她停下来解释说："战斗英雄郅顺义的那个'郅'，谐'资本主义'的'资'那个音，梦奇，就是刘少奇已经打倒了，他还梦想复辟刘少奇路线……"

他不禁为如此粗鄙的创作构思"扑哧"一声笑了出来……

但邢静就凭那篇稿子挤入了创作学习班，当然她那篇"小说"后来没有被录用，而且他们那个"班"被出版社录用的那一篇"佳作"后来也没排成铅字，因为不久"四人帮"垮台了，出版社取消那本书的出版计划了。

邢静对那本书出不出原本也不在乎。她在乎的是借此机会认识了不少局里的干部，这样那个创作学习班解散时她就不是回到那个远郊的公园去，而是调换到了动物园的一个对外餐厅工作。

又过了一阵邢静忽然跑来找他。他先发话说："你来得正好！那本《白比姆黑耳朵》该还给我了！"

邢静便说："我哪儿顾得上那个！现在那书也公开出版了，书店里很好买，你再买一本不结了？我找你是让你帮我凑一套高中文科复习资料……"原来她已决定报考大学。那一年大学恢复了正常招生。她要直奔北大中文系而去。

那一天他妻子也在家，妻说："连我都想考哩！唉，谁让我蜗牛似的背上了这么个壳儿，还搭上一大一小两个光知道吃饭不知道做饭的瓢虫！"

他便为邢静找复习资料，支持她考大学，同时也真的补买了一本《白比姆黑耳朵》，这一回不是内部发行的白皮书，而是公开发行的有装帧的新版本。

7

在一个迅速转型的社会中，个体不失时机地顺势改变自己的位置与角色，是很自然的事。他就因为发表了一篇《迟来的春风》，得以调到一家出版社当文学编辑，并正等待着作家协会一类机构和所谓"专业作家"一类建制的恢复，好当上一个"专业作家"。那几年他真有点"春风得意马蹄疾",人模狗样地混得特别滋润,最令人艳美的就是很快分到了一套新住宅区的两居室住房,那年月里只有当时正当权的干部和原来有相当级别"文革"中被打倒又恢复名誉被落实政策的干部,以及能列入"落实知识分子政策"名单中的幸运儿,才能顺利地立即分到新居民区新楼里的新单元房,而后面那个名单中像他那么个资历那么个年龄的,他几乎是一个孤例,列在他前面的倒数第二的一位专家,也已年届花甲,并且早有几大本著述。

虽说分到的单元房在没有电梯的六层楼的最高一层,而且施工水平实在不敢恭维,水泥地面上有许多溅落的水泥团块和灰浆秽物,入住前必得再细细收拾一番,那心情仍是昂奋与欢快的。

那一天他和妻子正汗津津地蹲伏在空房中用锅铲与改锥刮去地面上已然板结的水泥团块,突然有人敲门。家还没有搬过来,何以便有人拜访?

他去开门,邢静脸上油光光的,呵呵笑着走了进来。

"你真是个女福尔摩斯!"他不由得惊叹,"这地址我们一个亲友也还没来得及通知哩!"

邢静也不解释她怎么神通广大地将他们夫妻二人当场捕获,只往厕所间走,拉开了厕所间的门,一声怪叫:"哟!死闷罐子呀!"

那单元房的厕所间设计得是挺不合理,狭小得里面只有一个冲水蹲坑,没有窗户,大白天进去也必得拉亮电灯。

他妻子便解释说:"上头有个通气孔,能散掉点味儿。"

她却有更高要求:"地漏呢?有地漏吗?"

他和妻子便都惭愧。那厕所间没安地漏。

她以一系列动作表示她要立即用那厕所间方便一下。

他妻子便忍不住说:"我们都还没用过呢 …… 还没来得及收拾 ……"

他也忙说:"排水管道里堵着些什么东西,大概也是水泥团块,泄水不畅,我们正想解决这个问题哩 ……"

邢静却笑嘻嘻地说:"没关系!我不在乎!"她将厕所间的门"哐"地一关,径自方便起来了。

妻子以责备的眼光瞪着他，他无可奈何地耸耸肩。

邢静上完厕所以后，便到厨房水池去洗手，夸说厨房的结构还不错。

他和妻子便说煤气还没通，也没带水壶来，所以没法子招待茶水 …… 其实岂止是没有水壶，整个单元里那天唯有的携来物是两把折叠椅，算得再细点也无非还有拎在他手中的改锥和拎在妻子手中的一个旧锅铲。

邢静自己大模大样地坐上了一把折叠椅，脸朝他说话，他便坐上了另一把折叠椅，妻子愣了一下，便只好且到另外一间屋子里去刮地。

原来邢静参加高考的分数已经下来了，骑着录取线，她怕被"平衡"下去，所以急如星火地来捕获他，"小表哥你这个忙可不能不帮，你是老师院的，你一定马上到师院里给我说说情去，我能上个师院中文系就知足了！当然我可不乐意吃粉笔灰，不过还有四年哩，先上了那中文系再说，到毕业的时候我再想辙！ ……"

又给他派任务、出难题！

"哎呀，我毕业那是哪年的事情了？如今管事的人早变了 ……"

"我就知道你要这么说，你现在出名了，好大一个面子，管那些个人是生的熟的，你去推荐我肯定有用，你去，一定去，明天一早就去！"

"哎呀，我到那儿找谁去呀？真不好意思 ……"

"干吗不好意思？找谁，到了那儿自然能寻着目标，我也已经打听出了几位关键人物的名字底细 …… 要去就得个大早啊！不是去办公室找，是去他们家里找，赶在他们吃早点的时候找 …… 本来我想今天晚上就拉着你去，可我听说他们晚上经常不在家，容易扑空，一大早就不一样了，谁能在外头睡觉呢？一逮一个准儿！好，不跟你啰嗦了，明天一早六点半，咱俩在师院门口见！"

"……"他简直不知该怎么推掉这桩事。

"明天不是约好了胥保罗他们来喷墙的吗？"妻提着锅铲从那屋走了过来，板着脸说，"不是还要先蹬着平板三轮去借喷浆机吗？"

"……"

他不记得邢静是怎么告退的了，仿佛也并不怎么扫兴，只是依然精力充沛、信心十足，并且不怕碰钉子也不计前嫌地继续为她自身的利益去奋斗。

几个月过去了，他忙于搬家、安排新的生活秩序，写新的作品和参加新的社会活动，邢家兄弟姐妹再没一个露面，他和妻子也没工夫去香姑姑家，所以究竟邢静上没上师院中文系，也就不清楚。

有一回他参加一个文学界的座谈会，有个北京大学中文系的教师——本身是个评论家——过来紧紧地同他握手，说了一些仰慕他的话以后，又忽然说："你跟你表妹长得确实有点儿像……"

他吃了一惊。他表妹？哪一个表妹？谁？

最后他恍然大悟。原来邢静活动的结果，不是上了师院中文系而是进入了北大中文系！推荐她的不仅有她的"小表哥"，还有那位一度蛰居香山而又复出的老作家，以及一两位名声显赫的大学者……他是怎样推荐她的呢？据说是与那位老作家联名写了一封力荐她入学的短信。而邢静在学校里经常提起他来，形容他在她家里吃排骨时被碎骨头嵌进牙缝里剔不出来的惨相……

8

他后来成为所谓"文艺界"中的一员，不仅同许多作家相熟，也结识了若干别的艺术家，比如说电影导演。一位导演朋友曾很诚恳地对他说：乍读你的小说，总是很激动，产生出一种搬上银幕的欲望，但是冷静下来一想，就觉得难度很大——你小说中人物的"前史"太多了，用电影语言表现起来太麻烦，可甩掉那些"前史"，又不足以体现出你的追求……

是的，"前史"，这个包袱，为什么总扔不掉？

不要问是从哪里来，也不要问将往哪里去，不行吗？

生存的意义，只在此时此刻此身此意，不是吗？

生活并不是一头乱发，加些香波用水洗过，再用梳子一扒，便可呈现出所谓的"本来面目"；人性也并非一团乱茧，用热水煮过，便可缫成缕缕分明的真丝。

他的追求？他其实从来没有为自己设定过那么个梳理个体生命"前史"的追求。那是无形中产生的。一个人有一个人的心理结构。倘若他是香姑姑，是香姑姑的那些宝贝儿女，他是决然不会对别人的"前史"产生浓厚兴趣的，而且最关键的是——可以做到真正忘却或至少是冷冻自己的"前史"，非常愉快地适应一切客观状态，并且哪怕只有一隙机会，也要非常坦然地从中榨取出最大的好处来。

香姑姑的几个儿女中，最让他闹不清"前史"的，是小女儿邢清，邢清插队的时间最长，回北京最晚，特别闹不清的是邢清回北京以后那头两年的"近代史"。只是有一天，邢强突然来找他辞行——说是已经在刚开辟的深圳特区找到了一份差事，这就要去那边报到，他便说去深圳当然好，那是改革开放的最前沿，邢强却只是笑呵呵地说："那儿能看香港电视，每天晚上放映一部西片。我就喜欢看那个。"他妻子在一旁说："深圳好远啊，离开北京，你舍得么？"邢强满脸的笑纹抖得更深："深圳能有多远？小妹她去得更远哩……"他和妻子这才知道邢清又离开北京了，去哪儿了呢？比深圳更远是哪儿？

邢强脸上漾着蜜，却卖起关子来，故意用颟顸的口气说："她、她去的那个地方叫、叫什么一大串儿的什么'科'……啊啊，对对，叫圣弗朗西斯科，是那么个名儿……"等到他和妻子脸上禁不住现出未曾料及的吃惊表情，邢强才又伶牙俐齿地说，"她去三藩市了，就是旧金山，美国加利福尼亚州最有情调的地方！"

原来邢清嫁给了一个美国人，一个华裔美国人，一个相当富有的美籍华人。她怎么会嫁给了那人？那人怎么会娶了她？至今他也搞不清楚。也不必搞那么清楚。清楚的是自她去了美国以后，香姑姑一家人陆陆续续都去了美国，这些年又都陆陆续续取得了绿卡或者入了美国籍。

据说香姑姑到了美国以后，并不在女儿女婿家里静养，而是同许许多多当年在重庆、南京的朋友或相识者取得了联系，其中有一部分或热情或并不是特别热情或仅是礼节性地表示欢迎她得便去他们那里"玩玩"，香姑姑便一概报之以热情的回应，她周游美国各州，到昔日的朋友家中这里住上十天半月那里玩个三天一周，老朋友惊异地发现，她虽经中国大陆三十几年的改造磨炼，而一旦重返西方文化，依然那么如鱼得水，进退适度，风姿宛然，惹人喜爱，而且她的英语口语不仅很快又达到流利并且儒雅过人……更有传言说她经过多方设法，终于得到机会去纽约长岛宋美龄隐居的处所拜见了宋美龄。虽然前后只有十分钟的时间，但又拍下了一张握手的照片……这张使香姑姑备感荣幸的照片，却又并不妨碍她在10月1日那天随另一些朋友去纽约四十二街街口的中华人民共和国驻纽约总领事馆参加盛大的国庆招待会。在那招待会上她虽然脸上的脂粉难掩已深的皱纹，但一身合体的淡紫色旗袍，领口缀着银闪闪的叶形饰物，摇着镂刻精致的檀香扇，手举斟着中国通化红葡萄酒的高脚酒杯，与一些熟人和半生不熟的人乃至全然陌生的人自由组合着做一些风趣的中英文夹杂的交谈……同"文化大革命"后期在北京中南海红墙外兴致勃勃地欣赏那江青或邓颖超都没有欣赏过的蜡梅花一样，香姑姑心情闲适而愉悦……

邢静从北大一毕业就去了美国，直奔普林斯顿。她留学的专业是比较文学，但她很快就意识到那是个学成后难以找到职业的冷专业，因此她千方百计找到了一个金发碧眼的合作者——她们合作用英文写小说，一家美国出版商接受了她们的书稿，书里讲的是一个以中国 50 年代"土地改革"为背景的东方爱情故事，地主的儿子爱上了一个贫农的姑娘，他们的野合和双双殉情是书中的两个高潮；据说是为了"让美国人看得懂"，书里那些斗地主的年轻人她们一律称做是"红卫兵"！奇怪的是她们又并不写成是一个"文化大革命"中的故事。又据一位以"交换学者"身份去美国大学里搞研究的中国副教授说，他发现署名波特·静·肖尔的这本名为《水鸟哀鸣》的英文小说其中大段大段地意译着中国大陆 30 年代的一部中篇小说和 50 年代的一部长篇小说的内容。但不管怎么说，如今名义上仍在攻博士学位的邢静混得比绝大多数同期前往美国的留学生们都要好上许多。

邢玉去美国比较晚，一到美国她就给他妻子写来一封口气快活得不得了的信，说"我住的房子后头就是个美丽的游泳池"，令人感到美国确实是个遍地黄金弯腰即可拾得的地方，但他和妻子一加推敲，就估计出她一到肯定只能暂时住在妹妹邢清家中，那样的家庭房后有个美丽的游泳池毫不奇怪，而邢玉是可以把辗转硬借来的电影《海霞》的分镜头本也视作"我的本子"的，把亲妹妹的房子及房后的游泳池心安理得地称为"我的"，并以大快活的口气加以报告，又有什么稀奇呢？

"邢玉都 30 出头了吧，又不会英文，又没有一技之长，她在那边可怎么混呢？总不能老住在妹妹妹夫家里，靠人家资助吧？"妻子叹息着说。

"香姑姑一家的人，用得着咱们操心？他们肯定一个个都能活得比咱们滋润！"说这话时，他心里说不清是有几分艳羡，几分嫉妒，几分鄙薄，几分无奈。

第十五章

1

"嘹嘹吗？"

听见门钥匙响，蒋盈波从枕头上抬起头来，朝外面问。

"是我。"是一种纠正提问的声音。

走进屋来的是屈嘹的妹妹蒋飒。

"怎么你——？"蒋盈波多少有些意外。这时候是下午三点钟。蒋盈波午睡醒来后，仍躺在床上，照例拿起一份头天的晚报"钩沉"。儿子屈嘹在旅行社当导游，这两天正带团，以往嘹嘹在旅游团成员自由活动的时候插空跑回家来，常是这个时间。没想到却是女儿蒋飒。蒋飒和哥哥一样高中毕业以后没能考上大学，托了好多关系，最后到一家专业性的报纸当了个编务，那报社的记者和编辑都可以不坐班，编务却必须在办公室坐满八小时，因而蒋盈波没想到飒飒会这时候跑回家来。

自从丈夫屈晋勇故世后，飒飒就不再同嘹嘹用柜子隔开的办法合用一室，而把自己的小床搬到了大屋子里同母亲合住。飒飒这天下午三点进屋后把挎包往沙发上一扔，自己仿佛疲惫不堪地往小床上一坐，双手撑着床铺，头朝后仰。

蒋盈波从自己那张大床上坐起来，望着女儿，问："你病了吗？"

飒飒摇摇头发，坐正，两眼直视着母亲。

蒋盈波不由把目光移向床头柜，整理上头的报纸。她讨厌女儿的这类做派，特别是那眼光。本来丈夫死后，女儿完全可以暂时同她合睡那张大床，但飒飒坚持要有自己独立的床铺，因而这间大屋非但没有因为丈夫的去世变得宽松，反倒更觉拥挤。

"妈，我刚从医院回来。"飒飒双眼还是直直地望着母亲。

"你哪儿不舒服？"蒋盈波扭正脸同女儿对望。她觉得女儿这一阵比以往丰满，脸色红润，连以往不争气的头发也变得丰茂黑亮了，此刻女儿的双眼也射出着有力度的光芒，这不像有什么病，起码不像有什么大病。

"妈，我做青蛙试验了。结果是阳性。"飒飒的目光依旧没有偏斜。蒋盈波却仿佛被电击了一下。

"什么？！你怎么、你！"蒋盈波不由得站了起来，仿佛大难临头，而这灾难却是以前从未预料到的，因而脑子里"嗡"的一声，震惊之余却手足无措。

"妈，你坐，你坐下。别着急，别为我担心。这没有什么。我没被人强奸，也没被人诱骗，我们是自愿的 …… 只是这一回不知怎么搞的没避成 ……"

蒋盈波一下子听不懂，却又仿佛一秒钟里全明白了，她站在那里浑身发抖，心乱如麻，眼睛越瞪越大，终于从胸腔里冲出厉声的喝问："你是跟谁？！你怎么这么不要脸？！下流！万万没有想到，你原来是这样！你还好意思跟我说！你、你、你……"

"本来我也可以不跟您说，"飒飒依旧坐在小床上，依旧直视着母亲，平静地说，"可是我临到上楼的时候，还是决定告诉您——尽管这纯粹是我个人的私事 ……"

"私事？！你个人的私事？！"蒋盈波实在听不懂女儿的话，却又分明感觉到女儿正用万箭射穿着她的心，她觉得眼前的女儿抖动着模糊着仿佛妖魔附体。

"妈，您这是怎么啦？"飒飒虽然估计到母亲会惊奇会反感会谴责会追根究底，却没有料到她的一声报告会惹得母亲如此狂怒如此惶急。

"他在哪儿？他是谁？怎么我一点儿也不知道？你从不跟我提起？嘹嘹也没有一点儿消息！他怎么可以这样！你怎么可以上当？你们太荒唐！多长时间了？他该知道了吧？他跟你什么时候结婚？传出去连我也丢丑！不要脸！你怎么一点羞耻感也没有！一点儿不懂得自爱！你活活把我气死了……"蒋盈波挺过了最初的震荡以后，思路总算找到了一条胡同，得以顺畅地穿行过去 …… 她心底里终于浮出了一些排解最初的气恼的念头：如今的年轻人，你也难要求他们向你公布隐私；婚前性行为，时下也不算多么了不得的丑行；飒飒从小就脾气古怪，再说也二十五六了，嫁个她自己选定的人只要条件不是特别糟糕也就由她去；既然我连嘹嘹也不往深里指望，又能指望飒飒什么呢？……

谁想飒飒却越加平静地坐在那里对她报告说："他是谁我现在还不想公布。我爱他。可我现在也并不打算嫁给他。也许以后也不嫁给他。是人流掉还是让这个小生命出来跟这个世界见面，我也还没完全拿定主意……妈，这完全是我个人的私事，我本来确实并不打算告诉您，可上楼的时候我良心发现——毕竟您是我母亲……"

"什么？什么什么什么？……"蒋盈波简直怀疑自己的耳朵，及至她终于明白了飒飒所表达的意思以后，她忍不住迈步上前，伸手就给了女儿一记耳光，然后激动地一顿脚嚷了起来："你为什么不要脸？！我的女儿为什么这么不要脸啊！"接着她就在一种自己被带累得变为可耻的犯罪感中扑到组合柜亡夫屈晋勇的遗像前，嚎哭出声……

飒飒捂着被母亲打痛的脸，吃惊地望着失态的母亲。她不恨母亲，却空前地意识到自己的心灵与母亲的心灵之间隔着一堵厚厚的墙，穿越这堵厚墙的愿望在一记耳光中几乎化为了乌有。也许她们母女今生今世便只能在厚墙两侧度过各自剩下的时日……

当蒋盈波从自怜自怨自恨自悔自责自罪的激情中稍微恢复过来点以后，她惊讶地发现屈晋勇遗像上的那双眼睛对她的哭诉竟然报之以一种冷漠的寒光，而飒飒如今的目光正承袭着那两道寒气，令她胸中淤塞着的东西更加滞重；她下意识地转身，寻找飒飒，仿佛要将两双眼睛再作一次对比印证，却发现飒飒已经不在大屋，她追踪到小屋，便看到飒飒正在打开柜橱取自己的衣物，往一只敞开的旅行袋里搁放。

"妈，"飒飒仿佛并不曾挨了她重重的一巴掌，眼光没有朝向她，却不仅平静还有几分抚慰地说，"我理解您。理解。真的！可是我们一直没有成为朋友，所以我们之间一直没有过真正的思想交流。我想事到如今，您再理解我也难。不理解就不理解吧。互不理解也依然是母女。我永远不会记恨您。我想发生了这么个情况，我就暂时搬到单位办公室去住吧。我会处理好方方面面的。您放心。更不会给您招来什么。我过一段自然会回来看您的。嘹嘹嘛，我会打电话给他。我想他能理解,至少理解我一半。"

蒋盈波望着女儿,空前地觉得这个比自己还高出两指的女儿简直是个完全陌生的人,就仿佛挤公共汽车时恰恰同自己紧紧挤在一起的不知名姓来历的乘客一样。她突然也平静下来。

眼看飒飒把旅行袋装得差不多了。

"我没有赶你走 ……"蒋盈波忽然说,她自己听着很不像自己的声音。

"我知道。妈,是我自己想暂时走一段 …… 其实,您还不明白吗?这么个社会环境,我当然还是 …… 还是去做人流。那个办法不现实。"飒飒又望着母亲,目光清澈而锐利,仿佛浮着春冰的春水。

"是 …… 性解放?"蒋盈波把千言万语浓缩为一个短短的问句。她现在已经不想责备和追究。她毕竟是副教授,而且,当年她读过许多古典文学的名著,比如说列夫·托尔斯泰的《复活》,还有司汤达的《红与黑》。她觉得也许她还可以达到一种虽然难以谅解却毕竟有所理解的境界。

"不是乱搞,妈,不是你们所谓的'性解放',根本不是那么一回事儿,不是卑下、肮脏的事情,是爱,是非常高尚、美丽的性爱 ……"

性爱!飒飒说的不是"爱情"也不是"情爱"而是"性爱",一下子又兜起了蒋盈波心中的羞耻厌恶之火,她不由得又高声叫嚷起来:"你怎么一点儿也不脸红?这样说话!"

"我应该怎么说呢?所以,我离开一段也好,省得您总难免听见一些让您受不了的话 ……"飒飒提起了旅行袋。

蒋盈波毕竟是母亲。她不放心。她拦住女儿,她不知道该说什么。女儿从她脸上看出了她心里所想的。

"别担心。妈,其实并没发生什么灾难。就是没这件事,我不也早晚得离开这个家吗?"

可你现在是这样地离开!——蒋盈波心里滚动着这句话却没有吐出口,她迟疑了一下,让开,飒飒便提着旅行袋走到了单元的门边。

"妈,您多保重。再见!"飒飒坦然地出了门,并从外面把门拉紧。

蒋盈波呆呆地站在门里,一生的辛酸倏地全都涌上了心头。

2

蒋飒并没有去住办公室。

她并没有向母亲撒谎。当她收拾旅行袋时她确实打算去住办公室。以往她偶尔也住过办公室。但是当她提着旅行袋在大街上让迎面的风那么一吹，她就忽然想到无妨先到常嫦的宿舍里借住一时。

常嫦是母亲蒋盈波中学时代最要好的同学鞠琴的大女儿，音乐学院毕业以后分到一个歌舞团，目前在歌舞团住着两人一室的宿舍，前些天蒋飒在地铁遇上了常嫦，常嫦告诉她同宿舍的那位到南方探亲去了，要一个多月以后才回来，因此欢迎她有时间去聊聊——常嫦当时的意思只是没有那人在场她们可以聊得畅畅快快，还并没有让她留宿的意思，但蒋飒这时却忽然想到无妨去那里撞一头，如能住下那就不仅比住办公室舒服方便，也省去报社里一些人的胡猜乱想和闲言碎语。

歌舞团的传达室形同虚设，蒋飒走进去时里面的两个人正在下象棋。走进当做集体宿舍的筒子楼，走廊里回响着这间那间屋里不知几多桌麻将的声音。常嫦那间宿舍的门根本就没有关紧，蒋飒没敲就轻轻将其推开了，为的是给常嫦一个意外——却发现常嫦居然一个人躺在床上，脸朝墙在那里睡懒觉。

蒋飒放下旅行袋，便伸出一根手指头去常嫦耳根下搔痒痒，躺在床上的人惊悚一下翻身坐了起来——两个人都大吃一惊。

蒋飒发现那并不是常嫦，所以吃惊。

翻身坐起来的人以为来的是常嫦而展眼一望并非常嫦，所以也吃惊。

但随即两个人都笑了，都望着对方说："怎么是你？！"

从床上翻身坐起来的是常嫦的妹妹常娥。

"咦，常娥，你怎么从广东回来了？"

"是呀，回来了。不想待，就回来了呗！"

常娥高中毕业以后，考上了一个小学美术教师的师资培训班，毕业后不愿意教小学，人家就不给她分配另外的工作，她就自己找辙，最后七闯八闯，一个人闯到广东东莞一个港资的小公司，找到一份用电脑制作幼儿益智卡通片的工作。转眼她在那里已经干了 8 个月了。

"怎么不想待了呢？不是工资特高吗？一个月给你 700 元人民币不是吗？"

"半年以后涨到 850。可我还是不想待了。"

"怎么呢？"

"你老得待在屋子里，坐在台子跟前，用电脑画那些个越画越没劲的卡通片，老板简直就不让你有松快的时候……"

"星期天还不休息吗？"

"当然，可你以为到了那天还有精力跑出去转，开眼界。有那个心，可哪来那个力？一到星期天我就起不来床，总想美美地那么睡、睡、睡……我能饭也不吃尿也不撒地一睡睡一整天，那真是跟进了天堂似的……可一到星期一，就又得八点钟铃一响就投入工作，干不完当天定额还得自己加班……"

"你们工作环境，生活环境不是都很好吗？"

"当然！其实工作环境和生活环境就是一个环境——老板买下了一个居民楼的几个单元，我们五个女孩子共用一个两居室单元，大屋子三个人，小屋子两个人，床铺边上就是电脑工作台，有厨房可以自己做饭，有卫生间可以淋浴，设备挺齐全，有空调，有煤气，有洗衣机，有冰箱，有彩电，有电热水器，有抽油烟机，还有现成的锅碗瓢盆和电饭煲……刚去的时候我们都挺高兴，可现在我受不了了，实在受不了了——我不是一架制造动画片的机器，对不对？我是一个活人，我有一个肉身子，对不对？……"

说到这儿常娥笑了。蒋飒便也望着她笑。常娥的姐姐常嫦和妹妹常也都属于胖乎乎的类型，然而常嫦现在格外地胖，好在她还年轻，所以不是松弛的胖而是饱胀的胖，她的脸蛋红喷喷地鼓出来，仿佛随时都在吹喇叭，胀得光润细腻的皮肤发出天然的亮光，无须再搽面霜。

"是呀是呀，别忘了我们都有一个肉身，我们是为了这个肉身才活着……我的意思是这肉身装着我们的灵魂，跟有些人甚至是大圣贤的看法相反，我觉得不是肉身为灵魂而存在，而是灵魂应该为肉身的快乐而存在……"

常娥喜欢听蒋飒的这些话。她坐在床沿上，两只光脚互相搓着。蒋飒坐在她对面一把椅子上，从衣兜里掏出一包香烟来。常娥有点惊异地望着蒋飒抽出一支香烟来，并且擦燃一根火柴将烟点燃。

蒋飒吸了一口那特别细长的薄荷味女士烟，这才问："你不反对吧？"

常娥笑嘻嘻地说："我反对又怎么样？反正你已经抽上了。我们老板可绝对禁止我们抽烟。当然并不是为了爱护我们的身体，她是怕我们熏坏了她的那些电脑。"

蒋飒找不到烟灰缸，便从书桌上抻过一只小瓷碟来，那小瓷碟里残存着几粒干缩的葡萄干——可见常嫦仍未改掉吃零食的习惯，而这也是常娥的嗜好——她往小瓷碟里弹掉一点烟灰，这才问："你姐呢？"

常娥说："你多长时间没见着她了？不知道吗？上星期起，她每天这个时候到天伦王朝饭店大堂弹琴，闹好了，一天就能挣不老少——当然，我说的是有那外国人给她小费，她说前天有个德国老太太给了她100马克，说她弹的《月光奏鸣曲》妙极了……"

蒋飒抽着烟，还微微缩着眉，问："你还没回去见你妈吗？你打算住这儿？"

常娥说："对呀！我妈见我突然回来，肯定生气，得把我骂死。我连辞职也不是。我是不辞而别。领了第八个月的工资我就走人了。都没跟一块儿的几个姑娘说明白。她们看见我收拾东西了，嘿，她们一个也不问。我们心照不宣。各人的事各人管，谁也不干涉谁。你说妙不妙？这样真好，不是吗？"

也是一个躲妈的。蒋飒不禁微微一笑。她吐出一个烟圈，没成功，不圆，而且有裂口。

常娥这才注意到蒋飒坐的椅子后面有个旅行包。她忙问："你怎么回事？来这儿住吗？跟你妈吵架啦？"

"算是吵架了吧，"蒋飒说，"可现在没我的床位啦！"

"只要你愿意，能没你睡的地方？咱们把两张床并起来，三个人睡！"常娥说，"正好痛痛快快地聊聊！你知道，这八个月我有多寂寞！跟我一块儿干活的那四个姑娘，两个本地的，两个湖南的，她们倒成双成对的，抱团儿，本地的两个人光说东莞话，叽里咕噜的我都听不懂；湖南的两个倒不怎么说湖南话，说一种怪腔怪调的普通话，能听懂，可她们两个是那边美专毕业的，学历比我高，对我一脸的傲气，我怎么跟她们交朋友？所以特想找你们聊聊！老实说，跟你聊，比跟我姐聊更过瘾，咱俩同龄，姐姐比咱们大五岁，这五岁可不得了，不知怎么搞的我有些个想法她怎么也理解不了，她有些个想法我又怎么也明白不过来……"

蒋飒笑了:"我的想法你就都能弄明白吗?"

常娥一拍手:"可不!忘啦?那回看人体艺术展览,多少人觉得你的想法古怪,我就能不假思索地支持,心有灵犀一点通嘛!"

蒋飒在小瓷碟里捻灭了香烟,眉尖抖动着……

3

那一年在北京中国美术馆有个轰动一时的"人体艺术美术作品展",算是三十多年头一回在官方准允的展览会上挂出了若干全裸的女模特儿油画像,参观的人潮涌来涌去,有人惊骇不已,有人赞叹不止。蒋飒和常娥也结伴去看了那个展览,转完两圈,蒋飒忽然发现好像是展览组织者之一在现场接受若干新闻记者的采访,她便大大方方地挤到最跟前,大声地发问:"为什么这个展览只有女裸体的画没有男裸体的画?!不是人体艺术吗?难道只有女的是人,男的不是人?!"

她的出现,特别是那锋利的问题,使在场的人都不禁一惊,尽管因为顿时围聚过许多凑热闹的人,秩序一时有些混乱,兼以主持者没想到也不愿意回答这个问题,所以在工作人员跑来维持秩序的当口,主持者也就赶快走开了。但后来报纸上登出的文章里,还是有提及这个场面引用她那一串子质疑的,那确是一个不应回避的问题。

有位评论家,后来写了一篇洋洋洒洒的文章,里面转引了"一位年轻女观众"即她的问题以后,便发挥说:"女权主义运动的潜流,正在变动中的中国大地上拱动……"其实蒋飒发出那串质问的心理契机中并没有什么"女权主义",她那样问,全然出于一种积郁已久的苦闷。

当蒋飒 12 岁左右随着父母从南方下放地重新返回到北京,暂住在南郊屠宰场的一间小屋里,并且经常跑到场南的内部火车站观看运羊的闷罐车卸羊,又扬着树枝子帮人家轰羊入圈时,她对男女的区别还是混混沌沌的;但是有一天她又尖着嗓子欢叫着轰了一阵羊以后,突然下体有了一种异样的感觉,令她不适而惊慌……她扔掉树枝跑回那间暂住的小屋,母亲蒋盈波正在屋里和面准备包饺子,母亲看见她一脸的汗水把那惶恐的表情衬托得格外强烈,不由得马上问她:"怎么啦？出什么事啦？"

她捂着短裤的裤裆，上气不接下气地对母亲说："妈，我、我……我流红水儿了……"

那一天经过母亲的指点，她才知道女人的身体和男人的身体有根本的不同。

……不是故意，并且不曾浮跃到心理的上几层，在日常生活中，她渐渐感到父亲的身体比母亲的身体更有一种无形的鉴赏价值。在炎热的夏季，父亲在家里不仅经常只穿一个汗背心，更有干脆赤膊的时候，这时在一瞥一触之中，就觉得父亲肌腱的紧凑饱满和浴后体毛体臭的毕现，都格外好看好闻，令人欣悦钦羡。后来父亲面容明显衰老，皱纹日多日深，头发日疏日白，但直到突然病倒以前，那胴体都仍然还不失其强壮和雄悍……在父亲和母亲因为这个那个发生争执乃至吵骂时，她总是超越是非判断而不假思索地站到父亲一边。再渐渐大起来，她就总从心底里觉得母亲有负于父亲，是一种根本性的单向欠负，她冷眼旁观，心存不平，因而对待母亲，即使是简单地喊她去吃饭，她也总是报之以一脸的阴郁，这当然也就更促深了母亲对她的嫌厌与对嘹嘹的超过实际的高评价与公然的偏向……

小舅蒋盈海是个作家，曾经同二舅蒋盈工一起议论过她母亲蒋盈波和父亲屈晋勇日渐疏离的感情状态，那是在小舅家中。她当时同小舅妈在厨房里包饺子，小舅、二舅没把她当成一个心性上已然成熟的角色而加以避讳，所以议论的声音很大。她却随着手中包饺子的动作把那些议论都紧紧包裹到了心中。

小舅议论说："阿姐这几年一天到晚满脑门子心思是职称的事。也难怪，偏赶上更年期，你想她学校里挨挤兑，身体上又不适，脾气暴躁，动不动跟勇哥无端地发作，也就难怪了！"

二舅附和说："现在这个体制，也真没什么道理。晋勇他们那么大个单位，上千人，不动产就值好几千万，可因为属于北京市，北京市整个儿才是一个部级，下面的二商局才是一个局级，食品公司才是一个处级。因而肉联厂只摊上一个科级，晋勇在部队里原是大尉，现在转业到这么个厂子，工资级别不仅比一二把手都高，比局里的头头脑脑们也高，所以这几年人家涨工资，他却完全不能动，阿姐少得了叨唠他吗？当然不光是为那点钱，阿姐是个自尊心最强的人，从小如此。如今忽然又时兴论学历，评职称，晋勇有什么学历，他工会主席评哪门子职称，所以阿姐心里头，怕就把他看轻了几分，再不像当年一个河北小地方的一个什么专科学校里灰头土脑的小教员，仰看北京堂堂部队文工团的一条杠四个豆的大尉那么觉得光彩照人、可敬可爱了⋯⋯ 唉唉，真是一个人有一个人走运的时候，也有那背运的时候哟⋯⋯"

小舅便又说："我几次去，都好像两个人刚冲突完⋯⋯ 勇哥倒只是默不做声地招待我，阿姐却有时候还要借题发挥地恶声恶气，比如一边捅煤炉子一边暴躁地埋怨：'就这个命就这个命⋯⋯ 搞得我活了这么大连暖气也享受不了！'要么突然大喝一声：'屈晋勇，你又把汤勺胡撂到哪儿去了？！'⋯⋯ 当然实在也是祸不单行，阿姐明明是研究生的学历，英语测试成绩优秀，又有学术论文发表在有关的刊物上，课时不消说早够了，带实习学生反映也不错，可人家就能在组织'无记名投票'的时候把她'差额'掉，阿姐去找院领导，人家用'深表同情'、'名额有限'两句话就把她打发了。她的这种不幸所造成的心理上的创伤，勇哥又不能深刻地领会到，或者虽然领会到了，却又不会帮着调解，你想他们在一个屋顶底下，还能和谐吗？北京市的规定偏是，单位分房子夫妻以男方为主，阿姐他们学校分房子，又没阿姐的份儿，而勇哥他们单位的新房子，盖在丰台那边，阿姐死活不愿意去。有一回我刚说了句'丰台那边如果挨着花乡那风景空气倒是挺不错的'，阿姐就粗声恶气把我顶了回来：'那你怎么不赶快搬过去？！我就不愿意将来在那么个地方养老！我要住得离城近！我要住城里头！'后来北京市规定有点变化，单位分房子夫妻以职务职称高的一方为主，阿姐好不容易终于评上了副教授职称，学院里好不容易又有一轮分房，这回阿姐终于排名在分房红榜的头几位。可是，又突然出现了意想不到的障碍：勇哥他们单位坚决不同意他们将所住的旧房倒换给学院，他们交不出旧房，也就分不到学院新房，嗬，这下阿姐对勇哥的怨气就更大了。据说勇哥对付她的唯一办法，就是沉默，这样夫妻两人简直就不说话了，同在一个屋顶下，那该有多难受啊⋯⋯"

二舅便也叹气："是呀！可后来阿姐又非拉着勇哥搬到了现在这么个学院的旧单元里，除了有暖气和管道煤气，面积一点儿没扩大，地点也一样不怎么好⋯⋯"

小舅解释说："阿姐认为这样总算摆脱了不能退房的窘境，这还算是学院开恩，'干分'她的哩，她说这样再下一轮分房，就没有倒换不出旧房的障碍了。再说，住进学院宿舍，信息灵通，找人方便，今后再为自身的利益奋斗，不会像漂在永定门外那么远的地方那样窝囊了……唉，我们社会当中的中年人，尤其是知识分子，这些年来忙来乱去的，不都是这一类的事情吗？阿姐是最不顺的例子之一罢了……"

二舅便建议："你们作家，不是已经写了《人到中年》吗？其实一篇哪里够，无妨再多写一些，你就可以用这些素材写一篇嘛，一定牵动许许多多读者的心……阿姐和勇哥的遭遇，不就是个警世大悲剧吗？……"

那边议论到此，蒋飒忽然把拿到手中的一块饺子皮掉到了地下，小舅妈就跟她说："没关系没关系，算了不要了……"

谁也不知道蒋飒心里头涌动着一些什么。

其实她是在暗笑。二舅老了，不去说他。小舅居然成了作家，还闹腾得挺有名，可你听他那些个谈吐，他究竟懂得多少人心？现在谁还要看他写的那些个小说？什么评职称当中的勾心斗角呀，住房拥挤引出的一家人摩擦呀，夫妻的吵嘴和互不理睬呀……烦人不烦人，讨嫌不讨嫌？

……应该表现和探究的，是那些更深层的东西，那些隐秘的，一旦意识到你的灵魂便会瑟瑟发抖的东西……

妈妈和爸爸结婚这么多年，还生下了哥哥，生下了我，可妈妈究竟懂不懂得欣赏爸爸那个美丽的男性身体？这个具有标准男子汉魅力的强健躯体，尽管没有了一条杠四个豆的包装，没有漂亮的职务和职称标签，没有依附在身体上的如蜗牛壳那样的"大房子"。可依然是值得紧紧地拥抱、亲吻……的啊，妈妈对爸爸，怎么会丧失了这最起码的感情？或者从来也未曾真正具有过？

对小舅那样的作家不要再抱什么指望，尽管他每出一本新书都要在扉页写上"请阿姐勇哥指正"的字样，乃至又另起一行写上"嘹嘹和飒飒留玩"，送到我们家来，那样的大小开本不一的小说集散文集什么的在组合柜的书架格上已经占据了半尺多的长度，但是至少嘹嘹和我是一点儿也不感兴趣，嘹嘹不感兴趣是因为他从来不曾喜欢文学，任何文学书都不读；我的不感兴趣，则恰恰相反，倒是因为我越来越酷爱文学。这几年里真没少读文学书，我读的当然不是妈妈当年读的那些个什么《远离莫斯科的地方》一类的苏联小说，也不仅仅是当年她们也能读到的什么托尔斯泰、契诃夫,《简·爱》、《红字》、《包法利夫人》、《德伯家的苔丝》,还有什么安徒生、易卜生、马克·吐温、海明威之类,我读了多少最新的翻译小说和青年作家的力作啊 …… 特别令我产生一种说不清道不明的共鸣和悸动的是法国女作家玛格丽特·杜拉斯的那本薄薄的《情人》,用那样的文学来对比衡量小舅的那些小说散文,对不起,小舅的东西就仿佛只是森林边上的几丛丑灌木,小河湾里的几茎瘦芦苇,甚或只不过是些塑料花和瓷娃娃,天知道他怎么竟也会轰动,也有人崇拜!

…… 要过同妈妈、小舅他们那一辈全然不同的一种新生活,首先是一种全新的感情生活,一种从坦诚地对待生命本体最深层的渴望所引发出的真正称得上是美好的生活! 也许,将来有一天她会把那种生活体验像玛格丽特·杜拉斯般地写出来,或许还要超出那个已然是满脸皱纹的法国老太婆的笔力,并不是为了让世界惊奇,更不是为了让小舅惭愧,而仅仅是为了欣悦自己的灵魂 ……

4

那个拐角。那条街的那个拐角。人行道边的栅栏上,常跳坐上一些个小学生,栅栏便像五线谱,小学生便像音符。一种都市的旋律。

拐过去,栅栏消失。有个铺面,不是汽车司机,谁注意? 吃了一惊。正弯腰在那里撬汽车轮胎。用一根铁钎将轮胎与钢铁的轮心分离。用力。男体的美必须在用力的情况下方能生动地活现。力与美。美与力。上帝怎样造出的亚当? 那样的肱二头肌、肱三头肌、斜方肌 …… 那样的筋腱与皮肤下肌肉与筋腱的收缩与滑动 …… 直起腰,于是有美丽的锁骨,更美丽的胸膛 ……

男人是不是都在潜意识里默默地鉴赏每一个呈现于光线下的女人,年轻的女人,还没有衰老的老人? 女人呢? 常娥凑在她耳边轻轻地承认过,她喜欢过中学里的体育老师,还有游泳场的那个坐在高高的椅子上的救生员 …… 他们的身体,是的,不是他们的面孔,首先不是他们的五官,而是他们的身体 …… 她不感到羞耻,因为那是审美。

可是常嫦能懂吗? 即使她懂,她意识的深处也有那个,她敢于跟最亲密的女友，跟姐妹们悄悄地说出来，并加以探讨吗？不，不可能。不要尝试跟她交流这个，哪怕是试探性的。常肯定不懂。可怜的常，她满脑子"托福"，还有GRE，还有秀水东街的美国领事馆，还有如何才能不被拒签什么的，也许将来她忽然开窍，并且后来居上，但现在她肯定还是一个软壳儿蛋，根本就还没有被生出来，别看她能一口气背出上千个英语单词，她的这部分意识还是一片漆黑。

大表姐蒋唱呢？现在她是广州郊区一所中学的教师，优秀班主任，姥爷姥姥要是都还活着，肯定会让整个家族的后代都向她看齐。她惊惊咋咋地跟堂弟堂妹表弟表妹们讲过，什么好端端的一个乖孩子，忽然有一天遇上了个"手抄本"，一读便变坏了，仿佛一碟没来得及搁进冰箱的豆腐，经过一个伏天的夜晚立马就馊臭难闻。当然有那样的事。但社会不能整个儿变成个大冰箱。好久好久没见着唱姐了，也许她如今的思维更立体更细腻，但是可以想见，光她的职业这一条，就决定了她不可能和自己有着同样的心理结构和思维定式。人跟人总是不同，甚至非常非常不一样，尽管他们的细胞液里有着某些相同的来源，细胞核里有着某些相似的遗传基因。

徒劳。企图用一根理性的针，牵着逻辑的线，缝缀内心最隐秘的欲望，使其成为一件可以展示的衣裳 …… 没必要。就是那样。骑自行车去报社，画版式，数字数，校标题，安插图，喝茶水，聊天，开玩笑 …… 仿佛世界上根本没有那么条街道，那么个拐角，拐过去没有那么块"汽车打气补胎"的招牌，没那么个铺面，可临到下班路过，总还是忍不住下车来。仿佛自行车出了什么毛病，又仿佛不认识路了想找人认路，最后就什么也不仿佛，站在那人行道的白蜡杆树下，痴痴地望着那修理汽车轮胎的汉子，那美丽的男性胴体，那鲜活的罗丹式的雕塑……

嘹嘹很惊讶。从成都跑到北京来度暑假的二舅的儿子表哥蒋凯也很觉得古怪。小舅的宝贝儿子蒋帆还不懂得惊讶，因而只是对她们傻笑。嘹嘹和凯凯没想到在健美精英赛的场子里遇上了她和常娥，那一回的精英赛只有男子健美运动员出场。固然去看那表演的女观众并不算少，总有五分之一以上，但像她和常娥那样并非随男士而来，跑到前排就座，并且豪爽地为她们所支持的运动员拍掌乃至喝彩的女士，却绝对只是凤毛麟角。

那是堂而皇之地观赏男体。

有快感。都不错。其中有两位最雄美。

然而却都比不上他。

男性的雄美并不只在于肌肉的体积与夸张的展示。

是一种综合的效应。

男性的五官并不那么重要。关键是一定不能带女人气。绝对不应该秀媚。不能容忍没有胡须。不是一定要留着胡须，但即使剃除，也一定要有痕迹。要有明显的喉结。

她本并不希求什么。不希冀更多的收获。不曾幻想过奇迹。她路过那里，在白蜡杆的树阴下，仿佛偶然地在那里乘凉，或等候什么人，或者干脆什么也不仿佛，没人注意到她，她便默默地观察，静静地鉴赏。

他在天气不那么炎热时，便穿上背心，或圆领衫。天气转凉很久了，他依然只是圆领衫，那是有火力的男性躯体，在汗背心和圆领衫的遮蔽下，依然显露出雄壮强悍的魅力。他同来修轮胎的司机在那里说话。他在那里焊什么。他又在用铁钎子撬离轮胎和轮心。他有帮工，他在指挥，在咧着一嘴结实的白牙笑，有时候嚷起来，用力啐一口唾沫，骂街，端起一个胖大的玻璃缸子咕嘟咕嘟仰脖子喝茶……

她心安理得。越来越心安理得。比如在美术馆看一幅长期展览的图画或一尊圆雕。

但是回到家里，她常常不知道妈妈在唠叨她什么，没听见嚷嚷对她的讥笑，她发愣，灵魂深处的难言之隐使她坐立不安……

好容易有一个人待在家里的机会，她便激动地打开组合柜的长条衣橱，那橱门里面有个大穿衣镜，她便仔细地从镜子里观察自己，脱了衣裳观察……她心惊肉跳，意识到自己也许完全不能唤起对方相应的审美愉悦，她羞愧，她惶急……

妈妈认为她业余时间不去上自修大学的课程以谋求一个同等学力而去上文化馆的什么健美班，简直是发神经。健美班收费很高，妈妈更认为那是十足的浪费，是奢侈。

　　嘹嘹那种一个子儿不花，大把的钱挣来都攒起来的做法，就正常吗？据嘹嘹宣布他是要攒钱买房子。嘹嘹常说："有了钱就有了一切，而一切的基石是一套属于自己的房子，一辆属于自己的车子。房子里可以养妻子。车子里可以坐儿子。儿子可以开车子，我成了个老爷子，带根鱼竿子，去鱼塘边等鱼上钩的时候，我就用耳挖子，细细地掏耳屎，那是什么样的日子！"妈妈听了他那一大串庸俗不堪的向往以后竟只是嘻嘻地笑，末了仅仅说："你就不怕使劲大了，掏成个聋子！"

　　当然嘹嘹这些个亮出来的向往，并不一定是他心中最真实的东西，尤其不是他灵魂深处那些最浓稠的欲望，谁能窥透谁呢？在表面的奔忙停顿背后，有多少永远只属于个体的秘密？

　　爸爸死得非常之惨。在多发性脑血栓发作后便再不能说话甚至再不能有明确的表情，是眼看着一天天枯瘦干瘪，甚至腐烂（大面积的褥疮）而历经整整一个夏天和秋天才终于咽气的——妈妈在爸爸的病床边表现出惊人的传统美德，令医生、护士、同室病人和亲友们都大为感动、传为美谈。嘹嘹在意识到爸爸绝对没有治愈的希望、只是徒然地在痛苦中挨时日以后，便减退了护理爸爸的热情，最后竟至对妈妈和她说："我不能总不去上团，总不挣钱，活人不能让死人给拴住手脚……"妈妈头一回对嘹嘹瞪圆了双眼，恨定他，并且几乎要伸手给他一记耳光，厉声叱责说："谁是死人？你爸爸并没有死，他不能死！你怎么能这么说话？！"嘹嘹立即认错，改口，但她知道，嘹嘹内心深处其实跟她一样，都在念叨"与其这样，不如早点闭幕"，然而妈妈却是无可怀疑地在真诚地企盼着出现奇迹……看到妈妈在那样一个已经变得丑陋不堪甚至相当恐怖的躯体上耐心地为褥疮排脓烤电，尤其是看到妈妈在电动吸痰机已经无法及时吸出爸爸喉咙中的积痰时便爽性用口对口方式为爸爸吸痰时，她都有一种大震动大悲悯充弥于整个灵魂……

　　爸爸终于熄灭了生命之火，妈妈扑到爸爸枯槁破败的躯体上，失声痛哭；当时嘹嘹不在现场，她将妈妈劝离了爸爸遗体，妈妈同她拥抱在一起，她在痛哭之中恍恍惚惚地想：妈妈啊妈妈，爸爸的胴体那般壮美时，你怎没有尽兴地拥抱亲近他啊！你错失了多么宝贵的人生享受！那是任何职称、待遇、名誉、财富都无法比拟的啊！

　　她要竭力忘却掉病中的爸爸特别是病危的爸爸尤其是死后的爸爸的那躯体给她留下的印象。她竭力捕捉、巩固、加工、渲染爸爸生前最健康的那些个印象。在痛苦的忘却与追忆的交相挣扎中，她的灵魂便更憬悟到生命之美躯体之美的难能可贵与过时不候……

　　奇迹是怎么出现的？

　　不知道。

　　回答不出来。

　　但奇迹确实出现了。

　　不是在梦中。

　　……他先跟她开的口。他大摇大摆走过来，问她："这位女士，你怎么，自行车胎瘪了，要打气么？"

　　她慌乱不堪。她只是看画儿，欣赏一具雕塑，她没想到画中人会走出来，而雕塑品会自动迎向观赏者……

　　"你挺奇怪……开头我没在意，后来发觉了，我心里头就说：这女子好奇怪……"

　　后来他这样跟她说。

　　可是从他跟她说头一句话，到出现这一句话，当中有多少过渡啊……

　　是太奇怪了。

　　他比她大 10 岁。大整整 10 岁呀！

　　她欣赏成熟的男性美，不欣赏而厌恶不成熟的少年美。

　　小舅写了那么多书，那么多文章，她几乎全都看不上，即使不全是文字垃圾，也大半是语言的"方便面"，她不到饿极了绝不吃"方便面"。但小舅有一回写了这么几句话，她却过目一遍便惊呼"真棒"。那几句话够得上一道生猛海鲜烹制成的精彩大菜，使她对小舅的文学潜力刮目相看，那几句话是——

　　　　　为什么现在舞台上荧屏上的舞蹈，

　　　　　男人总是很像女人，

　　　　　女人总是很像儿童，

儿童总是很像木偶，

我们这个民族，为什么非要这样跳舞？

她对这几句话产生出最大的共鸣。是的，岂止是舞蹈，男人如果不像女人那就一定是个丑人，女人如果不像儿童那就一定变成一种不男不女的中性，而儿童如果不像木偶那就一定更像成人，我们这个民族，为什么大体上成了这么个模样？

不是没有真正的男子汉，不是没有雄性美，但你得从生活的海洋里，从熙熙攘攘的人群里，去细细地筛选方能捕获，如果用"大海捞针"形容未免过分夸张，那么必得"踏破铁鞋"，却是千真万确的。

…… 他那修理部是只给汽车轮胎打气的，他从来都拒绝推自行车来要求打气的人，但那天他却主动走过来问她是不是要给自行车打气……

恰好没有人来修理轮胎，帮工替他跑腿去了不在，他便站在铺房里同她说话，说闲话，她发现他那工作台上甩着本脏手摸得黑黢黢的《古诗源》，吃了一惊，却又一喜……

他干这么个个体行业已经6年了。没发大财，但过得挺滋润。他结过婚。婚姻失败，媳妇走了，闺女判给那女人了。

他也是高中毕业。谈不上喜欢文学。准确点说，他喜欢历史。喜欢读《史记》，读《三国演义》、《水浒传》，还有古诗，喜欢李白、陆游、辛弃疾，外国书喜欢杰克·伦敦的《马丁·伊登》、《海狼》，海明威的《永别了，武器》、《老人与海》，还有茨威格，还有《第二十二条军规》……崇拜拿破仑、林肯、霍元甲和拳王阿里……

这许多的信息当然不是一次获得的。

从那回起她就毫不避讳他的帮工，坦然地走进去跟他打招呼，他就一边干活一边跟她说说笑笑。帮工后来也跟她熟了，有时也跟她说笑几句。帮工也很粗壮，但那是一幅没画好的画，是一尊蹩脚的雕塑。不能全怪造物主。人体美是造物主（或者说父母的精卵子结合、细胞分裂及自然生长）和自我双方合作的产物。人在或自觉或半自觉或浑然不觉中绘制着自己雕塑着自己。不是每个人都能使自己在别人眼中成为艺术品的，这里面机缘很重要。不相信缘分那就一定是个浑蛋！

在什么情况下，她就居然说出来她认为他看上去有种超出一般男子汉的雄美？而他就居然咧开一嘴结实而整齐的白牙笑着，眼里闪着毫不淫邪的锐光显得那么样地开心那么样地自豪却也那么样地满不在乎？……

帮工一走，铺门一关，他便拥有一个完全不受外界干扰的私人空间。

这是非常重要的。

在工作间后面有他朴素整洁而又用具齐全的住房，有令她大出意料的设备齐全的卫生间。

……沐浴完的他是承袭着古希腊"掷铁饼者"圆雕、米开朗琪罗大卫像和罗丹"思想者"那一脉相传下来的男性美的活鲜鲜的艺术品……是他先坦然地将自己呈献于她，任她抚摸、亲吻，细细地鉴赏……

她也将自己呈献于他。他对她的评价比较克制。但他认为她对他的激赏唤起了一种他从未体验过的男性满足。

性交只是相互欣赏的最后一种手段，那不是既定的目的，更不是审美的核心。因而他们在大快乐中彻底挣脱了一切世俗羁绊，扫除了一切罪感阴影……那是人生中最甜蜜最幸福的时刻……

……她不想把青蛙试验呈阳性的消息告诉他。他不必承担什么。他没义务。

来找常嫦的路上，她从马路对面，混迹在下班的人流中，朝那亲爱的店铺望过去。

她一周没露面了。没给他一丁儿的信息。她望过去，一切如常。他的身影仍闪现在店铺里面，门口停着辆找他补胎的小面包车。帮工同他一起走出来，面包车司机在对他们说什么，他依然潇洒地应对着。

……她离开那个路段。她回了一次头，已经看不见店铺，只看见那边马路拐角处，栅栏呈环状，如五线谱，几个小学生坐到栅栏上，如音符。

一种都市的旋律。

第十六章

1

你在筒子河边坐到了长椅上。

秋阳斜铺到你身上，仿佛有巨掌在抚慰你起皱的灵魂。

2

你从阿姐那里出来不久。

是阿姐把你叫去的。她很少主动给你打电话。尽管她家安了电话分机已经半年多了，这几乎是她头一回主动给你拨电话。

去了才知道主要为的飒飒的事。

阿姐脾气早已变成这样：她向你倾诉什么，明明是为了消除内心的焦虑，你听后刚开口劝慰，她便马上几乎是凶声恶气地声明："你莫以为我有多么着急！我现在根本不像外人想象的那样，其实我现在一个人待在家里心里头很平静，我才不希罕什么同情，我也还不到自己活得困难需要别人帮助的地步！我不过是随便说说而已……"

阿姐一口咬定飒飒是在单位里充当了"第三者"，而且竟至于跟那有妇之夫"乱搞"闯下了大祸，"从各方面分析，如果不是这样她不会跑到常嫦那儿去挤着住……"

又不容你那"未必"的议论说完便粗声截断说："莫以为我就那么在乎，各家比一比，我未必是最丢人现眼的，而且飒飒她自己不要脸，管我屁事！……"

虽然如此，阿姐总算在至亲面前发泄出了胸臆中的闷气。到她铺排出一桌子菜招待你的时候，终于接近心平气和。

你这才问起嘹嘹："又上团啦？"

"上团"就是又有旅行团来了，他当导游领着到各处游览。嘹嘹高中毕业以后没考上大学，去上了个警察学校，只培训了一年，就分到城北一个基层派出所当民警，他不甘心因而不安心，试了很多种路子跳槽都没有成功。最后忽然醒悟，自己不是随父母去过广东吗？广东话一拾起来，不就是个专长？结果就终于凭借着这个专长当了旅行社的粤语导游。

一提起嘹嘹，阿姐眉梢眼角便如沐春风，顿时生动活泼起来："可不又上团了，现在粤语团真不少，而且并不是些没多大油水的国内团，现在美国团虽说不多，香港、新加坡的团不少……嘿，说来你怕不信，半年前有个新加坡大学生，女学士，考上了硕士生，高高兴兴地来北京旅游度暑假，嘹嘹开头其实并没怎么注意她，不过是她登长城的时候不知怎么的崴了脚，痛得呜哇叫，嘹嘹就把她从那高处背了下来，后来又陪她去医院，就这么点接触，那女孩子在中国倒没表现出什么来，谁知一回新加坡，就一个星期来一封信，还给嘹嘹寄衣服，新的好贵的名牌 T 恤，我开头也以为不过是感谢救伤之恩。谁知，嘿，到第十封信那就有求爱的话了，我没有强求嘹嘹给我看，他也没全告诉我，可是我看他读信的那神气，就能猜出个大概……"

你听了当然也很高兴，可是没等你说出半句助兴的话，阿姐却突然又一绷脸，粗声重气地说："我知道那不可能，谁抱幻想了？我们嘹嘹只有个高中学历，大学都没上过，人家真能要他？不过是那女孩子浪漫罢了！……"

你为阿姐这在一连串坎坷后形成的特异心理特征而难过，即使爱怜阿姐如你，如今也很难同阿姐作平舒顺畅的心灵交流……当年那个站在钱粮胡同 35 号海关宿舍的家里，在里屋的五斗橱前面，同达野哥含情脉脉对望的那个编扎着两条粗黑大辫的阿姐，消失湮灭到哪里去了？

3

……临走的时候，你说你过两天就去常嫱那里看看，如果飒飒在你就跟她谈谈，劝她还是回家住，这显然正是阿姐难得地打电话把你约去的原始目的，你说出了这个打算，她心里很满意，那是一定的，可是她偏要一歪嘴说："她也未必就听你的，你写的那些书她从来不认真看，匆匆翻几下就扔到一边，前些天她还在家里跟我说过：小舅写的那些，能算是文学吗？……"

阿姐哪里想得到，她无意中引用的一句飒飒的话，如匕首刺入般地使你的心疼痛流血……

飒飒当然是中了一种当代青年人难免染上的狂妄病毒，然而即使是狂人的话里，也往往包含着令人痛苦却无可辩驳的真理因子……

是的是的，写了许多，印出了一大堆，可究竟什么是文学？

4

你不是没有窥透人性的能力。

然而，往往不能把那穿透性的感悟译成文字铺排到纸上。

你难为情。

到最关键的地方，你难为情了。

为所爱，你不忍揭橥那卑琐卑微的灵魂图像。

为所憎，你不愿闪现那良知残片的余火微光。

总在是非、善恶、尊卑、高下、阴阳、爱憎……诸如此类的两极牵动的感应场里转悠，总不能断然超越。

太理性？缺乏对习用语言符码无情颠覆的勇气？

然而最关键的，于你来说，恐怕首先是颠覆那横梗在心中的不忍。

文学应当残忍。面对人性的冷静到极点的残酷解析。

文学的残忍，也许便是对个体生命深层价值和全人类生存意义的大怜悯大拥抱。

……微风吹过来，长长的柳条拂到你的肩上。你坐在紫禁城高高红墙外的筒子河边。一群乌鸦从你头上飞过。

夕阳的巨手摩挲着你。

"还写啦？"

你胸臆中有一种膨胀欲裂的感觉。

5

还在师范学院上学的时候。

星期天，天还黑着，你便从二十几个人合住的宿舍自己睡的那张上铺蹑手蹑脚地穿衣爬下……你走出宿舍，走到校门口，校门还没有开，你四面望望，便翻门而出……

你穿过没有燃亮路灯的街道，拱着肩，揣着手，一步步朝北海公园走去。学院离北海公园很远。那年头那种冷雾飘荡的早晨街道上几无行人，连车辆也稀少，无论汽车还是自行车，偶尔会遇到马、骡、驴拉着的从农村来的大车，赶车的农民把自己裹在脏兮兮的破口处绽出脏棉絮的棉大衣里，坐在牲口屁股后打瞌睡，蹄声清脆，有一种怪异感……

直到快接近北海公园时，街上才有了比较多的人影，但人们无论行走还是骑自行车，都默不出声，有一种无声电影的感觉，而且是有许多划痕和颗粒粗糙的那种无声片。

北海公园并没有开门。团城外，园门前，有几十个人默默地守候在那里。不成队形，相当分散。人们互相之间不搭话，也不对眼，却似乎有一种默契，体现出一种相互理解和容忍。

你便也置身其中。表面上闲闲的，其实却频频看腕上的手表，耸起耳朵，注意园门开启时的响声。

园门终于打开，打开前都已买好了门票，园门甫开人们便急速地走了进去，都大步流星的样子，到湖桥前，有几个最前面的跑动起来。于是你和许多落在后面的人便不由得也跑动起来，终于形成狂奔的局面……

朝琼岛前面的长廊跑去，廊子里响起怪异的跑步声，杂沓而紧张……

跑向仿膳饭庄。那里有人发售一种预约餐券。在那里才形成一支争先恐后的队伍，不大发生争执，但空旷的公园，整体空荡荡的长廊中，偏在那仿膳饭庄门前形成一个后人紧贴着前人脊背的短龙，实在滑稽而怪诞。

预约餐券五元钱一张，每人至多只许买两张。在那年代那是相当昂贵的价格。但总有排在后面的人未能买到。

你总能抢到较前面，总能买到。买到以后便很高兴，很得意。

买到以后你就珍藏在钱夹子里。到下一个星期六你就给二哥往单位打电话。当时也是单身的二哥听到你约往北海公园一游自然总是欣然前往。转悠到十一点半左右，你就说无妨去"仿膳"吃中午饭。头一回二哥很惊异："让吃吗？""仿膳"并不能随便进去吃，何况那时候谁都可以进去吃的外卖餐馆总是难以找到座位，钻进去能发现没有人着凳子下面的横权立等的"空子"便算幸运……你便告诉二哥你有餐券，"哪儿来的？……"你便说有人送给你的……你同二哥便进去，那里面便仿佛是天堂，不用等座，也没人看着你吃等着你走好占有那座位，一张餐券给一盘有肉的炒菜一碗有肉味的汤一大碗白生生的米饭……你和二哥便愉快地享用，二哥就半当中总劝你："慢点，慢点，为什么那么快？"你却无论多么想矜持一点，到头来还是不免狼吞虎咽……把菜盘里的每一丝肥肉，包括还有些未煺尽毛的肉皮，都搛起来送进嘴里，汤喝到最后，汤勺舀不起残汤了，便爽性端起汤碗将残汤残渣全倾入口中……

后几次二哥就问："怎么总有人送你餐券？"你就说是给报社投稿，报社编辑送的。二哥就再没深问。

甚至直到这么多年以后，你也没有向二哥供出实情。那两年，自打从同学那里听到"仿膳"有预售餐券的做法以后，你就经常那样，在公共汽车头班车还没出动前，便徒步走向北海公园，最后到达公园门口，待园门一开，便朝里面狂奔……

6

爸爸最后被硬性"退休"到了原籍。

你去故乡看望发落到那儿的父母。怀着身孕的妻同你一起去的。

你看到爸爸在那竹篾心子外糊泥巴作墙、顶上露出乌黑的椽子只敷些薄薄的青瓦作顶的住房里，在床边挂出了一个不小的镜框，里头压的并不是照片，而是些红的、粉的、绿的发旧的缎制胸条，胸条上都竖写着"观礼证"字样，下头有一行注明位置的小字，如"西一台上"或者"东三台下"等等。还有一行数码编号，仔细看，可以看出来上头还盖有一个红的印鉴，以证明绝非伪造。那是爸爸在 1951 年至 1956 年的"五一国际劳动节"和"国庆节"曾登上天安门观礼台的明证。他一直珍藏着。但在北京的家中和在张家口军事学院里任教时，他都不曾如此这般地压在镜框里悬挂出来。

在贬斥到原籍以后，他却展示在自己的床前。

肯定同所有来他住处的乡亲都指示解说过。

你一个人在那间屋里，细细地观看时，心里发酸。1957 年以后便不再有那样的签条。而且，从 1951 年到 1956 年，那签条注明的位置在逐次向下向偏侧挪移。

妻曾悄悄问你："爸爸为什么要把那些 …… 挂在那里？"

你白了她一眼。她便不再索答。

…… 一天妻正坐在竹躺椅上休息，爸爸忽然走过去，后面跟着妈妈，爸爸一走近，妻便赶快坐起，又要站起，爸爸用手势阻止了她——因为媳妇有了身孕；爸爸手中现出一个金钏，慈蔼地对妻说："妈妈南来北去随身藏了多年，现在给你，做个纪念 ……"妻的脸忽然涨得通红通红，用双手接过了那小小的金钏，却不知所措地呆坐在那里，你在一旁帮她将那金钏戴在了腕上 ……

…… 后来爸爸脑溢血去世，后来妈妈一度来京住在你处，有一天吃饭时妈妈忽然想起来似的问："那年爸爸给你们的金钏呢？"妈妈望着你，你便同妻对眼，妻便满脸涨得通红通红，你便赶忙说："在大立柜的小抽屉里呢，现在哪儿戴得出去 ……"

其实你和妻早将那金钏拿到银行去换了钱，那是"文革"后期，你和妻进入前门外大栅栏那所银行之前，在那附近街上徘徊了许久，仿佛自己是贼，至少是不光彩的人物，要做的是一桩见不得阳光的事 …… 终于鼓起勇气走了进去，走拢柜台，为苛酷的眼光和冰冷的询问所折磨，最后只换了不足 100 块钱，你斜眼看了一下妻，妻在你身旁脸涨得通红通红 ……

7

……是"文革"的"清理阶级队伍"阶段，足可庆幸和告慰的是你和二哥都还属于"革命群众"，你在星期天去二哥单位找二哥，二哥住在那栋楼的顶层，下面几层是办公室，顶层是单身宿舍。单身宿舍里并非单身。有一人同二哥合住。所以找到二哥以后，略坐一坐，你们哥儿俩便外出。你们总是到公园里去消磨。那时候劳动人民文化宫的最西侧还有一处可以坐下来喝茶的地方。那算得是个小小的避风港，你们常在那里拣一个角落坐下，不敢也不愿谈政治，便"摆电影"，摆些以往看过的旧电影，苏联电影或者中国电影，间或也议及东欧电影及日本电影。苏联那部《牛虻》偏用粗胖不堪的演过《彼得大帝》的老演员彼得罗夫演红衣主教蒙泰奇里，亏导演想得出！看看书里插图是怎么画的，蒙泰奇里书里明文描写是身材颀长、温文尔雅的……但电影当中的蒙泰奇里又偏给人留下深刻印象，到底"姜是老的辣"，导演起用彼得罗夫自有他的道理！……日本电影《狼》，那乙羽信子真豁得出去，贱！演一个穷疯了参与抢劫邮车的女盗贼，被警察铐上手铐拖起走……听说她本是"肉弹"明星，卖色相的，怎么愿意接受共产党导演今井正的邀请演这种左翼电影？……摆到兴浓处，你便忍不住声音高扬，又呵呵地笑，二哥便给你使眼色，你便吐舌头——摆这些个"修正主义"电影在当时也是一种罪行……

……那回你找到二哥，跟他一同下楼时，在一楼楼梯口正遇上一个被罚打扫楼道卫生的"牛鬼蛇神"，那是一个头发蓬乱、胡子拉碴、面色灰暗、肌肉皮肤松弛打皱的老头。他看到你们的脚便马上让开，顺下眼呆立着，待你们离开后才继续他的清扫工作……你却一眼看出他是父亲的老朋友崔伯伯，他原是二哥他们那个单位的副院长、总工程师，是一大技术权威。自从"文革"初期被揪出来，一直被关在地下室，头两年是每天无数次被提出来示众批斗和游斗，后来便每天派罚他白天出来清扫厕所和楼道……

你默默地同二哥走出他们那个单位的大门。你们都没说话。

本来就有"死不改悔的走资派"和"反动学术权威"的双重帽子，在"清理阶级队伍"过程中又增添了另外两顶："大叛徒"和"反动资本家"，所以属于要斗倒斗臭、"打翻在地，再踏上一万只脚"的"不齿于人类的狗屎堆"。

也不稀奇。到处都有这种勉强苟活着的"狗屎堆"。

但心里还是冒出几多的惊诧，几多的感慨。

毕竟那是曾唤做崔伯伯的人。

……崔伯伯曾经仪态万方。他常到你家做客。自己来，不带他那个二太太。他总是短打扮，上身一件真牛皮的黑夹克，下面西服裤，高档皮鞋。你总觉得他像个外国人。他并无外国血统，只是早年在德国留学，啃了很多年洋面包，在那里攻下了博士学位而已。他身躯伟岸，面庞阔亮，眼窝有点内陷，嘴很大，牙齿很白很齐，头发经常理成年轻人一般的平头，笑起来声音浑厚响亮。在爸爸的朋友里他身份最高，他是全国人民代表大会代表。据说是上面一位地位很高的领导人提名给他这个荣衔的，他们当年在德国相处得很好。爸爸总揶揄地说，他来做客倒主要不是为了同男主人聊天，或与另外的客人比如说又高又瘦的莫伯伯一起与男主人打戳牌（一种叶子牌），而是为了享用女主人也就是你妈妈烹制铺排出的一桌地道的川菜……那固然是因为你妈妈手艺的确不同凡响，但更重要的原因是除了出席宴会，日常崔伯伯都难得吃上可口的饭菜——他的二太太把钱管得很紧，安排家中的伙食相当节俭，加以毫无烹调技术可言，即使偶尔买来一次猪肘子大鲤鱼打牙祭，也烧制得淡而无味……你妈妈的烹调技术虽高，但制作过程非常之迟缓，这样就总要让客人饿得有点承受不住了，才能开席，因为大家是至好，相熟多年。崔伯伯有时在等待中就不免哇哇大叫起来："蒋嫂哟，我肚皮都快瘪透啦！"你爸爸便一旁抿着嘴笑："早哩！那珍珠丸子，她每一个还都要用藕丝儿镶出图案来……西谚说，最好的厨师是饥饿，信然也！"

……崔伯伯那二太太，大约比他要小20岁，跟你二哥年龄差不多，那是个"羊脂球"型的美人儿，虽说她不能给崔伯伯带来餐桌上的快乐，但那卧室中的补偿一定非常之充分。你和二哥去崔伯伯家做客时，崔伯伯坐在沙发上同你们交谈，有时那崔伯母便坦然地坐到沙发扶手上，身子依偎着崔伯伯。一条丰满红润的胳膊便挽到崔伯伯肩膀上，或竟用肥胖白嫩的手指头去梳理崔伯伯头上的短发……

……要是没有"文化大革命"，那崔伯伯的生存状态可算是知识分子当中最佳的一等，他不仅政治上给地位，技术上也确实由他说了算，还几次被派到亚非的友好国家去主持援建项目的技术设计。你在他家看见过他在缅甸拍的照片，站在一个大卧佛面前，身旁是缅方的官员和翻译，你还亲耳听见他大声地议论过："我最好的设计没落在中国，我们在那边盖的工厂无论是厂房还是里头的设备，都比我们自己这边的一流！……"

"文革"风暴刚起，崔伯伯就被打倒了。他挂名副院长，自然是"走资派"，他是有职有权的总工程师，当然是"反动学术权威"。可他怎么还是"大叛徒"和"反动资本家"呢？

二哥便告诉你，"清理阶级队伍"当中又发现，他当年在四川为资本家的企业当总工程师时，资本家为了笼络他不让他跳槽，就赠了他若干股份，他既是股东，当然也就算资本家了。对此他自己供认不讳。"大叛徒"一事则复杂多了。是"造反派"翻20年代初期的旧报纸查出来的。当年有那么一天北京城里各大报纸的头版都登出了一条显要的消息，报道警方逮捕了北京大学的几名赤色分子，列在标题中的三个名字里第二位便是崔伯伯。有两份报纸还言之凿凿地说崔某人系共产党要员。隔了若干天报纸上又有崔某人被家人付重金保释出狱的消息，并说崔某人表示从今以后拟安心读书、不涉政治云云。那消息不再登在头版而只出现在次要版面的角落里。"造反派"和"清查组"当然据此提审了崔伯伯，在这个问题上据说崔伯伯就表现得极不老实，极为狡猾，并且气焰极为嚣张，言论十分反动，他因此不得不承受"造反派的脾气"而被武斗。据说因抗拒武斗他掉落了两颗牙齿，那当然是罪有应得。

二哥将大字报上所公布的崔伯伯的新的反动言论扼要地复述给你，你从那些信息中洞察到，崔伯伯的彻底沦落概缘于他的"意识原罪"。

是的，崔伯伯在被审问时说的那些话，是一种"原罪"，一种无法从他意识结构中剥离开的"原罪"……

他说，那时候北京大学自愿组成的政治团体或准政治团体很多，陈独秀、李大钊组织的共产主义小组只不过是其中很普通的一个，他的参加只不过是凭借着一种热情和兴趣，那时他还不到20岁，非常幼稚，他有时去聚聚有时又并不去，他没履行过什么手续，所以自己觉得并非正式成员，因而后来的不再参加也无所谓退出，当然也就无所谓叛变……那时候人们也都并不以他的进退为怪，他被保释后依然经常见到李大钊，见面时依然言谈极欢，那时候社会上不存在一种要求每个社会成员明确表态归属的政治前提，你可以搞政治甚至自制炸弹去炸政敌，也可以完全不问政治地读书、教书、写书或者卖大饼和拉黄包车……

他说，他那时候当然见着过毛泽东，因为他经常去图书馆借书。有一次毛泽东跟他打听周作人先生的住处，他当然告诉了他……"造反派"便喝断他的"交代"，说他胡说，伟大领袖毛主席一定打听的是周树人即鲁迅的住处而不是汉奸周作人的住处。他便说那其实是同一个地方，当时周氏兄弟住在一个院子里，但他记得很清楚毛主席打听的是周作人，周作人那时候还不是汉奸，而且当时在周氏三兄弟中名气最大……他说毛主席那时候是一个很平常的人，一个图书馆的小职员是不引人注目的，因而他实在提供不出"造反派"们所希求的足证其伟大的事例，他总不能伪造历史……

这便是他的"原罪"，即使不是与生俱来的，也是自识字以始的，谁一定要他伪造历史？但他应当进入到一个社会阶段所设定的"历史前提"之中，他灵魂中总梗着"那时候是一个很平常的人，一个图书馆的小职员是不引人注目的"一类"事实"，他怎能不被打倒，不成为"不齿于人类的狗屎堆"？

据说那一轮审问之后，崔伯伯因为抗拒而掉落了两颗牙齿，他就变得稍微聪明了一点。当然只是"稍微"了"一点"而已——他不再回答任何讯问，面对着"造反派"的连珠炮般逼问或拍桌怒喝，他只是低头沉默。

他晚上被关进地下室，白天被放出来清扫厕所和楼道。

他的原配还在上海，还活着吗？

他并没同那原配离婚。以往每月他把三分之一工资给她寄去作生活费，现在他没有了一分钱工资只有一天三顿窝头菜汤，那大太太谁供养？

他的二太太呢？据说连同他那几个跟二太太生的子女都被轰到了一处小平房中，总不至于死掉吧，但他们又是怎么个存活状态呢？二哥和你敢去看望吗？倘若去了，她还会用拳头捶到二哥脊背上，笑着说："好一个盈工，吃得嘎胖！"还会一脸的红晕么？

……后来有一回你去找二哥，二哥告诉你崔伯伯死了，不是自杀，是突然发病，昏迷，不得不送到医院，医院说是癌症晚期，也没怎么给治，没多久就死了。

崔伯伯死到临头，终于认识到当他十八九岁的时候，他常去借书的那个地方，分明照耀着一颗最红最红的红太阳么？他的意识深处，还坚持那个有罪的记忆，便是那个高个子湖南人跟他打听的，是周作人教授的住址么？

想起来，有一种恐怖感。

8

大哥跪在地上，给爸爸洗脚。

爸爸被强行复员到了原籍。大哥也被强行遣送到了原籍。

大哥在"文革"初期被派到一个县里"支左"，结果他公开支持了一个后来被指斥为"专搞打、砸、抢、抄、抓"的"极'左'组织"，因而被部队调回隔离审查，后来被定性为"混进部队的社会渣滓"，开除军籍，强行遣送回原籍，在生产队当农民。大嫂跟他"有祸同当"，到镇上卫生院当护士。

同在难中，本是至亲骨肉，既然相聚在原籍，自然容易尽弃前嫌，且相濡以沫，共挨时日。

大哥突然迸发出强烈得有些吓人的孝心，尤其是对爸爸。

爸爸犯了脚气，大哥就不仅去找偏方，不仅亲自用热水泡制那据说有特殊疗效的洗脚水，不仅一再把手伸进水盆里试水温，不仅亲自将那疗效洗脚水端放在爸爸身前，不仅跪到洗脚盆边帮爸爸将双脚泡进那热水中，不仅用自己双手轻轻地、细细地为爸爸洗脚底脚背脚踝脚趾，还一个个脚趾缝都搓揉过去，末了还用脚布认认真真地为爸爸将洗泡过的双脚揩干。

那时候大哥已经快50岁，因为遭受打击，显得十分苍老，头发不仅花白而且稀疏，又嗜烟如命，吸得嘴唇乌黑，浑身烟气沐后不退，然而他孝顺起老子来，却如此这般地夸张。

大哥一生说话做事夸张，富于戏剧性。他是个永远不甘寂寞的角色。

据说那一时期爸爸对大哥相当地慈蔼。妈妈因此很高兴。她说乡居生活虽说苦一点，但骨肉相亲的快乐却实在难得。

然而那一时期却相当地短促。

有天大哥又端着配置好的疗效洗脚水走到爸爸面前，刚把那洗脚盆搁下，爸爸就一脚将水盆踢翻，并且大喝一声："滚！"伸直胳膊颤颤巍巍指向门外。

正在灶房剥蚕豆肉的妈妈和大嫂忙跑过去………

怎么劝也没有用。大哥要解释，爸爸不要听。

爸爸再不可能原谅大哥。铸成永恒的仇子情结。

原来，那天大哥大嫂来看望爸爸妈妈之前，从北京来了两个搞外调的人，那两个外调者是为爸爸在重庆海关的老同事方伯伯一案而来。方伯伯方伯母都是打入国民党海关的中共地下党员，解放后不仅调京担任要职而且正是由他们的推荐，指出爸爸思想倾向进步，为人正直，海关业务熟稔，更有许多暗中帮助地下党特别是掩护地下党员的善迹，所以后来才得以也调入北京，委以相当的重任……"文化大革命"当中，方伯伯方伯母因党内斗争受到牵连，都打成"走资派"，方伯伯更被指认为"黑帮分子"，这倒都不足以为奇。问题是，现在到了"运动后期"，方伯伯的问题已大体查清，虽有"走资"问题，但不属"顽固"，"黑帮"够不上只算是"执行过黑线"，基本上可以考虑予以"解放"，降职使用。但从部队转来的一份揭发材料里，却还有一个很大的疑点，就是在1948年左右，方伯伯曾托揭发人到香港做过一次款额不菲的投机买卖，这是怎么一回事？他是否至少有敌特的嫌疑？因为当时的地下党，并没有让他做过这么一回事，据他自己解释，那是纯粹的一种个人经济投机行为，当时国民党海关的高级职员，做那类的事形同家常便饭，但"专案组"的人特别是年轻的"造反派"怎么也不相信，因而派人外调，为什么要查到爸爸这里？因为那份揭发材料的作者，便是大哥，大哥在材料里首先提到了爸爸，由爸爸才提及方伯伯……

外调的人走了以后爸爸七窍生烟，但他毕竟已然年迈，只瘫坐在藤椅上任那烟焰往心里冒而无从向外蹿……那两位外调者打算第二天再到镇子上找大哥，所以大哥愦愦然，还端着洗脚水去孝顺爸爸，活该他被当场喝骂……

你不想把方伯伯的那段历史那个行为搞清楚，你估计大哥的揭发并非造谣而基本上全是事实——当年他同爸爸吵翻离家出走，方伯伯不仅周济了他而且也确曾托他搞过那样一次投机买卖；但你一直在苦苦探索大哥写出那样的揭发材料的原始动机，他究竟图的什么？！

爸爸恨大哥，但爸爸至死不清楚大哥为什么总做这一类的事。

你却终于憬悟。你想起曾听大哥说起过，他很羡慕当年一个叫邹志彪的一起参加中国人民解放军的人，那人在部队路过自己家乡的时候，亲自冲到自己家里把自己的地主父亲捆绑起来并且拖着他一直拖到人群面前，当着众人把那下体已经拖烂的父亲枪毙掉了。

大哥就总想显示那样的功勋。

同他忽然想显示出他比我们任何一个子女都更孝顺爸爸一样。他年近半百了还跪在爸爸面前为爸爸洗脚。

那是一种总渴望在极端性行为中得到价值确定的快感的天性。

……"文化大革命"都接近尾声了，忽然有一天你任教的那所中学的同事对刚从教室里走出来的你说："蒋老师，有个乡下人找你，在教研室坐着哩。"

你急忙走往教研室。你那个办公桌前的椅子上坐着个满脸烟气鱼尾细碎嘴唇乌黑衣衫破敝的瘦子，脚底下撂着个用粗针脚缝补过的脏兮兮的旅行包，你一进去他便转过身子，用一双细长的眼睛斜睨着你，脸上现出一个"怎么着，弟娃，你能不帮我吗"的夸张表情。

那是千里迢迢"盲流"入京的大哥。你忙把他带往校外家中，给他找东西吃。

他是有为而来的。

他要去找《红旗》杂志社。他说他一个月以前寄了一篇文章给《红旗》，他自认有相当的"爆炸性"，搞好了将犹如"第一张马克思主义大字报"，或至少犹如当时不断爆出来的那些个"新生事物"，比如敢交白卷的英雄呀，"一个小学生的日记"呀，"小靳庄批林批孔批现代大儒的民歌"呀，等等。同时，他又带来了更多的文稿，都在那个旅行包里，他几乎什么别的东西都没带，一路上充满自信和希望地提着他那些在乡村昏暗的灯光下写成的文稿。

你听着，不想讨论，不想劝阻，甚至宁愿他能成功——但你深知那几率在他而言几等于零。

后来大哥去了《红旗》杂志社，一个编辑到传达室接见了他，说了些鼓励的话，稿子嘛原有的和带去的编辑部都留作参考。

……你把大哥送上回程的火车。他在车窗里充满憧憬地对你说:"就算这回的这些都不行,下一回我写好点他们肯定采用,你等着瞧吧!"

后来"四人帮"垮台,《红旗》彻底改组了。大哥那堆"留作参考"的文章下落如何呢?

大哥跑回广州活动。一批人同时活动。都得到平反改正,大哥亦然。当然也不能再回部队,改为在广州转业。刚时来运转大哥就爆发了肺癌。他经历了一个疼得钻心入髓的时期。但大哥是条硬汉,他强忍着巨疼拒不呻吟。

他渴望着在这个世界上创立奇勋。他没有成功。

9

大哥跑回广州要求平反改正的时候,你们底下几个子女都动员爸爸给原单位写信,要求落实政策。那时候你、阿姐和大哥都鞭长莫及,只有二哥可以从成都赶到县里同爸爸面谈。

据说爸爸一听二哥开口说应要求落实政策就光火了。

爸爸说大哥跑回广州活动是"胡闹",说他就该被遣送原籍,部队当时那样做"一点也没有错",又拍着桌子说:"莫把我和那个坏东西混为一谈!我是革命干部光荣退休,他是犯错误下来改造!"还说,"在这里跟贫下中农在一起有什么不好?我才不要你们照顾!我讨厌城市!我喜欢农村!"

但据妈妈私下里跟二哥说,爸爸心里头其实十分的矛盾,听到越来越多以往被错打错划和粗暴处置的干部被平反改正和安排回城的消息,他当然也感到自己这些年来被如此对待十分地委屈和难耐,但他的自尊心不容他嘴软更不容他采取任何主动,他就总是跟妈妈唠叨,什么这个人历史上真有严重问题,怎么可能重返单位工作?那个人确有"恶攻"言行所以罪该下放又怎么可以请回城里教书?他不能怀疑那些消息的真确,便断定"这都是一时的翻案之风,早晚会遭到反击",声称,"我是一心一意要照毛主席的指示,在这里思想改造到底的"……但他却又多次对妈妈流露:"到底年纪大了,这个地方的茅厕上起来实在恼火啊,要是还有单元房住有个抽水马桶就好了 ……""我的英文有几十年的家底儿,教起学生来总比那些个新手省力啊 ……"

被爸爸视为十恶不赦的大哥竟被共产党大赦善待了。消息传来,爸爸不是高兴而是气恼,妈妈把大哥的来信递给他,他一把扔到地上,总算没有扯碎,大哥给爸爸妈妈寄去的花旗人参茶(是用补发的工资倒换成一部分外币兑换券,在广州友谊商店买的,弥足珍贵),妈妈取出来以后便不敢向爸爸显示,也不敢贸然冲出来给爸爸喝。

大哥的死讯传来,妈妈想来想去还是要告诉爸爸,爸爸听了竟说:"死了好,这就清净了。你要哭另外找个地方哭,我不要听!"

但那以后没几个月,爸爸突发脑溢血,也去世了。

在那另外一个我们生人难以捉摸的世界里,爸爸和大哥还是互不相容吗?

永远结算不清的父子之仇!

10

二表姐田月明突然出现。

多年不见。尽管她和西人定居天津,离北京很近,但同你很少联系。各人有各人的生活。谁都怕别人突然跑来打扰。谁也都没有无端跑去叙旧的闲情雅致。

二表姐刚随一个天津的考察团访美归来。她因为英语口语极为流利,且是一口美音,本身又是工程师,有专业知识,说起行业英语也得心应手,所以不仅她所在的设计院组团出国总少不了让她当秘书长兼口译,许多外单位还经常来借用她。开头她颇得意,后来便有厌倦之感。

这一回因为出访团从团长副团长起不知怎么的都打算在北京的"出国人员服务部"用外汇指标购买洋货,买妥直接从北京运回家中,而不愿回到天津再买,二表姐却无购货兴趣,所以就与他们"脱钩",抽空跑到你处聚聚,当晚再与他们会合,乘面包车回津。

你同二表姐坐在长餐桌两边娓娓谈心。

月明表姐不再是一轮满月，当年的丰腴和鲜美都几无痕迹，下颏变尖了，眼角的鱼尾虽经化妆掩饰，到底仍难藏匿，但一笑一颦之间，却依旧风度不凡，加以穿着洋而雅，简而精，对面望去，倒颇有薄云掩弦月之感。

东一句西一句。啜饮着信阳毛尖泡制的冰茶。

……在华盛顿，去寻找了那当年随父母住过的小楼，当年那是中国的武官宅邸，如今早成了房产不知属于何人的民居，冒昧地去按响了门铃。门缝里一张西洋老太婆的脸，满布疑惑，双眼更流露出对黄种人的不信任，但月明表姐一开口英语那么地道，且扼要地说明了原委，伊便允许她进入了……大客厅，小客厅，回旋楼梯，阳台，阁楼……少女期的往事，一一袭上心头。当走进那间当年她同姐姐霞明合住的房间时，忍不住流下了两行眼泪，陪她走来走去的西洋老太婆理解了她，将她揽到怀中，拍着她脊背说："哦，亲爱的，我们都有丢失的岁月，都有……"

……记得那时官邸中雇得有保姆、男仆、厨师多人，都是白种人，你姑妈曾很得意地对晚辈们说过："那时候我跟你姑爹偏不雇亚洲人，也不雇黑人，偏雇白人，我们就是要白种人伺候我们！"但共产党并不细究你姑爹姑妈那时候雇的是什么人种怀着怎样的足堪肯定的民族情绪，即使后来姑爹起了义，也认定那是一段反动历史……

……在波士顿附近的小镇上遇见了香姑姑，准确地说是香姑姑自己打电话来找到她的，香姑姑就还有那么大的本事，只根据一个她到了美国的模糊消息，便能查明她的行踪，并将电话打到她只住一夜的旅馆房间……香姑姑让女婿开车来接她，去见面——又并非到女婿家，而是到另外一个老朋友家……去了月明表姐就发现那香姑姑所说的老朋友其实是当年重庆自己家中的常客，准确地说那并非香姑姑的什么老朋友而是姑妈的老朋友，但香姑姑就有那么大的吸引力或者说吸附力，让人家把她当成了最好的朋友予以接待……香姑姑俨然一副侨寓美国多年的派头，不知底里的人谁能想象到她一度在青海大柴旦的土坯房里生活过8年，并且那时有个口头禅是："这个思想改造可是顶顶要紧的啊！"

……都一迭声地问姑妈的近况，月明表姐自然说好，问为什么不到美国来玩玩。月明表姐心中暗笑，因为你们光是空口问，谁发邀请？谁作经济担保？机票款谁付？……便只说总的状况很好，只是最近身体有点小恙恐怕一时难以远行……

香姑姑与其说是为了与月明表姐欢聚为了问候姑妈，不如说是为了向月明表姐并透过月明表姐向姑妈展示她那老来俏的新生活……

……姑妈生活得怎样？很难说不好，但实在是颇为怪异。"文革"初期姑爹肝癌去世后，就让姑妈迁到了一处平房中，那平房质量不错，除厨房外有两大间她一个人住也还过得去，请个保姆白天来照顾她的生活倒也不劳她自己做饭洗衣，但却没有了自己独用的厕所，必得到院里公用厕所去方便，那公厕不仅简陋，且使用者不讲公德因而总是肮脏不堪……儿女们去看望她时总劝她向有关部门反映一下。因为年纪一天天往上升，夏雨冬雪中上厕所一不小心滑倒晕厥那后果不堪设想，应请求给换一处有卫生间的住宅居住，她便厉声驳斥："我蒋一溪一生革命，从来没向组织上伸过手！"可怎么跟她对话呢？她总觉得1925年随爷爷跑到广州加入何香凝主持的妇女运动讲习所是革命；1928年到天津参加市党部的妇女部工作是革命，因该国民党市党部不服从南京国民党中央的指示后被解散改组，她参加了抗议活动，自然更是革命；再后来她被国民党以公费派往法国留学，学幼儿教育，因担保人是何香凝，因而亦属革命；再后来她嫁了姑爹，因姑爹在国民党军队中非蒋介石嫡系，据说在她支持下又抵制过派往"剿共"前线的命令，因而还是革命；后来抗日战争期间姑爹没带兵去跟共产党搞摩擦而是参与了开往缅甸的远征军，从而是继续革命；抗日战争胜利后姑爹赴加拿大、美国担任大使馆武官，参与了许多战后清算德意日法西斯的外交活动，她作为武官夫人也频频出场，焉能说不是革命；而在中国人民解放军开赴大西南时，明明姑爹和她可以带领一家子随蒋介石飞往台湾，却毅然地宣布了起义，封存了物资，维持了市面秩序，使解放军得以和平进入，当然是最充分最彻底的革命……确实，在这一环又一环的革命进程中，她也曾住过豪华宅邸，享受过超常待遇，但那都是"组织上"安排的、给予的，"我什么时候伸过手？！"

……你和月明表姐坐在餐桌两边，品着茗探索姑妈这种心理逻辑和精神状态的深处隐秘，姑妈真的相信自己具有无可挑剔的革命生涯和无可争辩的革命者身份么？在她那些语言符码背后，是不是有着某种难以言传的惶恐和畏惧？……

……后来何香凝病逝，廖承志将何先生当年的几个女弟子请到北京，给她们提供良好的条件，以撰写关于何先生的回忆文字，你去姑妈她们下榻的招待所看望姑妈，并帮助姑妈整理写出的文稿，结果你发现姑妈和那几位同辈老太太有些行为真是滑稽透顶……

……廖承志专门派了一辆小轿车，供她们必要时使用，但在食堂同桌进餐时，你便也许会听到她们一个在说："我今天坐公共汽车去看了侄女儿，我可不要特殊化！"另一个则说："让晚辈到这里来看我吧，我要抓紧回忆录的写作，我可没有往外跑的时间！"而再一位，比如说姑妈，便会冷笑着以"后来居上"的口气说："看来看去有什么意思？新社会讲究什么虚礼！我侄儿来这里不是为了看我跟我扯什么闲篇，他是作家，来是为了帮我给文章润色！"……她们拒不用那车，令年轻的司机大惑不解，而她们又争先恐后地给那司机送礼品，一位送了一条香烟，另一位就送了一包糖果，还在餐桌上顺便大讲吸烟有害的道理，而第三位，又恰恰是姑妈，她送给司机的是一本新版的埃德加·斯诺的《西行漫记》，还用说什么呢？她微笑着，面有荣获冠军之色。

……那也许是几个蛰居多年的老太婆的最后一轮革命竞赛，回忆录稿子终于都弄完编妥，廖承志请她们共进晚餐，席间廖承志说："各位在当地生活上有什么困难，可写份材料给我，我想当地有关部门都会重视，都可妥善解决……"

其中一位其实已经递了一份材料给他的秘书，提出来希望调一个外地的儿子到身边来，听见这话却赶忙说："其实各级组织对我们都关怀得无微不至的，真不好再给添什么麻烦……"

另一位心里想写还没有写，她是想解决一个地点问题，把她从现在的偏僻处调到一个购买生活日用品更方便的地方，但一听这话反而扬声说："没困难没困难，就是有小小的困难，我们直接跟当地的同志说说就行了……"

姑妈则挺直腰板，微笑着，近乎高傲地宣布："我一切都好，没有任何困难！"

姑妈就确实没给秘书留下任何材料，回南京去了，依然住她那没有厕所的平房，依然去那简陋肮脏的公厕大小便。

月明表姐她们一群子女知道后都生姑妈的气。最小的表妹"文革"插队期间到县里一家工厂当了会计，始终调不回南京，月明表姐就出头对姑妈说："您自己不想解决住房问题倒也罢了，您怎么就不替毛妹着想呢？您写个材料请廖公批一下，她不就回南京了吗？"姑妈却吼了起来："你们不要坏我名节！"

可姑妈的名节又究竟何在呢？她当年不是国民党军官阔太太吗？…… 月明表姐就私下里以姑妈的名义给有关部门写了材料，要求调小表妹回南京照顾老人，要求换一处可保上厕所不出危险的住房。有关部门接到材料后极为重视，并没有廖公的批示，他们也立即派人来找姑妈调查，亏得那天月明表姐恰好出差南京暂住姑妈那里，而姑妈下楼散步买菜去了，月明表姐便带着来人去看那公共厕所，又详细介绍小表妹的情况 …… 姑妈回家以后，月明便将好消息告诉了姑妈，她本以为姑妈会感到欣慰，谁知姑妈将手中菜篮一摔，指着月明表姐鼻子说："好呀！你干的好事！你是一只黑手！我不认你了！你给我走！……"

…… 你和月明表姐对面而坐，皱眉探讨：姑妈这是一种什么心理机制？…… 这与你爸爸当年拒绝请求平反改正落实政策一样，他们都想扮演社会并未派定他们而且扮演了也不予承认的角色 ……

但小表妹还是调回了南京，姑妈终于也搬进了有卫生间的单元房 …… 那时候香姑姑已经去了美国，月明表姐去看姑妈的时候提到香姑姑，告诉姑妈人家一家子全去美国过快活的日子了，姑妈便板起脸说："她是什么东西？！你以后少跟我提起她！"又说，"中国人就该在中国过，为什么要往外国跑？！"总算没有再骂月明表姐是"黑手"，但"黑手"的外号，已在兄弟姐妹间叫开，你后来也是一见二表姐田月明便忍俊不禁："好呀，黑手来了！"

…… 后来廖承志去世了。再后来姑妈也去世了。革命的史书上当然要留下廖承志的名字，却绝不会出现姑妈。

姑妈的在天之灵，会具有怎样的一种自我感觉呢？

11

"怄死人了！"

小哥又在抱怨。是一种甜蜜的抱怨。在亲朋面前他动不动就要这样抱怨："怄人哟！真正怄死人也！"

为你写了那么多小说而其中却始终没有他的影子而怄，为二表妹田月明没给他写去的长信回复一个字而怄，为大哥的遗孤你们的亲侄子吼吼到成都跑生意却没有去看望他而怄，为当年的老同学、戏友，当今文坛走红的评论家何康新出了一本《正本文谈》而没有寄赠他而怄，甚至为他提前一个半月就给美国的香姑姑寄去了圣诞卡而对方直到中国这边的春节过完仍毫无回应而怄……总之，至少每个星期小哥总会遇上一两件怄人的事。于是他便写信给未必是那直接怄了他的人倾诉情怀："你看怄人不怄人？真正怄死人也！"

你曾经心下暗想，小哥这种心态也许在成家立业以后便可消失，那时候他就该铭心刻骨地认识到，各门各户是各门各户，各人是各人，人走茶凉是人间常态，见面热络便足慰平生，何必无端地那样怄来怄去？

但小哥却年届花甲，依旧童稚做派，令人哭笑不得。

小哥成家虽经历了坎坷，最后倒也功德圆满。

那是在"文革"后期，小哥已然40出头，却仍单身。北京的老同学、戏友、外号"袖珍美男子"的鲁羽，便给他介绍了一个对象，鲁羽当时在一个化工厂，那女子是化验室的化验员，她的丈夫因工厂中的恶性事故不幸身亡，守寡已两年有余；那女子虽有一儿一女，负担颇重，但好在娘家母亲还在。原来婆家的公婆也尚康健，都能照应那两个后代，因而处境还不是十分狼狈。鲁羽将小哥引去同那女子相见后，双方的印象居然都很好，一个暑假过去，双方便拍板订婚，不仅那女子和她母亲认可了小哥，带到原来的公婆家去，那一对老人居然也欣然接纳，小哥便也父母相称，且对那小儿小女，甚是爱怜。一双小儿女，对小哥也居然依偎嬉戏如父，小哥暂回湖南时，你去车站送行，惊讶地发现月台上早有老少三辈数口人在那里依依惜别。你冷眼旁观那位小嫂，虽说身高似乎有点超常，骨架也比一般女性为大，且眉粗发茂，面赤唇肥，略输妩媚，稍逊风骚，但伊并不在乎小哥在外省工作且调京不易，也就难能可贵；你又知道伊要坚持过了年寒假小哥再来时，方双双去登记结婚并同偕连理，是她不忍在亡夫惨死三周年忌日前独享新欢，这说明伊是个情义兼顾的巾帼豪杰，更令人无比钦佩！小哥戏台上唱了那么多回花轿洞房的曲文，这下总算好戏成真……

过了年，放了寒假，小哥满面春风地进了京；新娘子有现成的住房，大家帮助使之焕然一新，欢声笑语中将他们送入了洞房，这时你不由得想起小哥在戏台上唱过的《春闺梦》中的几句"南梆子"：

> 被纠缠陡想起婚时情景，
>
> 算当初曾经得几晌温存；
>
> 我不免去安排罗衾绣枕，
>
> ——莫辜负好春宵一刻千金……

…… 谁曾想刚过元宵节，小哥忽然灰头土脸地出现在你那小小的住房中，当时妻恰好带着儿子回娘家了，二哥恰好出差在北京住在你处，你们见小哥那个模样大大地吃了一惊。

"怎么啦？蜜月里就兴吵架呀？"二哥不由得问。

"是她生病啦？要不是孩子病啦？"你便猜度。

小哥只是坐在那里皱眉摇头。

"你不要结了婚还总是往戏友那里跑，更不要把你那些个戏友什么詹德娟呀范玉娥呀招到你们那去聚会，又拉又唱的，还净是些风月戏文 ……"二哥教训起小哥来。

"你别胡批乱评，"你对二哥说，"现在哪来的风月戏文？现在要唱只能唱'样板戏'，'样板戏'里夫妻都不能同时出台，吴清华和洪常青也都不带讲恋爱的；旧戏谁敢亮开喉咙唱？ …… 依我想，一定是小哥惹小嫂生了大气 ……"

"为什么呀？"二哥便追问，"你怎么就赌气跑出来了呢？夫妻吵架最忌讳跺脚摔门一跑，要吵就不如吵个透彻，吵够了，累了，最后两个人一起做饭、洗衣服，气自然慢慢就消了 …… 我们都有这个经验！"

你便搭腔："对对对 …… 吵就吵嘛，你跑什么呢？再说我看小嫂脾气很好，你干吗跟她吵呢？"

小哥总不说话坐在那里死眉瞪眼的。他很少如此，以往他遇上不顺心的事总一摆手说："怄人哟！你们说怄人不怄人呢？真正怄死人也！"接着他便会把那怄人的事讲出来。可这回 ……

"到底是怎么一回事嘛？"二哥和你跟他嚷了起来。

他才嗫嚅地说："她……她要跟我离婚！"

你吃了一惊："怎么会？你们蜜月都没度完！"

二哥却哑然失笑："我当怎么回事，原来如此——哎呀，夫妻对吵，这种气话总是冲口而出的！那七舅舅和七舅母一年到头都是这样的话：'离婚！''好嘛，离就离！''走嘛！''走呀！'……几十年过去，他们离了个鬼！我跟锡梅还不是一样，吵起来她比我凶多了，还不是气极了什么伤感情的话都敢说，'我们离婚！这就离！马上离！'这类话都嚷出来过，其实家家门背后窗户里夫妻间都有过这种话，亏你还唱过戏，连这么个家常便饭都吞不下！我当什么了不起哩，嗤——嚷了句要离婚！……"

小哥却嘴角往下撇得好厉害，还抖动着，抬眼望一下你们，眼泡子里噙满泪水，他扬起声音申冤般地说："她真要跟我离婚！要跟我去街道办事处办理手续……她说她……"说到这句说不下去了，两行泪水挂了下来……

"这就怪了！"二哥瞪着他，愣了半晌，又和你对了个眼，方猜到点上，"你们——性生活失调？"

小哥的脸肿胀起来，如猪肝色，他用大巴掌把眼泪一抹，忽然脖子一梗，决斗似的说："我也要跟她离！她说她受不了，我、我也受不了！"

……原来那女子有着超常的性欲，小哥开初并非阳痿，却实在招架不住，头两晚败下阵来之后，从第三晚便再不能举，而那女子便急得又抓又挠又骂又啐……小哥便跟她讲可以养一养补一补练一练以待将来，她便说："我找你来图个什么？要是不图我一个人过得好好的干吗非把你找来？这样的毛病一下子哪儿好得了？说实话你就是好了，你头两天那个样儿我也不满意……"后来气平了一点，又说："你人是个好人可我不能这么窝窝囊囊地跟你过，得快刀斩乱麻，赶快离婚，离了你也好我也好，你再找不找是你的事，我不能再耽搁了，我得找个真顶用的……"

于是小哥没过完那蜜月就跟那女子离了。那也不能称之为蜜月，对于小哥来说那甚至是恐怖之月。

后来小哥从湖南县里的中学调到了成都的大学任教。那自然已是"四人帮"

垮台之后，又进入可以引吭高歌地唱《玉堂春》或《锁麟囊》的日子。再后来他评上了副教授。50 岁的时候小哥二度结婚，这回的小嫂是个售货员，48 岁的老闺女，介绍人安排他们两个头一回单独叙谈时，小哥就把自己的生理状况，向她和盘托出了，而对方也坦率地告诉他，从小就淡薄性欲，现在更简直毫无所求，只希望找个能相互照应体贴的伴侣安安静静地过一种居家生活。这样他们就果然建立起了一个温馨舒适的小家庭。小嫂在家里操持一切家务而乐在其中，小哥衣来伸手饭来张口而心安理得，小嫂工余饭后的乐趣，便是看哪怕是最枯燥最拙劣的电视节目，嗑着瓜子可以一直看到"明天再见"的字幕出现，而小哥课余饭后，则照例迷他的京剧程腔，并且常常离家外出去会他的戏友和串各门亲戚，两人在爱好上互不干涉和平共处，既无争吵亦无探讨，倒也构成一种独特的家庭景观。

在成都小哥常去的自然是二哥家。暑天大热，小哥去了见二哥赤膊自己也便赤膊，弄得二嫂在里间屋简直走不出来，二哥便只好穿上圆领衫，小哥还没弄明白那意思还赤膊，二哥便爽性跟他明说那样为什么不妥，小哥虽把短袖衬衫穿上了，却嘟起个嘴说："锡梅又不是外人，小时候我们不是都在一处耍的吗？"

后来小哥再去不再赤膊，却又往往他一进门便笑嘻嘻地宣布："莫忙，后头还有一位……"乃至跟在他身后走进的那人露面，二哥和二嫂又都并不认识，小哥便会眉飞色舞地介绍说："咦，你们怎么连他（或她）都认不出来？"二哥二嫂面面相觑，他这时便得意地宣布，或是："完了！你们从他眉眼上还看不出来吗？这是一湖姑妈的老二嘛，咱们的一个乖表弟啊！"又或是："我不是早跟你们说过的吗？这就是童二娘的三姑娘童凤英啊！……"

蒋一湖姑妈是父亲的从从堂姐妹，就是说她的父亲的父亲的父亲的父亲跟你们父亲的父亲的父亲的父亲是亲兄弟，而以往蒋一湖一家和你父母一家又并没有多深的来往，可是小哥在一个偶然的机会中遇见了蒋一湖的老二，论起来是血缘亲，便高兴得双脚蹦，不仅自己从此来往甚密，而且又领到二哥家来，觉得该"乖表弟"也理所当然应该从此成为二哥二嫂家的常客……

至于所谓童二娘的三姑娘童凤英，那就连血缘关系也无，只不过当年小哥流落湖南时童二娘一家给予过他一些温暖，他之不忘恩情与之保持联系自属必然，但他偏又要将这一层关系类推到二哥二嫂处……

他不但带些这样的三亲四友到二哥二嫂家，还动不动就坐下来让二哥二嫂开客饭，往往那被领来的人不好意思谢辞了要走，他便马上跳起来拉人家胳膊扳人家肩膀一迭声地说："哪个说不吃饭就走的哟！快坐下快坐下莫客气莫客气，这就是自己的家嘛！来来来，我们继续摆龙门阵……"

二嫂便不得不去厨房烧制客饭，菜不够，便唤女儿蒋红或儿子蒋凯下楼去买，蒋红便一定撅嘴蒋凯便一定顿脚，到头来往往是二哥御驾亲征，采买回来小哥也并不帮助洗拆烹制，只是坐在客厅里同那乖表弟或童凤英之类的摆谈，谈到兴浓处便咯咯咯地笑，拍巴掌，捶沙发……

后来二嫂便向二哥发了火，起誓再不招待这类莫名其妙的来客，二哥便不得不单独向小哥讲明，不但二嫂受不了他也觉得烦，二哥对他说："你的朋友你认得亲你自己跟他们玩去，最好在你家招待，我们主要是没那么多时间好浪费！"小哥听了好惊诧好伤心好委屈，他眨着一双大金鱼眼说："咦，怎么光是我的亲戚，大家都是亲呀！我不是住在郊区那么个 Ka Ka 里交通不方便吗，我还怕招待他们费钱吗？你弟妹又不是不会烧菜，只怕比锡梅烧得还好，那天锡梅蒸的那碗梅菜扣肉就咸得要命嘛！……"

后来小哥倒是不怎么往二哥二嫂家带人了，但他自己却丝毫不减与亲友们来往的热情，调回成都结婚后不到一年的时间，他就由甲及乙由乙牵丙由丙涉丁地挖掘出了一大堆伯伯叔叔舅舅姑妈娘娘堂姐堂弟表兄表妹和重庆蜀香中学同届不同班或北京大学同系不同届的老同学……一个休假日，他往往早上赶往一家中午赶往一家晚上又赶往一家，人家对他冷淡他浑然不觉，人家跟他敷衍他只当热情，人家对他有三分热情，他能感动得浑身发抖，他兴奋，他快乐，他心里觉得很充实，生活因而显得闪烁着七彩的光晕……

他常将他与众亲友的来往写信报告给你，详细地告诉你谁谁谁是妈妈家的比那八娘还要亲一层的娘娘，她的大女儿酷爱文学，听说你这小表哥是作家高兴疯了，他已将你地址告诉了那可爱的小表妹，她会马上给你寄去她写的三个短篇小说，"别人的小说你不指点不推荐我不管，小表妹的小说你要也不指点不推荐我就要骂你'真正薄幸'！"又或者听说你出了一本新书，便开出一列长长的名单，都是他的老同学老同事老邻居之类，要你给他们寄书，还在这样的话下面画上重重的圆圈："你一定要签上你的名盖上你的印尽早寄到！"倒仿佛你每本书一出，身边必然撂着几百本白来的书，而且邮局可以完全免费地为你服务似的……到头来你不得不写信给他告诉他请他不要把自己联络的亲友统统批发给你，因为你不需要，而且就是有那个联络之心也绝无那个联络之力……

他不能批发便改为零售，比如写一封长信说他的某个北大同窗现在是省里有名的电视剧编剧，这个人实在不俗，希望你一定一定（两个"一定"下都加双圈）把你新的小说集火速寄去，那人那天说他愿改编你的小说将之搬上荧屏，他已应允将你小说集送去供那人择其善者而改之云云，毕竟他是你小哥，你不好驳他的面子便将那签名本寄去了，寄去了你也就忘了，但他真当成一桩大事，就一连来好几封信，一封信说他连去了那人家里三次，三次都撞了锁。"真怄人！"另一封信说他终于把小说给了那人，一周后去问，人家说实在手头的事太多，所以还没看你的书，他劝你"莫怄"；再一封信说他又去了，那人还是忙还没看，但让他转告你有了时间一定看一定改，因此他开列出那人详细地址让你直接与那人通信，"进行愉快的合作"……

小哥啊小哥，他就怎么一点也参不透最最简单的人情世故呢？

小哥就那样生存着，从一个亲友家到另一个亲友家，从"怄死人了"到终于"不怄"又转而再"怄"……

他最近的一封信里讲到他的老同学老戏友现在"红得发紫"的"大评论家"何康到成都参加一个什么什么会，他跑去找了那何康，见面就"骂他薄幸！真正怄死人也！"因为他三年里写了十几封信去何康都不回，而且何康怎么不评论你的作品呢？那何康明明知道你是他的老弟，应该"不看僧面看佛面"嘛！他就拗着何康要何康答应写篇捧你那本新长篇的文章，并告诉你何康已点头应允……你读完那信只能摇头一笑。即便小哥不清楚那何康近几年来在文坛上文品人品都大跌，有"吹火筒棍子随风百变"的恶名，他也应该长个心眼儿先探探口气衡衡深浅再提及你和你的作品啊！眼看年届花甲了，还如此缺心眼儿，"怄人不怄人哟"，唉！

12

6年前头一回去香港，是先飞到广州，再从那里坐穗港直通车进入香港。在广州停留几天，除了与当地的文学界联络外，很重要的一个目的，是见见亡故的大哥留下的一女一子。大嫂已经改嫁，虽然见到也还亲热，你还叫她大嫂她还叫你小弟，但你内心里总觉得她毕竟是"抱琵琶另上了别船"，所以已无多少情感可言。侄女侄儿就不一样了，想起来他们都是蒋家的血脉，便有一种深重的骨肉之情。

侄女蒋唱已然结婚，在郊区的一所中学教数学。她同侄女婿抱着小侄孙先到东方宾馆来看你。你便招待他们吃西餐。唱唱说她在广州这么多年还从未吃过西餐。这话让你更生爱怜之情。唱唱越来越像奶奶，你望着唱唱便不由得想起妈妈，想起家藏的私人照相簿里的那些已经发黄的旧照片上的青年时代的妈妈，一层泪水便模糊了你的双眼……

吃西餐时唱唱说他们两口子一时都没找到弟弟吼吼。你本是按唱唱的地址跟她联系让她把吼吼叫上一块儿到东方宾馆来见面的。吼吼怎么会找不到？原来吼吼中学毕业后先考上了中国大酒店当保卫，中国大酒店就在东方宾馆隔壁，是一个最豪华的合资大饭店，穿上那保卫的制服就像外国的军官一样，神气非凡，吼吼一度也很高兴；但后来就发现无论是在大堂当侍应生或在客房当清洁工，也都比当保卫强——因为都有小费，一个月的小费合起来往往有工资的两倍多，当保卫却绝对拿不到小费——旅客见到保卫人员避之而不及呢，焉会反倒迎上去给小费？真有来给的你也不敢接，那人必是别有用心……总之吼吼干了一段就辞职了，辞职了又不愿回和后父同住，便在朋友家里借宿，这个朋友家里几天，那个朋友家里几天，又跟朋友合伙做生意，前些时是从天津那边弄来半车皮的雪梨，结果批不出去，只好自己摆摊零售，也卖不大动，边卖边烂，不断削价，最后血本无归……但吼吼又已经借钱承租了自由市场里的一个摊位，打算搞服装买卖，这几天想是跑货源去了，所以找不见他……你听了这些情况就更怜惜吼吼，没了父亲的孩子！难为你年纪轻轻的就跑到社会上混……

你同唱唱一家在东方宾馆那美丽的花园里照了许多像，然后送他们出去坐公共汽车，还没走出宾馆，却只见从那保龄球室中出来一簇说说笑笑的红男绿女，唱唱一眼认出便叫了起来："吼吼！你怎么在这儿？"

"姐！你们怎么今天来这里玩？"跑过来一个瘦长的青年，穿着最新潮的T恤衫和萝卜裤，你吃了一惊。

"吼吼！这是小叔！……我们到处找你找不见，你却在这儿！"

那青年便同你对望着。

"小叔！你来啦！"吼吼亲热地叫你。

你这才拉过他的手来，更仔细地端详他。不仅没有大哥的一点印记，也看不出大嫂的一点遗传。你没想到长大后的吼吼会是这么陌生的形象。

……你去香港前的几天里，吼吼便一直陪着你。当地一些文艺团体一些作家朋友请你吃饭，你便总带着吼吼一起出席，你便跟他们说你大哥已然故去大嫂又已改嫁，侄儿吼吼难得跟你一晤，他们没等你说完便一迭声地说欢迎一起快坐快坐……吃完几餐吼吼在陪你游览广州时便跟你评价上了，哪一餐算是高档哪一餐只算中档哪一餐花同样的钱不如到另外的地方去吃，又是哪一处的基围虾颜色不正哪一席的菊花蛇羹特别精彩……到后来作家朋友请你们吃零点的菜，服务小姐把印制精美的大菜谱递上来，主人便递给你你说不懂便递给吼吼，吼吼便坦然地接过去极为内行地点起菜来，他一连点了好几个最昂贵的菜，主人面有难色，你便用脚在台子下碰吼吼的脚，吼吼却浑然不觉，吼吼用广州话向服务小姐细致地提出要求，比如放牡蛎的冰盘一定要放足冰块，石斑鱼一定要一早到货的，铁板牛柳的原料一定要澳洲小牛的千万别拿国产的冒充……吃完你感到朋友是捏着鼻子在付账，但分手后吼吼随你坐进"的士"却还要说："今天的洗手茶臭烘烘的！人家到了这一档的餐馆，吃牡蛎基围虾的洗手茶里都放柠檬片的！"

……几个朋友送你上火车，吼吼自然也去送，在进入隔离区办理出境手续前，你和吼吼拥抱，吼吼像外国电影上的角色般同你脸挨脸地告别。你访港结束后将从启德机场直飞北京天竺机场回家，因此不知何时再能见到吼吼，你临别时一再嘱咐他要好好做生意，争取发财但不要赚亏心钱不要学坏……

吼吼一直没有发财但也一直能够生存。他干了几天服装生意又把摊位倒给了别人，同几个朋友合伙搞了一阵汽车配件又不知为什么破裂，他同一个倒卖小电器的女子同居而丝毫没有结婚成家之念，唱唱来信告诉你好几个月了他也没有去唱唱家也不知他都在干些什么，他腰上倒别着个 BB 机，但总 Call 不来他的回电，但唱唱似乎也并不怎么为他着急——因为在广州有很多年轻人过着同吼吼差不离的生活。

可是前几个月有一天你却忽然接到了吼吼的电话，亲热地唤你小叔，你便很高兴，以为他在广州难得地想起了你，你并且猜想一定是他读到了你在《花城》杂志上的作品所以良心发现，终于决定跟你联络一下，没想到他却告诉你他就在北京，而且"阿雪跟我在一起"，他说要来你家看望你，并且跟你"商量一点儿事"……

吼吼和那阿雪一起到你家来了。吼吼不见长得更大，还是 T 恤衫，还是水洗裤，还是板寸发型，见了你还是扑上来亲热地跟你挨脸，但那阿雪却使你吃了一惊——她年纪明显比吼吼大，已俨然一发育得烂熟的南国妇人，见了你也亲热地叫你小叔，叫你妻子小婶，她一身全麻质地的时装，领口开得很低，脖子上是亮闪闪的水波纹金项链，链上坠着个猫儿眼，想必价值不菲；她那连身衣的时装雪白的底子上有些不规则的大块桃红和大块翠绿，因为有些黑色的不规则线条压住，所以变俗为雅；她一头喷过发胶的钢丝发，耳垂上是一对与项链相呼应的金耳坠；但她长相其实乏善可陈，面颊上还有些化妆品掩饰不住的粟米状突起物。

你忙让他坐下。妻忙给他们倒茶并忙预备晚餐。

坐下一聊，原来他们并不是刚到北京而是已到了三天。原来他们根本不知道你在《花城》杂志上发了作品而且他们也从来不看那种刊物，原来他们来北京的事也并没告诉唱唱他们。原来吼吼也仅知道姐姐还在教书而姐夫已辞去教职到东莞一家合资企业挣上了 1500 元一月的薪水，最近的情况他亦不明，因为他已两三个月没工夫去郊区看望姐姐了……

原来他们来你处确是有事同你商量——他们进来时提了好大一个旅行袋，同你聊天时就搁放在沙发旁边，那旅行袋里并非行李也并非如你猜想的是带给你的礼物，而是他们这次来北京要推销的工艺首饰型手表——说时阿雪便将她腕上的一只和中指上的一只褪下递给你看，腕上的形同手镯倒不甚稀奇，那从中指上褪

下的戒指形电子表花样新颖做工细致而表盘清晰，确实招人喜爱，你还是头一回
见识；他们那一大旅行包都是这类的手表，因为到京后推销不畅，三天仍有一大
半未能出手，他们怕放在旅馆房间中被人顺手牵羊，又不愿求助于旅馆的贵重物
品暂存处，所以决定拿到你处存放……

妻铺排出一大桌菜留他们吃饭，妻往阿雪碗里挟蒜苗肉丝，阿雪握着饭碗躲
避竟至于"啊呀"叫出声来，你和妻以为那是客气，吼吼便告诉你们"阿雪绝对
不能吃有刺激性的菜肴"，令你们非常尴尬。吃饭时妻为帮他们推销想起了阿姐
的老同学鞠琴，还有鞠琴的三个女儿，建议他们无妨找鞠琴一家帮忙，因为鞠琴
姐"思路比阿姐活络多了"，那是事实，你深有体会，比如当十多年前杂志上刚
出现头一篇肯定婚外恋的小说时，阿姐和鞠琴都曾不仅不以为然还曾愤愤悻悻地
跟你唠叨过，她们认为写出那小说的女作家即便不是个"破鞋"也是个"怪物"，
但几年过去，阿姐观点如故，鞠琴姐却有一回笑嘻嘻地跟你说，她跟一个什么朋
友在一个什么场合见着那女作家了。她觉得那女作家"很有风度，很有思想"，
并且问你能不能借给她刊有那女作家的最新一篇力作——内容更加具有向世俗挑
战性质的某本杂志，最有趣的是当你提醒她一度是跟阿姐抨击过那位女作家时，
鞠琴姐却笑眯眯地说："是吗？你记得是那样的？呵呵呵……我都忘记了。"她
确实不是装傻，她真忘记了。她的天性中有一种遗忘的优势，因而生存力比阿姐
强……不去说鞠琴姐的这类往事，且说吼吼听小婶提起鞠琴，你刚想提醒他鞠
琴是他也该叫姑妈的并愿告诉他鞠琴以及鞠琴大女儿常嫦的地址，吼吼却说："鞠
琴姑妈那儿去过了，她跟她那个胖老头儿没一点门路；常嫦那儿也去了，她答应
到她弹琴的那几个大饭店的商品部帮我们联系，可我看她也不是赚钱的料！还在
常嫦那儿见着了飒飒，你别说，飒飒还真说不定能销出几盒去——我们答应给她
17%的提成……"你便不由得问："那盈波姑妈那儿去了吗？嘹嘹不是更能帮你
们推销吗？他恰好在旅游部门……"吼吼告诉你："姑妈那儿还没空去，嘹嘹他
呀……我们来以前就跟他联系过，他要23%的提成，少一点儿不干，那我们还
能有多少赚头！"

……吼吼和阿雪走后你不禁坐在书桌前发愣。你感到吼吼没有给你个透明
度：他们那些工艺首饰型电子表是打哪儿蔫来的？他们为什么跑到北京来卖？

他和阿雪仅止是同居关系那他们住旅馆时是合住还是分住？他们这种卖法有没有个偷税漏税的问题？……你多希望吼吼不是从功利出发仅仅为存放一批现货到你家来，多么希望他能静静地坐下来最好没有那阿雪在场你们叔侄好好地叙一叙骨肉之情，大哥遗物比如说他那些旧照片还在不在大嫂那里？大嫂对他关怀得够不够？他究竟打不打算同阿雪结婚？还是一旦结婚也加入时下那不要孩子的新潮家庭行列？……也很愿吼吼能全方位地向你报道一番广州改革开放的方方面面，按说他经商也好几年了，为什么总不能大发，腰上还没别着个"大哥大"？

　　……第二天上午吼吼和阿雪又来了，一进门匆匆地同你和妻打过招呼便钻进帆帆那间屋子去取他们的货——帆帆在大学住宿没在家，还不知道堂哥来了北京——吼吼和阿雪把一些表取出来，对照着一张自制表格点数装盒，又把一些已经取出来的又装回去，又用电子计算器计算着什么，妻走进去问他们喝什么，吼吼说喝可乐，妻说哎呀没准备可乐，吼吼便摆手说不喝了不喝了，阿雪说她只要滚水就行了，妻以为她是要热茶的客气话，便给她倒去一盅热茶，她一看便摇头但忙说谢谢，后来她把那一口没喝的热茶全倒入了厨房水池，自己从皮包里取出一个小瓶子倒出一些西洋参片用滚水冲了喝，后来吼吼替她解释说她不能喝茉莉花茶因为花茶太燥，她喝西洋参片是为了清内热……他们把取妥装妥计算妥的表都另装入了一只小手提包中，便要告辞，你便留他们吃午饭，说："都快十一点了，北京人过一会儿都奔食堂了，你们要去办事也找不着人了，干脆在这儿吃了再走吧。"他们便留下了。妻便去准备西红柿鸡蛋面，你便试图引他们讲一点广州改革开放的新面貌。但他们一开口你很吃惊。他们口中一点儿没有"改革"、"开放"这一类的政治性名词。他们只关心什么事许做，什么事不许做，什么事没说许不许做，以及什么事做了也就做了，什么事如果贸然去做会翻车……但终究他们还是要做，不是做一件事而是要同时做好几桩事，他们绝不关心你现在还写不写文章写了些什么文章都发表在什么地方，以致你想送他们你新出版的小说集都有点不好意思不便提及，他们唯一问到你的是北京人炒不炒股票，你炒没炒股票，你当然就问他们炒没炒股票，他们就互相对对眼，然后吼吼就告诉你因为他们还欠缺实力，所以现在只是在深圳"小玩玩"，基本上只是做一点多头而还不敢做空头，吲吲说的过程中，阿雪就用鞋尖碰他的鞋尖，他就不再说炒股票的事而说唱唱他们是"一家两制"，唱唱"受爷爷奶奶的影响太深"，安心教她的书，挣那么一点工资，领那么一点奖金，姐夫现在总算"飞出鸟笼"，给台湾老板当管理员。不过人家分明欺侮他老实，月薪才给1500，都干了四个月了，作坊生产效益很好，他却还不好意思提出加薪……"一家两制"也许是吲吲一大篇话里唯一的一个政治色彩浓郁的语汇……

吃完面吲吲又同阿雪匆匆忙忙地走了……妻跟你说她有点讨厌阿雪，你便说吲吲也令人有点失望……是呀，当然你们谁也不稀罕，但怎么那吲吲阿雪摆弄他们那些工艺首饰表时，就不能主动请过你们去，让你们看看都有多少种花样呢？怎么你们去帆帆屋里端茶送水嘘寒问暖的时候，他们不仅无动于衷，还仿佛你们妨碍了他们，甚至有怕你们偷觑他们货物的眼神？而且你分明看见他们带有推销那产品的印制得十分精美的16开彩色小广告，他们怎么就不懂得递给你们一张？说实在的，你心里想，吲吲起码应该拿出一只表来孝敬小婶嘛，小婶当然不稀罕，甚至可以不要，但你怎么可以又跑来存东西又坐下吃喝，却毫无表示呢？

又过了一天他们来了说是告别要去往天津，二表姑田月明答应帮助他们推销掉剩下的表，你便说为什么那么急，明天就是星期六，中午帆帆就从大学里回来，堂兄堂弟那么多年没见过了，难得聚聚；吲吲便有点犹豫，阿雪便望着吲吲，眼睛里有些微妙的闪光，吲吲便说车票都已经买好了，阿雪便接上去说从天津回来时总还有机会……这时他们便亮出了三包给你们的礼品，一包给你的，一包给小婶的，一包给帆帆的，你和妻把他们送到电梯口，回来再一细看，那三包礼品全用最漂亮的包装纸包裹着，扎着金色的银色的天蓝色的彩带，并且彩带结扎处都构成一朵灿烂的大花，就像电视里播放的美国电视连续剧《浮华世家》里那些豪门人士互赠礼物的包装一样。显然不是在友谊商店就是在哪个五星级大饭店的商品部买的，你就禁不住心中愧疚，因为曾有埋怨他们小气的腹诽，妻便禁不住满脸是笑，谁不愿别人馈赠这么可爱的礼品呢？

你动手拆解那三包礼品，小心翼翼地，妻便嗔怪你性急，你便说总不能老那么包扎着。送给你的是个长筒形状的礼物，拿在手中沉甸甸的，你便猜一定是洋酒，吼吼知道你爱喝洋酒，你便想无论是拿破仑还是马爹利的威士忌，那可都相当地昂贵，吼吼他们赚点钱不容易啊，究竟是血浓于水，吼吼才如此破费……打开外包装又有个糊着彩纸的长盒子，打开长盒子那瓶酒又用锡箔纸整个紧裹着，揭开那锡箔纸，才露出了酒瓶，那是一瓶葡萄酒，一瓶中国红葡萄酒，一瓶你们楼下商店中也可以随时买到的葡萄酒。

打开赠给妻的那个包，在一层层华丽的包装最里面，是四块大号的力士香皂。送给帆帆的则是一个鲜红的刺猬形塑料插笔架。

吼吼和阿雪没有从天津返回北京。他们从天津直接坐飞机飞回了广州。那是非常明智的抉择，因为从天津飞广州的机票款不是便宜一点而是便宜许多。

13

阿姐听说吼吼来了北京一直等着他去，却不见去就又飞走了。阿姐很生气。并且听说吼吼去天津，田月明表姐帮他和那个莫名其妙的阿雪卖出了所有工艺首饰电子表，从中拿了 20% 的回扣，就更生气。阿姐又说田月明到了北京只去你家而决不去看她，还不是因为你出了点名，分明是嫌贫爱富、趋炎附势；不过阿姐说到最后照例不等你搭话便粗声粗气地说："你莫以为我稀罕人家来看我，其实我一个人过得很好，就是嚓嚓去了新加坡，飒飒胡乱地跟个什么男人跑了再不回来，我也并不在乎，我还巴不得一个人清静点儿呢，我就爱吃几顿吃几顿，爱什么时候吃什么时候吃，爱做点什么就做点什么，爱讲究就讲究点，想简单就简单点，谁也别到我耳根边来招我心烦，谁也别让我操心弄得一天到晚总得算计点什么提防点什么……我实在闷了就去买只小猫小狗来养着，我就不信我过不下去过不舒坦……"

阿姐说那些话的时候，你就望着阿姐，心里想，为什么好久好久以前，你就想写一本小说，一本好厚好厚的小说，一本叫《阿姐》的小说……现在那个想法并没有消失，而且反倒浓酽起来，为什么？

是的是的，阿姐的命运，阿姐的性格，实在太没有奇诡之处，太没有迷人魅力……然而，不知道为什么……你说不清楚，也许什么都不说反而清楚……

二哥有一回对你说:"你阿姐其实是梦醒得最早的一个人 ……"

所以你尤其要为阿姐一哭 ……

14

田月明表姐又来北京了,她又没去阿姐那里,又只是到你家来,同你对坐在长餐桌两边,喝着冰茶聊天。

她是要飞往海南岛。第二天一早的飞机。怕直接从天津赶往北京天竺机场来不及,所以提前一天来你家,借住一宿,第二天好从容赶赴机场飞走。

她已经去过了海南岛。在那里已经待了半年。这次是回天津彻底了结同西人的关系,把自己的东西都带过去。

她告诉你,她并不是要同西人离婚。离婚对她并无意义。当她提出来要永远离开天津到海南岛去终其一生时,西人以为她是要离婚,便给她跪下了,求她饶恕他的荒唐,请她不要那样决绝,她便微笑着对西人说:"你想到哪儿去了,你站起来,我可以很放心地告诉你,你将保住整个的面子,你所有的亲戚朋友都只知道你老婆从设计院退休了到海南岛发挥余热去了,或者说挣外快去了,他们都不会知道我们两个人之间其实从此不再存在夫妻关系,并且从此最好不要再见面 ……"

你听了很感震惊。你原以为月明表姐与西人的绝情,是因为西人有外遇已经好几年,并且早已被单位的人被邻居被一些亲友所看破所知晓,因而伤透了心,月明表姐却极为平静地对你说:"这并不是主要的原因。说实在的,这甚至并不能完全怪他。你知道我早绝了经早没什么性欲,而西人这方面却依然很强,坦率地说,我以前也并非没有意识到这一点,并非完全没有思想准备,他是个欧亚混血儿,那身体那欲望的强健猛烈,是超出一般中国男子汉的 …… 因此当我最初发现他有拈花惹草迹象时,是并不怎么吃惊也并不怎么在乎的,我知道他不仅胆子很小,并不敢大胆胡为,而且更知道他对我作为他的妻子这一点,是一直很以为'拿得出去',很引以为自豪的,何况我们的女儿一个个都那么大了,外孙子都抱过都可以满地跑了,他是绝不想跟我离婚的,但他那强烈的不可抑制的性欲又越来越不能从我这里得到满足,因此,当有年轻的女性把他当成猎物加以捕捉时,他就忍耐不住了……你知道直到如今他还是仪表堂堂，一些中国女青年甚至妇人在心目中将他稍加美化想象成活生生的能够抓到手的阿兰·德隆或者布鲁斯·威利斯，那是一点也不奇怪的……这两年我怎么忽然不能忍耐了？也许是我心理上出现了偏差？这两年他主要是跟他们单位里一位炊事员的老婆———一个粗俗不堪的年龄也三十好几快四十岁的收发员鬼混，有一次让我在电影院撞上了，他们俩合坐一张'情人座'，那扁脸女人放肆地贴在他膀子上……我就走过去，西人一见是我脸都白了，那女人搂住他胳膊瞪着眼仿佛准备跟我拼命，我却只是站在他们面前，瞪了他们至少十几秒钟，末了我只对西人说了句：'你也太饥不择食了！'就转身走了……我实在看不起西人，他的浅薄，他的毫无自尊，他的连包装都不要的赤裸裸的性欲，都在丢我的脸，后来他回到家里苦苦求我饶恕，我也只是那么一句话：'你找什么样的不行，怎么可以那么掉价！'……但到了今天，我连这种心情也没有了，我觉得他如何发泄他的性欲是他的事，他的私事，他本就是那么个浅薄的货色，怪我以往用自己的想象力把他塑造成一个高品位的泰伦·鲍华了！……"

"但是无论怎么说，你们曾经有过玫瑰盛开般的爱情，在我们这一辈人当中那是人见人羡，传为美谈的！"你便感叹。

月明表姐脸上呈现出的是一个惨笑："爱情？玫瑰盛开般的？也许确实有过，那是我对于他的爱情，他对我么？这两天我就坦率地对自己说：醒来吧醒来吧，其实西人从来就没有真正爱过我，他对我的兴趣，与对那个扁脸的收发员实在没有两样，至多只多一条：我作为他的妻子更具有花瓶般的价值！你不要以为我说的是气话，不是，我很冷静……告诉你吧，这其实也并非什么秘密：他这一生所爱的女人只有一个，那便是他的母亲！……当然，这主要又是因为欧妈对他有着超常的爱，我不愿把那当成是母爱……你说那能算作是母爱吗？我在我们那间亭子间里，刚跟西人做爱完了没多久，正依偎在西人怀里希望得到更多的温存，欧妈突然打开门进来了——她有我们房间弹簧锁的钥匙，西人给她配的——她若无其事地进来了，就站在我们大床前，我慌乱地坐起来，不知所措，她却仿佛根本就没有看见我，她只是盯着她那宝贝儿子，摇着一根手指头责备说：'亲爱的赫尔默特，你怎么又忘了吃鱼肝油丸就上床睡觉了？'赫尔默特是西人的小名，欧

妈在最疼爱他的时候就这样叫他 …… 西人对欧妈的这种作为，居然并不以为有
什么不妥，他就乖乖地爬起来，跟欧妈上楼去他爸爸妈妈的房间里吃那个鱼肝油
丸去了！ …… 我懒得跟你举更多的例子 …… 再说一个吧，1976 年大地震，天津
的气氛比北京恐怖多了，家家户户都搭防震棚，那时候西人爸爸已经去世了，家
里唯一的男人就是西人，可是西人对搭防震棚却一筹莫展，我便去单位借手推
车找砖，其实哪里是找，分明是偷，又去找塑料布，找石棉瓦，又去求单位里
的小哥儿们小姐儿们帮忙，终于只用了两天半时间就搭出了一个凑合能待人的
防震棚，从家里搬过去一张大床，提过去了一个热水瓶几只水杯 …… 我匆匆忙
忙又去了一趟单位，为领当月的工资。当我路过我搭出来的那个防震棚时，只
见里面点燃了蜡烛，我便走进去，一看，西人正和欧妈两个人坐在那张大床上，
一人喝着一杯热茶，我便问：'孩子们呢？'西人说：'都在家等着你呢！'我
一听那话一看那表情差点儿立刻晕死过去，原来西人心目当中，觉得那防震棚是
专为家里最珍贵的东西搭的，那最珍贵的两样东西就是欧妈和他自己，而我和
孩子们，在没有搭起另外的防震棚以前，天经地义是应该还暂时待在那震出裂
缝的旧房子里的！那一天我蓬头垢面，为搭防震棚划破了手崴了脚，简直不像
个人样儿，可是西人和欧妈油光水滑地坐在那防震棚里，不仅心安理得，欧妈
还抱怨有蚊子，西人还命令我赶紧去家里取蚊香 …… 我的眼泪没有往外流，都
倒流到心窝里了，那时我就该透彻地意识到，西人爱的是他妈，那当然是纯洁
的爱，而不纯洁的性要求，便该由我来承担，我在那个家里的角色，实际上是
老妈子加妓女加传宗接代的工具！ …… 这么多年我就是这么生活过来的，表面
上，我们那个家真是玫瑰园般美丽，实际上，我终于醒悟，那是我的地狱！我实
在不能再忍受下去了！ ……"

　　你望着餐桌对面的月明表姐发愣。妻在隔壁屋子里休息——她有点不舒服，提
前上床了。你希望妻已经睡去都没听见，否则妻那柔弱的心灵必不能承受如此怪诞
却又真切的人生悲剧。你想安慰月明表姐却简直说不出一句哪怕是最无力的话。

　　沉默。

　　月明表姐呷了口茶，脸上渐渐消去了郁闷忧愁，现出一些沉静的淡而甜的笑
容来。

她开始用另一种语调对你说："你当了作家，你能理解，所以我跟你讲这些，你不必见怪。其实对于我来说，那一切都已经过去了，并且我发现我完全可以建构起一种崭新的生活，在海南岛……"

她便向你讲起她在海南岛的情况。她在那里受聘于一家中外合资公司，那公司房地产生意搞得十分火暴，她是特别顾问。怎么个顾问？房地产生意做到最后，你就要买下地皮，就要规划在那块地皮上的开发，比如说开发一个旅游区，那就要有总体规划，差些什么设施，盖出来怎么卖出去租出去或承包出去，怎么吸引投资，怎么回收投资，中间怎么转让，或怎么吞并别家……那里头名堂很多很多，她因为学的土建工程，设计院干了那么多年，所以经验丰富，到了海南岛又有应变能力，所以几件事干下来，马上名声大振，身价倍增。比如说他们公司买下了一块地皮，是当地镇上公家卖出的，公司已经付了款了，开始搞测量组织搬迁了，那卖方就想打马虎眼，怎么打马虎眼？就是他们打标界桩的时候，凡遇不规则的地界，就尽量往小里打，按规定凡不规则的拐角弯转地段必用水泥桩，以免接收使用时发生纠纷——因为木桩很容易被替换和搬走，但那卖方打的全是木桩没用一个水泥桩；除此以外在月明表姐他们买方会同卖方坐着吉普车进行实地核实时，在一个部位上卖方提供不出图纸，说是拿图纸时少拿了一张，不是故意的而只是因为图纸太多工作秩序比较忙乱因而有所疏失；大家是从宴席上一起下来坐吉普车进行勘查核实的，碍于情面，买方的人差不多都说那就算了吧，接着看别的地方吧。月明表姐却坚持要看那张图纸，哪怕多跑路多耽搁时间也要照图纸接收，月明表姐说："我这个顾问最后是要在接收文件上技术鉴定一栏后面签名的，我怎么能不公事公办？我有我一份责任啊！"于是她便随卖方坐吉普车去卖方的办公处取那张图纸，到了那办公处人家找来找去，也不知真找不到还是假找不到，总之找不出那张图纸，月明表姐便毫不客气地说："对不起，我只好揭下你们墙上这张大图纸了！"那张大图纸差不多有教室里的黑板那么大，是一张整体图，人家很不情愿，甚至阻拦，但是月明表姐登上凳子硬是揭下了那张图纸，卷成一大卷，扭头便走。卖方的人不得已只好跟她返回那个待查地段，结果大家会同一对图纸一细测量，那个地方打的界桩完全不对头，足足少打进了十亩地皮！图桩俱在，卖方只好道歉，只好同意重打，月明表姐哪容他们隔天再打，硬让立即改正。他们要挪木桩，月明表姐说："不要挪，留在那儿！你们这就取水泥桩去，还要带好油漆桶，随打水泥桩随用油漆逐一标号！"……

公司总经理对月明表姐在勘测验收地皮过程中的表现赞赏备至，当天就宣布将她的月薪从1500元提到2000元。过了两天买方卖方又进行欢宴，总经理将月明表姐请至最上一席，与卖方头头脑脑坐在一处，月明表姐不喝酒却要罚卖方头头脑脑的酒，大家便嘻嘻哈哈地笑说她这个巾帼英雄真厉害，月明表姐便说："我拿一样东西来给你们看看。看了不用我多说什么，你们就得自己乖乖地喝罚酒！"大家只当她开玩笑，谁知她真风风火火地跑开了，不一会儿又风风火火地跑回来，手里举着个像是花瓶的东西，她把那东西往餐桌的转盘上一放，用手一推转盘，让大家都仔细地看——那是一个透明的玻璃瓶，瓶里插满了刚从土里拔出来没多久的一些个筷子般粗筷子般长的树枝树权，月明指着那一瓶子树枝树权，先对公司总经理说："总经理，明天结算时你可得给他们付5万元的苗圃赔偿费啊，那单子上写得清清楚楚啊！"又对卖方头头脑脑说："这就是从你们所谓苗圃里拔出来的树苗啊，你们自己看看，有没有根？有没有芽？而且你们光派人在路边突击插了那么一小片，企图让我们吉普车一过的时候留下个印象，似乎那真是苗圃，可我今天下午专门去参观了一番，对不起，我找到就只是这么一些插在土里的树枝树权……"卖方的人望着那一瓶子树枝树权，全都尴尬得不得了，公司总经理便问他们："怎么样？我们田工的罚酒，你们喝不喝？"对方只好乖乖地端起了酒杯……第二天那5万元"苗圃赔偿费"自然买方不付卖方也认账，公司总经理又当众发放了月明表姐3000元奖金……

"现在那边公司把我当成一个宝贝，我也确实是个宝贝，但他们谁也不懂得我为什么有那么大的干劲，为什么做事那么认真，为什么那么无所顾忌，又为什么那么快活……我是在开辟和创造一种新的生活，这种生活可以让我忘记天津，忘记西人和欧妈，忘记往日的屈辱和失落……只是有时候偶尔想念孩子们，可我知道她们都已长大成人，我可不愿跟她们再重复西人跟欧妈那种难舍难分的感情关系，她们应当把感情转移到她们的丈夫和自己的小家庭身上，我如果过多地爱恋她们便是妨碍她们家庭生活的独立性，这么一想，我就更轻松，更坦然了……我这次回天津搬取东西，公司怕我从此不再回去或改换门庭，总经理就代表董事会问我：如果他们要我至少留在那里五年不跳槽，得满足我什么条件？我就说，旅游开发区的建设工程不是已经全面开花了吗？那海滨的植物园，不是已经利用原有的野生植物群落初见端倪了吗？就在那植物园里，为我盖三间小小的平房，一间厨房餐厅客厅合并的小小起居室，一间附带卫生间的书房兼卧室，另外一间空房——为的是有看望我来的至亲好友可以在那里留宿，他们还以为我指的首先是西人，其实我心目中却指的是女儿外孙，还有霞明、星明、毛妹，还有你们什么的——我也不要那房产，我只是要求我在公司干活时他们给我白住，我死了或者走了他们再收回 …… 其实现在我已经开始了那样的生活方式：我不喝任何别的饮料，不要说不喝一切烈酒葡萄酒啤酒，就是可乐雪碧果汁我也不喝，也不喝茶不喝咖啡，我只喝矿泉水或者把饮料的概念扩大一点，不只是为解渴还为了营养，那就还喝鲜牛奶；我不再吃肉，许多人去海南岛是为了吃生猛海鲜，我就连一般的鱼也不吃。当然，我吃鸡蛋；我除了吃米饭面条这些主食，主要吃素食，尤其是豆类，还有玉米，当然我要吃很多很多的绿色蔬菜，还要大量地吃水果 …… 我要过一种素淡却未必俭朴的生活，那将是一种雅致而高尚的生活 ……"

你都听呆了，你禁不住问："难道你是要当佛教徒了吗？"

月明表姐两眼对着你，却没把焦距落到你的脸上，她仿佛在透过你的身体看非常遥远的地方，她沉思地说："那倒也还不是。不过这些天来一个人静下来的时候，我确实在考虑一个宗教信仰的问题。这几年里我读了一些佛学书，一些谈禅的书，无论佛教对生、老、病、死的大彻大悟，还是禅机里的生存智慧，都给我一种深刻的启示；但是我也读道教的书，读老子、庄子，那种清静无为、顺应自然的人生态度，也很打动我的心；我也读《圣经》，读《可兰经》，我觉得我缺乏'原罪意识'确是一种心灵缺陷，我对至高无上而又无形无影的主总建立不起一种大敬畏大信心，我常常为此自责自愧 …… 所以到头来我的灵魂还是没有一个皈依，有一种漂泊无靠的空虚感和寂寞感 …… 但我不甘心就这样下去，我想，今后除了为公司卖力，在那植物园的小平房里，我将用大量的时间一个人读书、思考，这回我从天津托运过去的，日用品并没多少，却有两大箱图书，也许，我会在世界上固有的几大宗教中皈依到一个里去，也许，我会默默地为自己建立起一种综合各方面启迪和领悟的宗教……"

忽然电灯熄灭了，这突如其来的停电并没有令你和月明表姐发出惊诧的声音。你打开餐桌的小抽屉摸到了火柴，点燃了餐桌上常备的两根平时主要用来当做装饰的插在银座基里的白蜡烛，烛光照着月明表姐的脸。她显得格外宁静，有一种幽深的思绪萦绕在你和她的心头，那思绪随着烛舌的摇曳而闪烁不定……

你们很久都没有再说话。只是在烛光里那么静静地对坐着。

15

你很惊讶自己怎么会是坐在紫禁城高墙外的筒子河边。

什么时候夕阳已然只剩下最后的余晖，把筒子河的水面染成了胭脂红？最早一批开始捕虫的蝙蝠已然飞动在柳树前后，传来电报大楼报时的悠悠钟鸣。

……你从长椅上起来，顺着筒子河漫步。

尽管北京城发生了巨大的变化，尤其近 10 年来，许多部分的景观已经全然扫荡了历史的残迹，焕然一新到引出争议的地步，但紫禁城周遭的筒子河一带，却俨然保留着其固有的风貌。

筒子河就是护城河。因为河岸陡直齐整而河道相对狭窄迤长，状如直筒，故称筒子河。

护城河的存在，顾名思义，本是为护城的。五百年前明成祖建北京城时，实际上至少挖掘了三圈护城河，包围着整个北京城的是第一道，包围着整个皇城的是第二道，包围着皇城中的紫禁城宫苑的是第三道。你在一些电影和电视片中看到过两军作战，一方固守城池，另一方强行进攻的种种惨烈场面。在这种搏击中，护城河便成为一道天然屏障，尤其在尚没有发明出枪炮的古代战事中，攻方为了强渡护城河，往往必须付出极其惨重的代价，而守方那时必将河上所有的桥都变成吊桥，一律吊回去而使护城河成为一个环状的难以通过的深壕……攻方只有强行渡河取得成功之后，方能再用云梯钩绳之类的器械强行攀墙越垛，但渡河时有万箭齐发，登城时有刀砍石击，那真是一幅"黑云压城城欲摧，甲光向日金鳞开"

的惨烈图画……

然而细究发生在北京的这近500年历史，这些护城河何尝发挥过它们那护城的功能，更令人思之悚然的是，几乎就从来没有在这些护城河，特别是紫禁城周遭的这一圈筒子河边发生过任何那类电影、电视片中展现过的战斗……

明朝末年，当李自成的农民起义军逼近北京城时，守军早都四散溃逃，更有迎降的官员去主动打开城门，任起义军大举挺进，那些前几天还在崇祯皇帝面前山呼万岁大表忠心慷慨陈词的高官厚爵，一时间都不知道藏到哪里去了，崇祯皇帝是在一种左呼不应右招不来的大惊讶大恐怖大惶急大绝望中，孤独到身边只剩下一个太监的境况下，匆匆越过紫禁城北面的护城河跑进煤山（现景山公园），在山脚下的一棵槐树上，极为狼狈地上吊而死的。

而当吴三桂在山海关打开城门迎降了清军，李自成感到寡不敌众决定撤出北京城之后，北京城的三圈护城河也只倒映着完全不设防的城楼墙堞，清军也是在并无战事的情况下顺利地开进北京城的……

到了鸦片战争以后，清朝走向衰亡，但1856年的英法联军攻打北京城也好，1900年的八国联军进占北京城也好，北京的城墙和护城河边也几乎没发生什么战斗，倒是咸丰皇帝带着一群大臣嫔妃越过护城河撤往了热河，后来慈禧太后又挟持着光绪皇帝越过护城河逃往了西安……

筒子河啊，修造你的人，是为了你在关键时刻，哪怕暂时地阻止一下推迟一下进犯者的突进，然而根本没有发生半点那样的战斗呈现半点那种场面……非常平静地，进入的就进入了，逃逸的就逃逸了……

你在筒子河边体验到历史、世象、人生、灵魂的繁杂莫测和诡谲多变，为什么往往始料不及、出人意表，甚至到头来总是有内部的迎降者大开城门，使辛苦设置的护城河毫无作用，而形成悲喜正闹百味俱全的连台活剧？

人们往往为自己的心灵挖掘出深深的护城河，然而到了关键时刻，护城河边却并无战事，袭人变得轻而易举，沉沦仿佛风到花落……

中国古老的护城河呵……

夕阳终于完全敛尽了最末一道残光。护城河变成一道幽暗的壕沟。

路灯亮了。你离开护城河，缓缓地朝东华门外的大街走去。

16

…… 不知不觉之中，你已经走到东四大街的十字路口了。

东四大街原来叫东四牌楼大街。

那十字路口原有四座高大的牌楼。

直到 50 年代初，那四座牌楼都还屹立在那里。

据说有明以来北京城里大街上的牌楼最多时达到过 57 座。与东四牌楼相对称的是西四牌楼。

到 50 年代初，北京城里大街上的牌楼至少还有二十几座。

但嵌在你印象中永不磨灭的还是东四牌楼。

那是四座三间三楼四柱造型优美古色古香的彩色牌楼。

南北路口的两座，当中的匾额上刻着"大市街"的字样。

东边路口的一座，当中的匾额上刻着"履仁"。西边路口的一座，当中的匾额上刻着"行义"。

你在东四牌楼一带，特别是贴近它的隆福寺街和隆福寺附近，度过了你宝贵的不可重复的而别人的经验又绝不可替代的少年时代……

你的亲人，你的朋友，你的同学、同事、同行，乃至你的仇人和不知该算作什么而与你的生命轨迹相交相撞的许许多多的人，都曾在这一带活动。

东四牌楼，那四座高大雄伟美丽精致的牌楼，后来被拆除了。

因为时代的发展，社会的变化，不允许它们再继续高踞在那里——它们妨碍着现代交通的发展。

正如我们的亲朋好友或我们所嫌厌者嫉恨者或于我们无所谓的人难免在某一天要被时代和社会所拆除一样，当然更包括我们自己。

更正如我们心灵中那些高大美好斑斓曼妙的无形牌楼，会在某一时刻被发展着变化着的现实拆除挪移一样。

…… 是的，你老早老早就想写一本书，你曾想把那本书叫做《阿姐》。为什么要叫做《阿姐》？难道你想写的，仅仅是一个绝对平凡的阿姐？

"忽念及当日，所有之女子……"

又岂止是女子，还有那许许多多的男人……

但最初的冲动，却分明还是缘于女子。

你不知道那是为什么。

你忽然从灵魂中挖掘出一个埋藏更深的印象。

四牌楼！

对，就是在那四牌楼下面，在十字路口的西南角，现在是美国肯德基家乡鸡分店的地方，原来有个照相馆。

照相馆的橱窗里，总陈列着一些大幅的肖像照。

那是古老的传统，自上世纪末本世纪初照相术发明推广以后，直至如今，照相馆莫不如此。

你就常站在那照相馆的橱窗面前，痴痴地望着一张女子的照片。

你不知道那女子是谁。

你不能用文字描述形容那女子的玉照。那是一幅黑白的特写照。即使你能，你也不愿用文字写出。但那幅大约20英寸的女子照片，却使你的灵魂受到一种特殊的震撼。倏地，你还能在灵魂深处复原出那幅照片，恍然如新。并且那时候，你还是个没发育成熟的少年人的灵魂中涌出的惊奇、欣悦、神秘感、探索欲……如今居然又都浓酽地涌上了心头。

在那幅照片面前，你头一回深切地意识到自己是一个男性。

并且你从那时起，就对生活中的女性无形中有了一种特殊的眼光和情怀。可惜当年甘木匠的女儿甘福云病逝前你还没有发现那张照片并且不曾因那照片而鸿蒙初开。所以你后来想写一本厚厚的书时就决心要有一章专门用来忏悔，为甘福云，也为混沌懵懂的那个少年。那个少年也是你吗？生命的流程和心灵的变异真不可思议……

你终于写成了一本书，一本比你以前写的都厚的书！在这个每一天不知道有多少本书印出来的世界上，你深知纵使你的书已如那四牌楼般有着一时的雄姿风采，也难免有一天终被拆除，更何况你的书必定更像是那个早已荡然无存的当时便不知名的照相馆，像那照相馆橱窗里登不上大雅之堂的只摆放过一时的那张恐怕早就灰飞烟灭的肖像照……

你有一个企盼：哪怕像那照相馆橱窗里的那张无名肖像照一样，只有一颗心为之产生感应，并经过时间磨石的碾砺、人生风雨的冲刷之后，还能埋藏在灵魂的深处，在那夜深人静时，偶一跃现！

1992 年 9 月 1 日写完于北京安定门绿叶居中

2004 年 6 月校订

刘心武文学活动大事记

1942 年

6 月 4 日生于四川省成都市育婴堂街。

后在重庆度过童年。

父母兄姊均热爱文学艺术，深受家庭熏陶。

1950 年

随父母迁居北京，从此定居北京。

在隆福寺小学上小学，在北京 21 中上初中。

1958 年

在北京 65 中上高中。

给若干报刊投稿，屡被退稿。

8 月，在《读书》杂志发表《谈〈第四十一〉》一文，是投稿第一次成功。

1959 年

在《北京晚报》"五色土"副刊陆续发表一些儿童诗、小小说。

为中央人民广播电台少儿部《小喇叭》（对学龄前儿童广播）编写若干节目；其中快板剧《咕咚》经编辑加工、录制后大受欢迎；"文革"中录音带被销毁；1991 年重新录制播出。

1961 年

毕业于北京师范专科学校，分配到北京 13 中任教。

至"文革"前，在《北京晚报》《中国青年报》《人民日报》《光明日报》《大公报》《北京日报》《体育报》《儿童时代》《大众电影》等报刊上发表了约 70 篇小小说、散文、杂文、评论等文章。

1966—1976 年

"文革"中，因 1964 年曾发表过一篇关于京剧的文章，以"反江青"罪名被冲击。

1974 年后再试写作，曾写一关于"教育革命"的长篇小说，由出版社联系获准脱产修改，但终未达到当时出版要求。

1976 年

写出一个大院里孩子们同坏蛋斗争的中篇小说《睁大你的眼睛》并得以出版（北京人民出版社）。

又按照当时政治要求写出一些短篇小说、散文，有的到次年才收入多人合集中出版。

调到北京人民出版社（后恢复"文革"前社名：北京出版社）文艺编辑室当编辑。

1977 年

11 月，在《人民文学》杂志发表短篇小说《班主任》，产生重大影响——被认为是"伤痕文学"的开山作，也是"新时期文学"的发端；从此成名。

从《班主任》后，写作冲破懵懂，沿着认定的方向跋涉，穿越风云，锲而不舍。

1978 年

参加《十月》杂志（开始以丛书名义出版）创刊工作，在创刊号上发表短篇小说《爱情的位置》，经转载和广播，影响巨大。

在《中国青年》杂志上发表短篇小说《醒来吧，弟弟》，反应亦极强烈。

《班主任》《爱情的位置》《醒来吧，弟弟》均被改编为广播剧，由中央人民广播电台多次广播，《醒来吧，弟弟》被搬上话剧舞台；此年发表的短篇小说《穿米黄色大衣的青年》亦由电台播出。

刘 心 武 文 存 2

1979 年

在首届全国优秀短篇小说评奖中《班主任》获第一名。颁奖会上，从茅盾先生手中接过奖状。

参加中国作家协会第三次全国代表大会，被选为中国作家协会理事。

成为中华全国青年联合会常务委员，至 1993 年卸任。

9 月，参加中国作家代表团访问罗马尼亚，此系"文革"后第一个作家出访团。

在《人民文学》杂志发表短篇小说《我爱每一片绿叶》，写作技巧有长足进步。

1980 年

调至北京市文联当专业作家。

《我爱每一片绿叶》获 1979 年全国优秀短篇小说奖。

《看不见的朋友》获 1954—1979 年第二届全国少年儿童文学创作奖。

在《十月》杂志发表中篇小说《如意》，其弘扬人道主义的追求引起争议。

出版《刘心武短篇小说选》(北京出版社)。

1981 年

在《十月》杂志发表中篇小说《立体交叉桥》，引出更大争议，一些评论家认为"调子低沉"是步入了写作上的歧途，另有评论家则认为此作标志着刘心武的小说创作在反映现实、探索人性及艺术工力上均达到了新的水平。

5 月，应日本文艺春秋社邀请访问日本。

1982 年

应导演黄健中之请，改编《如意》；北京电影制片厂拍成彩色艺术片《如意》。

1983 年

11 月，参加中国电影代表团赴法国，在南特"三大洲电影节"上，《如意》在开幕式上放映，获好评；后陆续在法国、西德电视台播出。

1984 年

冬，应邀访问西德，参加"中德大学生会见活动"，并在波恩大学、波鸿大学与威尔兹堡大学介绍中国当代文学。

年底，参加中国作家协会第四次全国代表大会，再次当选为理事。

在《当代》文学双月刊第 5、6 期连载长篇小说《钟鼓楼》。

1985 年

出版长篇小说《钟鼓楼》(人民文学出版社)，并获第二届茅盾文学奖。

因《钟鼓楼》获北京市政府嘉奖。

7 月，在《人民文学》杂志发表纪实小说《5·19 长镜头》，反响强烈。

11 月，又在《人民文学》杂志发表纪实小说《公共汽车咏叹调》，引起轰动。

1986 年

年初，应当代文艺出版社邀请访问香港。

6 月，调中国作家协会人民文学杂志社，任常务副主编。

在《收获》杂志设《私人照相簿》专栏，进行图文交融的文本尝试。

散文集《垂柳集》出版，冰心为之作序。

1987 年

1 月，被任命为《人民文学》杂志主编。

2 月，《人民文学》杂志 1、2 期合刊发表马建写的小说《亮出你的舌苔或空空荡荡》违反民族政策，承担责任，停职检查。

9 月，复职。

冬，应邀赴美国访问。参观美洲华侨日报；在哥伦比亚大学、三一学院、哈佛大学、麻省理工学院、康奈尔大学、芝加哥大学、旧金山大学、斯坦福大学、伯克利加州大学、洛杉矶加州大学、圣迭戈加州大学等处演讲，介绍中国当代文学，并参观耶鲁大学；参加爱荷华大学"作家写作中心"的纪念活动；游览华盛顿等地。

1988 年

3 月，应香港《大公报》邀请，赴香港参加五十周年报庆活动；在《大公报》安排的大型报告会上作关于改革开放与文学创作的报告。

5 月，应法国文化部邀请，参加中国作家代表团访问法国，除在巴黎活动外，还访问了西部港口城市圣·拉扎尔。

《私人照相簿》在香港出版(南粤出版社)。

《我可不怕十三岁》获 1980—1985 年全国优秀儿童文学奖。

以上数年中，若干小说、散文还分别获得过《当代》《十月》《小说月报》《小说选刊》《中篇小说选刊》《儿童文学》《北方文学》等杂志，《人民日报》《文汇报》等报纸副刊的奖；拍成电视剧播出的有《没工夫叹息》《熄灭》(电视剧名《火苗》)《今夏流行明黄色》《到远处去发信》《非重点》《公共汽车咏叹调》和八集连续剧《钟鼓楼》；若干作品被英国、美国、西德、苏联、日本、瑞士、瑞典、法国、意大利等国翻译为英、德、俄、日、法、意、瑞典等文字出版；自 1987 年起被世界上有威望的英国欧罗巴出版社《世界名人录》收入词条。

1989 年

春，应香港中文大学翻译中心邀请，与妻子吕晓歌赴香港访问。

1990 年

3 月，以任届期满，免去《人民文学》杂志主编职务。

香港中文大学翻译中心编译的英文小说集《黑墙与其他故事》出版。

秋，以"鱼山"笔名在《钟山》杂志发表中篇小说《曹叔》。

1991 年

出版小说集《一窗灯火》。

除小说外，开始发表大量散文、随笔。

1992 年

长篇小说《风过耳》在内地(中国青年出版社)、香港(勤＋缘出版社)分别出版，反响颇为强烈。

长篇小说《四牌楼》完稿，交上海文艺出版社出版。

《献给命运的紫罗兰——刘心武谈生存智慧》由上海人民出版社出版，受到读者欢迎。

在《收获》杂志发表中篇小说《小墩子》，后由中国电视剧制作中心改编拍摄为电视连续剧。

至该年，在海内外出版的个人专著按不同版本计已达 43 种。

在《红楼梦学刊》1992年第二辑上发表论文《秦可卿出身未必寒微》，在"红学"界和读者中均引起注意；另有若干《红楼梦》人物论和《红楼边角》专栏文章发表。

冬，应瑞典学院邀请（斯堪的纳维亚航空公司赞助）赴北欧访问；在挪威奥斯陆大学、瑞典斯德哥尔摩大学和隆德大学、丹麦哥本哈根大学和奥胡斯大学的东亚系汉学专业以《九十年代初的中国小说》为题作学术报告；12月7日，参加诺贝尔文学奖有关活动，听1992年得主德里克·沃尔科特发表受奖演说。

1993 年

华艺出版社出版《刘心武文集》（1—8卷）。

出版长篇小说《四牌楼》。

1994 年

1月，应台湾《中国时报》邀请赴台参加"两岸三地文学研讨会"。

《四牌楼》获上海优秀长篇小说大奖，到沪领奖。

1995 年

出版随笔集《人生非梦总难醒》（上海人民出版社）。

出版小说集《仙人承露盘》（华艺出版社）。

1996 年

出版长篇小说《栖凤楼》（人民文学出版社）。至此，由《钟鼓楼》《四牌楼》《栖凤楼》构成的"三楼"长篇小说系列竣工。

应《南洋商报》邀请赴马来西亚访问并顺访新加坡。

1997 年

应日本文化交流基金会邀请，与妻子吕晓歌访问日本。其长篇小说《钟鼓楼》、儿童文学作品《我是你的朋友》、短篇小说《王府井万花筒》等此前已相继译为日文在日本出版。

1998 年

建筑评论集《我眼中的建筑与环境》由中国建筑工业出版社出版，在建筑界产生影响。

应美国科罗拉多大学邀请，赴美参加金庸作品国际研讨会，在会上提交关于《鹿鼎记》的论文《失父：一种生存困境》。

1999 年

出版纪实性长篇小说《树与林同在》（山东画报出版社）。

出版《红楼三钗之谜》（华艺出版社）。

赴新加坡出席国际环境文学研讨会。

2000 年

应邀访问法国，并应英中协会和伦敦大学邀请，从巴黎赴伦敦讲《红楼梦》。

至此年底在海内外出版的个人专著（不含文集）按不同版本计达 101 种。

2001 年

出版包含建筑评论的随笔集《在忧郁中升华》（文汇出版社）。

在北京电视台录制播出《刘心武谈建筑》系列节目。

2002 年

出版小说集《京漂女》（中国文联出版社），自绘插图。

应澳大利亚雪梨华文写作协会邀请赴澳大利亚访问。

2003 年

以马来西亚《星洲日报》世界华人文学"花踪奖"评委身份赴吉隆坡参加相关活动。

台湾联经出版社出版小说集《人面鱼》。此前台湾已出版过刘心武多种作品，如皇冠出版社出版了《钟鼓楼》，幼狮文化事业公司出版了《四牌楼》《为他人默默许愿》（散文集）。

2004 年

赴法参加巴黎书展活动。书展上展出了译为法文的著作有小说《树与林同在》《护城河边的灰姑娘》《尘与汗》《人面鱼》《如意》与歌剧剧本《老舍之死》。

建筑评论集《材质之美》由中国建材工业出版社出版。

小说集《站冰》出版（人民文学出版社），自绘封面插图。

2005 年

出版集历年研红成果的《红楼望月》（书海出版社）。

应 CCTV-10（中央电视台科学教育频道）《百家讲坛》邀请，录制播出《刘心武揭秘〈红楼梦〉》系列节目 23 集，反响强烈，引出争议。

《刘心武揭秘〈红楼梦〉》第一、二部相继出版（东方出版社），畅销。

2006 年

应美国华美协会邀请，赴纽约在哥伦比亚大学讲《红楼梦》。

应邀参加香港书展。

出版《刘心武揭秘古本〈红楼梦〉》（人民出版社）。

2007 年

继续应邀到 CCTV-10《百家讲坛》录制节目，并出版《刘心武揭秘〈红楼梦〉》第三部、第四部（东方出版社）。

访问俄罗斯。

2008 年

出版随笔集《健康携梦人》（中国海关出版社）。

自 1986 年出版《垂柳集》，至此所出版的散文随笔集已逾 30 种。

2009 年

在《上海文学》杂志开《十二幅画》专栏，每期发表一篇写人物命运的大散文，并配发自己的画作。

4 月，妻子吕晓歌病逝，著长文《那边多美呀！》悼念。

2010 年

再应 CCTV-10《百家讲坛》邀请，录制播出《〈红楼梦〉的真故事》系列节目。至此在《百家讲坛》录制播出关于《红楼梦》的个人系列讲座累计达 61 集。

出版《〈红楼梦〉的真故事》（凤凰联动·江苏人民出版社），在争议声中畅销。

4 月，应台湾新地文学社邀请赴台参加"21 世纪世界华文文学高峰会议"。

出版《命中相遇——刘心武话里有画》（上海文艺出版社）。

　　加快《刘心武续〈红楼梦〉》的写作，次年完成推出。

　　至本年底，在海内外出版的个人专著，文集不算在内，重印亦不算，按不同版本计达 182 种（按不同书名计则为 141 种）。

　　年底，筹备编辑《刘心武文存》。

附录二　刘心武著作书目

只包括在中国大陆、台湾、香港和海外出版的书（同一著作每种版本单列）；不包括散发于报刊尚未出书的篇目，亦不包括多人合集中的篇目。第一个数字表示不同版本的排序；[ ]中的数字表示剔除同一书名的版本后的排序；注意：文集8卷不参加排序。

1976 年

1.[1]《睁大你的眼睛》[儿童文学·中篇小说]

北京人民出版社 1976 年 1 月第一版

1978 年

2.[2]《母校留念》[儿童文学·小说集]

中国少年儿童出版社 1978 年 7 月第一版

1979 年

3.[3]《小猴吃瓜果》[低幼读物·画册]

少年儿童出版社 1979 年 4 月第一版

1980 年 6 月第二次印刷

4.[4]《班主任》[短篇小说集]

中国青年出版社 1979 年 6 月第一版

1980 年

5.[5]《我是你的朋友》[儿童文学·中篇小说]

北京出版社 1980 年 7 月第一版

6.[6]《绿叶与黄金》[中短篇小说集]

> 广东人民出版社 1980 年 8 月第一版

7.[7]《刘心武短篇小说集》

> 北京出版社 1980 年 9 月第一版

1981 年

8.《这里有黄金》[中短篇小说集]

> 广东人民出版社 1981 年 4 月第二次印刷
>
> 有平装、软精装两种

9.[8]《大眼猫》[中短篇小说集]

> 浙江人民出版社 1981 年 8 月第一版

1982 年

10.[9]《如意》[中篇小说集]

> 北京出版社 1982 年 5 月第一版

1983 年

11.[10]《中国现代作家选（Ⅲ）刘心武〈我爱每一片绿叶〉〈深谷小溪默默流〉》

> [日本] 东方书店 1983 年第一版

12.[11]《同文学青年对话》

> 文化艺术出版社 1983 年 10 月第一版

1984 年

13.[12]《到远处去发信》[中短篇小说集]

> 四川人民出版社 1984 年 4 月第一版
>
> 有平装、软精装两种

14.[13]《如意》[电影文学剧本](与戴宗安联合署名)

> 中国电影出版社 1984 年 6 月第一版

1985 年

15.[14]《嘉陵江流进血管》[中篇小说集]

> 陕西人民出版社 1985 年 2 月第一版

16.[15]《日程紧迫》[中短篇小说集]

群众出版社 1985 年 5 月第一版

17.[16]《我可不怕十三岁》[儿童文学集]

新世纪出版社 1985 年 8 月第一版

18.[17]《钟鼓楼》[长篇小说]

人民文学出版社 1985 年 11 月第一版

有平装、软精装两种

1986 年 5 月第二次印刷

1986 年

19.[18]《公共汽车咏叹调》[纪实小说]

湖南文艺出版社 1986 年 1 月第一版

20.[19]《都会咏叹调》[小说集]

作家出版社 1986 年 3 月第一版

21.[20]《垂柳集》[散文集]

陕西人民出版社 1986 年 4 月第一版

22.[21]《立体交叉桥》[中短篇小说集]

人民文学出版社 1986 年 6 月第一版

有平装、软精装两种

23.[22]《巴黎郁金香》[访法散文集]

群众出版社 1986 年 11 月第一版

24.[23]《木变石戒指》[中短篇小说集]

青海人民出版社 1986 年 12 月第一版

1987 年

25. *Little Monkey Triesto Eat Fruit* [科学童话·英文]

海豚出版社 1987 年第一版

有平装、精装两种

26.[24]《斜坡文谈》[文学理论]

上海文艺出版社 1987 年 4 月第一版

27.[25]《王府井万花筒》[中篇小说集]

湖南文艺出版社 1987 年 9 月第一版

有平装、精装两种

28.[26]《5·19 长镜头》[小说自选集]

四川文艺出版社 1987 年 11 月第一版

29.げくけきの友たちだ [《我是你的朋友》日译本]

[日本] 福武书店 1987 年 12 月第一版

1989 年 3 月第二版

1991 年 2 月第三版

1988 年

30.[27]《她有一头披肩发》[中短篇小说集]

台湾林白出版社 1988 年 4 月第一版

31.《钟鼓楼》[长篇小说]

香港天地图书有限公司 1988 年第一版

1993 年第二版

32.[28]《私人照相簿》[纪实文学]

香港南粤出版社 1988 年 11 月第一版

33.[29]《刘心武代表作》

黄河文艺出版社 1988 年 12 月第一版

1989 年

34.《小猴吃瓜果》[科学童话]

开明出版社、海豚出版社 1989 年 3 月第一版

35.《钟鼓楼》[长篇小说]

台湾皇冠出版社 1989 年 4 月第一版

36.[30]《一片绿叶对你说》[文艺随笔集]

河北教育出版社 1989 年 12 月第一版

1990 年

37.[31]*BLACK WALLS AND OTHER STORIES*[小说集·英译本]

香港中文大学翻译中心出版社 1990 年第一版

38.[32]《王府井万花镜》[小说集·日译本]

[日本] 德间书店 1990 年 9 月第一版

1991 年

39.《母校留念》[小说]

[日本] 骏河台出版社 1991 年 4 月第一版

40.[33]《一窗灯火》[中短篇小说集]

华艺出版社 1991 年 10 月第一版

1993 年第二次印刷

1992 年

41.[34]《列奥纳多·达·芬奇》[传记]

江苏教育出版社 1992 年 5 月第一版

42.[35]《有家可归》[散文随笔集]

广东旅游出版社 1992 年 5 月第一版

43.[36]《风过耳》[长篇小说]

中国青年出版社 1992 年 6 月第一版

1992 年 12 月第二次印刷

1993 年 3 月第三次印刷

1995 年 8 月第五次印刷

1996 年 3 月第六次印刷

44.《风过耳》[长篇小说]

香港勤＋缘出版社 1992 年 6 月第一版

45.[37]《献给命运的紫罗兰——刘心武谈生存智慧》

上海人民出版社 1992 年 6 月第一版

1992 年 11 月第二次印刷

1995 年第三次印刷

1996 年 12 月第五次印刷

46.《刘心武代表作》

河南人民出版社 1992 年 6 月第二次印刷·精装本

47.[38]《蓝夜叉》[中篇小说集]

香港勤 + 缘出版社 1992 年 9 月第一版

1993 年

48.《北京下町物语》[长篇小说·《钟鼓楼》日译本]

[日本] 东京恒文社 1993 年 2 月第一版

1994 年第二版

49.[39]《为你自己高兴》[随笔集]

内蒙古人民出版社 1993 年 3 月第一版

50.[40]《杀星》[小说集]

香港勤 + 缘出版社 1993 年 6 月第一版

51.《我是你的朋友》[儿童文学·中篇小说·增订本]

希望出版社 1993 年 6 月第一版

52.[41]《四牌楼》[长篇小说]

上海文艺出版社 1993 年 6 月第一版

1994 年 4 月第二次印刷

1996 年 11 月第三次印刷

53.[42]《我是怎样的一个瓶子》[随笔集]

成都出版社 1993 年 9 月第一版

54.[43]《沉默交流》[随笔集]

中国华侨出版社 1993 年 11 月第一版

55.[44]《富心有术》[随笔集]

群众出版社 1993 年 12 月第一版

1995 年第二次印刷

56.[45]《中国当代名人随笔·刘心武卷》

陕西人民出版社 1993 年 12 月第一版

☆《刘心武文集》[1—8 卷]

华艺出版社 1993 年 12 月第一版

☆《刘心武文集·〈钟鼓楼〉〈风过耳〉》(简装本)

☆《刘心武文集·〈四牌楼〉〈无尽的长廊〉》(简装本)

华艺出版社 1997 年 5 月第一版

1994 年

57.[46]《仰望苍天》[随笔集]

知识出版社 1994 年 1 月第一版

1995 年第二次印刷

东方出版中心 1996 年 7 月第三次印刷

58.[47]《男扮女妆与女扮男妆》[随笔集]

中原农民出版社 1994 年 2 月第一版

59.[48]《相对一笑》[小小说集]

中共中央党校出版社 1994 年 2 月第一版

60.[49]《秦可卿之死》[专著]

华艺出版社 1994 年 5 月第一版

61.《四牌楼》[长篇小说]

台湾幼狮文化事业公司 1994 年 8 月第一版

62.[50]《为他人默默许愿》[散文集]

台湾幼狮文化事业公司 1994 年 10 月第一版

63.[51]《中国小说名家新作丛书·刘心武卷》

海峡文艺出版社 1994 年 11 月第一版

64.[52]《红楼梦（缩写本）》

> 接力出版社 1994 年 12 月第一版
>
> 1995 年第二次印刷
>
> 1997 年 9 月第三次印刷

1995 年

65.[53]《人生非梦总难醒》[名人日记·随笔集]

> 上海人民出版社 1995 年 1 月第一版
>
> 1995 年 3 月第二次印刷

66.[54]《仙人承露盘》[中短篇小说集]

> 华艺出版社 1995 年 3 月第一版

67.[55]《女性与城市》[杂文集]

> 中国城市出版社 1995 年 6 月第一版

68.《我是你的朋友》[增订版·"小学生成才书架" 系列之一]

> 希望出版社 1995 年 10 月第一版

69.《在胡同里转悠》[随笔集]

> 陕西人民出版社 1995 年 11 月第二次印刷

70.[56]《刘心武海外游记》

> 华文出版社 1995 年 12 月第一版

1996 年

71.[57]《刘心武小说精选》

> 太白文艺出版社 1996 年 2 月第一版

72.[58]《开发心大陆》[随笔集]

> 吉林人民出版社 1996 年 3 月第一版
>
> 1997 年 3 月第二次印刷

73.[59]《你哼的什么歌》[散文集]

> 湖南文艺出版社 1996 年 6 月第一版

74.[60]《刘心武张颐武对话录——"后世纪"的文化了望》

　　　　　　　　　　漓江出版社 1996 年 7 月第一版

75.[61]《边缘有光》[随笔集]

　　　　　　　　汉语大辞典出版社 1996 年 8 月第一版

76.[62]《刘心武怪诞小说自选集》

　　　　　　　　　　漓江出版社 1996 年 8 月第一版

　　　　　　　　　　　　有平装、精装两种

77.[63]《我是刘心武》

　　　　　　　　　　团结出版社 1996 年 9 月第一版

78.[64]《刘心武》[中国当代作家选集丛书]

　　　　　　　　人民文学出版社 1996 年 10 月第一版

79.[65]《刘心武杂文自选集》

　　　　　　　　百花文艺出版社 1996 年 11 月第一版

80.《秦可卿之死》[修订本]

　　　　　　　　　　华艺出版社 1996 年 11 月第二版

81.[66]《栖凤楼》[长篇小说]

　　　　　　　　人民文学出版社 1996 年 12 月第一版

　　　　　　　　　　1998 年 3 月第二次印刷

1997 年

82.[67]《封神演义（缩写本）》

　　　　　　　　　　接力出版社 1997 年 1 月第一版

　　　　　　　　　　1997 年 9 月第二次印刷

83.[68]《胡同串子》[中短篇小说集]

　　　　　　　　北京燕山出版社 1997 年 8 月第一版

84.《私人照相簿》

　　　　　　　　上海远东出版社 1997 年 9 月第一版

　　　　　　　　　　1998 年 2 月第二次印刷

　　　　2000 年换封面版权页称 2000 年 6 月第二次印刷

85.[69]《中国儿童文学名家作品精选丛书·刘心武作品精选》

河北少年儿童出版社 1997 年 8 月第一版

86.[70]《把嘴张圆》[随笔集]

上海远东出版社 1997 年 12 月第一版

1998 年

87.[71]《我眼中的建筑与环境》[建筑评论随笔集]

中国建筑工业出版 1998 年 5 月第一版

1999 年 5 月第二次印刷

2000 年 6 月第三次印刷

2001 年 6 月第四次印刷

88.《钟鼓楼》[茅盾文学奖获奖书系]

人民文学出版社 1998 年 3 月第一次印刷

1998 年 7 月第二次印刷

1998 年 8 月第三次印刷

1999 年 3 月第四次印刷

2000 年 1 月第五次印刷

2001 年 1 月第六次印刷

2001 年 8 月第七次印刷

2002 年 8 月第八次印刷

2003 年 1 月第九次印刷

1999 年

89.[72]《树与林同在》[非虚构长篇小说]

山东画报出版社 1999 年 3 月第一版

2006 年 7 月第二次印刷

90.[73]《八十六颗星星》(*The Eighty-Six Stars*)[儿童文学小说·汉英对照]

希望出版社 1999 年 6 月第一版

91.[74]《红楼三钗之谜》[刘心武红学探佚精品]

华艺出版社 1999 年 9 月第一版

92.[75]《蓝玫瑰》[中短篇小说集]

中国华侨出版社 1999 年 10 月第一版

93.[76]《过隧道的心情》[随笔集]

华东师范大学出版社 1999 年 12 月第一版

2000 年

94.[77]《一切都还来得及》[随笔集]

中国青年出版社 2000 年 1 月第一版

95.[78]《善的教育》[儿童文学]

辽宁少年儿童出版社 2000 年 2 月第一版

96.[79] Le Talisman (version bilingue)[《如意》中、法文对照版]

Librarie You Feng 2000 年 4 月第一版

97.[80]《作家刘心武〈班主任〉手迹》

线装书局 2000 年 5 月第一版

98.[81]《楼前白玉兰》[小小说集]

中国广播电视出版社 2000 年 7 月第一版

99.[82]《刘心武侃北京》

上海文艺出版社 2000 年 10 月第一版

100.[83]《我爱吃苦瓜》[茅盾文学奖获奖作家散文精品]

广州出版社 2000 年 10 月第一版

2002 年 10 月第二次印刷

101.[84]《了解高行健》

香港开益出版社 2000 年 12 月第一版

2001 年

102.[85]《亲近苍莽》

中国旅游出版社 2001 年 1 月第一版

103.[86]《在忧郁中升华》

文汇出版社 2001 年 2 月第一版

《刘心武谈建筑——在忧郁中升华》2007 年 8 月第二次印刷

104.[87]《人在风中》

作家出版社 2001 年 8 月第一版

105.《风过耳》

时代文艺出版社 2001 年 10 月第一版

有平装、精装两种

2002 年

106.[88]《京漂女》（自绘插图）

中国文联出版社 2002 年 1 月第一版

107.[89]《深夜月当花》

中国工人出版社 2002 年 1 月第一版

108.[90]《春梦随云散》

人民文学出版社 2002 年 4 月第一版

109.[91]《藤萝花饼》

台湾二鱼文化事业有限公司 2002 年 4 月第一版

110.[92]《刘心武自述》

大象出版社 2002 年 10 月第一版

2003 年

111.[93] L'arbre et la forêt [《树与林同在》法译本]

Bleu de Chine 2003 年 1 月第一版

112.[94]《人面鱼》

台湾联经出版事业股份有限公司 2003 年 2 月初版

113.[94] La Cendrillon Du Canal [《护城河边的灰姑娘》法译本]

Bleu de Chine 2003 年 4 月第一版

114.[95]《画梁春尽落香尘》["红学"专著]

中国广播电视出版社 2003 年 6 月第一版

2003 年 9 月第二次印刷

2004 年 1 月第三次印刷

2005 年 6 月第四次印刷

115.[96]《眼角眉梢》

新华出版社 2003 年 8 月第一版

116.[97]《钟鼓楼》[初中生语文新课标必读]

人民日报出版社 2003 年 9 月第一版

117.[98]《天梯之声》

中国青年出版社 2003 年 10 月第一版

2004 年

118.[99] Poussiêre et sueur [《尘与汗》法译本]

Bleu de Chine 2004 年 1 月第一版

119.[100] La mort de Lao SHe [《老舍之死》歌剧剧本法译本]

Bleu de Chine 2004 年 3 月第一版

120.[101] Poisson à face humaine [《人面鱼》法译本]

Bleu de Chine 2004 年 3 月第一版

121.《如意》[电影伴读中国文学文库·附电影光盘]

中国青年出版社 2004 年 1 月第一版

122.[102]《泼妇鸡丁》

台湾二鱼文化事业有限公司 2004 年 4 月第一版

123.[103]《在柳树臂弯里——刘心武随笔》

光明日报出版社 2004 年 5 月第一版

124.[104]《材质之美——刘心武城市文化酷评》

中国建材工业出版社 2004 年 5 月第一版

125.[105]《站冰——刘心武小说新作集》(自绘插图)

人民文学出版社 2004 年 6 月第一版

126.《四牌楼》

上海文艺出版社 2004 年 8 月第二版

127.[106]《大家文丛:刘心武》

古吴轩出版社 2004 年 8 月第一版

2005 年

128.《钟鼓楼》(中国文库·文学类)

人民文学出版社 2005 年 1 月第一版第一次印刷（平装）

2005 年 1 月第一版第一次印刷（精装）

129.《钟鼓楼》(茅盾文学奖获奖作品全集之一)

人民文学出版社 1985 年 11 月第一版、2005 年 1 月第一次印刷

2005 年 5 月第二次印刷

2005 年 7 月第三次印刷

2006 年 3 月第四次印刷

2008 年 4 月第七次印刷

2009 年 8 月第八次印刷

2010 年 1 月第九次印刷

2011 年 7 月第 15 次印刷

2011 年 9 月第 16 次印刷

2011 年 11 月第 17 次印刷

130.[107]《心灵体操》

时代文艺出版社 2005 年 1 月第一版

131.[108]《刘心武作文示范》

少年儿童出版社 2005 年 1 月第一版

132.[109] La Démone bleue (《蓝夜叉》法译本)

Bleu de Chine 2005 年第一版

133.[110]《红楼望月》

书海出版社 2005 年 4 月第一版

2005 年 6 月第二次印刷

2005 年 7 月第三次印刷

2005 年 8 月第四次印刷

2005 年 9 月第五次印刷

2005 年 9 月第六次印刷

134.[111]《刘心武揭秘〈红楼梦〉》

> 东方出版社 2005 年 8 月第一版
>
> 至 2005 年 19 月共十三次印刷
>
> 2005 年 11 月第二版
>
> 至 2005 年 12 月已第十八次印刷
>
> 至 2007 年 7 月已第二十八次印刷
>
> 2007 年 12 月第三十次印刷
>
> 2008 年 4 月第三十二次印刷

135.《红楼解梦——画梁春尽落香尘》

> 中国广播电视出版社 2005 年 9 月第二版第五次印刷

136.·《楼前白玉兰——刘心武最新小小说集》

> 中国广播电视出版社 2005 年 9 月第二版第二次印刷

137.[112]《刘心武揭秘〈红楼梦〉》[第二部]

> 东方出版社 2005 年 12 月第一版
>
> 至 2007 年 7 月已第十五次印刷
>
> 2007 年 12 月第十七次印刷
>
> 2008 年 4 月第十九次印刷

138.[113]《刘心武解读人世情》

> 时代文艺出版社 2005 年 12 月第一版

139.[114]《刘心武感悟平常心》

> 时代文艺出版社 2005 年 12 月第一版

2006 年

140.[115]《刘心武自选集》

> 云南人民出版社 2006 年 1 月第一版

141.[116]《刘心武点评〈红楼梦〉》

> 团结出版社 2006 年 1 月第一版

142,《刘心武精品集·第一卷·钟鼓楼》

> 东方出版社 2006 年 1 月第一版

143.《刘心武精品集·第二卷·四牌楼》

东方出版社 2006 年 1 月第一版

144.《刘心武精品集·第三卷·栖凤楼》

东方出版社 2006 年 1 月第一版

145.《刘心武精品集·第四卷·献给命运的紫罗兰》

东方出版社 2006 年 1 月第一版

146.[117]《戴敦邦绘刘心武评〈金瓶梅〉人物谱》

作家出版社 2006 年 4 月第一版

147.[118]《红楼拾珠》

云南人民出版社 2006 年 5 月第一版

148.[119]《藤萝花饼》

云南人民出版社 2006 年 5 月第一版

149.《刘心武揭秘〈红楼梦〉》[第一部]

台湾好读出版有限公司 2006 年 6 月初版

150.《刘心武揭秘〈红楼梦〉》[第二部]

台湾好读出版有限公司 2006 年 6 月初版

151.《我是刘心武》

天津人民出版社 2006 年 8 月第一版

152.[120]《刘心武揭秘古本〈红楼梦〉》

人民出版社 2006 年 12 月第一版

同月第二次印刷

2007 年

153.[121]《四棵树》

二十一世纪出版社 2007 年第一版

154.[122]《用心去游》

上海三联书店 2006 年 12 月第一版

2007 年 1 月第一次印刷

155.[123] Dés de poulet façon mégère [《泼妇鸡丁》法译本]

Bleu de Chine 2007 年 4 月第一版

156.《一切都还来得及》

中国青年出版社 2005 年 5 月第一版

157.[124]《刘心武揭秘〈红楼梦〉》[第三部·黛玉之谜及古本之秘]

东方出版社 2007 年 7 月第一版

至 2007 年 8 月已第四次印刷

2007 年 12 月第六次印刷

2008 年 3 月第七次印刷

158.[125]《刘心武说世道人心》

中国青年出版社 2007 年 7 月第一版

159.[126]《刘心武说寻美感悟》

中国青年出版社 2007 年 7 月第一版

160.[127]《刘心武说草根情怀》

中国青年出版社 2007 年 7 月第一版

161.[128]《长吻蜂》

上海人民出版社 2007 年 8 月第一版

162.《私人照相簿》

华龄出版社 2007 年 10 月第一版

163.《善的教育》

华龄出版社 2007 年 10 月第一版

164.[129]《刘心武揭秘〈红楼梦〉》[第四部·宝钗湘云之谜暨红楼心语]

东方出版社 2007 年 11 月第一版

2008 年 3 月第三次印刷

2008 年

165.[130]《健康携梦人》

中国海关出版社 2008 年 4 月第一版

166.[131]《刘心武小说》

林文史出版社 2008 年 5 月第一版

167.[132]《刘心武散文》

吉林文史出版社 2008 年 5 月第一版

2009 年

168.《钟鼓楼》(共和国作家文库)

作家出版社 2009 年 4 月第一版

169.《四牌楼》(共和国作家文库)

作家出版社 2009 年 4 月第一版

170.[133]《人在胡同第几槐》

中国文联出版社 2009 年 6 月第一版

171.《钟鼓楼》(新中国 60 年长篇小说典藏)

人民文学出版社 2009 年 7 月第一版

172.[134]《刘心武短篇小说》

现代教育出版社 2009 年 8 月第一版

173.[135]《刘心武中篇小说》

现代教育出版社 2009 年 8 月第一版

174.[136]《刘心武散文随笔》

现代教育出版社 2009 年 8 月第一版

175.《刘心武揭秘〈红楼梦〉》上卷 (共和国作家文库)

作家出版社 2009 年 8 月第一版

176.《刘心武揭秘〈红楼梦〉》下卷 (共和国作家文库)

作家出版社 2009 年 8 月第一版

2010 年

177.[137]《人情似纸》

江苏文艺出版社 2010 年 1 月第一版

178.[138]《红楼梦八十回后真故事》

江苏人民出版社 2010 年 3 月第一版

179.[139]《刘心武小说精选集》

[台湾] 新地文化艺术有限公司 2010 年 4 月第一版

180.《红楼望月》

江苏人民出版社 2010 年 6 月第一版

2010 年 9 月第二次印刷

181.[140]《命中相遇——刘心武话里有画》

上海文艺出版社 2010 年 7 月第一版

182.[141]《红楼眼神》

重庆出版社 2010 年 9 月第一版

2011 年

183.[142]《刘心武续红楼梦》

江苏人民出版社 2011 年 3 月第一版

江苏人民出版社 2011 年 4 月第 4 次印刷

184.[143]《红楼梦》(曹雪芹著刘心武续)

江苏人民出版社 2011 年 3 月第一版

185.《刘心武续红楼梦》[繁体字竖排本]

香港明报出版社有限公司 2011 年 3 月初版

186.《刘心武揭秘〈红楼梦〉》精华本（一）

江苏人民出版社 2011 年 4 月第一版

187.《刘心武揭秘〈红楼梦〉》精华本（二）

江苏人民出版社 2011 年 4 月第一版

188.《刘心武揭秘〈红楼梦〉》精华本（三）

江苏人民出版社 2011 年 4 月第一版

189.《刘心武揭秘〈红楼梦〉》精华本（四）

江苏人民出版社 2011 年 4 月第一版

190.《刘心武续红楼梦》[繁体字竖排本]

　　　　　台湾城邦文化事业股份有限公司商周出版 2011 年 4 月第一版

191.《〈红楼梦〉的真故事》

　　　　　台湾人类智库数位科技股份有限公司 2011 年 6 月第一版

192.[144]《听刘心武说房子的事儿》

　　　　　　　　中国商业出版社 2011 年 8 月第一版

193.[145]《刘心武心灵随感》

　　　　　　时代文艺出版社 2011 年 11 月第一版

2012 年

194.[146]《刘心武种四棵树》

　　　　　　　　漓江出版社 2012 年 1 月第一版

195.[147]《风雪夜归正逢时——我是刘心武》

　　　　　　　　漓江出版社 2012 年 1 月第一版

196.《献给命运的紫罗兰》

　　　　　　　　漓江出版社 2012 年 1 月第一版

197.[148]《人生有信》

　　　　　　江苏人民出版社 2012 年 3 月第一版

198.Poussiêre et sueur [《尘与汗》法译本 folio 袖珍版]

　　　　　　　　Gallimard 2012 年 8 月出版

199.La Cendrillon du canal [《护城河边的灰姑娘》法译本 folio 袖珍版]

　　　　　　　　Gallimard 2012 年 8 月出版